Schwabe, Kur

Im deutschen Diamantenlande

Deutsch-Südwestafrika (1884-1910)

Schwabe, Kurd

Im deutschen Diamantenlande

Deutsch-Südwestafrika (1884-1910)

Inktank publishing, 2018

www.inktank-publishing.com

ISBN/EAN: 9783747702284

Im deutschen Diamantenlande

Deutsch-Südwestafrika

von der Errichtung der deutschen Herrschaft bis zur Gegenwart

(1884—1910)

Von

Kurd Schwabe
Major a. D.

JW

Mit zahlreichen Abbildungen und Skizzen und einer Karte in Steindruck

—◦◦◦—

Berlin
Ernst Siegfried Mittler und Sohn
Königliche Hofbuchhandlung
Kochstraße 68—71

Meinem Vater,

Geheimen Regierungsrat H. Schwabe,

dem unermüdlichen Förderer kolonialer Verkehrspolitik,

in Liebe und Dankbarkeit

zugeeignet

Vorwort.

Die ersten 25 Jahre deutscher Herrschaft in Südwestafrika, die soeben verflossen sind, waren Jahre voll harter, mühevoller Arbeit, voll leidenschaftlichen Ringens, voll schwerer Opfer! Nur Schritt für Schritt, unter dem steten und heftigen Widerstand machtvoller Gegner vermochte die deutsche Herrschaft vorzudringen und festen Fuß zu fassen. Heute ist sie gesichert, und der gewaltige Kolonialkrieg, der in den Jahren 1904 bis 1906 um das Schutzgebiet geführt werden mußte, kann als der Schlußstein im Aufbau der deutschen Herrschaft angesehen werden. Eine glückliche Zukunft liegt vor dem Lande, das so viele Deutsche lieben gelernt haben — sofern wir das festzuhalten und auszubauen verstehen, was wir in heißen Jahren voller Sturm und Drang errungen haben. —

Soweit die Darstellung sich auf meine persönlichen Erlebnisse in Südwestafrika erstreckt, konnten die Schilderungen meinem früheren Werk „Mit Schwert und Pflug in Deutsch-Südwestafrika" entnommen werden, das sich einer beifälligen Aufnahme erfreuen durfte.

Allen denen, die mich bei der Herausgabe des Buches unterstützt haben, sage ich an dieser Stelle herzlichen Dank. Vor allem Herrn Geheimrat Prof. Dr. G. Fritsch, von dem die wertvollen Eingeborenentypen stammen, und Herrn Franz Seiner in Graz, der mir in liebenswürdigster Weise eine große Anzahl von Photographien aus den von ihm bereisten nordöstlichsten Teilen des Schutzgebiets zur Verfügung gestellt hat.

Gr. Lichterfelde, im Oktober 1909.

Der Verfasser.

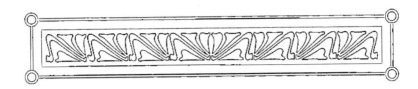

Inhaltsverzeichnis.

9

Karten.

1. Kapitel.

Südwestafrika bis zum ersten Kriege gegen Hendrik Witbooi.

Zur Geschichte Südafrikas. — Die Portugiesen und die Entdeckung Südwestafrikas. Die Völker des Landes und die Kriege der Hottentotten gegen die Herero. — Die Aufrichtung der deutschen Herrschaft. — Lüderitz, Dr. Goering und Hauptmann v. François.

> Gewaltig steigt das Ende einer Welt
> Zum Äther auf aus dunklen Meeresfluten,
> Das Haupt getaucht in Abendsonnengluten,
> Des Südens Atlas, der den Himmel hält.
>
> Vom Nebelmeer und Wolkendunst umgeben,
> Einsam von Anfang und in Ewigkeit,
> Ragt er, ein Markstein aus der Schöpfungszeit,
> Hinüber in der Menschheit junges Leben."

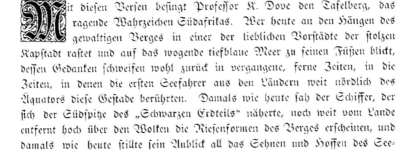

Mit diesen Versen besingt Professor K. Dove den Tafelberg, das ragende Wahrzeichen Südafrikas. Wer heute an den Hängen des gewaltigen Berges in einer der lieblichen Vorstädte der stolzen Kapstadt rastet und auf das wogende tiefblaue Meer zu seinen Füßen blickt, deffen Gedanken schweifen wohl zurück in vergangene, ferne Zeiten, in die Zeiten, in denen die ersten Seefahrer aus den Ländern weit nördlich des Äquators diese Gestade berührten. Damals wie heute sah der Schiffer, der sich der Südspitze des „Schwarzen Erdteils" näherte, noch weit vom Lande entfernt hoch über den Wolken die Riesenformen des Berges erscheinen, und damals wie heute stillte sein Anblick all das Sehnen und Hoffen des Seefahrers: „Land!"

Die Entdeckungsgeschichte Afrikas ist eng verknüpft mit der fortschreitenden Entwicklung der Völker Europas auf allen Gebieten des menschlichen Könnens: Hand in Hand mit der Vervollkommnung der Seeschiffahrt ging die Erforschung der Welt.

Mehr als zwei Jahrtausende sind heute vergangen seit jenen Zeiten, in denen den Völkern des vorchristlichen Kulturkreises, die sich um das Mittelmeer gruppierten, ihre Heimatländer zu eng wurden. Es zog sie hinaus in die unbekannte Ferne. Ein Sehnen ging durch die damals so kleine Welt, ein Sehnen, nie Gesehenes zu sehen und Unbekanntes zu erforschen, und das Verlangen, die köstlichen Schätze zu heben und die wunderbaren Völker zu besuchen, von denen — weit über den Meeren — die Fama berichtete. Mit kühnem Mut sprengten phönizische Seefahrer die Tore des Herkules, und mit geblähten Segeln gewannen ihre Gaditane den offenen Ozean. Und jene ersten „Helden des Meeres", denen die stolze Schönheit der Sonne des Südens, denen die Farbenpracht des Orients nicht unbekannt war, sie priesen die in der Folgezeit neu entdeckten Länder als reicher und schöner denn ihre Heimat. Linder und würziger wehten dort die Lüfte, üppiger sproßten edle Gewächse, blauer und erfrischender deuchte ihnen das Meer, froher und reicher die Menschen, die dort lebten. Die Westküste Afrikas und die „Glücklichen" Inseln tauchten auf aus der blauen Flut, und jede neue Entdeckung spornte zu weiterem Vordringen in die unbekannte Ferne an.

Seit jenen Zeiten erwuchs dem Menschengeschlecht die weisheitsvolle Erkenntnis, daß die Meere kein trennendes, sondern daß sie vielmehr ein verbindendes Element seien, und in diesem Bewußtsein drangen im Laufe der Jahrhunderte kühne Seefahrer immer weiter und weiter nach Süden vor.

Den Phöniziern aber, die, wie Herodot berichtet, unter Pharao Necho in den Jahren von 610 bis 596 vor Christi Geburt vom Roten Meer ausgehend Afrika umsegelten und durch die Säulen des Herkules zurückkehrten, und den Arabern, die rund 1400 Jahre später im Osten etwa bis zur Delagoabai vordrangen, folgten erst gegen Ende des 15. Jahrhunderts die Portugiesen. Das damals beginnende Zeitalter der entdeckenden Seefahrt trieb zahllose wagemutige Männer weit hinaus über die Meere. Schlag auf Schlag erfolgten neue und immer wieder neue Entdeckungen, und innerhalb weniger Jahre trat die ganze West-, Süd- und Ostküste Afrikas aus dem Dunkel hervor, das sie bisher umhüllt hatte. Im Jahre 1486 landeten als die ersten Europäer die Portugiesen Bartolomeo Diaz und Diogo Cão an den südwestlichen Küsten Afrikas. Sie nahmen das öde Land, das sich vor ihren Augen als unendliche Wüste ausdehnte, gleichwohl für Portugal in Besitz und errichteten am Kap Croß eine Marmorsäule, die später auf Befehl Sr. Majestät des Kaisers nach Berlin überführt und auf ihrem bisherigen Standorte durch eine neue ersetzt wurde. Das ehrwürdige Denkmal, das sich heute im Museum für Meereskunde in Berlin befindet, trägt unter dem Wappen Portugals die Inschrift: „Im Jahre 6685 nach Erschaffung der Welt und 1485 nach Christo ließ der erhabene und glorreiche König Don João der Zweite von Portugal dieses Land entdecken und diese Säule errichten durch seinen Ritter Diogo Cão."

1492 umsegelte dann Bartolomeo Diaz das Kap der guten Hoffnung oder wie die Portugiesen es damals nannten: „das Vorgebirge der Stürme". Kurze Zeit darauf folgte diesen ersten Entdeckern Vasco de Gama, der ebenfalls das Kap umsegelte und bis an die Küsten Natals vordrang.

Aber die Portugiesen, deren Begehren sich vor allem darauf richtete, den Seeweg nach Indien zu finden, schenkten den Ländern des westlichen und süd-

Prof. Fritsch phot.
Buschmänin des Oranje-Freistaats.

lichen Afrikas nur geringe Beachtung. Wohl wurden späterhin hier und dort Stationen angelegt und Handelsbeziehungen mit den Eingeborenen angeknüpft, aber im wesentlichen blieben all' diese Entdeckungen doch nur Etappen auf dem Wege nach dem ferneren Osten. Doch hat uns die erste Beschreibung

der Länder am Kap der guten Hoffnung ein Portugiese, Lopez, um 1591 gegeben.

Den Portugiesen folgten die Holländer, die im Jahre 1652 unter dem Gouverneur van Riebeck eine Niederlassung an der Tafelbai anlegten. Sie traten zum erstenmal in engere Beziehungen zu den Bewohnern des Kaplandes, den Hottentotten, und unter der holländischen Herrschaft wurde auch der Anfang mit einer eigentlichen Kolonisation des Landes durch Europäer gemacht. Wenn auch die Beziehungen der Holländer zu den Eingeborenen zunächst gute und friedliche waren, so zeigte es sich doch schon nach kurzer Zeit, daß der Widerstreit der Interessen einer ruhigen Entwicklung der jungen Kolonie die größten Schwierigkeiten entgegensetzte. 1659 brach der erste Eingeborenenkrieg aus, und seit jenen Tagen haben friedliche und kriegerische Zeiten in Südafrika sich dauernd abgewechselt. Schon damals zeigten sich

1*

übrigens Hottentotten und Buschmänner, die sich in den Besitz des Inneren des Landes teilten, als leidenschaftliche und nicht zu bekehrende Viehdiebe, und diese Eigenschaft vor allem gab zu immer neuen Zwistigkeiten Anlaß. Und schon damals trat eine weitere Eigenschaft der Hottentotten hervor, die sie Jahrhunderte hindurch bis in die neueste Zeit von vornherein einer starken Widerstandskraft gegen die Europäer beraubt hat: die Uneinigkeit der Stämme untereinander, die sich bereits zur Zeit der Herrschaft der Holländer in zahllosen Fehden und Bruderkriegen äußerte. Je weiter die Holländer, durch immer neuen Zuzug aus dem Mutterlande verstärkt, vordrangen, desto häufiger wurden ihre Zusammenstöße mit den Eingeborenen. Im Jahre 1684 wurden drei neue Niederlassungen, Stellenbosch, Paarl und Drakenstein gegründet, unter der Regierung des Gouverneurs Simon van der Stell, und unter demselben trat man zum erstenmal in Handelsbeziehungen zu einem schwarzen Volke weit im Innern, wahrscheinlich den Betschuanen. Immer weiter dehnte sich im folgenden Jahrhundert die Herrschaft der Holländer vom Kap nach Norden und Osten aus, immer weiter wurden in diesen Richtungen die Eingeborenen des Landes zurückgedrängt. Städte und Dörfer wurden angelegt, die ersten Weinpflanzungen geschaffen, und eine sich immer mehr verstärkende Anzahl von Farmern ließ sich in den besetzten Gebieten nieder, die man durch vorgeschobene Forts und Posten gegen die Grenzüberschreitungen und Einfälle der Eingeborenen zu sichern suchte. In diesen Jahren sehen wir auch zum erstenmal die sogenannten „Kommandos" in Tätigkeit: aus Soldaten und Farmern gemischt zusammengesetzte Truppenkörper, die bald auszogen, um die Eingeborenen für verübte Untaten zu bestrafen, bald um Arbeiter für die Farmer zusammenzutreiben, bald um neue, bisher unbekannte Landstriche zu erkunden und die Eingeborenen aus ihnen zu vertreiben. Schon kurze Zeit nach der ersten Besitzergreifung waren den Holländern auf ihren Streifzügen nach Osten hinter den von den Hottentotten besetzten Gebieten schwarze Volksstämme, Kaffern, entgegengetreten; wir sehen den Besitz Südafrikas zwischen der gelben Rasse, den Koi-Koin oder Hottentotten, und der schwarzen, den Bantukaffern, geteilt. Die frühere Geschichte dieser Volksstämme umhüllt ein undurchdringliches Dunkel. Nur so viel wissen wir, daß etwa zum Beginn der holländischen Herrschaft ein starker Vorstoß kriegerischer Bantuvölker von Norden her aus dem mittleren Afrika gegen die südlichen Küsten stattfand, und daß das Vordringen dieser Völker die Verwirrung vermehrte, die durch das Eindringen der Holländer und das durch sie verursachte Verjagen der eingeborenen Bewohner des Kaplandes nach Norden und Osten bereits entstanden war.

Aber die Holländer sollten sich nicht allzulange der Herrschaft im Süden Afrikas erfreuen. Eine empörende Mißwirtschaft ihrer Beamten hatte bereits schwere Zerwürfnisse zwischen diesen und den Ansiedlern hervorgerufen, als im Jahre 1795 das Kapland fast ohne jeden Kampf in die Hände der Engländer fiel. Im Frieden zu Amiens, 1802, wurde den Holländern zwar Südafrika wieder zurückgegeben, aber bereits 1806 verloren sie es wieder an England, und 1815 wurde die Abtretung eine endgültige.

Schon von diesem Zeitpunkte an begannen die Reibereien zwischen den englischen und holländischen Elementen, den sogenannten Buren. Die englische Regierung führte nämlich sofort ganz neue Verwaltungsgrundsätze nach englischem Kolonialrecht ein und begann die Holländer systematisch zu bedrücken. Die Verwaltung zu jenen Zeiten war schlecht und willkürlich, und bald entstand unter den Buren allgemeine Unzufriedenheit, be-

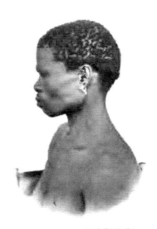

Prof. Fritsch phot.
Koranna-Hottentott.

sonders infolge der von der britischen Regierung ausgesprochenen Beschränkung der Weiderechte und der 1837 und 1839 angeordneten Freilassung der Hottentotten und Neger. Unter Piet Retief und anderen Führern wanderten nach dieser Zeit ungefähr 5000 Buren nach den Ländern jenseits des Oranjeflusses und nach dem heutigen Natal aus. Unter fort-

währenden blutigen Kämpfen mit den Kaffern setzten sich die Buren in den Besitz dieser Landstriche, aber kaum war Friede und Ruhe, so rückten die Engländer nach und forderten die Unterwerfung der neugegründeten Ansiedlungen. Doch die Mehrzahl der Buren verließ dann dieselben stets und wanderte weiter. So entstanden durch Auswanderung aus der Kapkolonie und Natal nach jahrelangen Kämpfen mit den Kafferstämmen die beiden großen Burenrepubliken, der Oranje-Freistaat und die Südafrikanische Republik, das Transvaal. Aber auch in der Kapkolonie selbst waren damals noch Kriege mit den Eingeborenen an der Tagesordnung; 1879, in dem großen Zulukriege, in dem die Engländer mehrere schwere Niederlagen erlitten, stand die Existenz der Kolonie Natal auf dem Spiel. 1880 folgten neue Kämpfe, diesmal gegen die Basuto und Ostgriqua. Die Buren verhielten sich ruhig und sahen diesen Kämpfen unbeteiligt zu, obschon sie allen Grund gehabt hätten, sich an denselben zu beteiligen, und zwar gegen England. Die kapkoloniale Regierung nämlich hatte bereits damals, um die freiheitsliebenden Buren nicht zum Genusse des von ihnen erkämpften Friedens kommen zu lassen, ein Mittel angewandt, das ihr die Verachtung aller zivilisierten Völker eintrug: sie hatte mehrfach die Kaffernstämme gegen die Buren aufgehetzt und im Kampfe gegen sie mit Waffen und Munition unterstützt. Infolge dieser Ereignisse, und nachdem Transvaal im Jahre 1877 von England „annektiert" worden war, erklärten die Buren 1880 ihre Unabhängigkeit, und der erste große Krieg zwischen ihnen und England begann. In den Gefechten und Schlachten bei Bronkers Spruit und Potschefstroom im Jahre 1880, bei Laings Nek, Schaains Hogte und Majuba-Hill im Jahre 1881 wurden die britischen Truppen von den Buren geschlagen, und endlich im Juli desselben Jahres die Unabhängigkeit Transvaals von England anerkannt, während der Oranje-Freistaat dies schon 1854 gütlich erreicht hatte.

Schwer genug mag es den Engländern geworden sein, daß ihren Ausbreitungs- und Annektierungsgelüsten hier ein energischer Widerstand entgegengesetzt wurde, und die Ereignisse in den letzten Jahren haben gezeigt, daß sie diese Gelüste nicht aufgaben. —

Während uns so eine ausführliche Geschichtschreibung zeigt, daß Südafrika schon seit Jahrhunderten dem Handel und Verkehr, der Forschung und der Einwanderung geöffnet war, blieben die Nachrichten, die wir über Südwestafrika hatten, noch bis zur Mitte des vorigen Jahrhunderts äußerst spärliche.

Als im Süden und Osten der Südspitze Afrikas schon längst europäische Kultur festen Fuß gefaßt hatte, lag unser heutiges deutsches Schutzgebiet noch in tiefer Weltabgeschiedenheit da. Auch an seinen Küsten waren, wie wir gesehen haben, zwar kühne Seefahrer gelandet, aber weder die ersten noch die späteren Umsegler des Kaps der guten Hoffnung hatten die unwirtlichen Sandküsten zu weiterem Eindringen zu reizen vermocht.

Die ersten Nachrichten, die aus diesen Landstrichen in die Öffentlichkeit drangen, waren so wunderbare, daß sie einigermaßen an die fabelhaften Erzählungen erinnern, welche die alten Phönizier heimbrachten, wenn sie ausgezogen waren, um ferne Länder zu entdecken und neue Handelsbeziehungen anzuknüpfen. Fragen wir uns nach der Ursache dieser späten Erforschung, fragen wir uns, wie es möglich war, daß dieses Land unbekannt jahrhundertelang zwischen zwei anderen, dem europäischen Einflusse schon vollständig erschlossenen Gebieten, Angola und der Kapkolonie, liegen bleiben

konnte, so gibt uns die Karte Aufschluß hierüber: Wie schon oben an-
gedeutet, scheidet im Westen ein mächtiger, wasser- und vegetationsloser
Dünen- und Wüstengürtel das fruchtbare Hinterland von der Meeresküste,
und ebenso wird dasselbe im Osten durch die meist wasserlose Kalahariſteppe
und einen Binnenland-Dünengürtel von dem öſtlichen Britiſch-Betſchuana-
land getrennt.

So war also ein Zugang sowohl vom Meere wie auch vom Binnenlande aus beschwerlich und nicht leicht zu finden. Tief im Süden, dort
wo der Oranjefluß die brausenden Wasser durch die Klüfte und Schründe
seines tief eingerissenen Felsbettes dem Atlantik zuwälzt, und hoch im Norden,
wo der Kunene schnell durch das flache Land dahinfließend dem Meere zueilt, liegen die engen Einfallstore in unser heutiges Schutzgebiet.

Ursprünglich bevölkerten nur die Buschmänner, jenes rätselhafte Glied
der afrikanischen Urrasse, und das Negervolk der Haukoin, die Bergdamara,
das Land, unſtet die unendlichen, wildreichen Grassteppen und Bergwildnisse
durchstreifend und an den weit auseinanderliegenden Wasserstellen rastend
und ihre Buschhütten bauend. Am Ende des 18. Jahrhunderts aber veränderte sich das Bild.

Durch das nördliche Tor zwischen Kunene und Okavango brach, durch
uns unbekannte Einflüsse hinausgedrängt aus seinen ursprünglichen nörd-
licheren Wohnsitzen, die Phalanx eines mächtigen Bantuvolkes in das Land
ein. Einer gewaltigen Flutwelle gleich überschwemmten die Ovaherero, begleitet von ungeheueren Rinderherden, die Landschaften des heutigen Damaralandes bis hinunter zu den lieblichen Ufern des Swakopflusses. Was sich
ihrem Vordringen in den Weg stellte, wurde vernichtet oder zu Sklaven gemacht. Der Rest der Buschmänner und Bergdamara floh in die unzugänglichsten Örtlichkeiten und führte dort das Leben des gehetzten Wildes. Die
unersättliche Ländergier der Herero aber, ein Merkmal, das sich bis in die
neueste Zeit bei ihnen geltend gemacht hat, veranlaßte sie, immer weiter
nach Süden vorzustoßen. Hier jedoch fanden sie energischen Widerstand.
Südlich des Auasgebirges nämlich, um Rehoboth und weiterhin im Stromgebiete des Auob und Nosob bis hinunter zum Oranjeflusse saßen zu Anfang des 19. Jahrhunderts bereits Stämme der Koi-Koin, der Nama,
oder wie wir sie heute meist nennen: der Hottentotten. Unter ihnen ragte
an Macht und Ansehen die „Rote Nation" hervor, deren Häuptling Oasib
weithin über den Süden herrschte. In der allgemeinen Linie des Swakop
erfolgten die ersten wütenden Zusammenstöße zwischen den Hirten der Herero

und den Jägern der Naman. Die schwarze und gelbe Rasse begannen den gewaltigen Kampf, der fast ein volles Jahrhundert erfüllte.

Oasib übernahm die Führung der Hottentotten, aber er mußte bald einsehen, daß seine Macht der der Herero nicht gewachsen war. In dieser Stunde der Not gedachte er der Teile seiner Nation, die damals noch jenseits des Oranjeflusses hausten, der Orlam, deren Vorposten aber schon am Großflusse selbst standen. Sein Ruf nach Hilfe fand bei diesen williges Gehör.

Die Wohnsitze der kriegerischen „Orlam"-Stämme der Naman hatten ursprünglich weit südlicher gelegen in den fetten Weidegründen der Kap-kolonie, aber durch die immer mehr wachsende Einwanderung von Weißen wurden sie in jahrzehntelangen und blutigen Kämpfen immer weiter und weiter nach Norden in das wüste Buschmann- und Klein-Namaland ver-drängt. Längst schon war ihnen der Gebrauch des Gewehrs und die Art und Weise europäischer Kriegführung bekannt und geläufig, und längst schon hatten sie voll Begier auf die Landschaften nördlich des Oranjeflusses gesehen, in denen ihnen eine neue, glücklichere Heimat zu winken schien.

F. Seiner phot.

Uferlandschaft am Okavango bei Tschukuru.

Okavango, Blick vom hohen Waldrand auf die Sumpfflächen des Ärmellandes.

Jetzt rüttelte Oasibs Ruf sie auf aus ihrem stumpfen Zaudern und rief sie zu neuen Taten.

Ein gewaltiger Heerbann überschritt die buschigen Ufer des Grenzflusses. Die Führung riß die Häuptlingsfamilie und der Stamm der Afrikaner an sich, und ihnen folgten neben anderen, heute fast vergessenen Stämmen die Witbooi und die Teile der Nation, die wir heute als die Orlam von Bethanien und Berseba kennen.

Seinem weithin über die Grenzen der damaligen Kapkolonie hinaus gefürchteten Vater Jager war Jonker Afrikaner in der Herrschaft gefolgt, wohl der größte Eingeborene, den Südafrika je hervorgebracht hat, ein rastloser Mann von großen Gaben des Geistes und Körpers, ein Krieger vom Scheitel bis zur Sohle, ein kluger Staatsmann und ein Träumer zugleich, dem die Verwirklichung eines großen Nationalreichs der Nama vorschwebte.

Er unterwarf das ganze Land von den Ufern des Oranje bis hinauf zu dem großen Salzsee, der Etosapfanne, nicht allein Bergdamara und Buschleute, die auf der niedrigsten Kulturstufe stehenden Ureinwohner, sondern auch die Herero. Das Feuerrohr in der Hand des Hottentotten

brach den Mut des mit Speer und Keule anstürmenden Kaffern, und erst
viele Jahrzehnte später, nachdem weiße Händler auch den Herero den Hinter=
lader im Tausch für ihre Rinder in die Hände gespielt hatten, schlug am
15. Juni 1863 in dem mörderischen Treffen bei Otjimbingwe der Tag der
Freiheit für das braune Kaffernvolk.

Immer wilder und roher waren inzwischen die Naman in ihrem
Nomadendasein geworden. Zwar riefen sie selbst die ersten Missionare der
Rheinischen Missionsgesellschaft in ihr Land, denn sie waren zum Teil bereits
Christen, als sie aus der Kapkolonie einwanderten, und sie hatten durch den
Verkehr mit den weißen Kolonisten auch einige europäische Sitten und Ge=
bräuche angenommen, aber das zügellose Kriegsleben nahm sie ganz in An=
spruch. Ihr Sinnen stand nur darauf, den Herero möglichst viele Rinder
zu rauben, um Waffen und Munition, Pferde, Branntwein und europäische
Kleider dafür einzuhandeln. Ihre Frauen und Mädchen, so erzählen uns
die Berichte Reisender, gingen damals in Samt und Seide einher.

Unter den Orlam-Stämmen trat neben den Afrikanern schon früh ein
zweiter hervor, der, geführt von dem Häuptling Moses Witbooi, die
Landschaften bei Gibeon besetzte und in den Rassenkampf eingriff. Auch die
Bastarde wurden Bundesgenossen der Naman. Aber die schlimmste Zeit
blutiger Kriegs= und Raubzüge begann für das Damaraland erst, als den
Naman ein neuer Streiter in der Person des Häuptlings Hendrik, eines
Sohnes des alten Moses Witbooi, erwuchs. Dieser und Jan Jonker, der
in den unwirtlichen Schluchten des Gansberges hauste, fielen mordend
und brennend, sengend und plündernd über Feinde und Bundesgenossen
her. Jahrzehntelang sollten sie ganz Südwestafrika in Aufregung und
Unruhe erhalten.

Furchtbarer Haß gegen die Damara beseelte sie, und vor allen war es
Hendrik, der begeistert den nationalen, ja man kann sagen den „heiligen"
Krieg gegen die Kaffern predigte. Auf die Ermahnungen seines Missionars,
der wiederholt versuchte, ihn zum Friedensschlusse zu bewegen, erklärte er,
daß Gott selbst ihm den Krieg geboten, ihm Gelingen verheißen und ein
Zeichen am Himmel gegeben habe.

So zog er denn hinaus zum Streite, immer wieder und wieder seinem
„leuchtenden Sterne" nach, und die ununterbrochenen Raubzüge und Angriffe
auf die Herero dauerten mit wechselndem Kriegsglück bis zum Jahre 1892
fort. Viele der gelbhäutigen Krieger starben und verdarben in diesen wilden
Zeiten, aber die Überlebenden waren stahlharte Soldaten. —

Einzelne Jäger, Händler und Miſſionare waren die erſten Europäer, die um die Mitte des verfloſſenen Jahrhunderts in das Land zogen. Das waren für die Eingeborenen noch glückliche Zeiten, als der Wildreichtum des Landes Jäger aus aller Herren Länder herbeilockte, als Elfenbein, Straußenfedern, Felle, Gehörne u. a. m. in Maſſe exportiert wurden. Die älteſten Bewohner der Walfiſchbai, dieſes zuerſt entdeckten und ehemals bedeutendſten Hafens Südweſtafrikas, wiſſen ſich noch gut der Jahre zu erinnern, in denen die Elefantenzähne, in langen Reihen am Meeresſtrande aufgeſtapelt, der Verladung harrten.

Damals, es war in den Jahren um 1865, reſidierten einige der Jäger wie Fürſten im Lande und hatten nicht geringen Einfluß auf die politiſchen Ereigniſſe. So die beiden „großen" Jäger, wie ſie noch heute im Volksmunde genannt werden, der Schwede Anderſſon und der Engländer Green, die im Jahre 1863 die Herero in der Befreiungsſchlacht führten. In jenen Zeiten wurde von den Eingeborenen, von denen oft Hunderte im Dienſt eines Jägers ſtanden, Geld leicht verdient, und umherziehende Händler ſorgten dafür, daß dasſelbe ſchnell für Waffen und Munition, Pferde, Branntwein und prächtige Kleider wieder ausgegeben wurde. Aber bald änderte ſich die Sachlage! Durch die fortwährenden Jagdzüge, auf denen in wilder Habgier alles zuſammengeſchoſſen wurde, was vor den Lauf kam, wurde der Wildbeſtand des Landes an afrikaniſchem Großwild faſt vernichtet und das, was übrig blieb, weit nach Norden und Oſten verdrängt. Wie ſinnlos und unvernünftig gejagt wurde, geht aus den Berichten einer Jagdgeſellſchaft hervor, nach welchem an einem Nachmittage 120 in einen Sumpf gedrängte und dort umzingelte Elefanten ohne Anſehen des Alters und Geſchlechts gemordet wurden.

Die Unſicherheit im Lande war inzwiſchen durch die fortwährenden Kriege eine große geworden, aber als im Jahre 1870 die ſchwarze und gelbe Raſſe zu Otahandja Frieden geſchloſſen hatten, ſollte noch einmal eine, wenn auch kurze Blütezeit für Südweſtafrika erſtehen.

Zu dieſer Zeit erſt, in den Jahren nach 1870, trat Südweſtafrika zum erſtenmal in engeren Verkehr mit den ſüdafrikaniſchen Staaten. Im Jahre 1872 nämlich war in Südafrika, im heutigen Griqualand-Weſt, die Stadt Kimberley gegründet worden, und die eben entdeckten Diamantenfelder zogen Tauſende von Abenteuern, Glücksrittern und Geſchäftsleuten dorthin. Der Bedarf und die Nachfrage nach friſchem Fleiſch ſtiegen infolge der großen Menſchenanſammlungen in wenigen Monaten ungeheuer, und bald entwickelte sich zwischen Kimberley und dem viehreichen Damaraland ein lebhafter Verkehr. Händler zogen von allen Seiten herbei und tauschten, hauptsächlich für Gewehre, Munition und Branntwein, Rinder ein. Hier waren glänzende Geschäfte zu machen, erhielt doch mancher Händler in dieser Zeit 20, 30 und mehr Rinder für ein gutes Gewehr. Munition wurde in solcher Menge eingeführt, daß einzelne reiche Häuptlinge sich große Munitionslagerhäuser anlegen konnten.

Und hatten die Händler dann nach langem Umherziehen im Damaraland die mitgeführten Waren ausverkauft und eine große, oft mehrere tausend Stück betragende Herde Rinder eingehandelt, so zogen sie mit dieser zurück nach Süden und verkauften das Vieh mit enormem Gewinn auf den Diamantenfeldern. Aber auch nach der nördlichen Kapkolonie und dem Transvaal richtete sich dieser Export lebenden Viehs.

Allerdings war der Weg von Damaraland aus ein weiter und beschwerlicher. Man mußte die wasserlose Kalaharisteppe umgehen und so entweder westlich derselben über den Oranjefluß ziehen oder über den Ngamisee östlich ausbiegen. Meist wählten die Händler den letztgenannten Weg. Zwar hatten, wie erwähnt, im Jahre 1870 die gelbe und schwarze Rasse, die Hottentotten und Herero, Frieden geschlossen, und dieser dauerte volle 10 Jahre, aber einerseits war den Naman nie recht zu trauen, und anderseits war die Ngamiroute für die nach Kimberley bestimmten Transporte — und hierher gingen die meisten — die gebotene. Wenn nun auch auf diesen Zügen durch Wüsten und Steppen die Verluste durch Durst und räuberische Eingeborene oft große waren, so gewährten doch die Preise, die für Rinder am Ziel gezahlt wurden, damals noch einen sehr bedeutenden Gewinn. Mit einem Wort: das Geschäft zahlte, und das war und ist heute noch die Hauptsache.

Aber auch dieser Verkehr, der ungeheure Herden aus den weiten Steppenländern des Damaralandes hinunter in die Minengebiete Südafrikas führte, sollte nicht von langer Dauer sein. In den Ländern am Oberlauf des Oranjeflusses wurde fieberhaft gearbeitet. Hier und dort wurden neue Gold- und Diamantenfelder entdeckt, man begann mit dem Bau von Straßen und Eisenbahnen, Ansiedler wurden in Masse herangezogen, die Eingeborenen immer weiter zurückgedrängt und für sie Reservationen geschaffen. So wurden große und viehreiche Landstriche erschlossen und in den Verkehr neu hereingezogen, die infolge größerer Nähe und besserer Verbindungen schneller und billiger zu liefern vermochten als das zwar ebenfalls viehreiche, aber weit entfernte Damaraland.

Auch kam noch ein anderes Moment hinzu, das den Handel in Südwestafrika erschwerte: Der alte Rassenhaß regte sich Ende der achtziger Jahre
wieder, das Feuer glomm unter der Asche fort. Da wandten sich Missionare
und Händler an die Regierung der Kapkolonie und baten diese, durch Annek-
tierung und energische Maßregeln dem unglückseligen Lande Ruhe und Frieden
zu geben. Bald darauf erschien denn auch ein Bevollmächtigter der kapländischen Regierung, Mr. Palgrave, der mit den Nama- und Hererokapitänen
Schutzverträge schließen sollte. Da, gerade als dieser eine Anzahl Häuptlinge
um sich versammelt hatte und mit ihnen sich beriet, brach der Krieg im Jahre
1880 wieder aus, dessen Beginn Missionsinspektor v. Rohden in seiner „Geschichte der Rheinischen Missionsgesellschaft" schildert: „Die erste Herero-
station, welche von den Naman, die von Süden her über die Grenze drangen,
angegriffen und zerstört wurde, war Otjiseva. Die Gemeinde war dort bis
auf 165 Seelen gewachsen mit 73 Kommunikanten. Der Bau einer neuen
Kirche war begonnen, Gemeindeälteste waren eingesetzt, und die Station
erfreute sich eines sichtlichen Gedeihens. Da kam am 22. August 1880 ein
Reiter auf die Station, welcher meldete, daß ein Trupp feindlicher Naman
im Anrücken gegen Otjiseva sei. Sofort machten sich die Herero auf, ihnen
entgegen, trafen zuerst auf eine Namawerft, deren Männer zu dem feindlichen Trupp zu gehören schienen, und schossen alles nieder, leider auch
Weiber und Kinder. Darüber erbittert, setzten die Naman den umkehrenden
Herero nach, machten den größten Teil nieder und raubten alles Vieh, was
in der Nähe stand, an 1200 Ochsen. Jetzt entstand auf Otjiseva eine große
Verwirrung. Der Kirchbau blieb liegen, alles eilte der Grenze zu, um an
den Naman Rache zu nehmen und das Vieh wieder zu gewinnen. Fr. Eich,
der Missionar, eilte seinem bedrängten Kollegen Missionar Schröder nach
Windhuk zu Hilfe und holte ihn nach Otjiseva, während Plünderer und
Brandstifter auf Windhuk schon anfingen, ihr Werk zu treiben. Schröder
flüchtete weiter nach Walfischbai, Eich aber eilte nach Okahandja, dem Sitz
des Oberhäuptlings Maharero, wo er schon andere Missionare versammelt
fand. Hier war bereits die greuliche Schlächterei geschehen, ohne daß die
Missionare und die christlichen Gemeindemitglieder sie hätten hindern können.
Als Maharero die Nachricht bekam, daß alle seine besten und größten
Ochsen, gleichsam die Garde unter seinem Ochsenheer, von den Naman ge-
fangen und geschlachtet seien, da kannte die Wut des Heiden keine Grenzen.
Zur Vergeltung befahl er, augenblicklich alle Naman, die sich innerhalb der
Damaragrenze fanden, zu töten, und so wurden wohl an 200 Naman, die in

der Nähe von Okahandja zerstreut wohnten oder hantierten, gleich in der Nacht und den nächsten beiden Tagen abgeschlachtet." Den ganzen Lauf des Swakop entlang, wird dann weiter erzählt, bis östlich in das Sandfeld, in die „Omaheke", hinein habe sich das Morden fortgepflanzt. Dann befahl Maharero, die südlich vorgeschobenen Posten, auch Otjiseva, zu räumen, und zog seine ganze Macht in Okahandja zusammen. Ein entsetzliches Morden und Zerfleischen begann nun von beiden Seiten, Schlacht auf Schlacht folgte, und Ströme von Blut flossen. Palgrave entging mit Mühe dem Tode und floh zur Küste, von wo er nach Kapstadt zurückkehrte. So endete der einzige direkte Versuch von englischer Seite, sich in den Besitz des Landes zu setzen. Daß er nicht sofort wiederholt wurde, ist um so merkwürdiger, als durch den oben geschilderten Handelsverkehr der Viehreichtum und Wert des Landes den Briten bekannt war. Wahrscheinlich aber haben sie beabsichtigt, Süd= westafrika später zu annektieren, doch es sollte ihnen ein anderer zuvorkommen: Wie eine Bombe schlug im Jahre 1884 die Depesche des Fürsten Bismarck in die englische Welt, daß Deutschland nicht allein die Erwerbungen des Bremer Kaufmanns Lüderitz, sondern das ganze Land vom Oranje= bis zum Kuneneflusse unter seinen Schutz gestellt habe. Man wollte es in England und im englischen Südafrika nicht glauben, man wütete und drohte, aber Deutschland blieb fest. Der Keil war eingetrieben, ein Riegel der englischen Ausdehnungspolitik wenigstens nach dieser Seite hin vorgeschoben worden, und Deutsche, Holländer und Buren triumphierten. Aber Cecil Rhodes, der große Kolonialpolitiker und Mehrer britischer Macht in Südafrika, gab die Hoffnung nicht auf. Er hätte nicht der Mann sein müssen, dem jedes Mittel zur Erreichung seiner Pläne recht war, hätte er damals schon ver= zagen wollen. Er hat das auch offen ausgesprochen und gesagt: „Laßt nur diese Deutschen. Sie verstehen nichts vom Kolonisieren, werden alles falsch anfangen, dann der Sache überdrüssig werden, und das Land, das uns ge= bührt, wird uns später doch noch zufallen". Und fast schien es zu Anfang deutscher Arbeit in Südwestafrika so, als sollte Rhodes recht behalten.

Als nämlich im Jahre 1884 das Land vom Oranje= bis zum Kunene= flusse unter den Schutz des Deutschen Reiches gestellt und ein kaiserlicher Kommissar, Dr. Goering, hinausgesandt worden war, richtete dieser sofort sein Augenmerk auf die Beilegung der zwischen Naman und Herero währenden Wirren. Das Deutsche Reich war in die Reihe der Kolonialmächte ein= getreten und mußte in seiner ersten Kolonie vor allem für den Frieden sorgen, der für eine gedeihliche Entwicklung des Landes unumgänglich notwendig war.

Sein Vorhaben auszuführen, gelang dem Reichskommissar jedoch nicht und konnte ihm nicht gelingen, da er keine Machtmittel besaß, denn die Schutz=truppe, welche die Kolonialgesellschaft für Südwestafrika aus wenigen Euro=

päern und angeworbenen Eingeborenen zu bilden ver=suchte, versagte vollständig. So konnte es dazu kommen, daß englische Agenten unter Führung eines gewissen Lewis die Herero derartig aufhetzten, daß Dr. Goering im Jahre 1888 unter Lebens=gefahr gezwungen wurde, mit seinen Beamten das Land zu verlassen. Auf die Kunde von diesen Vor=gängen wurde dann 1889 die erste deutsche Schutz=truppe unter dem Haupt=mann und dem Premier=leutnant v. François nach Südwestafrika entsandt. Diese sollte sich zwar, wenn irgend möglich, nicht in krie=gerische Verwicklungen ein=lassen, aber mit aller Energie das Ansehen der Deutschen wiederherstellen, die Be=amten wiedereinsetzen und vor allem die Einfuhr von

Feldherero.

Waffen und Munition hindern. Lewis, dessen Verhaftung beschlossen war, entfloh nach Kapstadt, und die Schutztruppe setzte sich zunächst in Tsaobis, dem Kreuzungspunkt der bedeutendsten Straßen des Hererolandes, fest.

Im Schutzgebiet wurden damals sofort die Verbote erlassen, Waffen, Munition und geistige Getränke ohne besondere Erlaubnis der Landesregierung einzuführen und mit diesen Dingen Handel zu treiben. Es waren das Maß=regeln, die für die Ruhe und den Frieden im Lande überaus notwendig, ja

unerläßlich waren, anderseits aber den Ausfuhrhandel des Schutzgebietes vollständig lahm legten und die Eingeborenen außerordentlich erbitterten. Trotz
der Kriegswirren nämlich und trotzdem, wie ich bereits anführte, die Ausfuhr
lebenden Viehs aus Damaraland nach den Ländern am Oranjeflusse weniger
rentabel geworden war, hatte sie noch immer, wenn auch in viel geringerem
Maße als früher, fortgedauert. Als jedoch nun durch die Verbote der Regierung den Händlern der Verkauf von Waffen und Munition untersagt worden
war, zogen sich die Herero, die sich bei etwa eintretendem Munitionsmangel in
ihrer Existenz gegenüber den Deutschen und Naman bedroht sahen, erbost und
grollend zurück und erklärten, keine Rinder mehr verkaufen zu wollen. Daß sich
sofort an den Grenzen, besonders im Osten und Süden, ein lebhafter Schmuggel
entwickelte, konnte damals nicht gehindert werden, aber die großen Händler
hielten sich zurück, und der Ausfuhrhandel lag Jahre hindurch fast ganz danieder.

Inzwischen war aber der Hauptmann v. François nicht müßig gewesen.
Zwar hatte auch er nicht durchsetzen können, daß zwischen Herero und Naman
Friede geschlossen wurde, sondern trotz seiner vielfachen Mahnungen tobte
der Krieg, dem die deutsche Schutztruppe ihrer Instruktion gemäß mit „Gewehr bei Fuß" zusah, weiter, aber er erreichte es, daß die Truppe von 21
auf 50 Reiter verstärkt wurde. Mit dem Hauptteil dieser zog er im Oktober
1890 nach Windhuk und gründete hier, mitten zwischen den kriegführenden
Parteien, einen neuen festen Stützpunkt für die deutsche Herrschaft, um den
sich in den folgenden Jahren die ersten deutschen Einwanderer sammeln konnten.

Da trat im Jahre 1892 ein Ereignis ein, das wohl niemand vorausgesehen hatte: Hendrik Witbooi, der berühmte Führer der Naman, machte,
anscheinend des langen Haders müde, Annäherungsversuche an die Herero
und schloß mit ihnen durch Vermittlung des Bastardkapitäns Hermanus
van Wijk zu Rehoboth Frieden. Die wiederholten Mahnungen des Hauptmanns v. François, die Kriegszüge gegen die Herero einzustellen, schien er
sonach befolgt zu haben, nicht aber die, die deutsche Schutzherrschaft anzu-
erkennen; davon wollte der stolze Namab nichts wissen. Aber François
erkannte, daß es mit dem Friedenschlusse eine eigene Bewandtnis habe, und
daß die alten Gegner jetzt gemeinsame Sache gegen die Deutschen machen
wollten. Dementsprechend berichtete er nach der Heimat, und auf diese Meldung hin landete im März 1893 eine Truppe in der Stärke von 1 Offizier,
1 Sanitätsoffizier und 212 Unteroffizieren und Reitern in der Walfischbai.

Hier beginnen meine persönlichen Erinnerungen.

—— o⊙o ——

2. Kapitel.

Von Walfischbai nach Windhuk.

Es war am 16. März 1893 in aller Morgenfrühe. Mit scharfem Kiel durchschnitt der „Karl Woermann" die hohe Dünung des Atlantischen Ozeans. Feucht-kalter, undurchsichtiger Nebel lag über den Wassern, aber obwohl uns alle, die wir eben südwärts-eilend die Tropen durchfahren hatten, fröstelte, herrschte schon zu ungewöhnlich früher Stunde an Bord reges Leben. Sollten wir doch heute nach langer, vierwöchiger Seereise Südwest-afrika, unsere neue Heimat für Jahre hinaus, erreichen. Die Brücken und Decke des Dampfers wimmelten von Menschen, die durch den Nebel hinüber-spähten nach Osten, nach dem Lande unserer Sehnsucht.

Wie weit lag die Zeit schon zurück, da wir das stolze Hamburg ver-lassen hatten und die Elbe hinabgedampft waren, und wie fremd, wie un-bekannt und doch verheißungsvoll lag unsere neue Heimat vor uns! Es war wenig, was wir über sie erfahren hatten. Wohl wußten wir, daß dort die Hottentotten und die Herero sich Jahrzehnte hindurch bekämpft und zerfleischt, wohl auch, daß sie vor kurzem Frieden geschlossen hatten und sich nun ge-meinschaftlich gegen die Deutschen wenden zu wollen schienen; das war aber auch alles! Wie mochte es jetzt im Lande aussehen? War etwa schon der Hauptmann v. François, der mit einer kleinen Truppe von 50 deutschen Soldaten dort draußen die Wacht hielt, von den vereinigten Eingeborenen angegriffen worden? Konnte seine kleine Macht nicht schon dem Ansturm erlegen sein? Das waren die Fragen, die wohl jeden von uns beschäftigten, denn wir wußten: Wir waren die Hilfe, die Hauptmann v. François aus der Heimat erbeten hatte. Schon in Berlin war uns gesagt worden, daß der trotzige Namafürst Hendrik Witbooi nach dem Friedensschlusse mit den Herero stolzer denn je sein Haupt erhöbe und die deutsche Schutzherrschaft

nicht anerkennen wolle. So hofften wir denn alle, daß wir sofort hinausziehen könnten zu Kampf und Sieg.

Und allmählich hob sich der Nebel, und ein donnerndes Hurra grüßte
die Küste, die immer deutlicher und deutlicher vor uns im Sonnenglanze
erschien. Bald konnten wir den gelben, glitzernden Sandstrand erkennen, den
die Brandung wie mit einem weißen Saume umgab, hinter ihm ein Meer
von Sanddünen und darüber flimmernde Luft von der unbestimmten Farbe,
die den Wüstenlandschaften jener Breiten eigentümlich ist.

Und nun tauchten eine Reihe niedriger Häuser und der Turm eines
Kirchleins auf — wir fuhren in die Walfischbai ein. Vorbei ging es an
einer langgestreckten Landzunge, die eine Bake trug, in das weite Becken
dieses natürlichen Hafens. Einige hundert Meter vor den Häusern rasselte
der Anker in die Tiefe.

Alle sahen wir ohne Unterlaß hinüber nach dem Lande und nach einem
Ruderboote, das sich uns rasch näherte, und wohl mancher, der die tropische
Pracht der Küsten Liberias staunend bewundert hatte, war enttäuscht von
der Eintönigkeit der Landschaft, die hier vor uns lag. Sand, Sand und
nochmals gelber Sand, kein Baum, kein Strauch war zu sehen.

Jetzt war das Boot längsseit des Dampfers. Ein Offizier in unserer
Uniform saß darin. Assistenzarzt Dr. Richter und ich riefen ihm unsere
Namen zu. Er antwortete: „Premierleutnant v. François. Wieviel Mann
haben Sie an Bord?" — „2 Offiziere, 212 Reiter!" Der Offizier, ein
Bruder des Reichskommissars Hauptmanns v. François, klomm die Bord-
wand hinauf und stand unter uns. Auf unsere Fragen, ob Krieg sei, ent-
gegnete er: „Nein, tiefer Friede!" Dann gab er seiner Freude über die
Stärke unseres Truppentransports Ausdruck, und wir erfuhren, daß man in
Südwestafrika auf höchstens 80 bis 90 Mann gerechnet hatte.

In den nächsten Tagen hatten wir alle Hände voll mit dem Löschen
der Ladung zu tun. Da waren große Mengen Proviant, Munition, Waffen,
Sattelzeug, Baumaterialien und anderes mehr, das gelandet und verpackt
werden mußte.

Die Niederlassung besteht aus nicht ganz 20, ausnahmslos aus Holz
aufgeführten Gebäuden, von denen ungefähr acht Wohnhäuser, die übrigen
Lagerschuppen sind, und liegt höchstens 50 m von dem stillen Wasser der
gut geschützten inneren Bucht auf flachem Sandstrande.

Wir Neuangekommenen beeilten uns, auch die nähere Umgebung der
Walfischbai kennen zu lernen, doch da war wenig zu sehen. Nach Osten zu

— landeinwärts — hemmen auf 2500 m hohe Sanddünen, hinter denen das Dorf Sandfontein versteckt liegt, den Ausblick. Hier hausen in niederen Hütten und Häuschen die armseligen und verkommenen Topnaarhottentotten, der einzige Eingeborenenstamm des englischen Walfischbai-Gebiets. Vom Fischfang und der Arbeit bei dem Löschen der ankommenden Schiffe sich nährend, führt dieses Völkchen ein wenig beneidenswertes Dasein.

Sandfontein liegt im Bette des Kuisebflusses, der aber nur überaus selten fließt und mit seinen Wassern das Meer erreicht. Damals jedoch nach der außergewöhnlich guten Regenzeit 1892/93 — mündete er in verschiedenen kleinen Rinnsalen in die Walfischbai. Für die Niederlassung an der Bucht, die, obwohl englisches Gebiet, zu jener Zeit noch der bedeutendste Hafen für unser Schutzgebiet war, bedeutete das Fließen, oder südafrikanisch gesagt „das Abkommen" des Kuiseb einen großen Vorteil. Während in früheren Jahren das Wasser, das aus den im Flußbett gegrabenen Löchern bei Sandfontein geschöpft und in Tonnen von Pferden oder Eseln nach Walfischbai gezogen wurde, so brackig und salzig war, daß es die Europäer nur als Waschwasser benutzten, Trinkwasser aber sich mit dem alle fünf Wochen anlaufenden Dampfer „Nautilus" aus Kapstadt kommen ließen, wurde das Flußwasser jetzt süßer und besser, so daß es in den folgenden Jahren auch von Europäern getrunken werden konnte. Die meisten der großen periodischen Flüsse nämlich, die nur in und kurz nach der Regenzeit oberirdisch fließen, führen das ganze Jahr hindurch unter der oberen, trockenen Sandschicht Wasser.

Wir sehnten uns fort und hofften auf einen möglichst baldigen Abmarsch. Aber hier hieß es gleich, Geduld lernen, denn die Ochsen für die 14 Wagen, die uns begleiten sollten, weideten, während Premierleutnant v. François auf unser Schiff wartete, weitab im Graslande, da in der Nähe des Meeres kein Hälmchen wächst. So wurde es, da die Zugtiere erst geholt werden mußten, der 19., ehe wir abrücken konnten. Dann marschierten wir längs des Meeresstrandes zunächst nach Swakopmund, der ersten deutschen Station, während die Wagenkolonne ostwärts direkt in das Innere fuhr, um sich später mit uns wieder zu vereinigen. Uns begleitete nur eine leichte Ochsenkarre.

Da es die Zeit der „Pferdesterbe", einer alljährlich während der Regenzeit auftretenden verderblichen Seuche, war, so mußten unsere Reiter den Weg bis Windhuk, der „Hauptstadt", zu Fuß zurücklegen, ganz abgesehen davon, daß die Schutztruppe bei ihrem bisherigen Stande von 50 Reitern überhaupt nicht über 200 Pferde verfügte.

2*

Der erste Marsch war für unsere Leute ein furchtbar mühevoller und anstrengender, was besonders daran lag, daß die Unmöglichkeit, sich auf dem Schiffe Bewegung zu machen, und dann die ungewohnte Hitze in den Tropen den Körper erschlafft hatten.

Spät am Abend langten die ersten von uns an der Mündung des Swakopflusses an; tief in der Nacht die letzten, denen wir Wasser, das die dort als Brandungsbootsbesatzung stationierten Kruneger trugen oder in kleinen Fässern zogen, entgegenschickten.

Der alte Baiweg bis Otjimbingwe.

Im Bett des Swakop sahen wir das erste Grün, wilden Tabak und Rizinus in Strauchform und viel grünes Queckgras, ein, wenn auch schlechtes Futtermittel für Pferde und Vieh. Hier hören auch, jäh in den Fluß abstürzend, die Dünen auf, und die nördliche, deutsche Seite desselben zeigt eine sanft ansteigende, ungefähr 12 m über das Meer sich erhebende Hochfläche mit hartem, kiesigem Boden, die wir erklommen. Dort, etwas über 1000 m nördlich der Flußmündung, lag die deutsche Station, drei fensterlose Wellblechbuden. In diesen wohnte die Besatzung, die aus dem Stationschef, Unteroffizier Hannemann, der uns schon auf der englischen Seite des Flusses begrüßt hatte, einem von der Marine abkommandierten Bootsmannsmaat und einigen Krunegern bestand.

Von den hochgelegenen Häusern aus hat man eine entzückende Aussicht
weit über die wogende, tiefblaue See. Hauptmann v. François hatte die Station
hier angelegt, weil die Reede von Swakopmund eine der geschütztesten an der
deutschen, hafenarmen Küste schien und die Brandung nicht so stark war wie
an anderen bis dahin bekannten Punkten. Außerdem aber ist der Weg in das
Hinterland von hier aus auf harter, sanft ansteigender Fläche der denkbar beste,
Dünen sind nicht zu überwinden und Weide und gutes Wasser für die Zugtiere im Bett des Swakop zur Genüge vorhanden. Es sind dies alles Vorteile, welche die Walfischbai nicht aufzuweisen hat. Dort ist für die schweren
Ochsenwagen besonders der breite Sanddünengürtel ein großes Hindernis,
Weide ist gar nicht vorhanden und das Wasser schlecht. Im Hinblick auf
diese Verhältnisse wollte der Reichskommissar versuchen, den Verkehr von
dem englischen Hafen nach der deutschen Reede hinüberzuziehen, und auch
das mußte in Rechnung gezogen werden, daß die Engländer uns jede nur
mögliche Schwierigkeit beim Landen von Waffen und Munition nur zu gern
bereiten würden, obwohl sie freien Durchzug für Truppen und Kriegsmaterial versprochen hatten. Leider mußten wir damals jedoch noch in
Walfischbai landen, da in Swakopmund die Vorkehrungen für das Entlöschen eines Schiffes noch nicht genügende waren.

Nach einem Ruhetage, der unseren erschöpften Mannschaften gegönnt
werden mußte, zogen wir weiter landeinwärts in die Namibwüste, immer
entlang an dem Swakopflusse, in dessen Cañon wir täglich hinabstiegen, um
Wasser für Menschen und Tiere zu erlangen. Weite, öde, allmählich ansteigende Wüstenflächen waren es, die wir durchzogen, wasser- und vegetations-
lose, unsagbar einförmige Ebenen, von niedrigen, langgestreckten Höhenzügen
durchsetzt. Kein Fleckchen Grün bietet hier dem Auge einen Ruhepunkt;
gelb in gelb liegt im Glanze der Sonne diese furchtbare Einöde da. Und
mittags, wenn das Gestirn seinen Höhepunkt erreicht hat, lastet eine entsetzliche, erdrückende Hitze über diesem Sandmeer, widergestrahlt von den
Milliarden glitzernder, flimmernder Kiesel. Dann vermag man kaum zu
atmen und ersehnt den Abend mit seiner Kühle.

Den Wüstenweg bezeichneten die Gerippe gefallener Ochsen, die von
früheren Wagenzügen zurückgelassen worden waren. Abends stiegen wir
dann meist hinunter in die tief eingeschnittene, von hohen, bizarren Uferfelsen eingefaßte Talspalte des Flusses, der unten tobend und brausend seine
gelben Wasser dem Meere zuwälzte. Es waren beschwerliche, oft ein bis
zwei Stunden dauernde Abstiege, auf denen die Leute Proviant, Koch-

geschirre und Schlafdecken tragen mußten, denn die Wagen blieben des sehr sandigen Ab- und Aufstiegs wegen oben auf der Hochfläche halten, und von dort wurden nur die Zug- und Schlachtochsen, von welch letzteren wir 70 mit uns führten, zum Tränken hinabgetrieben. Unten am Flusse war das Bild ein weit angenehmeres: himmelhohe Felsen, dazwischen tiefsandige Schluchten, niedrige Sträucher und hohe, dicht belaubte Ana- und Dornbäume. Hastig wurde abgekocht und gegessen, dann sank alles unter dem hellstrahlenden Sternenhimmel in tiefen Schlaf. Nur das Rauschen und Gurgeln des Flusses, der leise Schritt der Posten, das Wiehern eines Pferdes, das Bellen der hungrigen Schakale unterbrach die Stille der Nacht. Die Feuer verglommen allmählich. Wer je eine solche Landschaft, beschienen von dem unsicheren, bläulichen Licht des Mondes und der Sterne, gesehen hat, wird sie niemals wieder vergessen.

Wir marschierten der Kühle wegen von 6 bis 9 Uhr früh und von 3 bis 6 Uhr nachmittags, oft wurde auch noch ein Nachtmarsch eingelegt. Um 6 Uhr war es schon stockdunkel, und einigemal tappten wir ordentlich im Finstern umher und verloren den Weg.

Unser Marsch ging über Nonidas, wo wir, der großen Frachtstraße folgend, auf das linke oder südliche Ufer des Swakop übergingen, Nanikontes, Haigamkab, Usab und Gawieb auf Salem. Hier treten südlich die Uferfelsen des Swakop etwas zurück, und ein liebliches Tal breitet sich zu beiden Seiten des Flusses aus. Haine von hohen Anabäumen, dichte Gebüsche aus wilden Tabak-, Rizinusstauden und Dornsträuchern, ja eine einzelne schlanke Dattelpalme zeigen an, daß hier eine schon üppigere Vegetation beginnt. Die Ufer schließen saftige Wiesen von Queckgras und fast undurchdringliche Bestände von Schilf und Ried ein; auf den Felsen und Höhen wachsen Blumen und Futtergräser. An einem halbverfallenen, im Grün versteckten Mauerhäuschen, einst die Wohnung eines Missionars, machten wir einen Rasttag. Tauben aller Art und Savannenhühner bevölkerten die Uferwaldungen.

Von Salem an verließen wir den Swakop, der uns durch tägliche Bäder erfrischt hatte, und schlugen den geraden Weg auf Tsaobis oder „Wilhelmsfeste“ ein. Die Straße wurde jetzt sehr schlecht, und es bedurfte aller Geschicklichkeit der Treiber, um ein Abstürzen der Fahrzeuge zu verhüten, und in der Tat sind hier schon einige Wagen verunglückt. Kisten und Kasten, Tonnen und Säcke flogen in ihnen durcheinander, wenn sie mit Gepolter, unter Ächzen des Holzwerks und Krachen der Räder von einer

Privatdozent Dr. Gürich phot.

Im Cañon des Swakop bei Usab.

der oft über fußhohen Steinstufen, die den Weg durchsetzten, auf die nächst-
niedrige Platte aufflogen.

Dies aushalten kann eben nur ein afrikanischer Ochsenwagen. Wahre
Ungetüme sind für das Auge des Europäers diese „fahrenden Wohnungen",
in denen der Afrikaner wochen=, monate=, ja jahrelang mit Kind und Kegel
haust, die sein Heim sind und die oft, besonders bei dem im Graslande um-
herziehenden, dem „Treck"=Buren, alles enthalten, was er sein eigen nennt.
Auf den ungefügen, dick mit Eisen beschlagenen Rädern, dem schweren,
durch eine besonders starke Längsachse verbundenen Untergestell ruht der
breite Wagenkasten, der meist oben mit Segeltuch, dem „Plan", bespannt
ist. Zeigt der Kasten an den Seiten eiserne oder hölzerne Leisten, „Böcke",
um Fleisch, Holz oder Reserveteile außerhalb zu befestigen, so nennt man
das Fahrzeug einen „Bockwagen". Vorn und hinten im Wagen befinden
sich zwei große verschließbare Kisten, die „Vor=" und „Hinterkiste", zur Aufnahme von Kleidern, Kochtöpfen und anderem mehr. An den Seiten sind
kleinere „Seitenkisten" angeschraubt. Außerdem kann man innen einen
großen, mit Riemen bespannten Holzrahmen, die „Kattel", befestigen, der
das Bett bildet, doch zogen wir es stets vor, unter Gottes freiem Himmel
auf unseren Decken zu schlafen. Bei längeren Reisen wird man nie weniger
als 18 bis 20 Ochsen vor den Wagen spannen. Diese sind zu je einem

rechts und links einer langen Kette oder eines aus Ochsenfellriemen ge-
drehten Taus, des „Trecktaus", in Jochen befestigt und ziehen lediglich mit
dem Buckel. Die Hinter= oder „Achter"=Ochsen gehen zu beiden Seiten der
langen und schweren Deichsel, des „Disselbooms". Zu jedem dieser Wagen
gehört als Personal ein „Treiber", der, wenn möglich, ein Bastard ist, da
diese am geschicktesten sind, und der eine ungeheuer lange Peitsche mit
Bambusstiel, gedrehter Schnur und einem Schmitz aus Kudduantilopenleder
führt. Die ersten, die „Vorochsen", zieht der „Tauleiter" an einem Strick,
der an den Hörnern befestigt ist, hinter sich her, wenn sie nicht so gut an-
gelernt sind, daß sie von selbst den Weg halten. Dem Leiter fällt auch die
Arbeit zu, die Wasserfässer, die hinten auf dem Wagen festgebunden sind
oder in eisernen Reifen unter ihm hängen, an jeder Wasserstelle zu füllen
und die „Remme" anzuziehen, wenn es zu steil bergab geht. Hinter der
dicken Staubwolke, die den Wagen umgibt, trottet dann der Ochsenwächter,
meist wie der Leiter ein Buschmann, Bergkaffer oder Hottentott, der die
Reserveochsen und das Schlachtvieh, Ochsen, Schafe oder Ziegen antreibt.

Der Weg wurde immer mühseliger; bergauf, bergab ging es, durch
tiefe Schluchten und über steile Höhenrücken, aber die Gegend zeigte sich
von Stunde zu Stunde anmutiger. Links von uns lagen in bläulichem
Duft die hohen Randgebirge des Swakop, rechts in weiter Ferne der röt-
liche Gawieb=Berg und die Gebirge von Tinkas.

Ungefähr auf der Hälfte des Weges zwischen Salem und Tsaobis
sahen wir die ersten Antilopen, ein Rudel flinker, graziöser Springböcke.
Es war auf der Fläche von Wilsonsfontein. Auf allen Seiten treten hier
die Berge zurück, und weite Täler voll saftigen Grases öffnen sich dem
Blicke des Reisenden. Baum= und Buschgruppen geben der Landschaft das
Gepräge eines Parkes, und majestätisch erhebt sich aus der Ebene die riesige
Felspyramide des Annykurumassib, des „Vogelschlafberges".

Nach einer halbtägigen Rast zogen wir weiter. Der Weg wurde jetzt
besser, und nach einem starken Nachtmarsch erreichten wir Tsaobis. In
dem Meer von Felsen und Kuppen, in das wir hinabstiegen, flatterte auf
einer noch undeutlich zu erkennenden Gebäudegruppe die deutsche Kriegsflagge.

Ein massiger, trotziger Bau war es, der auf dem kahlen Gipfel eines
mäßig hohen Hügels vor uns lag. Die dicken Mauern und breiten Türme,
deren einer eine recht ansehnliche Höhe zeigte, waren in Zyklopenmauerwerk
roh, ohne Kalk und Mörtel, aber äußerst geschickt und haltbar zusammen-
gefügt. Enge Tore und nach allen Seiten drohende Schießscharten wiesen

auf die Bedeutung des Baues hin, der die ganze Umgegend beherrschte und einen geräumigen Hof, Offizier= und Mannschaftswohnungen, Munitions= und Provianträume, sowie eine Küche enthielt.

Ein Rundblick von den Toren der Feste aus läßt erkennen, daß wir uns tief in einem Kessel befinden. Von allen vier Himmelsrichtungen fällt das Gelände nach dem Fluß zu ab, und es ist merkwürdig, daß man trotz= dem, da das Ansteigen der weit übersichtlichen Flächen ein ganz sanft= allmähliches ist, meilenweite Ausblicke hat. Aus dunstiger Ferne winken von Westen die hohen, schroffen Bergketten von Horebis herüber, und im Süden, zwischen den kahlen Felsabstürzen des Witwatergebirges, öffnet sich vor dem Beschauer eine weite Pforte, eine „Poort", durch die ein zweiter Weg über Witwater, Onanis und Tinkas zur Küste führt.

Man könnte Südwestafrika so recht die „Heimat der Felsengebirge" nennen, und selbst der Landeskundige wird immer wieder staunen, wenn er hineinreitet in dieses romantische Tal der Wilhelmsfeste. Ein Chaos von riesigen Klippen, grotesken Felsmauern und wilden Trümmerfeldern in allen nur möglichen Formen und Bildungen wächst aus dem gelben Grase der Buschsteppe hervor. Hier zackige Spitzen und Steinpyramiden, dort kolossale, wie aus einem Stücke gegossene Halbkugeln und breite Platten, dazwischen Steine und Felstrümmer in allen Größen.

Um nach Otjimbingwe zu gelangen, mußten wir nun eine sandige Hochebene ersteigen, die sich südöstlich des Swakop bis zum Kurikaubgebirge hinzieht.

Am nächsten Morgen überschritten wir die letzten Höhen und vor uns lag das Tal von Otjimbingwe!

In mächtigem Bogen umspannt es der Swakop, den wir als alten Bekannten begrüßten, und dessen Lauf wir bis in die dunstige Ferne an den grünen Baumkronen der Uferwaldungen verfolgen konnten. Dicht an ihn geschmiegt sahen wir auf dem hohen rechten Ufer die weißen Häuser des Dorfes mit ihren blinkenden Fenstern und den rauchenden Schornsteinen liegen. Wir sahen die runden Hütten, die Pontoks, der Eingeborenen, die Viehkraale, wir sahen Herden hinausziehen auf die Weide, weithin kenntlich an aufsteigendem Staub, Menschengewimmel und im Orte fahrende Wagen.

Unter den wundervollen Anabäumen, die am Omusemaflusse, der im Orte selbst in den Swakop mündet, einen dichten Hain bilden, schlugen wir das Lager auf. Dann machten wir Besuche bei dem Missionar und den altansässigen Kaufmannsfamilien Dannert, Hälbich, Redeker und Kleinschmidt.

Überall herrschte großer Jubel über die bedeutende Verstärkung der Schutztruppe. Auch die Kaffern, die Herero oder Damara, kamen in Massen in
das Lager, und ihre Frauen und Mädchen brachten Milch und Eier zum
Verkauf.

In der Nähe unseres Halteplatzes, dicht am Swakop, lagen die Häuser,
in denen der erste deutsche Reichskommissar residiert hatte. Jetzt bewohnte
sie ein Unteroffizier der Truppe.

Der nächste Ausspannplatz, den wir erreichten, war Llidraai am Fuße
des Lievenberges. Dichtbewaldete Inseln teilen hier den Swakop in mehrere
Arme. Wildverflochtenes Gestrüpp, zahllose angeschwemmte Stämme, nieder-
gestürzte Baumriesen und ein Netz von Ranken- und Schlinggewächsen
machen die Uferwaldungen an vielen Stellen undurchdringlich. Pittoreske
Felskolosse sieht man allenthalben.

Hier wendet sich der Fluß nach Osten, während die Heerstraße westlich
des Lievenberges, der mit seinen jähen Abstürzen, seinen tiefen Schründen
und finsteren Schluchten herüberdroht, wieder ansteigt, um eine weitausgedehnte,
wildreiche Hochfläche zu überschreiten, die sich bis zu dem schroff eingerissenen
Bett des Quaaipützflusses hinzieht. Kurz hinter Llidraai müssen die Wagen

Steinbockricke.

zwei mächtige, bewachsene Sanddünen überwinden. Strauße waren an dieser
Stelle nicht selten, wie denn überhaupt die Hochfläche von Quaaipütz Wild
in Menge barg. Mit Vorliebe durchstreifte die stattliche Kudduantilope die
dichte Dornbuschsavanne, gravitätisch schritt die Riesentrappe, der „Pauw"
der Afrikaner, über die sonnige Fläche, und zwischen den schwanken Gräsern
pickten große Völker von Perlhühnern nach den mehligen Uintjes, einer
nahrhaften kleinen Zwiebelart, die auch bei den Eingeborenen roh oder ge-
röstet genossen, von Feinschmeckern mit Milch zu einem Brei gekocht, eine
große Rolle spielt. Der Reichtum aller Steppengebiete des Landes an
Flugwild, an Perlhühnern, Fasanen, kleinen und großen Tauben, Savannen-
hühnern, Pfefferfressern, Elsterpapageien, und wie sie alle heißen, die munteren, federgeschmückten Bewohner der Steppe, war damals ein erstaunlicher.
Tagelang konnte man oft dahinreiten, um mindestens stündlich einen Koran,
eine kleinere Trappenart, aufzujagen. Zuerst erblickt man über dem Grase
einen Kopf, der sich ängstlich hin- und herwendet, dann trippelt der schön
weiß und schwarz gefärbte Vogel unruhig herum — endlich aber ein Ducken
des Körpers, ein Lüften der Flügel und „Kora-kora-kora-kora-kora!" — mit
mißtönendem, aufdringlichen Geschrei, das ihm den Namen gegeben hat,
hebt sich der einer Federkugel nicht unähnliche Vogel in die Lüfte, um nach
einigen Minuten mit weit abwärts gespreizten Ständern nicht allzuweit von
dem Orte des Auffliegens wieder einzufallen.

Am folgenden Tage erreichten wir, nachdem wir mehrfach den breiten,
dichtumwaldeten Swakopfluß durchquert hatten, Groß-Barmen. Schon von
weitem sahen wir die weißgetünchten Mauerhäuser durch die hohen Anabäume
schimmern, aber öde und verlassen zeigte sich das Dorf, in das wir einritten.
Die meisten Gebäude, darunter das geräumige Missionsgehöft mit schöner
Kirche, standen leer, und nur wenige Hererofamilien waren anwesend. Dies
hatte seinen guten Grund, denn Groß-Barmen war eine der am weitesten nach
Süden vorgeschobenen Hereroniederlassungen und wurde in den ununterbrochenen Kriegen dieses Volkes mit den Nama öfter, zuletzt im Jahre 1880,
von den vereinigten Nama- und Bastardhorden berannt.

Die Herero oder, wie sie sich selbst vielfach nannten, die „Beest-
(Ochsen-) Damara", welche in unser Lager kamen, um uns zu begrüßen,
schienen wenig erfreut über die große Verstärkung der Truppe. Es waren
durchweg stattliche, schöngewachsene Leute in europäischer Kleidung, mit
guten Henry-Martini-Gewehren bewaffnet, und fast alle sprachen etwas kap-
holländisch.

Von Groß-Barmen aus wendet sich die Heerstraße in südöstlicher
Richtung und läuft auf einer dichtbewachsenen Hochfläche, die sich östlich des
Swakop hinzieht, weiter, um bei „Tabakstuin" (Tabaksgarten) einige hundert
Meter im Bette dieses Flusses selbst fortzuführen. Dicht eingeengt von
hohen Bergen mit schroffen Hängen ist das Tal, dessen Sohle der Fluß
ganz ausfüllt. Noch ließen sich die Spuren alter Gärten an den Ufern er=
kennen, als die Kolonne das seicht dahinströmende Wasser in heller Mond=
nacht durchwatete. Inzwischen war auch bei Groß-Barmen unser Komman=
deur, Hauptmann v. François, der uns schon in der Nähe der Küste begrüßt
hatte, wieder zu uns gestoßen.

Über Dawidraai, einen Ausspannplatz, der in breitem, tiefen Tal
zwischen sehr hohen Bergen gelegen ist, erreichten wir nach einigen Tagen
Otjiseva, ein verlassenes Dorf der Herero. Eine wundervolle Landschaft
bot sich unseren entzückten Blicken dar: Zu unseren Füßen lag das breite
Rivier des Otjisevaflusses, der in den Swakop mündet, dichte Baumgruppen
und hohes Ried an den Ufern. Dahinter eine wellige, buschige Fläche und
die hellleuchtenden Häuser des Dorfes. Aber kein Mensch zeigte sich hier,
verlassen gähnten die Türen der zahlreichen Gebäude, und vor der Kirche
lag unter herabgestürztem Dachgebälk und Mauertrümmern eine Glocke.
Ein trauriges Bild bot er, dieser menschenleere, öde Platz mit allen Spuren
eines einst lebhaften Treibens. Die Station wurde im Jahre 1880 aus
demselben Grunde aufgegeben wie Groß-Barmen. Damals aber, als wir
unsere Pferde aus den Wassern des Otjisevaflusses tränkten, waren die
Herero seit dem Friedenschluß im Jahre 1892 bereits wieder im Vordringen
nach Süden. Schon konnte man abends von den Höhen bei Dawidraai und
Otjiseva den Staub ihrer heimkehrenden Herden sehen, wenn sie auch diese
Plätze selbst noch nicht wieder besetzt hatten.

Bei Okapuka erreichten wir das wunderbar schöne Tal, das sich von
Okahandja in beinahe direkt südlicher Richtung bis Windhuk und bis an das
Auasgebirge hinzieht. Hart an den westlichen sanften Höhenzügen, den Aus=
läufern der Komasberge entlang führt die Straße, auf der anderen Seite be=
gleitet von dem lieblichen, mäßig tief eingeschnittenen Flußbett. Dann folgt
eine 1 bis 3 km breite Fläche, und diese östlich abschließend, hinter niederen,
buschbedeckten Vorbergen, eine mächtige, imponierende Gebirgskette, die sich
bis nach Windhuk erstreckt.

Steil und kahl, mit finsteren Schluchten, jähen Abstürzen und einsamen
Hochflächen wächst dieses trotzige, damals nur von wilden Bergdamara durch=

schweifte Gebirge aus der Ebene empor. Berg türmt sich hinter Berg, Kuppe hinter Kuppe. Besonders am Abend ist es ein Anblick würdig des Pinsels eines berühmten Malers, wenn die Schluchten schon in tiefem Dunkel daliegen und die Felsenmauern der Gipfel in den letzten Strahlen der untergehenden Sonne erglühen. Dann muß es einsam und schauerlich sein auf den Höhen, die der Sturmwind umbraust.

Groß-Barmen im Jahre 1893.

Aber unten im Tale flammten die Wachtfeuer der Vorüberziehenden auf, und der wilde Bergkaffer, der aus seinen öden Jagdgebieten herniederstieg, hörte staunend den Gesang deutscher Lieder aus dem Lager hinüberschallen bis zu den steilen Abstürzen des Gebirges. — Das war unstreitig der schönste Punkt, den wir bisher berührt hatten, dieses Tal, in dem wir jetzt dahinzogen. Überall gutes, nahrhaftes Gras und Bestände hoher Dornbäume in solcher Dichtigkeit, daß man, besonders bei Okapuka, Brackwater und Bams, doch einmal von „Wald" reden konnte. Über diese Wasserplätze marschierten wir auf Windhuk und lagerten am 1. April abends dicht vor dem Orte. Noch spät wurden wir von einigen Ansiedlern im Lager begrüßt.

Am nächsten Morgen wurde schon früh aufgebrochen, und nachdem wir eine enge Gebirgspforte, Pokjesdraai, passiert hatten, lag Groß-Windhuf vor uns. Stolz und weithin sichtbar thronte auf dem kahlen Gipfel eines an seinen Hängen dichtbewaldeten Berges die viertürmige, zinnengeschmückte Feste, während unter ihr aus dem Grün der Bäume und Büsche, eng an den Berg geschmiegt, die anderen Häuser des Dorfes, durchweg Regierungsgebäude, hervorlugten. Eine Anzahl von Weißen, Beamte, Kaufleute und Ansiedler, ritt uns entgegen.

Unter dem Klange der Trommeln und Hörner zogen wir, empfangen von einer vielköpfigen Menge von Weißen und Eingeborenen, begrüßt von Böllerschüssen und Hurrarufen, hindurch zwischen Gärten und fahnengeschmückten Häusern auf einen freien Platz an der Feste.

Dann wurden die Truppen entlassen, so gut es ging, einquartiert und konnten der wohlverdienten Ruhe pflegen; wir aber begrüßten zunächst die Gemahlin des Premierleutnants v. François und die Herren, in deren Mitte wir in der nächsten Zeit leben sollten. Es waren dies der stellvertretende Reichskommissar, Regierungsassessor Köhler, der Vorsteher der Kaiserlichen Bergbehörde, Herr Duft, Premierleutnant a. D. v. Bülow und Dr. Dove, der meteorologische Studien im Lande machte.

Die Truppe hatte den fast 400 km langen Weg in 12 Tagen, also täglich etwa 33 km, zurückgelegt, und, was die Hauptsache war, unsere Leute waren frisch, guten Mutes und vorzüglich einmarschiert.

Groß-Windhuk im Jahre 1895.

43

3. Kapitel.

Hornkranz.

Die nächsten Tage vergingen wie im Fluge. Zwei Kompagnien wurden gebildet, die Bekleidungs- und Ausrüstungsgegenstände, die Waffen und vor allem das Schuhzeug der Mannschaften, das sich infolge des langen Marsches in bedauernswertem Zustande befand, nachgesehen, ausgebessert oder ersetzt. Täglich wurde fleißig geschossen, auf dem großen Platze an der Feste exerziert und, wie man militärisch zu sagen pflegt, die Kompagnien „zusammengeschweißt". Die „1. Feldkompagnie" führte Premierleutnant v. François, die 2. ich.

Windhuk zählte damals erst wenige Gebäude. Auf halber Bergeshöhe lag das Wohnhaus der Herren v. François mit hohem, viereckigen Turm und geräumigen wohnlichen Stuben, weiterhin nach der Feste zu das des Sekretärs Reichelt, dann das Proviantamt, in dem der Proviantmeister v. Goldammer wohnte, und endlich ein Gebäude, in dem sich ein Kaufladen der Firma Mertens & Sichel befand. Alle Häuser waren aus gebrannten, in Windhuk selbst hergestellten Ziegeln aufgeführt.

Auch das Tal von Klein-Windhuk lernten wir in dieser Zeit kennen. Es liegt von Groß-Windhuk aus südöstlich, und der Weg von dort führt südlich des Forts an der befestigten Spitzkuppe „Sperlingslust" vorbei durch einen engen Hohlweg und über einen Paß schroff bergab in das liebliche, dichtbewaldete Tal, das von dem fast 200 m hohen Klein-Windhuker Berg beherrscht wird.

Von den Hängen dieses Bergzuges rieseln reiche, zum Teil heiße Quellen hernieder, und gerade gegenüber, so nahe, daß man glauben könnte, hinüberreichen zu können, türmen sich die wilden Bergzüge des Erosgebirges auf, Berg hinter Berg, Tal hinter Tal. Von Südosten glänzen die schroffen

Abstürze der quarzdurchsetzten Granitmauern des Auaskolosses herüber, und im Nordosten hemmen die felsigen Hügelketten, die vor Groß-Windhuk lagern, den Blick. Zu unseren Füßen aber liegt das lachende Tal mit seinem Wipfelmeer und dem Flusse, der in der Regenzeit seine Fluten dem Swakop zuwälzt. Nur wenige Ansiedler lebten hier, als ich zum ersten Male dieses herrliche Tal durchritt, und nur ein bewohnbares Haus befand sich in Klein-Windhuk, ein früheres Missionsgebäude, dessen Garten, quellendurch-rauscht, mit großen, ehrwürdigen Baumriesen, dichtem Feigen- und Kaktus-gebüsch, üppigen Mais- und Gemüsefeldern, eine Weinlaube an der Veranda des Hauses, einen erfreulichen, anheimelnden Anblick bot.

In Groß-Windhuk war unterdessen interessanter Besuch angekommen: Samuel Isaak, der bedeutendste Unterführer Hendrik Witbois, mit einigen Reitern.

Der gelbhäutige „Unterkapitän" und „Feldkornett", wie er sich selbst nannte, zeigte verschmitzte, intelligente Züge. Klein und beweglich, schien er alles zu sehen und alles sehen zu wollen. Er und seine Leute trugen das Abzeichen ihres Stammes, den mit weißer Leinwand bespannten Hut, und waren gegen uns Europäer sehr zutraulich. Daß sie nur des Spionierens halber gekommen waren, stand bei uns fest, aber wir ließen uns nichts merken, besonders da Samuel in dem Rufe stand, ein Freund der Deutschen zu sein und als solcher seinem Herrn und Meister die Annahme der deutschen Schutzherrschaft oft und warm empfohlen zu haben.

Nach einigen Tagen verließen die Witbooi Windhuk und ritten nach Hornkranz zurück.

Wenige Tage nach unserem Eintreffen eröffnete uns Hauptmann v. François seine Pläne. Nur die Offiziere wurden eingeweiht. Es wurde uns mitgeteilt, daß wir in kurzem Hendrik Witbooi, da er wiederholt die Annahme der deutschen Schutzherrschaft verweigert habe, angreifen und wenn möglich sein Hauptlager Hornkranz überfallen würden. Alle Maßnahmen und Vorbereitungen wurden bis ins kleinste besprochen, und Hauptmann v. François machte uns eingehende Mitteilungen über das Gelände bei Hornkranz, das er bereits früher besucht hatte. Am Sonnabend, den 8. April, abends gegen 8 Uhr rückten die Kompanien ab.

Die Gesamtstärke der Truppen betrug zwei Kompanien, jede zu 11 Unteroffizieren, 2 Lazarettgehilfen, 2 Trompetern und 93 Reitern; als Besatzung waren in Windhuk 1 Unteroffizier und 20 Reiter geblieben. Be-ritten waren von den Kompanien außer den Offizieren jedoch nur die drei

Zugführer (Unteroffiziere), die Lazarettgehilfen, Trompeter und drei Eingeborene als Führer, denn es war die Zeit der Pferdesterbe. Dieser Seuche, die alljährlich in den Monaten Januar bis Mai auftritt, fallen oft Hunderte von Pferden zum Opfer. Um die Tiere zu sichern, bringt man sie in der Gefahrszeit an Orte, die kühleres oder Seeklima haben und an denen das Gras nicht so stark betaut wie in den Niederungen des Binnenlandes. Diese Plätze nennt man — lucus a non lucendo — „Pferdesterbeplätze". Der, welcher von der Schutztruppe in Windhuk stets benutzt wird, Arebareigas, liegt hoch im Auasgebirge.

Über Harris und Gurunanas wurde am 11. der Abfall des Plateaus vor Horukranz erreicht. — Mein Tagebuch berichtet hier weiter: „Dienstag, den 11., nachts um 1¾ Uhr wird zum letzten Marsch angetreten, alles zu Fuß, die Offiziere mit Gewehr.

Mittwoch, den 12. Wir hatten uns den letzten Marsch doch kleiner vorgestellt, als er war, und mußten tüchtig ausschreiten, um den Überfall noch vor Anbruch des Tages ausführen zu können; denn wären wir erst nach Sonnenaufgang vor Horukranz angekommen, so hätten wir leicht Leuten, die Holz holten, begegnen können, und ein Überraschen wäre dann vielleicht unmöglich geworden. Vorn, als Spitze, marschierten Hauptmann und Leutnant v. François und ich mit acht Reitern, 300 m hinter uns folgten die Kompagnien. Ein Bastard führte die Spitze. Oft verloren wir in der Dunkelheit den Weg, und mühevoll war das Wiedersuchen desselben. Das Gelände ist -- wellig und hügelig, mit dichtem Busch bestanden und besät mit Felstrümmern und Klippen — vollständig unübersichtlich. Hier und dort sahen wir groteske Felsformationen gespenstisch aus dem Dunkel auftauchen, und dazu brauste wieder der Sturm heulend und pfeifend über das Land. Immer spannungsvoller wurde es, je mehr wir uns Horukranz näherten. Ohne Laut, jedes Waffenklirren vermeidend, wie die Katzen spähend und lauschend schlich die Kolonne dahin. Jetzt passierten wir eine Wasserstelle an hohen Felsen, und: „Wir sind dicht heran!" wurde uns zugeflüstert.

Werden wir bald Feuer bekommen? Wird das Nest leer sein? Wird die Schanze, die, wie wir wußten, den Weg beherrschte, besetzt sein? Dies alles durchdachten wir tausendmal. Immer eiliger wurden unsere Schritte, denn schon kündete ein fahler Schein im Osten den kommenden Tag an. Da zwei-, drei-, viermal erschallte vor uns aus dem dämmerigen Chaos das helle „Kikeriki" eines Hahnes, dem andere antworteten, und dumpfes Brüllen des Rindviehs. Alles atmete auf, ein Seufzer der Erleichterung ging

3*

durch die Kolonne: „Sie sind drin!" Und da plötzlich erscheint auch vor uns
ein schanzengekrönter Bergkegel, den die Spitze sofort zu erklettern beginnt.
Aber kein Schuß blitzt auf, nur das Rollen der durch die Tritte der Klettern=
den losgelösten Steine hört man; die Schanze ist unbesetzt. Es ist $5^1/_2$ Uhr
und es dämmert.

Jetzt sind die Kompagnien heran — leise Kommandoworte — ver=
haltenes Sprechen und Waffenklirren -- dann breiten sich die Glieder aus;
es werden Schützenlinien formiert. Nach zwei verschiedenen Seiten geht es
nun vorwärts, und es wird still an der Schanze. Ich sollte von Osten,
Premierleutnant v. François von Norden her angreifen. Schnell erstiegen
wir einen vorliegenden Hügel, durcheilten das Tal, erklommen nochmals einen
Höhenzug und schwenkten dann rechts, da wir zu weit abgekommen waren.
Im Laufschritt ging es nun vor, und als wir die Höhe erreicht hatten, lag
vor uns im ersten Morgensonnenscheine Hornkranz. Schon scholl von rechts
das scharfe Knattern unserer Gewehre, vermischt mit dem dumpfen Rollen
der Gewehre der Hottentotten, herüber. Rasch nisten sich meine Schützen
ein und eröffnen das Feuer. Unter uns aber an den dunkeln Hütten und
Schanzen, an der Umfassungsmauer und den Felsen im Orte erscheinen
bläuliche, verdächtige Wölkchen und: „huii — hnii!" pfeift und kracht es
— der erste Gruß vom Feinde.

Unaufhörlich raste jetzt das Gewehrfeuer, und die Züge nahmen ge=
sonderte Ziele; der am weitesten links einige Schanzen, die vor ihm lagen,
der mittlere die feindlichen Schützen an der Umfassungsmauer und der rechte
Flügelzug ein großes, dunkelbraunes Mauerviereck, aus dem es ununter=
brochen blitzte. Der Platz selbst bot ein Bild wildester Verwirrung; brüllende
Rinder, Pferde, Kleinvieh, Hunde, Männer, Frauen und Kinder, alles lief
durcheinander und suchte Schutz in dem unwegsamen, zerklüfteten Gelände
dicht hinter dem Orte. Aber bei uns bliesen die Trompeten: „Schnell
avancieren!" Allmählich schossen wir uns heran, dann ließ ich das Seiten=
gewehr aufpflanzen, und wir stürmten an die Mauer. Auf 400 m fiel un=
mittelbar neben mir ein Reiter, in das Fußgelenk getroffen, gerade als wir
zu einem neuen Sprunge ansetzten, wobei das Feuer der Witbooi sich jedesmal
bedeutend verstärkte.

Nun wurde die Mauer übersprungen und eingerissen, und unter laut=
schallendem „Hurra", unter Trompetengeschmetter und dem Krachen des
Gewehrfeuers drang die Kompagnie in langen Linien in den Ort. Hier folgte
das letzte verzweifelte Gefecht. Hinter Felsstücken, Mauertrümmern und den

kleinen Schanzen, welche die meisten der Hütten umgaben, deckten sich meine Schützen. Plötzlich bekamen wir von links rückwärts und seitwärts aus Steinschanzen lebhaftes Feuer; Reiter Bartsch, der dicht neben mir und dem Hauptmann v. François, der als erster mit in den Ort eingedrungen war, lag, schrie laut auf, als er einen schweren Schuß durch beide Oberschenkel erhielt. Im lebhaften feindlichen Feuer schwenkte nun der linke Flügelzug gegen die Schanzen und vertrieb den Feind aus denselben. Dann ging es wieder vorwärts, an dem starken Mauerviereck, einer unvollendeten Kirche, vorbei, dessen letzte Verteidiger hier gefallen waren. Es waren tapfere Leute, die bis zum letzten Augenblicke ausgehalten hatten. Einer von ihnen lief, drei Gewehre im Arm, erst aus den schützenden Mauern, als Mannschaften beider Kompagnien schon dicht an der Kirche waren, und wurde hier erschossen. — Inzwischen war die erste Kompagnie unter Premierleutnant v. François — Gefechtspatrouillen auf beiden Flügeln — nach lebhaftem Feuergefecht ebenfalls von der schmalen Nordseite in den Ort eingedrungen. Ein Reiter, Sakolowski, war gleich an der Mauer gefallen, ein anderer schwer verwundet worden. Wie notwendig das Vorschieben von Gefechtspatrouillen war, zeigte der Umstand, daß auf dem rechten Flügel der 1. Kompagnie die Witbooi versuchten, diese von rechtsseitwärts zu umfassen.

Nun bedeckte sich, soweit wir sehen konnten, das Tal mit Fliehenden, denen Schnellfeuer nachgesandt wurde. Jetzt wurde zur Verfolgung vorgegangen, denn jenseits des schroff und tief eingeschnittenen Flußbettes hatten sich Abteilungen des Feindes wieder gesetzt, und von dort aus trachten noch unaufhörlich Schüsse. Ein Labyrinth von Felsen und Klippen war es, in das wir jetzt eindrangen, so wild, so zerklüftet und zerrissen, daß es außerordentlich schwer hielt, vorzudringen. Von Fels zu Fels, von Spitze zu Spitze mußte — oft mit umgehängtem Gewehr — geklettert werden. Im Flusse erschoß auf der Verfolgung mein Bursche, Reiter Schneidewind, den ältesten Sohn Hendrik Witboois. Öfter erhielten die vorgehenden Schützen, an deren Spitze sich stets die Unteroffiziere befanden, von rückwärts Feuer aus einer der überall in dem Felsgewirr liegenden Schanzen, die offenbar dazu angelegt waren, bei einem plötzlichen Angriff auf Hornkranz den Ort von hier aus bestreichen und eventuell wiedernehmen zu können. Aber unsere Reiter drangen unaufhaltsam vor, wobei es an aufregenden Szenen nicht fehlte. So trat plötzlich hinter einem Felsblock ein Namakrieger hervor und schlug auf einen der vorgehenden Reiter auf höchstens 20 Schritt an. In demselben Augenblick lag auch der Deutsche im Anschlag. Der Finger des Namab berührte den Abzug und zog ihn zurück, aber, eine wunderbare Fügung, sein Gewehr versagte, der Schuß des Reiters krachte, und der tapfere Witbooi wälzte sich, in die Brust getroffen, in seinem Blute. Schreckliche Bilder boten sich uns allenthalben dar: Unter einem überhängenden Felsen waren sieben Witbooi im Todeskampfe zusammengekrochen, und ihre verzerrten Leiber lagen eng aneinandergepreßt in der Höhlung.

Nach etwa zwei Stunden kehrten wir todmüde nach Hornkranz zurück. Weit im Umkreise war die Gegend vom Feinde, der durch die Verfolgung noch bedeutende Verluste erlitten hatte, gesäubert. Hendrik Witbooi und einer Anzahl seiner Hauptführer war es leider gelungen, zu entkommen, was bei der furchtbaren Unwegsamkeit und Unübersichtlichkeit des Geländes nicht zu verwundern ist. Aber ich bin mit der Zeit zu der Überzeugung gelangt, daß sich überhaupt am Tage des Überfalls zufällig nicht alle Führer in Hornkranz befanden, besonders da ja ein Teil des Witbooischen Stammes auch noch viel weiter südlich in Gibeon saß.

Nun kam auch Dr. Richter mit den Wagen an. Mit diesen hatte er nachts zwischen unserem letzten Lagerplatz und Hornkranz Halt gemacht und sich verschanzt, um einem etwaigen feindlichen Angriff auf die Kolonne begegnen zu können. Er begann sofort seine segensreiche Tätigkeit. Unter Wagensegeln und Decken wurde, so gut es ging, das Lazarett ein-

Hendrik Witbooi im Kreise seiner Familie.

gerichtet und die Verwundeten von allen Seiten zusammengetragen. Was
Dr. Richter an den beiden Tagen unseres Aufenthalts in Hornkranz unter
den ungünstigsten Verhältnissen mit beinahe übermenschlicher Kraft und Auf=
opferung geleistet hat, wird ihm keiner der Kampfgenossen je vergessen.

In dem Orte sah es schrecklich aus; brennende Hütten, Leichen von
Menschen und Tieren, umhergestreutes Hausgerät, zerbrochene und zerschossene
Gewehre, das war das Bild, das sich dem Auge bot. Aus den brennenden
Pontols schallte ab und zu das Platzen der Patronen, welche die Witbooi
dort liegen gelassen oder vergraben hatten. — Unter den Gefangenen, die vor=
geführt wurden, befanden sich auch die Frau und Tochter Hendrik Witboois.
Die letztere, Margarete mit Namen, war ein außerordentlich mutiges Mädchen
von 17 bis 19 Jahren.

Ohne eine Spur von Furcht trat sie vor uns und antwortete frei und
stolz auf alle Fragen. Dann ließ sie durch den Dolmetscher ungefähr folgendes
erklären: Sie habe gehört, daß wir in Schiffen über das große Wasser ge=
kommen seien, um ihren Vater zu bekriegen. Heut sei der Sieg auf unserer
Seite, aber das Glück sei veränderlich, und wenn sie uns einen Rat geben
dürfe, so sei es der, in unsere Heimat zurückzukehren, denn ihr Vater werde
einst wie ein Löwe über uns herfallen und Vergeltung üben.

So verging der Rest des Tages, und am Abend flammten unsere Wacht=
feuer in dem eroberten Orte auf. Bald sank alles in traumlosen, tiefen
Schlummer, und nur die Schritte der Posten unterbrachen die Stille der Nacht.

Donnerstag, den 13. Heut brennen wir Hornkranz nieder. Überall,
weit in dem wilden Felsgelände und auf dem Platze selbst schlägt die feurige
Lohe zum Himmel auf, dichte Rauchwolken lagern über der Gegend. Am
Nachmittage geht noch einmal ein Zug in nordöstlicher Richtung vor, da
einige Witbooi gesehen sein sollen, kehrt aber bald, ohne etwas vom Feinde
bemerkt zu haben, zurück. Beim Absuchen des Geländes wird tief zwischen
Felsen versteckt und vermauert ein Munitionsvorratsraum der Witbooi
entdeckt, und mehrere Kisten mit Pulver, Blei und fertigen Patronen
werden herausgeschafft.

Ich schätze den Verlust des Feindes auf etwa 150 Personen, darunter
60 Krieger, d. h. Männer hottentottischer Rasse, leider auch Weiber und
Kinder, die während des Gefechts in den Pontols gelegen hatten, dann viel=
leicht 50 Gefangene und eine Anzahl Schwerverwundeter, die mit nach
Windhuk genommen und dort geheilt wurden. Die Beute, eine Menge Ge=
wehre, Munition, Sättel, allerhand Handwerkszeug, eine Herde Groß= und

Kleinvieh und etwa 20 Pferde, war für uns nicht sehr wertvoll, der Verlust schädigte aber die Witbooi doch bedeutend. Das merkwürdigste Beutestück war ein Ochsenwagen, auf dem ein leider sehr zerschossenes Harmonium stand, das die Witbooi beim Gottesdienste benutzt hatten."

Soweit mein Tagebuch.

Am Nachmittage des 13. April marschierten wir ab, in der Richtung auf Windhuk, das wir über Kawasis, Rehoboth, Aub, Kransneus und Aris erst am 19. früh erreichten, da wir der Verwundeten wegen sehr langsam vorwärts kamen.

Nun waren wir wieder daheim, und es gab genug zu tun für uns alle. Die Ausrüstung und Bekleidung der Mannschaften mußte vor allen Dingen nachgesehen und ergänzt, die Wagen repariert, Proviant und Munition herangeschafft werden. Auf dem Marsche durch das Auasgebirge hatte Hauptmann v. François glücklicherweise von unserem Pferdesterbeplatze Aredareigas alle brauchbaren Tiere holen lassen, denn am 19. schon erhielten wir die Nachricht, daß die übrigen Pferde, meist tragende Stuten und Fohlen, von witbooischen Reitern kurz nach unserem Durchmarsch weggetrieben worden seien. Es werden dies wohl Krieger gewesen sein, die am Tage der Erstürmung von Hornkranz zufälligerweise nicht in dem Orte waren. Kurz darauf wurde auch dem Kaufmann Schmerenbeck, der in Windhuk wohnte, eine Herde von 120 Pferden, die auf den Steppen am Kuiseb bei Ganab weidete, und die Hauptmann v. François kaufen wollte, von den Witbooi geraubt. Das war ein harter Schlag für uns und bewies die Rührigkeit und Überlegung, mit der Hendrik Witbooi handelte.

Noch im April wurde vom Hauptmann v. François ein Schutz- und Trutzbündnis mit den Bastarden abgeschlossen, deren Kapitän Hermanus van Wijk zu diesem Zweck mit mehreren Ratsleuten und angesehenen Bürgern, deren hervorragendster Johannes Diergaard war, in Windhuk eintraf; die Bastarde sind uns stets treue und wertvolle Bundesgenossen gewesen.

Diese „Bastardnation", wie sie sich selbst nennen, ist ein hochinteressanter Stamm. Ursprünglich eine Anzahl von Mischlingen, von holländischen Buren und Hottentottenfrauen stammend, fügte sie sich später zu einem festen Verbande zusammen. Durch Heiraten des männlichen Nachwuchses mit Bastard- und Hottentottenmädchen und der Mädchen mit Weißen oder Bastarden vermehrte sich die Nation schnell, und Inzucht, die wohl bald das Aussterben des Mischvolkes zur Folge gehabt hätte, wurde vermieden. So finden wir denn auch Angehörige desselben Stammes, die fast wie Hottentotten aussehen, und andere, die kaum von dem Europäer zu unterscheiden sind. Diese letzteren Familien gelten als die vornehmsten und zeichnen sich durch große, schlanke, aber breitschulterige Gestalten, üppigen Haar- und Bartwuchs und helle Hautfarbe aus. Die Mädchen sind oft graziös und hübsch von Gesicht, während die Frauen im Alter meist sehr breit und dick werden. Langes Haar gilt allgemein für die schönste Zierde des weiblichen Geschlechtes. — Die Bastarde sind fast durchweg gute Reiter und Schützen, außerordentlich gewandte Jäger und die geschicktesten Frachtfahrer und Viehzüchter nach den Buren, mit denen, als ihren Stammvätern, sie in jeder Beziehung, in Lebensgewohnheiten, Sprache und Sitte große Ähnlichkeit haben. Stets wird der Bastard seine Abstammung vom Weißen betonen, und er hat auch dessen gute Eigenschaften, die dem Hottentotten oft, dem Kaffern immer fehlen, geerbt. Religiosität, Treue und Redlichkeit hört man von ihm als

Phot. Friilich phot.
Bastard.

Tugenden preisen, denn seine Altvordern waren zum Teil bereits vor über hundert Jahren Christen.

Das war der Stamm, der von nun an auf unserer Seite fechten sollte und mußte, wenn er seine reichen Herden schützen und im Genusse seiner Freiheit bleiben wollte, denn die Erfahrungen, welche die Bastarde bisher mit Hottentotten und Kaffern gemacht

hatten, waren trübe. In den ununterbrochenen Kriegen dieser Völker hatte Freund wie Feind stets versucht, sich an den großen Herden der Rehobother schadlos zu halten. Fochten diese mit den Naman im Bunde, so mußten sie dieselben ernähren und waren oft vor den eigenen Bundesgenossen nicht sicher; kämpften sie aber mit den Kaffern gegen die Naman, so waren sie den Raubzügen derselben als am weitesten nach Süden vorgeschobener Posten unausgesetzt preisgegeben. Auch diese Erfahrung trieb sie uns in die Arme.

Hauptmann v. François versprach den Bastarden eine Besatzung, Gewehre und Munition, und darauf kehrte die Abordnung nach Rehoboth zurück. Dort war übrigens die Erklärung der Parteinahme für die Deutschen nicht ohne innere Zwistigkeiten abgegangen, und einige, allerdings nur wenige, hottentottisch-gesinnte Bürger waren zu Hendrik Witbooi geflohen.

Im Anfang des Mai wurde, da das Grasfeld in nächster Nähe von Windhuk infolge der starken Regen ein sehr gutes war, alles Vieh hier zusammengezogen und die Viehposten Aukaigas und Gammams aufgehoben, was für uns insofern von besonderer Wichtigkeit war, als die kleinen Stationen die Stärke der verfügbaren Feldtruppe außerordentlich schwächten und von jetzt an auch die Wagen, die von der Küste Proviant anfuhren, mit Bedeckung versehen werden mußten. — Das Vieh, Groß- und Kleinvieh, Pferde und Kamele, welch letztere früher zur Postbeförderung zwischen Windhuk und der Küste benutzt worden waren, jetzt aber ein beschauliches, arbeitsloses Dasein führten, weidete auf der großen, weit übersichtlichen Fläche, die sich von Windhuk bis zu den Auasbergen hinzieht, unter dem Schutze einer starken Postenkette.

Der 11. Mai sah beide Kompagnien wieder vor der Feste vereint, fertig zum Abrücken, denn Hauptmann v. François hatte in Erfahrung gebracht, daß Hendrik Hornkranz wieder besetzt habe, und beschlossen, ihn hier anzugreifen. Alle brauchbaren Pferde waren dazu zusammengebracht worden. Wir marschierten zunächst nach Rehoboth, um dort Hilfstruppen an uns zu ziehen. Gleich nach unserer Ankunft wurden den 50 Bastarden, die uns begleiten sollten, Gewehre und Munition ausgehändigt. Am Abend desselben Tages zogen wir weiter; in Rehoboth war eine Besatzung zurückgeblieben. Über Berg und Tal, durch Busch und Steppe ging es auf Hornkranz zu.

Es ist an einem Marschtage. Eine weite Fläche dehnt sich in der ersten Morgendämmerung — es ist 4³/₄ Uhr — vor unseren Augen aus. Sie ist bewachsen mit dichten, übermannshohen Dornbüschen, dem Ebenholzbaum und einzelnen hohen Giraffenakazien und Bastarddornbäumen, unten wundervolles Weidegras, kaktusartige Pflänzchen verschiedenster Art, Stech- und Zittergras; der Boden steinig und mit einzelnen riesigen Felsblöcken besät, auf denen es, eine Folge der reichlichen Regen dieses Jahres, grünt und blüht. Und es grünt und blüht auch die ganze, unendlich weite Steppe. Da, wo in den letzten Monaten der Trockenzeit der gelbe Sand, von der Sonne ausgedörrt und spröde gebrannt, bei jedem Windstoß durcheinander rieselte, heben heute Tausende duftender Blumen ihre bunten Köpfe; ein Blumen- und Blütenteppich bedeckt das Land.

Glühender wird der Horizont, und einzelne Schläfer im Lager erwachen, doch noch herrscht Stille in der Natur und in der Wagenburg, nur ab und zu unterbrochen von dem Brüllen der Zugochsen und dem Wiehern der

Pferde, die an den Wagen festgehalftert sind. In der dämmerigen Ferne, auf den Höhen, die das Lager umgeben, verglimmen die Feuer der Außenwachen. Da plötzlich wird die Stille unterbrochen: Hell und klar tönt aus dem ehernen Munde der Trompete die Reveille, und nun wird es lebendig. Wie mit einem Schlage verändert sich das Bild. Überall aus den Büschen und dem Grase springen die Gestalten der Reiter auf, man dehnt sich, fröstelt in der frischen Morgenluft, sagt sich „Guten Morgen!" und beginnt sich zu rüsten.

Die Patronen werden nachgesehen, das Gewehr einer Prüfung unterzogen und Revolver und Messer umgeschnallt. Inzwischen haben Burschen und Bambusen (so werden die farbigen Diener, meist im Alter von 13 bis 20 Jahren, genannt) den Kaffee auf das wieder angefachte, hellodernde Feuer gesetzt. Schiffszwieback und kaltes Rindfleisch erscheint, und jeder ist bald, mit seinem Messer bewaffnet, emsig beschäftigt, sich so rasch wie möglich den Magen zu füllen. Doch schon erschallen die lauggezogenen Töne des Kavalleriesignals „Satteln" über die Savanne bis zu den fernen blauen Bergen. Die Reiter eilen zu den Pferden. Endlich sind auch die Ochsen eingespannt, vor jedem der riesigen Planwagen 18 Tiere, und das Gepäck der Mannschaften verladen. — Vorwärts! Hinter der sichernden Spitze fahren die Wagen an. Geknalle der langen Peitschen, wüstes Geschrei der Treiber, Leiter und Ochsenwächter zeigt es an.

Nun geht es hinein in den frischen, köstlichen Morgen. Tau liegt auf dem Grün, und die Sonne färbt die grotesken, massigen Klippen und Felsen mit glühendem Rot. Und jetzt beginnt auch in der Natur ein Leben und Jubilieren, daß das verstockteste Philisterherz davon ergriffen werden muß. Die wilde Taube, die von Baum zu Baum, von Ast zu Ast flattert, girrt; das Savannenhuhn gackert am sandigen Flußtal; der Toran läßt, aufgescheucht, sein Geschrei ertönen, und Scharen von Perlhühnern fliehen mit rauschendem Flügelschlage den Staub und Lärm der nahenden Kolonne. Zwischen den blühenden Büschen und inselartig verteilten Baumgruppen fliegen und flattern Hunderte von kleinen Vögelchen, grün, gelb, schwarz, rot, strahlend blau und einfach bräunlich, piepend, zwitschernd, pfeifend und singend umher. Und dort, an dem hohen Dornbaume, siehst du ein großes, strohgedecktes und kunstvoll gebautes Nest an einem starken Aste hängen. Lustig geht es dort zu; immer hinein und heraus zu den vielen Eingängen klettern und fliegen winzige Vögelchen mit lautem Gelärme: der Siedelsperling hat hier sein Hotel erbaut. Aber sieh auch über den Steinhügel hinweg auf den Boden: Auch dort ist alles Leben! Dort huscht die flinke, smaragdgrüne

Eidechse durch die Gräser, wunderbar gestaltete Laufkäfer und Spinnen treiben ihr Wesen, und fleißige Ameisen beginnen des Tages Arbeit. Doch wir werden in unseren Betrachtungen gestört — die Kolonne stockt, denn tief hinunter geht der Marsch in ein felsiges Rivier. Steil fällt der Hang gegen das Flußtal ab, und vom Regen tief ausgewaschen sind die alten Wagengeleise. Der Weg ist mit Steinen und verwitterten Blöcken bedeckt, eine gefährliche Stelle für die Wagen, denn während es rasend schnell bergab geht, so daß selbst bei scharfangezogener Hemmvorrichtung die Hinterochsen oft Gefahr laufen, überfahren zu werden, müssen, wenn es dann den gegenüberliegenden Hang hinaufgeht, meist die Mannschaften in die Räder greifen. Nicht selten ist ein zweites Gespann Ochsen nötig, um den schwerbeladenen Wagen heraufzuziehen.

Auch das „Treiben eines Wagens", wie man in Südafrika sagt, ist eine schwere Kunst, die gelernt sein will, und besonders für den Neuling eine furchtbare Anstrengung. Hier- und dorthin muß der Treiber springen, rufend, anfeuernd, peitschend. Bald ist er rechts, bald links von den Ochsen, bald läuft er vor, um die Vorderochsen treffen zu können, bald pufft er mit dem Peitschenstiel die an der Deichsel befestigten Hinterochsen in die Seite, um sie zum Ausweichen vor einem Stein, einem Baumstamme oder einem Termitenhügel zu zwingen, denn ein Anfahren kann das Fahrzeug zum Umstürzen bringen. Besonders schwierig ist es für die Treiber, zu bewirken, daß alle Ochsen gleichmäßig anziehen, wenn 40 und mehr vor einen Wagen gespannt sind. Ziehen dann, was öfter vorkommt, die Tiere verschiedener Gespanne nach zwei Seiten, so fahren sie den Wagen nur um so fester, die hölzernen Joche und Jochscheite brechen, das aus Riemen von Ochsenfell hergestellte Trecktau oder die eiserne Treckkette reißt, und eine große Verzögerung entsteht. Ist diese schon bei einem allein treckenden Wagen unangenehm genug, so bedeutet sie für eine Wagenkolonne, besonders auf dem Marsche durch Hohlwege oder an schroffen Abstürzen vorbei, häufig einen unfreiwilligen Halt von Stunden. Dann wird geflickt und gehämmert, bis die Schäden notdürftig repariert sind, und für alles dies ist der Treiber verantwortlich. Auf den Märschen der Schutztruppe war für derartige Unfälle natürlich mancherlei Vorsorge getroffen, die Wagen führten Reserveteile und leichte Feldschmieden mit, Schmiede und Stellmacher waren zur Hand.

Wieder wird ein sandiges, wasserloses Flußbett gekreuzt; hohe Felswände umgeben es. Nun durchziehen wir einen engen Hohlweg zwischen himmelhohen Klippen. Es sieht so aus, als wenn Satan hier mit Riesengranitblöcken Ball gespielt hätte; ein wüstes Chaos von Blöcken, Platten, kolossalen Pfeilern und Bruchstücken abgestürzter und verwitterter Felsteile umgibt uns, die Steinmauern rechts und links sind üppig bewachsen. Dornbüsche und verkrüppelte Bäume, Gras und Blumen, Aloe und Kaktusarten in phantastischen Formen haben auf dem kahlen Fels Platz genug gefunden, um Wurzeln zu schlagen; saftiggrüne Schlingpflanzen schaukeln sich im Winde. — All' diese unwegsamen, malerischen Felsgruppen, die durch fast ganz Südwestafrika verstreut sind, die der Reisende täglich bald nah, bald in der Ferne sieht, haben ihre Bewohner. Wie auf den Bergen die Herden der munteren Paviane sich tummeln, so haust hier das possierliche Völkchen der Klippdachse. Pfeifend fahren diese scheuen, murmeltierähnlichen Geschöpfe auf den Klippen hin und her. Spähend, sichernd, verschwindend und wieder auftauchend, unruhig mit klugen Augen umherblickend, setzen sie den Beschauer durch die flinken Bewegungen ihres unbehilflich erscheinenden, dicken Körpers in Erstaunen. Das Fleisch des „Klippschliefers", der trotz seiner Kleinheit zoologisch als Dickhäuter ein naher Verwandter des Elefanten ist, wird von den Eingeborenen, ja sogar von anspruchsloseren Weißen geschätzt, und die Fellchen werden zu äußerst starken und warmen „Karossen" (Decken) verarbeitet, wozu allerdings eine große Anzahl nötig ist. Auch der Berghase, der sehr wohlschmeckend ist, äst die saftigen Kräuter der Felshänge ab, und in den tiefen Spalten und Rissen bauen die wilden Bienen ihre Waben. In der Honigzeit ziehen dann die Eingeborenen aus, um die „süße Kost" zu gewinnen und durch Gärung ein stark berauschendes, angenehm säuerlich schmeckendes Getränk, das Honigbier, daraus zu bereiten. Dann herrscht fröhliches Treiben in den Dörfern und auf den Viehposten. Es wird gesungen, getanzt und gezecht — eine afrikanische Weinlese! Aber auch wir Europäer schätzen den Honig als solchen und in flüssiger Form.

Weiter — hindurch durch die Schlucht! Ein Felsentor öffnet sich vor uns, und wieder ziehen wir hinaus in die freie Ebene. Den Horizont umgeben die blauen Ketten der Randgebirge. Die Sonne steigt höher, und es wird fühlbar warm. Vorbei an runden und spitzen, oft baumhohen Termitenhügeln streben wir dem Mittagsrastplatze zu. Die Marschordnung hat sich geändert. Während wir in der Reihenfolge: Avantgarde, loses und Schlachtvieh, Wagen, beide Kompagnien, abrückten, sind diese bald an Vieh und Wagen vorbeigetrabt, und bei der Ankunft am Ruheplatze sind die Reiter die ersten. Lange nach dem Absatteln und nachdem die Posten ausgestellt sind, trifft die Fuhrwerkskolonne und das „angejagte" Vieh ein. Inzwischen beschäftigen sich die Reiter damit, aus abgerupftem Gras Lagerstätten zu bereiten und abgestorbene Äste zum Kochfeuer von den Bäumen zu brechen. Der Halteplatz ist leider ohne Wasser, so daß wir aus dem großen, eisernen Wassertin von 1000 l Inhalt, daß wir für solche Fälle auf einem Wagen mit uns führen, leben müssen. Jeder Europäer und Eingeborene bekommt ein Koch=geschirr voll zum Trinken und Kochen, sobald die Wagen heran sind.

Inzwischen weiden Pferde und Ochsen unter Aufsicht der Viehwache, welche die Tiere zu „kehren", d. h. zurückzujagen hat, wenn sie zu weit laufen. Besonders bei den Pferden ist Vorsicht nötig, denn während die Ochsen meist im großen Trupp bleiben, laufen erstere gern nach allen Himmels=richtungen auseinander, so daß uns einmal vier vollständig verloren gingen. In Friedenszeiten ist das kein allzu großes Unglück, denn da die Pferde ausnahmslos „gemerkt" sind, d. h. ihnen ein Zeichen eingebrannt ist, so werden sie meist, allerdings vielleicht erst nach Monaten, zufälligerweise von diesem oder jenem eingefangen und dem rechtmäßigen Besitzer wieder zugeführt; im Kriege aber gehen sie dann oft an den Gegner verloren.

Um 2 Uhr werden Ochsen und Pferde herangetrieben, es wird ein-gespannt und gesattelt. Dann geht es wieder weiter. Die Sonne steht hoch am Himmel, und es ist drückend heiß; Menschen und Tiere lassen die Köpfe hängen.

Gegen 4 Uhr aber wird es kühler. Eine Stunde später beginnt die Sonne zu sinken, und nun genießen wir einen der farbenglühenden afrikanischen Sonnenuntergänge. Blutrot strahlt das Licht, in allen Farben glänzen und blitzen die Köpfe der Klippen, der „Kopjes", und die wenigen Wölkchen am Himmel. Zuerst erscheinen sie wie in flüssiges Gold und Blut getaucht, dann wird der Schimmer blasser und blasser. Allmählich geht er in ein fahles Gelb über, bis zuletzt ein leichter, gelbrosiger Ton bleibt; auch dieser vergeht; noch einmal leuchtet und blitzt es auf an den fernen Bergen, dann macht das Tagesgestirn der Nacht, dem Monde Platz. Es bricht plötzlich tiefe Dunkelheit herein, nur fahl und schwach erhellt von dem Lichte des zunehmenden Mondes. Es ist 6 Uhr. Kühl weht ein leichter Wind über die Steppe, die dichten Büsche erscheinen gespenstisch groß, und am Himmel blitzen und funkeln die zahllosen Sterne der südlichen Hemisphäre. Groß und erhaben erscheint Nacht für Nacht am Himmelsdome das südliche Kreuz. Da — Pferdegewieher — abgesessene Mannschaften der Spitze werden sichtbar. Einige sind hoch in die Baumkronen gestiegen, man hört das Brechen trockenen Holzes für die nächtlichen Lagerfeuer.

„Die Wagen fahren zu einem Kreis zusammen — Schlachtvieh in die Mitte. Vier Außenwachen, eine Innenwache sind zu stellen!" überbringt ein Unteroffizier die Befehle des Kommandeurs.

Kurz darauf treten die Wachen, zu denen die Leute schon mittags kommandiert sind, an und rücken nach verschiedenen Seiten ab. „Halt! — soeben kommt noch der Befehl: Da Patrouillen der Witbooi gespürt sind, ist es den Außenwachen verboten, Feuer anzumachen!" Ich reite mit den Außenwachen hinaus, um ihnen auf den umliegenden Höhen ihre Stellungen anzuweisen. Die Mannschaften sind zu Fuß und nehmen Mäntel und Schlafdecken mit. Spät kehre ich ins Lager zurück, wo fast alle schon in tiefem Schlummer liegen, und melde dem Kommandeur, der noch wacht. — Bald hört man nichts mehr als den Schritt der Posten, leises Sprechen bei der Wache, das Schnaufen der wiedereingespannten Zugochsen, die sich niedergetan haben, das Klirren der Ketten an den Wagen und das Stampfen der Pferde, die an denselben befestigt sind.

So verging Tag für Tag, und am 18. Mai nachmittags langten wir vor Hornkranz an. Bereits mittags waren frische Spuren galoppierender Reiter bemerkt worden, die in der Richtung auf den Ort zuführten.

In langen Schützenlinien gingen wir kurz nach 4 Uhr vor und überschritten die Hornkranz umgebenden Berge ohne Schuß. Kaum hatten wir den Kamm des letzten Höhenzuges erreicht und den Platz vor uns, da riefen auch schon einige der Bastarde, die zwischen unseren Mannschaften verteilt waren: „Pferdereiter, Pferdereiter!" Hornkranz war besetzt, aber schon kam Leben in die Krieger. Sobald sie unser umfassendes Vorgehen bemerkten, warfen sie sich auf ihre Pferde und jagten in die Berge. Als wir nur noch etwa 1000 m entfernt waren, preschten noch zwei Reiter aus der Kirche. Inzwischen hatte Hauptmann v. François mit Mannschaften der 1. Kompagnie einen Pulk von über 50 witbooischen Reitern, der in einem nördlich des Platzes gelegenen Tal hielt, unter Feuer genommen und verjagt. In eiliger Flucht verschwanden auch diese.

Meinem Auftrage gemäß stieß ich mit zwei Zügen in dem wildzerrissenen Felsental des Goabflusses gegen den Ort von Süden her vor und suchte dieses schrecklich unwegsame Gelände nach dem Feinde ab. Sobald wir in das Felslabyrinth eindrangen, erhielten wir heftiges Feuer, das wir erwiderten und nach wenigen Minuten durch umfassendes Eingreifen des 3. Zuges zum Schweigen brachten. Unendlich langsam nur konnte die Kompagnie vordringen, da die Schwierigkeiten des Geländes enorme waren. Zwei

meiner Reiter stürzten schwer in den Felsen des Flusses, endlich aber erreichten wir den Platz und vereinigten uns mit der 1. Kompagnie unter
Premierleutnant v. François, die bereits das ganze Gelände nördlich und
westlich des Ortes abgesucht und einen Zug zur Verfolgung abgesandt hatte,
der nach zwei Stunden, ohne etwas vom Feinde bemerkt zu haben, zurückkehrte. Wir sahen uns nun in Hornkranz um, nachdem starke Posten ausgestellt worden waren. Es sah entsetzlich auf dem Platze aus. Überall lagen
verwesende Leichen von Menschen und Tieren herum, da die Witbooi nur
die Vornehmen der am 12. April Gefallenen begraben hatten, und zwar in

Photo. Frisch phot.
Hottentott-Frau.

der Nähe des von uns angelegten kleinen Kirch-
hofs, dessen Gräber völlig unberührt waren. Ein
pestilenzialischer Gestank lag über dem Platze, so
daß wir viele der Leichen verbrennen, andere be-
erdigen mußten.

In der Kirche, die ein Zug besetzte, befanden
sich drei alte Hottentottenfrauen und einige Kinder.
Sie übergaben dem Hauptmann v. François einen
Brief Hendrik Witboois an den Kapitän der
Bastarde, Hermanus van Wijk, voll bitterer Vor-
würfe und Drohungen für diesen, weil er sich den
Deutschen angeschlossen habe. Der Führer der
Bastarde antwortete sofort, und dies Schreiben
wurde den Frauen zur Bestellung an ihren Häupt-
ling übergeben.

Inzwischen wurde Hornkranz vollständig besetzt
und alles zu einer etwaigen Verteidigung vorbereitet. Auch neue Wasserstellen mußten ausgehoben werden, da in den alten noch Leichen lagen. Die
Benutzung eines tiefen in den Fels eingesprengten Brunnens, der bis zum
Rande voll war, wurde vom Kommandeur verboten, da man nicht wissen
konnte, ob das Wasser nicht vergiftet worden war. Die Nacht verlief ruhig
und ohne Zwischenfall.

Ich muß nun etwas zurückgreifen, um zu erzählen, daß wir bereits auf
dem Hinmarsche — in Rehoboth — durch den uns von Windhuk aus nach-
geschickten Ansiedler Johr eine in griechischen Lettern geschriebene Nachricht
erhielten, die besagte, daß in kurzem S. M. S. „Arkona“ in Swakopmund
oder Walfischbai zwei Feldgeschütze mit Munition für uns landen würde.
Infolgedessen herrschte großer Jubel im Lager, und Hauptmann v. François

beschloß, zunächst nur festzustellen, wo sich Witbooi aufhalte, vor einem er=
neuten allgemeinen Angriff aber sich in den Besitz der Geschütze zu setzen.
Zuerst war beabsichtigt worden, eine ganze Kompagnie zur Besetzung von
Hornkranz zurückzulassen, dann aber wurde der Befehl bekannt gemacht, daß
1 Sergeant, 1 Unteroffizier, 1 Lazarettgehilfe und 24 Reiter hier verbleiben
sollten. Für diese wurde die feste Kirche verteidigungsfähig eingerichtet, und
so sah uns der Morgen des 19. in voller Tätigkeit. Steine wurden heran=
getragen zum Bau, denn die Mauern mußten erhöht und verstärkt werden,
Schießscharten für kniende und stehende Schützen wurden durchgebrochen, die
Tore durch vorgreifende Mauern gegen frontales
Feuer gesichert und endlich ein ziemlich großer An=
bau neu aufgeführt. Premierleutnant v. François
leitete die Arbeiten, während welcher schon früh=
morgens zwei Rekognoszierungspatrouillen von je
15 Mann in westlicher und südwestlicher Richtung
vorgeschickt wurden. Die drei Hottentottenweiber
hatten nämlich erzählt, daß Hendrik sich unweit
Hornkranz am „roten Berge“ verschanzt habe.
Dieser, auch „Karibib“ oder „der letzte Zufluchts=
ort“ genannt, liegt etwa 11 km weiter südwestlich,
und die Nachricht erschien um so glaublicher, als
eine 20 Reiter starke Bastardpatrouille unter Hans
Diergaard, die vom Hauptmann v. François schon
von Rehoboth aus über Gurumanas nach Fahlgras

Hottentott=Mädchen.

geschickt worden war, dort nichts von den Witbooi wahrgenommen hatte.

Die Patrouille der 1. Kompagnie ging in der Richtung auf den
Gausberg vor, dessen Koloß sich weithin sichtbar drohend aus der zer=
klüfteten Ebene erhebt, kehrte jedoch zurück, ohne auf den Feind gestoßen
zu sein.

Die Patrouille meiner Kompagnie dagegen war bis auf 300 m an den
Karibibberg herangekommen, als plötzlich auf diesem überall feindliche Schützen
hinter Schanzen und Deckungen auftauchten und Schnellfeuer auf die Unsrigen
eröffneten, so daß diese sich sofort zurückziehen mußten. Zwei Reiter wurden,
glücklicherweise nicht schwer, verwundet.

Als das Schießen im Lager gehört wurde, schickte Hauptmann v. François
sofort 2 Unteroffiziere und 16 Reiter ab, um die angegriffene Patrouille
aufzunehmen, aber diese kam zurück, ohne in dem unübersichtlichen Gelände

die Hilfsabteilung gesehen zu haben, und meldete, daß der Berg stark ver=
schanzt und besetzt sei. Nun eilte Hauptmann v. François, von nur zwei
Reitern begleitet, selbst der letzten Patrouille nach, um sie zurückzuholen und
persönlich das Gelände zu erkunden. Als er sich dem roten Berge näherte,
hörte er plötzlich vor sich wieder stark feuern, und kurz darauf sah er die
Patrouille, die in dem Glauben, die zuerst abgesandte Abteilung noch vor
sich zu haben, sich dem Berge bis auf 200 m genähert hatte, zurückgehen,
stark mit Feuer verfolgt von der feindlichen Stellung aus. Der Reiter
Gehrmann erhielt einen Schuß in die Hüfte und sank zusammen, aber sofort
sprangen andere herzu und schleppten ihn weiter. Reiter Meyer jedoch
wollte den Befehl des Unteroffiziers zum Zurückgehen nicht befolgen, und
diese tapfere, aber falsche Handlungsweise sollte sein Tod sein. Als, wie
dies durchaus richtig und nötig war, der Führer ihm nochmals zurief, auf=
zustehen und zu folgen, antwortete er diesem, er wolle den Rückzug der
Patrouille decken, und gab ruhig Schuß auf Schuß ab. Hier muß den
furchtlosen Soldaten, der vollständig ungedeckt dalag, die tödliche Kugel
getroffen haben, denn er kehrte niemals wieder und konnte auch von
später abgeschickten Patrouillen nicht aufgefunden werden. Ehre seinem
Andenken!

Inzwischen hatten wir die zurückbleibende Besatzung mit allem Nötigen
versehen und den Ausbau der Feste vollendet. Eine große Menge Munition,
etwa 75 000 Patronen, einige Reservegewehre, dann Fleisch, Mehl, Reis,
Erbswurst, Kaffee, Tee, Zwieback, Salz, Tabak und Streichhölzer auf etwa
sechs Wochen wurden ebenso wie ein großes Wassertin zu 1000 Litern in
die Feste geschafft, und dieses sowie mehrere Blechkoffer bis zum Rande mit
Wasser gefüllt. Dann zogen wir ab.

Schon an dem ersten Haltplatze, demselben, an dem wir am 11. April
gelegen hatten, kam von einer der Außenwachen die Meldung: „Dumpfe
Schüsse sind von Hornkranz her zu hören." Am folgenden Tage wurde mir
auf dem Marsche von der Nachspitze eine Abteilung witbooischer Reiter
gemeldet, die in unserer rechten Flanke ungefähr auf 3000 m der Kolonne
folgte und uns beobachtete. Ich ritt zur Nachspitze und ließ dieselbe halten, und
sofort hielten auch die Nama und saßen ab. Da sie stets außer Gewehr=
schußweite blieben, war ihnen nicht beizukommen, und erst in Naos machten
sie uns einen nächtlichen Besuch.

Hier lagerten wir dicht an einem engen, von steilen Felsen ein=
geschlossenen Flußtal. Die Posten waren längst ausgestellt, und Haupt=

mann und Leutnant v. François, Dr. Richter und ich saßen am Feuer und waren gerade beschäftigt, Tee zu kochen, — da - ein donnernder Knall, noch einer - ein dritter, dann eine Salve und — tiefe Stille! Das ganze Lager ist alarmiert. Alle springen auf und greifen zu den Waffen! Hauptmann v. François und ich rennen in rasender Eile, das Gewehr schußbereit, nach der rechten Außenwache, von der die Schüsse herübertönten. Es ist stockdunkel — endlich blitzen Gewehrläufe, die ganze Wache ist ausgeschwärmt, und wir erfahren folgendes von dem Wachthabenden, dem Unteroffizier Schaack meiner Kompagnie: Der Doppelposten, dem ich selbst eine grabenähnliche Bodenvertiefung als Standort angewiesen hatte, hörte plötzlich leise Schritte sich nähern und unterdrücktes Sprechen. Ein Mann kroch zur Wache zurück und benachrichtigte diese, die sofort in der Höhe des Doppelpostens in Stellung ging, und zwar so vorsichtig, wie nur möglich. Dann atemloses Lauschen; die Unseren lagen gedeckt im Schatten von Büschen und Felsen. Die Schritte nähern sich mehr und mehr, und das fahle Licht des Mondes läßt einen Mann erkennen, der sich schlangengleich vorschleicht; hinter ihm tauchen mehr dunkle Gestalten auf. Jetzt ist der Vorderste bis auf etwa 30 Schritte heran, und der spähende Blick der Reiter unterscheidet den weißen Hut eines Witboikriegers. Ein schriller Schrei: „Halt!", der Witboi fährt zusammen, aber schon krachen die Schüsse der Wache durch die stille Nacht, und wie hinweggefegt von der Erde, verschwunden wie ein narrender Spuk, sind die dunklen Gestalten.

Ich hätte es gern gesehen, wenn nicht so früh geschossen worden wäre und die Wache wenigstens die vordersten Krieger bis an die Gewehrmündungen hätte herankommen lassen, denn bei dem unsicheren Mondlicht war ein Zielen, selbst auf nur 30 Schritte, unmöglich. Aber es war nun einmal geschehen, und ich ließ noch einmal Schnellfeuer auf eine etwa 200 m entfernte Gruppe von Büschen abgeben, die sich deutlich von dem hellen Sande des Riviers abhob, und hinter der sich etwas zu bewegen schien. Unsere Schüsse blieben ohne Antwort, und jetzt brach Verstärkung im Laufschritt von hinten durch die Büsche. Patrouillen gingen vor und suchten das Gelände ab, aber nichts war zu entdecken, und in tiefer Ruhe lagen wieder Flußbett und Savanne da, nur vom Lager drang verworrener Lärm herüber. Dort stand unter Premierleutnant v. François die Truppe gefechtsbereit. Bald jedoch lagen wieder alle in tiefem Schlummer; die Nacht verstrich ruhig. Früh am Morgen zogen wir weiter, nachdem das Gelände nach allen

4*

Seiten durchsucht worden war. Aber wir fanden nichts, weder Leichnam noch Blutspur, und es ist möglich, wenn auch sehr unwahrscheinlich, daß die Witbooi unversehrt davongekommen sind. Anscheinend hatten wir es mit einer feindlichen Abteilung zu tun, die uns bei Nacht in das Biwak schießen wollte und die dabei auf die Außenwache, die ohne Lagerfeuer dalag, auf= gelaufen war.

Über Gurumanas und Aris erreichten wir am 22. ohne weiteren Zwischenfall Windhuk. Die Bastarde sowie ein Unteroffizier und acht Reiter als Besatzung waren bereits von Hornkranz aus nach Rehoboth geritten.

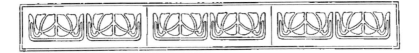

4. Kapitel.

Ein kühner Gegner.

Die Naman.   Zwei Überfälle.   Nach Rehoboth.   Die Witbooi vor Windhuk.

Kurz nachdem wir von unserem Zuge zurückgekehrt waren, durchschwirrten die verschiedensten Nachrichten über die Flucht des ganzen
Witbooi-Stammes das Land. Nach einer derselben sollte Hendrik
aus Furcht vor den Geschützen zu den Zwartbooi im Kaokofelde, nach einer
anderen auf englisches Gebiet sich geflüchtet haben. Jedoch stellten sich diese
Nachrichten bald als vollständig erfunden heraus.

Es dürfte hier am Platze sein, einiges über die Fechtweise der Hottentotten zu sagen.

Im Juni 1893 schrieb ich nach der Heimat:

„Die Hottentotten, mit denen wir hier kämpfen, gehören entschieden zu
den beachtenswertesten Gegnern, die jemals in einem Kolonialkriege europäischen Truppen gegenübergestanden haben. Wenn sie auch von Natur jeder
Arbeit abhold und unverschämte Bettler von maßlosem Stolze sind, so werden
sie doch von ihrem energischen Häuptling in strenger Zucht und straffer
Disziplin gehalten. Im Kriege aufgewachsen, geschickte Reiter von leichtem
Gewicht, im Felddienst fast unübertrefflich, auch im Gebrauch hoher Visiere
geübte sichere Schützen, sind sie, ausschließlich mit Hinterladern modernster
Konstruktion und meist englischen Ursprungs bewaffnet, sehr gefährliche
Gegner. Ihre Fechtweise ist die unserer Infanterie, und sie stehen in dieser
Beziehung vollständig auf der Höhe der Zeit. Sie bringen Fußvolk und
Reiter ins Gefecht, doch schießen sie nie vom Pferde, sondern springen stets
ab. Marschiert wird meist ohne Benutzung der Wege querfeldein, oft in
breiter Front, doch sind sie auch außerordentlich geschickt, aus der Kolonne
Schützenlinien herzustellen. Bald wie die Schlangen kriechend, bald in ge-
strecktem Lauf von Busch zu Busch, von Klippe zu Klippe sich deckend,
pürschen sie sich auf günstige Schußweite an den Gegner heran. Hieraus
erhellt, daß die Ziele, die sie unseren Schützen darbieten, fast nie größer als
Kopfscheiben sind, daß wirklich gute Schützen dazu gehören, um einem solchen

Gegner irgendwie nennenswerte Verluste zuzufügen, und daß man anderseits nur im Felddienst ausgezeichnet ausgebildete Leute verwenden kann, wenn man nicht selbst große Verluste erleiden will. Es war einmal die Rede davon, einige Kompagnien Sulus oder Sudanesen in Südwestafrika zu verwenden. Daß diese von den Hottentotten gehörig zusammengeschossen worden wären, kann keinem Zweifel unterliegen. Wie sehr die Naman den Krieg lieben, wie sehr sie gewöhnt sind, in ihm zu leben, wie groß aber auch ihre geistige Begabung ist, zeigen einige Kriegslieder, die der jüngste Sohn Hendriks gedichtet und selbst in Musik gesetzt hat, und die ich der Güte des Missionars Heidmann in Rehoboth verdanke. Das erste dieser Lieder lautet in der Übersetzung:

1. Reiter, holt die Pferde heran,
Nehmt das Gewehr, gürtet die Tasche!
Tut Patronen hinein, sattelt die Pferde!
Fußvolk und Reiter, zieht in den Krieg!

2. Hört des Hauptmanns Stimme im Krieg!
Zieht im Dunkeln, schießt am Morgen!
Fußvolk und Reiter, schleicht euch heran,
Springt und überfallt, Brüder!
Rechten und linken Flügel ausgebreitet —
Fechtet so und kehrt zurück zur Zeit!

3. Hauptmann, ruf' deinen Fechtern jetzt zu,
Feure an, laß stürmen zur rechten Zeit!
Stürmt an mit Schießen und Kriegsruf!
Rastet nicht, der Feind erwacht;
Stürmt an mit Schießen, Schlagen und Stechen,
Fechtet — lasset den Kriegsruf schweigen!

Und ein zweites kürzeres:

Geht es in den Krieg,
Dann jubeln alle; doch bei
Der Rückkehr weinen einzelne.
Krieg sättigt den einen,

Den andern läßt er verhungern,
Krieg erniedrigt den einen
Und erhebt den andern.
Krieg macht arm und reich!

Aber während die Naman bei den Raubzügen gegen die Herero lediglich darauf bedacht waren, soviel Vieh wie möglich zusammenzubringen und fortzutreiben, und deshalb fast stets nur hinhaltende Gefechte, und zwar so lange führten, bis die geraubten Herden in Sicherheit gebracht waren, haben sie uns gegenüber gezeigt, daß sie auch die Fähigkeit besitzen, längere verlustreiche Kämpfe zu bestehen.

Hendrik Witbooi, ihr Führer, ist in vieler Beziehung mit Männern wie der Mahdi, religiösen Fanatikern, schlau berechnenden Kennern der Macht der Religion, zu vergleichen. Er war früher Schullehrer, wie viele der Namahäuptlinge. Auch der bereits erwähnte Unterkapitän Samuel Isaak sowie des Häuptlings jüngster Sohn, Kleen-Hendrik, und einige der Ratsleute sind immerhin bedeutende Männer zu nennen.

Alles hatte Hendrik geordnet und organisiert. Nicht allein seine Krieger, sondern auch die Bevölkerung der Lager und Hauptplätze, vor allem in Gibeon und Hornkranz, war scharf eingeteilt und überwacht. Ich besitze eine Liste, die eine Übersicht über das Lager von Hornkranz gibt, und in der das-selbe in einen Nord-, Süd-, Ost- und Westdistrikt unter bestimmten Beamten, und diese Distrikte wieder in Unterabteilungen eingeteilt werden."

Solcherart waren die Männer — diese kühnen, nimmermüden, trotzigen Nomaden —, die uns damals gegenüberstanden auf den weiten Grasebenen und in den finsteren Felsengebirgen ihres Landes. —

In Windhuk gab es nach unserem Einrücken viel Arbeit. Die Hand-werker hatten angestrengt zu arbeiten, zumal auch alle möglichen Gebäude neu aufgeführt werden sollten, denn die Unterkunftsräume für unsere Leute waren ganz ungenügend. Es schien übrigens für den Hauptteil der Truppe eine Zeit der Ruhe zu kommen, da außer dem Kommando von 4 Unteroffizieren und 27 Reitern, das Hauptmann v. François zur Abholung der Geschütze aus Walfischbai bestimmt hatte, alles in Windhuk bleiben sollte. Aber am Tage des Abmarsches dieser Abteilung, am 24. Mai, traf aus Hornkranz die Nachricht von den ersten Gefechten der dortigen Besatzung und von der Verwundung des Reiters Fischer ein. Dieser mußte natürlicherweise sofort nach Windhuk geholt werden, und zu dem Zwecke rückte bereits am folgenden Tage eine Abteilung von 1 Feldwebel, 2 Unteroffizieren und 20 Reitern mit einem Wagen nach Hornkranz ab.

Dort hatte inzwischen eine Reihe von Gefechten zwischen der Besatzung und den sie umlagernden Witbooi stattgefunden. Gleich am Morgen unseres Abmarsches aus Hornkranz näherte sich der Feste eine Anzahl feindlicher Reiter. Es ist bemerkenswert, daß, trotzdem die von uns ausgeführte Ver-stärkung und Erweiterung der Befestigung weithin sichtbar war und verdächtig erscheinen mußte, die witbooischen Krieger sorglos plaudernd heranritten; sie hatten unseren Unternehmungsgeist und den Mut unserer Leute unterschätzt. Als die vordersten Reiter sich den Schießscharten bis auf 10 m genähert hatten, eröffneten die Unseren das Feuer, und nur einer der Witbooi entkam verwundet ihren Geschossen, alle anderen fielen.

Am Mittage desselben Tages verließ Sergeant Pohl mit sechs Mann die Schanze, um eine ungefähr 400 m entfernte halbeingerissene alte Be-

festigung, die das freie Schußfeld beeinträchtigte, vollends zu zerstören. Als
die Arbeit beendet und die Unseren bereits auf dem Rückwege waren, wurden
sie plötzlich mit einem Hagel von Geschossen überschüttet. Der Reiter Fischer
sank, in das Fußgelenk getroffen, ohnmächtig zusammen, aber Sergeant Pohl
und Reiter Pevesdorf sprangen hinzu und schleppten ihn weiter, und aus
der Feste eilte, trotzdem die Tore derselben so scharf und geschickt vom Feinde
unter Feuer genommen wurden, daß Steinsplitter und Staubwolken die Eingänge füllten, Lazarettgehilfe Loschke mit vier Reitern zu Hilfe. So konnte
der Verwundete geborgen werden, unter dem Schutze der aus den Schießscharten feuernden Besatzung der Feste. Eine Untersuchung der Wunde
Fischers ergab eine schwere Zersplitterung der Knochen, so daß Sergeant
Pohl beschloß, sofort Meldung von dem Vorfalle nach Windhuk zu senden.
Am 23. verließen die tapferen Reiter Schücke und Kirschner Hornkranz, und
es gelang ihnen, ungefährdet Rehoboth zu erreichen, von wo die Meldung
durch einen berittenen Bastard nach Windhuk weiterbefördert wurde.

Wenn man bedenkt, daß witbooische Abteilungen Tag und Nacht die
Besatzung beobachteten, und daß feindliche Patrouillen unausgesetzt das Gelände bis an das Auasgebirge durchstreiften, wird man dem Heldenmut der
beiden deutschen Soldaten, die zu Fuß mit nur geringem Proviant- und
Wasservorrat das gefahrvolle Wagnis unternahmen, die höchste Anerkennung
nicht versagen können. Querfeldein — ohne Benutzung der Wege   eilten
sie ihrem Ziele zu, und nur in den heißesten Mittagsstunden ruhten sie im
dichten Schatten eines Gehölzes oder hoch auf einer der felsigen Höhen.

Die Besatzung von Hornkranz hatte inzwischen noch manches Gefecht
zu bestehen und durfte sich tagsüber kaum aus den schützenden Mauern der
Feste herauswagen. Dazu mußte der Verwundete gepflegt und täglich verbunden werden. Aber das glänzende Beispiel der Unteroffiziere Pohl, Bohr
und Loschke hielt die Mannschaft bei gutem Mut. Allerhand Arbeiten
wurden vorgenommen, um der drückenden Langeweile zu entgehen. Die Feste
wurde täglich peinlich sauber gereinigt, die Mauern noch mehr erhöht, der
Proviant und die Munition umgepackt u. a. m.

Hier bewährte sich hervorragend die soldatische Erziehung, die diese
Männer, ehemals Angehörige der verschiedensten Truppenteile, in der Heimat
erhalten hatten.

Am 27. Mai ritt Hauptmann v. François mit einigen Reitern nach
Walfischbai ab, um persönlich das Heraufbringen der Geschütze zu leiten.
Von der nach Hornkranz abgegangenen Abteilung hörten wir nichts, bis

am 2. Juni ein Bote aus Rehoboth eintraf, welcher keineswegs günstige Nachrichten überbrachte. Die Patrouille war auf dem Rückwege zwischen Hornkranz und Rehoboth zweimal von den Witbooi überfallen worden, und einige Reiter wurden vermißt. Infolgedessen befahl mir Premierleutnant v. François, nach der Abreise seines Bruders der Höchstkommandierende in Windhuk, mit dem Rest meiner Kompagnie nach Rehoboth zu marschieren, um die anscheinend stark erschütterte Patrouille, die sich laut Meldung fast ganz verschossen hatte, dort aufzunehmen und nach Windhuk zu geleiten. Noch am Abend desselben Tages verließ ich mit 8 Unteroffizieren, 23 Reitern und 2 Wagen Windhuk. Mir schloß sich Dr. Dove an, und nach zweitägigem Marsch ritten wir in die große Ebene ein, die sich nach Osten und Südosten hin unabsehbar bis zur Kalaharisteppe erstreckt. Eine entzückende Parklandschaft in ihren abwechslungsreichen Formen, mit prächtigen Baum- und Buschgruppen, besonders an den Rivieren, umgab uns.

Nach kurzem Halt näherten wir uns am Nachmittage Rehoboth, das ganz im Grün hoher Bäume hinter einer Spitzkuppe versteckt liegt. Vor dem Dorfe begegneten uns mehrere bewaffnete Bastarde mit frischen Ochsen für zwei Bastardwagen, die sich uns unterwegs angeschlossen hatten, und zwei Berittene, die Pferde für die Truppe nach Windhuk brachten.

Kurz darauf kamen uns Reiter der Truppe entgegen, die uns mit „Hurra" begrüßten. Der zweitälteste Unteroffizier des überfallenen Kommandos, König, berichtete mir über die Vorkommnisse, und unter seiner Führung ritten wir durch den dichten Rehobother Wald in den Ort ein und vor das Haus des Kaufmanns Schluckwerder, in welchem die Besatzung lag und in dem auch wir Quartier nahmen. Dove und ich besuchten nun zunächst den verwundeten Fischer, auf dessen Befinden die Aufregungen der letzten Tage glücklicherweise nicht verschlechternd eingewirkt hatten.

Rehoboth liegt in einem Tale, das nach Norden und Osten — hier teilweise — offen ist und den Blick in unendliche Ebenen mit schönstem Weideland schweifen läßt. Im Westen ziehen Gebirgszüge in einiger Entfernung dahin, während sie im Süden und Südosten nahe herantreten. Viele tausend Stück Rind- und Kleinvieh weideten damals in der Nähe des Ortes, der Kriegsgefahr wegen zusammengetrieben und von Bewaffneten bewacht.

In unserem Schutzgebiet gibt es, wenigstens im mittleren und südlichen Teil, wenig von der Art der Bewachsung, die man in Europa „Wald" nennt, denn meist stehen die Bäume in größeren Zwischenräumen, so daß sie

eine mehr oder weniger dichte „Baumsavanne" bilden. Aber an einigen
Punkten - so mehrfach bei Rehoboth, und besonders dort, wo der Weg von
Aub mündet — treten sie so dicht zusammen, daß man ohne Übertreibung
von einem „Walde" sprechen kann. — Reichliches Wasser hat der Ort durch
seine warmen Quellen, deren ergiebigste sich, in einem in den Kalkfels eingesprengten Bette dahinfließend, zu einem recht ansehnlichen Teich, einer ausgezeichneten Viehtränke, vereinigen. Die Quellen sind übrigens nicht so heiß
wie die in Windhuk. Dr. Dove ermittelte die Temperatur der heißesten zu
52,5 C. Hier an den Quellen ist der tiefstgelegene Punkt des Dorfes, das
von Norden her sanft ansteigt und dort, wo das Missionsgehöft und der
oben erwähnte Store liegen, seine größte Höhe erreicht. Der Boden scheint
durchgehends Kalkfels zu sein, und aus diesem Material sind auch die meisten
der massiven Häuser aufgeführt. Das Dorf macht einen sehr freundlichen
Eindruck. Die weißen Häuschen, die unregelmäßig durcheinanderstehen, die
vielen schönen Bäume dazwischen und das ganze Leben und Treiben berühren äußerst angenehm. In der Mehrzahl der Häuser herrscht peinliche
Sauberkeit, und morgens sieht man überall Frauen und Mädchen die Stuben
und Kammern ausfegen und reinigen. So mancher deutsche Bauer, dessen

Missionsgehöft und
Kirche in Rehoboth.

Haushalt ich im Manöver kennen lernte, könnte sich ein Beispiel an der Reinlichkeit dieser Bastarde nehmen, die übrigens ganz ähnliche Lebens= gewohnheiten wie unsere Bauern haben; natürlich nur die wohlhabenden Familien; bei den ärmeren sieht es oft traurig aus.

Die Zitadelle von Rehoboth bildete das schon erwähnte Gehöft des Herrn Schluckwerder, das mit seinen geschlossenen Höfen, seinen festen Ge= bäuden und den zur Verteidigung eingerichteten, schartenbewehrten Dächern, von denen aus man den ganzen Ort beherrscht, schon manchem Sturm ge= trotzt hat. Hierhinein warfen sich bei Angriffen stets die besten Schützen und hielten das Dorf. Von hier aus wurde auch der heftigste Angriff, den Rehoboth im Jahre 1882 von Jonkerschen und Zwartbooischen Hottentotten zu erleiden hatte, abgeschlagen. Gerade gegenüber liegen das ausgedehnte, feste Missionsgehöft und die Kirche, deren Tür und Altar noch heute die Spuren der Geschosse aus jenen Kämpfen erkennen lassen. Weitere be= merkenswerte Bauten sind die Häuser des Kapitäns Hermanns van Wijt, des Unterkapitäns Willem Koopmann, der Familien Diergaard, Carew, Beukes und anderer mehr. Auch noch zwei deutsche Kaufleute, die Herren Konrad und Küchler, betrieben Geschäfte auf dem Platze.

Am Hause des Kapitäns wurden die Verordnungen angeschlagen und vor demselben die Beratungen abgehalten. Die Anzahl der massiven Häuser schätzte ich auf 30 bis 40, dazwischen liegen Häuschen und Hütten aus Ried oder Lehm und eine große Zahl von Pontoks aller Größen und Formen, zum Teil aus hübschen in Binsengeflecht hergestellten Matten über einem Holzgestell erbaut. Missionar Heidmann berechnete die Einwohnerzahl damals auf etwa 2000 Seelen, wobei die Bevölkerung der engeren Umgebung eingeschlossen ist, die sich zu jenen Zeiten gerade durch Zuwanderung Dirk Virlanderscher Bastarde bedeutend vermehrt hatte.

Am Abend entwickelt sich im Dorf das regste Leben. In langem Zuge traben lautbrüllend die Kühe aus dem Weidefelde heran, und in tollen Sprüngen laufen ihnen die Kälbchen entgegen. Große Herden meckernder Ziegen und blötender Schafe sammeln sich am Teiche. Dicke Staubwolten lagern über dem Platze, und geschäftig eilen Frauen und Mädchen in ihrer bunten, kleidsamen holländischen Tracht, auf dem Haupt die große Flügel= haube, mit den Melkeimern herbei. Die Männer stehen rauchend vor den Türen, an den Storen oder bei den deutschen Soldaten, und die Wachmann= schaften ziehen hinaus zur Ablösung. Hans Diergaard, der einflußreichste Bastard und unser treuester Freund, hatte seine Leute gut im Zuge und sah darauf, daß die Anordnungen des Kapitäns Hermanus strikt durchgeführt wurden. Er schickte Patrouillen ab, verteilte die Munition und setzte es im Rate durch, daß keiner der waffenfähigen Männer, der „Soldaten", wie sie auch hier genannt wurden, ohne vom Kapitän erteilten Urlaub den Platz verlassen durfte. Ungefähr 50 Bastarde zogen allnächtlich im weiten Umkreis um das Dorf herum auf Posten. Die Bewaffnung unserer Bundesgenossen war eine recht verschiedenartige, doch wurden durchweg gute Hinterlader geführt, teils englischen Ursprungs wie Henry-Martini- und Westley-Richards-Gewehre, teils deutsche M/71 und 88, von welch letzteren 50 von uns verteilt worden waren. So bildete Rehoboth für uns den südlichsten Posten gegen Hendrik Witbooi, und der Verkehr zwischen dem Platze und Windhuk war von jetzt an ein sehr lebhafter.

Der nächste Tag brachte mancherlei Arbeit; zunächst allerlei Verhandlungen mit den Bastarden, denen ich Munition einhändigte und für die tatkräftige Hilfe bei den Überfällen der Patrouille dankte. Die Versammlung fand im Hause des Kapitäns statt, der seiner Freude Ausdruck gab, so viele Deutsche bei sich zu sehen. Dann folgten recht unangenehme Verhöre, die ergaben, daß der die Patrouille führende Feldwebel vollständig kopflos gehandelt hatte, und die später zu seiner kriegsgerichtlichen Verurteilung führten. Es ist dies übrigens der einzige Fall geblieben, in welchem einer unserer Unteroffiziere vollständig versagte.

Einige Tage nach unserer Rückkunft aus Rehoboth traf eine Trauerkunde von Osten her aus Naosannabis ein. Ein deutscher Händler, Krebs, der trotz der Warnungen seiner Freunde in Windhuk in das Gebiet der Khauas-Hottentotten am weißen Nosob gezogen war, um Schulden einzutreiben, war dort ermordet worden. Es ist fraglos, daß die hinterlistige, feige Tat auf Anstiften des Kapitäns der Khauas, Andreas Lambert, ausgeführt wurde, der sich des lästigen Gläubigers entledigen wollte. Den tödlichen Schuß auf den ruhig schlummernden Krebs gab ein in Naosannabis weilender Witbooi ab. Die Habseligkeiten des unglücklichen Händlers schickte Lambert — wohl um sich von jedem Verdachte zu reinigen — nach Windhuk, wo sie versteigert wurden.

Die nächste Zeit verlief ziemlich ruhig.

Dauernd schwierig blieb aber die Verproviantierung. Die Zufuhren, die, abgesehen von dem gewöhnlichen Proviant, wie Hülsenfrüchte, Mehl, Kaffee, Tee, Zucker, Salz, Hartbrot und ähnlichem, nach Windhuk kamen, waren recht geringe und die Preise sehr hohe. Bier, Wein, Kognak,

Zigarren, Konserven, eingegipste Schinken und Würste waren durchaus nicht immer in den Kaufläden zu haben, und wenn einmal ein paar Frachten mit solchen Leckerbissen ankamen, dann entstand ein wahrer Sturm auf den betreffenden Store, und nach wenigen Stunden war alles ausverkauft. So war es denn auch recht schwer, Abwechslung in das Essen zu bringen, das hauptsächlich aus Bouillon, Rind- oder Schaffleisch, Brot und Gemüse bestand. Kartoffeln waren sehr teuer und nur selten zu haben, aber ab und zu erschienen doch frischer Salat, Eier oder etwas Wild, besonders Perl- und Savannenhühner, auf der Tafel, mehrfach sogar ein köstliches Rührei aus Straußeneiern. In die Fleischspeisen wurde durch Zusatz verschiedenster Gewürze einige Abwechslung gebracht. Leber, Gehirn, Zunge und saftige Schaf- oder Ziegenrippchen galten als Delikatessen. An Geflügel hatten wir nur Hühner, die aber nicht zu fleißig legten, und zwei Puter; Frau v. François und einige Kaufleute hielten auch noch Gänse und Enten.

Khauas-Hottentott.

Im Laufe des Juni nahte sich Windhuk ein seltsamer Zug. Rotbraune, nicht sehr vertrauenerweckende Gestalten, mager und zerlumpt, einige auf häßlichen Kleppern und Reitochsen, die meisten aber zu Fuß, zogen eines Morgens heran, begleitet von bettelnden Frauen und Kindern und einer kleinen Viehherde. Und doch waren es die Trümmer eines einst stolzen und herrschenden Volkes, der sogenannten „Roten Nation", eines Namastammes, der in und um Hoachanas gesessen hatte, aber von den Witbooi zersprengt und vertrieben worden war. Bei Okahandja unter den Herero hatten sie dann eine Zuflucht gefunden und kehrten nun zurück unter der Führung ihres

Kapitäns Manasse in ihre sandigen Jagdgründe an den Grenzen der Kalahari und nach Hoachanas, denn sie glaubten, den Witbooi jetzt standhalten
zu können.

In den letzten Tagen des Monats sollte uns noch eine große Überraschung bevorstehen. Es war am 26. morgens, als sich das unbestimmte
Gerücht verbreitete, feindliche Reiterpulks seien von einigen Viehwächtern in
der Nähe des Ortes gesehen worden. Aber niemand schenkte dieser Kunde
Glauben, besonders weil schon öfter derartige alarmierende Nachrichten von
ängstlichen Gemütern, die überall Witbooi sahen, ganz grundlos aufgebracht
worden waren. Wir saßen gerade beim Frühstück, da stürzte plötzlich einer
unserer schwarzen Diener ins Zimmer und rief unter allen Zeichen des
Schreckens: „Die Witbooi — sie schießen schon!" Und wirklich, lebhaftes
Gewehrfeuer schallte von Norden, von Potjesdraai, herüber. Alles sprang
wie elektrisiert auf, lief nach Gewehren und Patronen, und wenige Augenblicke später sah man die eben noch so friedlichen Bürger Windhuks schwer
bewaffnet und kampflustig den Turm und die Mauern der Veranda besetzen.
Von der Feste her schallten die Töne des Alarmsignals herüber, und nach
allen Seiten eilten von dort her kleine Abteilungen von Soldaten im Laufschritt in die einzelnen Gehöfte des Dorfes, um diese, und besonders die ex-
poniertesten, zu besetzen. Das alles ging schnell und glatt vor sich, denn
jeder kannte seinen Platz, der ihm durch die „Alarmvorschrift" zugeteilt war.
Ich eilte hinauf zur Feste, vor der sich die Reste der Kompagnien sammelten.
Premierleutnant v. François teilte mir mit, daß er auf die Erzählungen
eines Hirten der Firma Mertens und Sichel hin vor ungefähr einer halben
Stunde eine starke Patrouille in der Richtung auf Potjesdraai abgeschickt
habe, und diese hatte, wie sich nun herausstellte, kurz vor der Pforte heftiges
Feuer bekommen. Es entwickelte sich ein längeres Feuergefecht, und ich er-
bat und erhielt die Erlaubnis, mit 20 Mann der Patrouille zu Hilfe eilen
zu dürfen. Aber schon auf halbem Wege kam diese uns entgegen: die
Witbooi waren davongeritten. Da es zwecklos erschien, hier nochmals vorzugehen, eilten wir zurück, zumal da jetzt von Süden, vom Auasgebirge her,
Gewehrfeuer herüberschallte. Vieh und Pferde waren inzwischen aus dem
Weidefeld in den Ort getrieben worden, aber einer Abteilung Witbooi, die
von Ongeama her vorbrach, fielen einige von Rehoboth kommende Bastardwagen in die Hände. Aufsteigende Rauchsäulen zeigten uns an, daß Feuer
an die Wagen gelegt worden war. Den Bastarden und ihren Dienern gelang
es zwar, sich durch die Flucht zu retten, aber 40 Ochsen, 7 Kühe und

Unfer Wohnhaus, das „Kommiffariat"
in Groß-Windhuf.

3 Pferde gingen verloren. Feldwebel Heller, der hier mit einer Abteilung
vorging, nahm die Witbooi unter Feuer, worauf sie sich zurückzogen. Leider
waren unsere guten Pferde sämtlich unterwegs, und wir verfügten in Wind-
huf nur über eine kleine Anzahl magerer und schlechter Tiere, so daß das
Vorgehen einer berittenen Abteilung ausgeschlossen erschien. Dieser Umstand
muß dem Feinde genau bekannt gewesen sein, denn noch Stunden später
sahen wir Reitertrupps von bedeutender Stärke im Gelände umherjagen, doch
stets außer Gewehrschußweite. Gegen Mittag unternahmen wir unter dem
Kommando des Herrn v. François mit allen verfügbaren Kräften eine Rekognoszierung weit in die Berge hinein in der Richtung auf Ongeama. Erst
mit Einbruch der Dunkelheit kehrten wir zurück, ohne auf den Feind gestoßen
zu sein. Auch die Nacht verlief ruhig. Posten und Patrouillen waren bedeutend verstärkt worden. — Am nächsten Morgen wollte ich mich zur Feste
begeben und war gerade an dem Wohnhaus der Herren v. François angelangt, als der dort auf dem Turm stehende Posten mir zurief: „Witbooi
am Wetterhaus!" und sofort zu feuern begann. In der Tat tauchten auf
einer Höhe, dicht an dem für die meteorologischen Beobachtungen Doves
erbauten Häuschen, ungefähr 370 m westlich unseres Wohnhauses, die weißen
Hüte Witbooischer Krieger auf, die allerdings sofort verschwanden, als sich
vom Kommissariat aus Schützen, es waren Bülow, Dove, Köhler und einige

Soldaten, im Laufschritt näherten. Auch ich eilte mit einigen Leuten herbei, aber nur, um ebenfalls das Nachsehen zu haben. Starke Patrouillen gingen jetzt vor, doch war nichts mehr von dem leicht beweglichen Feinde zu sehen. Die Frechheit der Hottentotten versetzte uns in große Wut, und während nun berittene Patrouillen der Ansiedler aus Klein-Windhuk gegen das Auas-Gebirge vorstießen, stiegen Dr. Richter, Bülow, Kaufmann Nitzsche und ich zu Pferde und ritten mit Schneidewind und zwei Eingeborenen in der Richtung auf Ongeama. Trotzdem wir jedoch stundenlang das Gelände nach allen Seiten durchsuchten, konnten wir nichts feststellen als die Spuren starker feindlicher Reitertrupps. Es mögen wohl 200 bis 300 Witbooi vor Windhuk gewesen sein.

Am Abend des 27. kehrte ganz unerwartet Hauptmann v. François mit dem Vorsteher der Bergbehörde, Duft, von der Küste zurück. Letzterer kam von einer Reise aus dem Süden des Schutzgebiets und berichtete, daß der um Warmbad sitzende Namastamm der Bondelzwart treu zur deutschen Regierung halte. Von dem Feinde hatten die Reisenden, die nur wenige Reiter als Bedeckung bei sich gehabt hatten, nichts gehört noch gesehen, und doch scheint es mir unzweifelhaft, daß Hendrik den Hauptmann v. François abfangen lassen wollte, dann aber aus irgend einem Grunde von dem Versuche abstand. Schlimme Nachricht brachten die Ankommenden aus Walfischbai mit: Herr Cleverly, der dortige englische Magistrat, hatte die Herausgabe der beiden Feldgeschütze, die S. M. S. „Arkona" der heftigen Brandung in Swakopmund wegen hatte in Walfischbai landen müssen, rundweg verweigert. Er hatte erklärt, er bedürfe einer ausdrücklichen Anweisung seiner Regierung, was um so unrichtiger und auffallender war, als die englische Regierung bereits früher freien Durchgang von Truppen und Kriegsmaterial zugesichert und gestattet hatte. In Windhuk herrschte große Erbitterung ob dieser echt englischen Handlungsweise, und obgleich ich später Herrn Cleverly und seine Familie recht schätzen lernte und ebenso wie die anderen Offiziere in seinem gastfreien Hause viel verkehrt habe, konnte ich ihm diesen Streich nie vollständig vergeben. Aber ich glaube, daß auch er selbst in der Folgezeit sein Tun sehr bedauert hat, denn dieses gab den ersten Anstoß dazu, daß die deutsche Regierung nun alle Hebel in Bewegung setzte, um sich von dem englischen Hafen frei zu machen und an der deutschen Küste in Swakopmund eine sichere Landungsstelle zu schaffen.

Da es erst eines Notenwechsels zwischen der deutschen und der britischen Regierung bedurfte, um die Herausgabe der Geschütze zu erwirken, und dies noch lange dauern konnte, beschloß der Kommandeur, zunächst die Besatzung von Hornkranz einzuziehen und zugleich eine größere Erkundung zu unter-nehmen.

Hendriks Macht mußte in der Zwischenzeit entschieden gewachsen sein, denn oft drangen unbestimmte Nachrichten aus dem Süden zu uns, die be-sagten, daß Angehörige dieses oder jenes Stammes sich den Witbooi an-geschlossen hätten. Wie wir später hörten, ist dies in einzelnen Fällen sogar von Hendrik persönlich erzwungen worden. Mit einem wilden Reiterhaufen durchstreifte der kühne Häuptling das weite Groß-Namaland und bewog bald hier, bald dort einen der vor ihm zitternden Kapitäne, keinen Wider-spruch zu erheben, wenn er Leute des Stammes zur Heeresfolge zwang. Aber viele den Deutschen abgeneigte Elemente strömten ihm auch freiwillig zu, in der Hoffnung auf Beute und Raub und aus tiefeingewurzelter Liebe zu dem unsteten Kriegsleben. So fochten auf Hendriks Seite Khauas- und Simon Koppersche Hottentotten, Krieger aus Bethanien und Berseba, ja sogar Griqua und Bastarde aus den südöstlichen Grenzgebieten. Farmer und Kaufleute wurden gebrandschatzt und terrorisiert, und an den Furten des Oranjeflusses entwickelte sich ein lebhafter Munitionshandel; mit einem Wort: Hendrik Witbooi besaß eine feste Operationsbasis, und seine rückwärtigen Verbindungen ermöglichten ihm gesicherte Zufuhren an Munition, Gewehren und Pferden. Es wurde sogar behauptet, daß die Engländer jenseit des Oranje ausnahmslos mit ihm sympathisierten, und daß englische Händler, deren Namen man öffentlich nannte, ihm kontraktlich Munitions- und Proviantlieferungen machten.

Auch mit einzelnen Buren in der Kapkolonie suchte der gewandte Namab Fühlung zu gewinnen und benutzte geschickt deren Absicht, in das deutsche Schutzgebiet zu trecken, um ihnen durch einen gewissenlosen Agenten namens Spangenberg „als König von Groß-Namaland" Farmen in „seinem Lande" zu billigen Preisen anbieten zu lassen. Dieser Spangenberg ging einige Monate später so weit, in kapländischen Zeitungen im Namen des „wohledlen Herrn des Namalandes, Hendrik Witbooi", zur Einwanderung und zum Kauf von Ländereien in den von diesem „beherrschten Gebieten" öffentlich aufzufordern. Darauf erließ dann der deutsche Generalkonsul in Kapstadt, Freiherr v. Nordenflycht, eine amtliche Erklärung des Inhalts, daß derartige Käufe von der deutschen Regierung nicht anerkannt werden würden.

Solcherart, d. h. ungeheuer und überwältigend, waren die Schwierig-keiten, mit denen Hauptmann v. François damals zu kämpfen hatte. Nur eins, das war auch zu jenen Zeiten schon seine Ansicht, konnte helfen, und das war, den Süden des Namalandes mit starken Militärstationen zu durchsetzen und so die Naman von ihren rückwärtigen Hilfsquellen und den Freunden jenseit des Großflusses abzuschneiden. Deutsche Reiter mußten die Steppen dort unten rastlos durchschweifen und Furcht und Schrecken, besonders unter den Munitionsschmugglern, verbreiten. Um dies durchführen zu können, war aber die Schutztruppe vorläufig noch viel zu schwach, und vor allen Dingen die Zahl der Offiziere zu gering. Deswegen beschloß der Hauptmann, zunächst eine weitere Verstärkung der Truppe abzuwarten und einen Hauptschlag für später vorzubereiten.

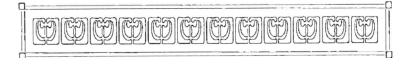

5. Kapitel.

Wechselndes Kriegsglück.

Das Gefecht bei Naos.   Der Überfall bei Horebis.   Die Verstärkung der
Schutztruppe. — Hendrik Witbooi weicht neuen Kämpfen aus.

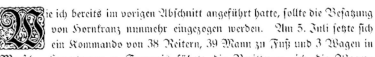

Wie ich bereits im vorigen Abschnitt angeführt hatte, sollte die Besatzung von Hornkranz nunmehr eingezogen werden. Am 5. Juli setzte sich ein Kommando von 38 Reitern, 39 Mann zu Fuß und 3 Wagen in Marsch. Hauptmann v. François führte die Berittenen, ich die Wagenbedeckung, und wir erreichten über Gurumanas am 8. nachmittags 4¾ Uhr Hornkranz. Wie ausgestorben lagen der Ort und die Schanze zu unseren Füßen, als wir die letzten Höhen überschritten. Da setzte der Trompeter sein Instrument an, und schmetternd erklangen die hellen Töne eines Signals, tausendfach sich brechend und wiedertönend an den wilden Felsbergen. Nun wurde es lebendig in der Schanze! Die Unseren liefen heraus, Hüteschwenken, Hurrarufen! Dann eilten sie uns entgegen, und nun begann ein Händeschütteln, ein Fragen und Antworten! In manchem Auge sah ich Tränen, als es hieß: Nun geht es nach Hause, denn acht volle Wochen hatten diese Braven fast wie Gefangene in der engen Schanze gelebt, oft, zum letztenmal am 6. Juli, vom Feinde beschossen, fast stets umlagert, ohne alle Verbindung mit der Außenwelt und ohne jede Bequemlichkeit.

Ein hartes Leben war es gewesen, voller Fährlichkeiten und Entbehrungen, aber sie waren stolz auf ihre Erfolge, und als wir abends, nachdem die Außenwachen ausgestellt waren, um die Schanze, über der die deutsche Flagge lustig flatterte, lagerten, da war alle Mühsal vergessen. So müssen rechte Soldaten sein!

Besonders schwierig, so erfuhren wir jetzt, war das Wasserholen gewesen, denn die nächste Wasserstelle war weit über 200 m von der Schanze entfernt. Das Wasser in dem eisernen Tin aber hatten die Unteroffiziere sehr

5*

79

vernünftigerweise nicht angreifen, sondern für einen Notfall aufsparen wollen, und so gingen denn an jedem Abend 6 bis 8 Mann in Schützenlinie 500 bis 600 m über das Wasser hinaus vor und sicherten durch Besetzen der jenseitigen Felsen eine ihnen folgende Abteilung, die das köstliche Naß schöpfte. Dann zog sich alles vorsichtig zurück, und diesen umsichtigen Maßnahmen der Führer hatte es die Besatzung wohl zu danken, daß sie nicht einmal während des Wasserholens angegriffen wurde.

In der Nacht vom 8. zum 9. versuchten mehrfach feindliche Abteilungen von uns unbekannter Stärke sich zu nähern, wurden aber stets durch das Feuer unserer Wachen zur Umkehr gezwungen. Die Nacht verlief infolgedessen recht unruhig, und am Morgen des 9. brachen wir, verstärkt durch die 26 Mann der Besatzung, wieder auf und lagerten abends bei Tsams, einer Wasserstelle zwischen Hornkranz und Naos. Noch vor 5 Uhr setzten wir uns am nächsten Morgen in Marsch. Der Hauptmann war, da das Satteln der berittenen Abteilung sich etwas verzögerte, bereits mit nur 2 bis 3 Reitern vorgeritten, als Feldwebel Heller mir meldete: „Es ist fertig gesattelt. Ich bitte abrücken zu dürfen!" Ich erinnere mich noch deutlich, daß ich ihm antwortete, er solle so rasch wie möglich dem Hauptmann nachreiten, und obwohl ich nicht sagen will, daß ich etwas von dem Kommenden geahnt hätte, hatte ich doch schon auf dem ganzen Rückmarsche das Gefühl, daß wir noch hart mit dem Feinde zusammengeraten würden. Im Trabe verschwanden die Reiter in der Dunkelheit, und wenige Minuten später setzte sich auch die Wagenkolonne in Bewegung. Ein scharfer, frischer Wind wehte von den Bergen her und machte uns vor Kälte erschauern.

Wir mochten ungefähr 15 Minuten unterwegs sein und befanden uns gerade auf einer kleinen, von niedrigen, langgestreckten Hügeln eingeschlossenen Fläche, da sah und hörte ich vor uns einen einzelnen Schuß, und eine Sekunde darauf flammte vorn, wie von einem dahinzuckenden Blitz erleuchtet, der Horizont auf, und wir hörten das Krachen einer glatten und starken Salve, der sofort ein rasendes Schnellfeuer folgte. Schon pfiff es um die Wagen. Ich sprang vom Pferde, ebenso Schneidewind, der dabei geistreich bemerkte: „Aha!", und ich denke mit Stolz an das jauchzende „Hurra!", mit dem meine Leute diese immerhin überraschende Lage begrüßten. Da war kein Zagen, kein Stutzen, keine Überraschung. Ich brauchte kaum ein Kommando zu geben, nur „Schützenlinien bilden!" rief ich den in vollem Lauf herbeistürzenden Mannschaften zu, von denen ein Teil auf den Wagen gesessen hatte und eben erst herabgesprungen war. Im nächsten Moment ging es schon vor; lautlos, geschickt, im Nu war die Schützenlinie formiert, 12 Mann als Wagenbedeckung abgeteilt, und schon in der Bewegung rief ich dem zurückbleibenden Unteroffizier zu: „6 Mann rechts, 6 links, Nachspitze hinten besetzen, Ochsen vom Feinde weg! Wagen umdrehen!" — Vorwärts! Im Laufe ging es vor, und ebenso wie jeder von uns überzeugt war, daß von der Spitze wohl keiner mehr lebe, so beherrschte alle nur das eine Gefühl: „Rache!"

Von links erhielten wir sofort starkes Feuer, und dorthin wandte ich mich. Ungefähr 500 m hatten wir in fast ununterbrochenem Laufe zurückgelegt, und ich mußte den Leuten einen Augenblick Ruhe gönnen. An dem Kamme eines niedrigen Hügels, auf etwa 250 m gerade gegenüber der feindlichen Feuerlinie, warfen wir uns nieder, und jeder gab 1 bis 2 Schüsse ab. Dann ging es weiter, im Vorstürmen wurde das Seitengewehr aufgepflanzt und mit lautschallendem „Hurra" die Stellung genommen. Aber der Feind wartete den Angriff mit blanker Waffe nicht ab. Seine Schützen flohen und warfen sich auf die Pferde, die links hinter der Stellung im Grunde standen. Ich ließ hier 10 Mann zurück, welche die davonpreschenden Reiter beschossen, und wandte mich nach meiner rechten Flanke. Von dort schallte noch immer unvermindert starkes Feuer herüber, dort mußten die Unseren sich in überaus schwieriger Lage, von zwei Seiten beschossen, befinden, und dort sah ich deutlich die beiderseitigen Feuerlinien sich auf ganz kurze Entfernung gegenüberliegen. Im Laufschritt ließ ich rechts schwenken und gab für meinen rechten Flügel die Richtung auf den rechten Flügel der Witbooi an. Alles dies nahm nur wenige Minuten in Anspruch. Ich entsinne mich noch genau der Leute, die in meiner unmittelbaren Nähe liefen, es waren Unteroffizier Froede, die Reiter Mall und Schneidewind und der Trompeter Näse. Diesem rief ich, um die Unseren von dem Herannahen der Hilfe zu benachrichtigen, zu: „Signal 2. Kompagnie!", aber er vermochte nicht zu blasen, da er die nötige Lungenkraft nicht mehr besaß und außerdem die Trompete eingefroren war. So ließ ich denn, als wir dicht heran waren, noch einmal „Hurra" rufen. Es dämmerte bereits.

Ich muß nun die Vorgänge bei der berittenen Abteilung schildern. Ihre Spitze war gerade an dem Punkte des Weges angelangt, an dem derselbe ansteigt, um einen Hügel zu überschreiten, als sie von vorn auf ungefähr 50 m eine Salve sowie von rechts und links Schnellfeuer erhielt. Hauptmann v. François befand sich einige Schritte vor der Spitze und war eben im Begriff, nach rechts eine Patrouille abzuschicken. Ein berittener Afrikanerhottentott, der diese Patrouille als Führer begleiten sollte, erhielt einen Schuß durch die Schulter, fast alle Pferde der Spitze wurden verwundet. Die Leute sprangen ab, rissen die Gewehre aus den Schuhen, warfen sich nieder und feuerten; die hintere Abteilung unter Feldwebel Heller jagte heran und verstärkte die kleine Schützenlinie. Das Gefecht stand. Mit außerordentlicher Bravour wurde auf unserer Seite gefochten, der Hauptmann feuerte die Leute durch seine persönliche Tapferkeit bis zur Begeisterung an. So sprang Unteroffizier Bohr, als der Kommandeur ihm einen Befehl zurief, in dem rasenden Feuer auf, nahm dienstliche Haltung an und erwiderte laut: „Zu Befehl, Herr Hauptmann!"

Auch von feindlicher Seite hörte man laute, ermunternde Kommandoworte. Einer der Führer rief laut: „Haltet aus! — Die Deutschen sind fast alle tot!" Da kamen wir. Im „Marsch marsch!" brachen wir in Flanke und Rücken des Feindes ein. Diesen Angriff, den meine Leute, trotzdem wir schon über 800 m im Laufe zurückgelegt hatten, mit tadellosem Schneid ausführten, hielten die Witbooi nicht aus, sie sprangen nach ihren Pferden, die gedeckt dicht hinter ihrer Stellung standen. Hier machten wir ihnen jedoch einen Strich durch die Rechnung. Gerade an der Stelle nämlich, an der ich mit 8 bis 10 meiner Leute vorlief, öffnete sich plötzlich vor uns ein kleines enges Tal, in dem wir ein buntes Gewimmel erblickten: eine Menge Pferde, schon aufsitzende und noch herbeieilende Naman, ein wildes Chaos, und das alles vor uns auf kaum 100 m! Ein Freudengeschrei und rasendes, vernichtendes Schnellfeuer aus Gewehren und Revolvern. Dann stürzten wir feuernd vor nach den Pferden zu, und hier, kaum 30 m vom Feinde entfernt, ereignete sich ein Zwischenfall, der einigen Naman das Leben rettete. Ich sah nämlich plötzlich einen sehr großen, ganz weißgekleideten Reiter mit breitem Afrikanerhut, ein Handpferd am Zügel, in der Karriere abpreschen — den gleichen Anzug trug der Diener des Hauptmanns, ein Bastard. Zugleich hörte ich deutlich, ich erkannte die Stimme trotz des lebhaften Feuers genau, den Hauptmann irgend etwas laut rufen. Wie der Blitz zuckte mir der Gedanke durch den Kopf: wir schießen vielleicht außer in die Naman in unsere eigenen Reiter, von denen ein Teil von der anderen Flanke her angreift! Ich rief den Leuten hinter mir zu: „Nicht schießen!" und sprang auf die Pferde los, meine Reiter folgten. Auf der Höhe links von uns raste das Schnellfeuer meiner Kompagnie weiter. In wenigen Sprüngen war ich bei dem ersten Pferde, und meine Augen fielen zu meinem Entsetzen auf ein Gewehr M 88, das im Gewehrschuh steckte. Im nächsten Moment erkannte ich jedoch den Witbooifattel. Ich riß das Gewehr heraus, als dicht neben mir ein Hottentott sich in den Sattel schwang. Ein Schuß aus meinem Revolver und ein Gewehrschuß von links, der mich fast betäubte, machten den Sattel leer. Alles dies dauerte nur wenige Sekunden, dann begann das Feuer auch im Tale von neuem, und nun trachten auch die Schüsse der ab= gesessenen Reiter über uns hinweg, denn diese waren inzwischen über die erste Stellung des Feindes hinaus vorgestürmt. So wurden fast alle fliehenden Naman gezwungen, an der Feuerlinie meines linken Flügels vorbeizureiten, zumal die rechtsliegenden Höhen der überall umhervertreuten riesigen Stein= blöcke und Felstrümmer wegen unpassierbar waren. 16 Pferde hatten wir schon erbeutet, gesattelt und Munition in den Satteltaschen, so daß ich selbst drei Witbooi auf einem Pferde fliehen sah; jeder Widerstand hörte auf. Ich ging nun zur Verfolgung vor und besetzte mit meinen und Leuten der 1. Kom= pagnie, die schon zu mir gestoßen waren, eine felsige Höhe, von der aus es uns gelang, etwa 100 feindliche Reiter, die im Pulk über das wellige Gelände vor uns flohen, mit sichtbarem Erfolge zu beschießen.

Die Naman, die ungefähr 150 bis 200 Reiter stark gewesen sein mögen, waren jetzt vollständig zersprengt. Ein Trupp ritt kopflos gerade in die Gewehre der Wagenbedeckung und erlitt Verluste durch diese und das Feuer der Nachspitze. Hauptmann v. François versuchte mit wenigen Berittenen, die er gesammelt hatte, den fliehenden Naman den Weg abzuschneiden, konnte aber diese kühne Tat, die, wenn sie geglückt wäre, dem Feinde neue große Verluste gebracht hätte, nicht durchführen, da der Vorsprung der Witbooi zu groß war.

Ich folgte dem Feinde noch 5 bis 6 km in seiner Fluchtrichtung bis zu einer hohen Spitzkuppe, die erklommen wurde, konnte aber nicht mehr zum Schuß kommen. Dann ließ ich den Rückweg antreten und dabei das Gefechtsfeld absuchen. Dasselbe war mehrere hundert Meter weit mit Aus= rüstungsstücken der feindlichen Reiter bestreut. Hier lagen Hüte, Sättel, Zaumzeuge und Patronen, dort Gewehre, Messer, Felldecken, Kochtöpfe und Munitionstaschen. Auch drei brauchbare Pferde erbeuteten wir noch und zwölf verwundete ließ ich erschießen, so daß mit den 16 bereits genommenen der Verlust an Pferden auf feindlicher Seite mindestens 31 betragen hat, doch müssen von den auf der Flucht gerittenen noch viele verwundet worden sein. Wir hatten neun Pferde verloren. — Leider konnten wir das ganz unübersichtliche und ziemlich ausgedehnte Gefechtsfeld nur flüchtig durch= streifen, da wir unserer Tiere wegen weiter, dem Wasser zu, marschieren

mußten. Ich selbst zählte sechs tote Hottentotten, Seitengewehr und Kolben
hatten hier gearbeitet, Verwundete waren nicht festzustellen, aber wir waren
gewiß, daß den Blutspuren nach zu urteilen, die vielfach zu sehen waren,
viele Schwerverwundete sich in den Felsen verkrochen haben mochten, und
daß ein guter Prozentsatz der Fliehenden getroffen sein mußte.

Auf unserer Seite waren ein Reiter und ein Hottentott durch die
Schulter und ein Reiter ziemlich schwer durch die Hand geschossen. Ein
Trompeter hatte zwei Streiffchüsse am Rücken und einen Schuß durch die

Aus: Leutwein, Elf Jahre Gouverneur in Deutsch-Südwestafrika.

Witbooi-Hottentotten auf dem Marsch.

Trompete, was er erst bemerkte, als der Hauptmann ihm befahl, ein Signal
zu blasen.

Um $10^1/_2$ Uhr kehrte ich von der Verfolgung zurück, und um 11 Uhr
setzten wir uns auf Naos in Marsch und erreichten am 13. Windhuk.

Die Hoffnung, einen großen Erfolg errungen zu haben, wurde uns
durch einen Brief bestätigt, den Hendrik Witbooi wenige Tage nach dem
Gefecht an den Missionar Heidmann in Rehoboth schrieb. Er scheint nach
diesem Schlage ganz verzagt gewesen zu sein, und es muß nach seiner eigenen
Ansicht schlecht um seine Sache gestanden haben, sonst hätte er, der kühne,
waghalsige Häuptling, nicht so gebrochen an einen Mann geschrieben, von
dem er wußte, daß dieser uns den Brief mitteilen werde.

Aber Hendrik blieb nicht lange mutlos. Maßlose Wut und Durst nach Rache erfüllten bald seine Seele, und er schwor bei Gott, schreckliche Vergeltung zu üben. Auch nach Windhuk sandte er in diesen Tagen einen Brief, in dem er halb naiv, halb frech schrieb, der Kampf sei zu ungleich, da es seinen Kriegern an Munition fehle. Der Hauptmann solle ihm ein paar Frachten Henry-Martini-Patronen schicken, dann werde er sich stellen!

Schon nach drei Tagen, am 16. Juli, brach ich mit einer kleinen Abteilung wieder auf, um die beiden Geschütze, deren Herausgabe nun endlich von der englischen Regierung genehmigt worden war, von der Küste nach Windhuk zu geleiten. Auf der großen Straße über Otjiseva, Barmen, Otjimbingwe, Tsaobis, Horebis und Diepdal erreichten wir Salem, wo ich erfuhr, daß die Geschütze mit einer kleinen Bedeckung diesen Ort bereits passiert hatten, und zwar auf dem Wege Salem—Wilsonsfontein—Tsaobis. Ich hatte sie somit verfehlt und beschloß, der Kolonne sofort zu folgen. Das Kommando über meine Wagen, die Proviant von der Küste holen sollten, ging an den tüchtigen Sergeanten Zachalowsky über, und nach einer einstündigen Ruhezeit in dem schönen Tal von Salem ritt ich, nur von Schneidewind begleitet, nach Tsaobis ab. Unsere Waffen unterzogen wir vorher einer besonders eingehenden Prüfung, denn es war für zwei einzelne Reiter ein immerhin gefahrvoller Weg, den wir vorhatten: im Gefahrsbereich durch die Witbooi, deren Spuren bereits in der Umgegend gemeldet waren. Kurz vorher hatte Hendrik in einem Briefe an einen Kaufmann in Otjimbingwe angekündigt, daß er nunmehr den Frachtverkehr auf der großen Heerstraße von der Küste mit aller Macht stören werde. Da man dies auch von unserer Seite schon längst befürchtete, sollten von nun an Abteilungen der Schutztruppe die Transportkolonnen begleiten.

Unser Ritt führte uns dieselbe Straße, die wir im März gezogen waren, sollte aber ein ungleich mühsamerer werden, denn bereits nach zweistündigem scharfen Reiten legte sich mein Pferd, eine starke schwarzbraune Stute, die sich in bester Verfassung befand, plötzlich mit mir auf den Boden. Ich sprang sogleich ab, worauf sie sich wieder erhob, und ich wieder aufsaß. Nach kurzer Zeit wiederholte sich dieser Vorfall in derselben Weise, und dann in den folgenden zwei Stunden noch sechsmal. Uns war vollständig unerfindlich, was dem Tiere fehlte, denn es zeigte keinerlei Krankheitserscheinungen und war, wie gesagt, in ausgezeichnetem Futterzustande. Auch Beine und Hufe waren tadellos, und sobald ich die Stute führte, zeigte sie sich voll-

ständig frisch. Unser Mißgeschick verfluchend, sattelten wir bei Wilsonsfontein ab und ließen die Pferde mehrere Stunden fressen, aber auch das
half nichts, denn als wir abritten, begann das alte Spiel von neuem. Schließlich blieb uns nichts anderes übrig, als beide Pferde zu führen. Wir
wechselten uns ab; einer zog die Tiere an den Trensen nach sich, der andere
trieb sie von hinten an. — So ging es stundenlang weiter, und die Dunkelheit war schon längst hereingebrochen, als wir einen Hügel überschreitend
plötzlich auf ungefähr 600 m vor uns ein Feuer sahen. Jetzt war guter
Rat teuer. Wer konnte das sein? Die Wahrscheinlichkeit für Freund und
Feind war die gleiche! Wir hielten Kriegsrat. Dann blieb Schneidewind
schußfertig, die Trensen der Pferde um den Arm geschlungen, auf der Höhe
liegen, während ich auf Händen und Füßen, das Gewehr am Riemen um
den Hals, Revolver und Dolchmesser gelockert, vorkroch und mich dem Feuer
näherte. Es war ein dornenvoller Weg, und ich gebrauchte eine halbe
Stunde, um mich geräuschlos bis auf 100 m heranzuwinden. Aber so angestrengt ich auch umherblickte: ich sah kein lebendes Wesen und hörte keinen
Laut — auch dann nicht, als ich mich endlich erhob und rasch vorging.
Schließlich holte ich Schneidewind, und wir umgingen so schnell als möglich
den Ort, denn ein Hinterhalt erschien nicht unwahrscheinlich. Aber es ereignete sich nichts, und nach stundenlangem, entsetzlich mühsamem und an-
strengendem Marsch klang es uns erlösend aus dem Dunkel entgegen: „Halt!
— wer da?" und dann sofort auf holländisch: „Steh — oder ich schieße!"
Auf die Antwort: „Leutnant Schwabe!" rief der eine Mann des Doppelpostens sogleich in richtiger Erkenntnis unserer Hoffnungen: „Die Geschütze
sind noch hier!" und dann laut der Feste zu, deren massige Formen jetzt vor
uns auftauchten: „Der Herr Leutnant ist da!" Drinnen wurde es lebendig,
Unteroffiziere und Reiter eilten heraus, der Stationschef meldete, die Pferde
wurden uns abgenommen und versorgt, und bald saß ich mit Schneidewind
vor einer Schüssel rasch aufgewärmter „saurer Linsen mit Rindfleisch" und
heißem Tee. Dann wurde das Lager, das inzwischen geschäftige Hände aus
alten Reißsäcken und Pferdedecken bereitet hatten, aufgesucht, und kurz darauf
lagen wir in festem, totenähnlichem Schlummer. Wir waren von mittags
12 Uhr bis nachts 1 Uhr marschiert.

Noch vor Sonnenaufgang weckte uns ein Höllenskandal, denn sämtliche
Hühner der Station hatten auf dem Dachbalken unseres Zimmers genächtigt,
und die Hähne begrüßten den jungen Morgen. Nachdem ich die beiden Geschütze besichtigt hatte, traten wir den Marsch in der Richtung auf Windhuk an.

Inzwischen war Bülow nach der Küste gereist, wo er den Befehl über die Station Swakopmund übernahm, und auch der Reichskommissar, der zum Major befördert worden war, hatte sich dorthin begeben, um die Landungsverhältnisse an der Mündung des Swakop und am Kap Cross einer genaueren Untersuchung zu unterziehen und die erwartete Verstärkung der Schutztruppe und einige angekündigte Ansiedlerfamilien zu empfangen.

Über Otjimbingwe erreichte ich am 5. August unangefochten Windhuk, wo die Ankunft der Geschütze die größte Freude erregte, während die Herero die „großen Rohre" mit unverkennbarem Mißtrauen und Ärger betrachtet hatten. An den nötigen Vorsichtsmaßregeln hatte ich es auf dem Marsche nicht fehlen lassen; abends bezog ich stets einen schlupfwinkelartigen Lagerplatz, und die Geschütze wurden abgeprotzt und mit Kartätschen geladen an geeigneten Stellen aufgefahren.

In Windhuk kursierten damals wieder einmal die abenteuerlichsten Gerüchte über die Absichten Hendrik Witboois. Bald hieß es wieder, er wolle den Krieg aufgeben und sich in das englische Walfischbai-Gebiet zurückziehen, bald, er habe große Streitkräfte gesammelt, um Rehoboth anzugreifen, bald, er erspähe nur eine günstige Gelegenheit, um einen Hauptschlag auf dem Wege zur Küste auszuführen. Es ging deutlich aus diesen „Stories" hervor, daß man sich auf unserer Seite ganz im unklaren darüber befand, wo der Feind war und was er beabsichtigte. —

Während wir aber in Windhuk nichts ahnend und friedlich dahinlebten, hatte sich bei Horebis am Swakop, unweit der Station Tsaobis, ein furchtbares Drama abgespielt. Am 30. August langte die Trauerkunde in Windhuk

an und durchlief wie im Fluge den Ort, von der letzten Hütte der Eingeborenen bis zu den Häusern der Weißen Entsetzen und Wehklagen hervorrufend. Soeben, so lautete die dienstliche Meldung des Stationschefs von Tsaobis, sei auf schweißtriefendem Pferde der Bur Wiese bei ihm eingetroffen und habe ihm gemeldet, daß dicht bei Horebis sein ganzer Wagen-

Straße in Windhuk.

zug den Witbooi in die Hände gefallen sei. Er allein habe sich retten können, da er hinter dem Wagen, in dem er schlief, stets ein gesatteltes Pferd hätte führen lassen.

Das war ein furchtbarer Schlag für uns. Aber noch nicht genug damit: am nächsten Tage traf eine neue Hiobsbotschaft ein, die dem Kaufmann Schmerenbeck meldete, daß vier Wagen, die mit Gütern für ihn beladen auf dem Rückwege nach Windhuk bei Diepdal gestanden hatten, ebenfalls vom Feinde genommen seien.

Als ich diese Nachrichten hörte, stand der Engpaß von Horebis, den ich ja selbst eben erst passiert hatte, im Geiste vor mir. Stundenlang windet sich dort der Weg, der von Tsaobis hinunterführt in das Tal des Swakop, durch ein wildzerrissenes Felsgelände bergab. Steile und unwegsame Gebirgszüge begleiten ihn zu beiden Seiten; fürwahr einen passenderen Ort für einen Hinterhalt konnte Hendrik, der hier selbst seine Scharen führte, nicht wohl finden. Und dort, wo der Weg in das Flußtal mündet, machen ein Wald dichtbelaubter hoher Anabäume und übermannshohe Ried- und Schilfdickungen die Gegend ganz unübersichtlich. Hier hatte Hendrik seine rachedurstigen Naman verteilt. Hoch in den Kronen der Bäume, im dichten Röhricht und auf den felsigen Höhen lagen seine Schützen, und ein wilder Haufe von Bergdamara und Buschleuten — nur bewaffnet mit Messer und Keule — wartete, wie ein riesiges Raubtier in engen Schluchten versteckt, seines Winkes, um hervorzustürzen und zu morden. So harrte die blutdürstige Schar der Wagenkolonne, deren Herannahen durch die Späher gemeldet war. Und als dann die Wagen, deren erste bereits den Fluß erreicht hatten, mit ihren nichtsahnenden Herren, die zum Teil noch schliefen, im Morgengrauen in dem letzten Teil des Hohlweges dahinzogen, da krachten plötzlich von allen Seiten die Schüsse der Naman, wilde Gestalten drangen mit gellendem Kriegsruf auf die entsetzten Bastarde ein, und in wenigen Minuten war alles erledigt. Nur gering war die Zahl der Schüsse, die von seiten der Wagenführer abgegeben werden konnte. Ein junger Bur, Hermanns Meyer, der den Zug begleitete, erschoß einige Witbooi, fiel aber bald in den Kopf getroffen. Nun wurden alle, die lebend in die Hände der Sieger gefallen waren, getötet und ihnen die Köpfe abgeschnitten, nur eine Frau ließ Hendrik verschonen und befahl ihr, die Nachricht von dem Geschehenen nach Rehoboth zu bringen, und einem Bastard, Nels van Wijk, einem Sohn des Kapitäns Hermanus, gelang es, schwer verwundet in dem Rieddickicht sich zu verkriechen und, trotzdem die Witbooi in seiner unmittel-

barsten Nähe alles durchsuchten, zu entkommen, nachdem er sich tagelang
versteckt gehalten hatte. Später holte ihn eine Abteilung seiner Stammesgenossen nach Windhut, wo er in der Pflege Richters vollständig genas.
Wiese, der Führer des ganzen Transportzuges, hatte, wie ich bereits anführte, täglich einen Überfall befürchtend stets ein gesatteltes Pferd hinter
dem Wagen, auf dem er saß oder schlief, führen lassen. Auf dieses
schwang er sich, als vorn die ersten Schüsse fielen, und jagte in der Richtung auf Tsaobis davon, bis fast an die Tore der Feste von witbooischen
Reitern verfolgt.

Nachdem die Mordlust der Naman gestillt war, ließ Hendrik sämtliche Wagen zerschlagen und verbrennen und zog dann mit der aus über
300 Ochsen, einigen Pferden, fast 20 Gewehren und reichlicher Munition
bestehenden Beute flußabwärts nach Diepdal. Hier standen die vier Wagen,
die für Schmerenbeck geladen hatten. Ihr Führer, einer der intelligentesten
und angesehensten Bastarde, Hans Beukes, hatte das Schießen bei Horebis
gehört und nichts Gutes ahnend mit seinen Leuten auf einem naheliegenden
Hügel eine Schanze gebaut und besetzt. Bald sah er sich hier in weitem
Umkreise von den Reitern Hendriks umgeben, und dieser ritt selbst näher
heran und rief dem Bastard, in dessen Hause in Rehoboth er früher oft
geweilt hatte, zu: „Ohm, gib dein Gewehr ab!" Durch die Übermacht ließ
sich der als persönlich-tapfer Bekannte bewegen, seine Waffen niederzulegen
und die Schanze zu verlassen. Kaum war dies jedoch geschehen, so wurde
auch er mit seinen Leuten in schändlichster Weise ermordet, und nur ein kleiner
Hottentott, Korinthe, verschont, von dem noch später bei den Kämpfen in
der Naukluft die Rede sein wird. Dann wurden die Wagen geplündert,
wobei es äußerst bemerkenswert ist, daß Hendrik keinem seiner Leute erlaubte,
auch nur einen Schluck Wein oder Schnaps zu trinken, sondern vor seinen
Augen die Fässer und Kisten mit geistigen Getränken zerschlagen und die von
seinen Leuten so heiß begehrte Flüssigkeit in den Sand laufen ließ. Drei
von den Wagen wurden nun verbrannt, und der vierte mit Proviant, Tabak
und Kleidern beladen und mitgeführt. Zufrieden mit diesen Erfolgen, zog
Hendrik mit seinem Raube so schnell als möglich in direkt südsüdöstlicher
Richtung auf unbekannten Pfaden durch die Felsgebirge ab und erreichte
über Wilsonsfontein und die Steppen bei Onanis nach kurzer Zeit die
Gegend von Hornkranz. Patrouillen und kleinere Abteilungen ließ er jedoch
noch am Baiwege zurück, wie aus den frischen Spuren, die bei Nomidas und
Kanikontes wenige Tage später gefunden wurden, hervorging.

Lange Zeit hindurch war man vollständig im unklaren darüber, welchen Rückweg Hendrik Witbooi vom Baiwege aus genommen hatte, bis ich viele Monate nach diesen Ereignissen durch einen Zufall seine Spuren an zwei verschiedenen Stellen fand. Das war erstlich im Jahre 1894 auf einem Jagdzuge in den menschenleeren und unerforschten Grasebenen, die sich vom Anmhrurumassib, dem „Vogelschlafberge", nach Tintas und Onanis hinüber= ziehen, und die wiederum von unersteiglichen, wildromantischen Felsengebirgen durchsetzt werden, und dann zweitens im Anfang des Jahres 1895, als ich einstmals von Salem nach Otjimbingwe ritt. Spät am Abend war ich mit wenigen Reitern von dem erstgenannten Orte aufgebrochen, aber obwohl wir alle den Weg auf das genaueste kannten, verritten wir uns doch in dem Dunkel der stürmischen Regennacht vollständig. Von 11 Uhr nachts an bis zum Tagesgrauen irrten wir, einen Ausweg suchend, durch die finsteren Täler und Klüfte dieses Berglandes ohnegleichen, immer umgeben von senkrecht abstürzenden Wänden, von riesigen Trümmerfeldern und oft in Gefahr, Hunderte von Fuß tief abzustürzen. Und trotzdem wir durchweg geübte Spurensucher waren, fanden wir nicht an den Weg zurück, sondern gerieten immer tiefer in die Berge. Endlich am Morgen, nachdem wir zwei Stunden geruht hatten, erstiegen wir, unsere Pferde nach uns ziehend, einen der höch= sten Bergrücken, um uns zu orientieren. Es war ein entsetzlich mühsamer, fast 1½ Stunden dauernder Aufstieg, aber als wir oben waren, sah ich in blauer Ferne, weit über einem Meer von Kuppen, die charakteristische Spitze des Vogelschlafberges von der Sonne bestrahlt herüberleuchten. Dort war die Straße, und dorthin brachen wir nun auf, stundenlang bergauf und bergab, über steile Höhen und durch sandige Schluchten marschierend, denn es konnte uns nichts helfen, einem der vielgewundenen, engen Täler zu folgen, da wir in diesem sofort wieder die Richtung verloren hätten. Gegen Mittag war es schon, die Sonne brannte unbarmherzig vom Himmel, und in der Ferne zogen dunkle Gewitterwolken auf, da erreichten wir wieder einmal den Grat eines Berges, und plötzlich, fast zu gleicher Zeit, riefen die Reiter Talaska und Treske aus: „Eine Wagenspur!" Und wirklich, tief unter uns aus einer dunklen Felsenpforte zur Rechten wand sie sich hervor, und wir konnten das Tal, in dem sie lief, trotz des Felsgewirrs eine Strecke weit mit den Augen verfolgen. Dort hinunter ging es nun, und ich beschloß, den Geleisen nachzureiten. Aber wer mochte hier gefahren sein? Das war die Frage, die wir uns immer wieder und wieder vorlegten. Nur ein Wahn= sinniger oder ein Mensch, der das Zusammentreffen mit anderen scheute, konnte diesen Weg gewählt haben. In jedem Augenblick erwarteten wir, vor den Trümmern des Wagens zu stehen, wenn riesige Felsblöcke die ganze Sohle der Regenschlucht bedeckten und wir kaum die Pferde, die von dem ewigen Klettern, Ausgleiten und Stolpern schon halbtot waren, herüberführen konnten. Oft durchsetzten kolossale Felsplatten mit fast meterhohen Stein= stufen die ganze Breite des „Weges", kurz, uns war unerfindlich, wie ein Wagen hier hatte passieren können, aber die Spuren liefen uns wie zum Hohne weiter. Die Sonne sank schon, und wir schleppten uns nur noch mühsam weiter, als plötzlich mein schottischer Hund „Taps" eilig vorlief und wir ihn in einiger Entfernung am Boden lecken, dann weiter laufen und — saufen sahen. Nach wenigen Minuten hatten auch wir die Stelle erreicht. Gott sei Dank — Wasser! Es stand in einem kleinen Felsbassin und floß schwach auf der einen Seite ab, also eine Quelle. Menschen und Tiere tranken in langen Zügen. Als unser erster Durst gelöscht war, sahen wir uns um, und — ein Ausruf des Erstaunens — dicht neben uns bildeten weit über= hängende Felsen eine gähnende Höhle, in der es bunt genug aussah. Feuer hatten in ihr gebrannt, alte Kleidungsstücke, leere Konservenbüchsen und Säcke, Tee= und Zigarrenkisten, zerbrochene Gewehrteile und verstreute Papiere lagen umher. Nun wußten wir, wessen Wagen hier getreckt war: Auf der Spur Hendrik Witboois, die von Diepdal kam, hatten wir das Gebirge bis Wilsonsfontein durchquert.

Frisch gestärkt saßen wir auf, die Schlucht verbreitete sich allmählich, und nach 15 Minuten erreichten wir, immer noch der Wagenspur folgend, die Ebene. Vor uns in der Richtung der weiterlaufenden Geleise lagen im letzten Sonnenglanze die Pyramide des Vogelschlafberges und der Weg nach Tsaobis, das wir nach mehrstündiger Ruhe, deren besonders unsere Pferde dringend bedurften, tief in der Nacht erreichten.

Aber kehren wir nach dieser Abschweifung zur Entwicklung der Ereig= nisse in Windhuk zurück, über die am besten einer meiner Briefe aus jenen Tagen berichtet:

„Heut, am 13. September, ritt ich einigen mit Munition und Pro= viant beladenen Wagen entgegen, die unter Bedeckung aus der Bai kamen. Der führende Unteroffizier bestätigte uns, daß am 23. vorigen Monats ein deutscher Dampfer 3 Offiziere, 100 Reiter und einige 40 Ansiedler in Swakopmund gelandet habe, und nannte uns die Namen der Offiziere, v. Heydebreck, Lampe und v. Ziethen.

Inzwischen sind auch die ersten Ansiedlerfamilien, die unter dem Schutz der Truppe gereist waren, angelangt. Den Leuten wird vorläufig nichts anderes übrig bleiben, als in Groß- oder Klein-Windhuk sich niederzulassen und bessere Zeiten abzuwarten. Meiner Ansicht nach werden die meisten sich wohl notgedrungen dem Handel zuwenden müssen und zunächst kleinere kaufmännische Betriebe einzurichten versuchen. Dann werden sie bei einigem Geschick und Glück doch so viel verdienen können, als zum Lebensunterhalt ihrer Familien nötig ist, und brauchen ihr Kapital nicht anzugreifen, das bei

Gastwirtschaft des Farmers Heyn in Windhuk, 1893.

der hier herrschenden Teuerung wohl bald sehr zusammengeschmolzen sein würde."

Kurz nach dem Eintreffen der Verstärkung legte Major v. François eine Besatzung nach Tsebris, einer wichtigen Wasserstelle zwischen Gurumanas und Rehoboth, so daß nun unsere Vorposten in einer breiten gegen Hornkranz gerichteten Front in der Linie Rehoboth — Gurumanas standen, und dem Feinde ein Vorstoß gegen das Bastardland bedeutend erschwert wurde. Für das Ende des Jahres aber wurde eine große Expedition in Aussicht genommen, die tief in das südliche Namaland vorstoßen sollte.

Bald darauf brach die Truppe unter Major v. François in Stärke von 4 Offizieren, 2 Kompagnien und 2 Geschützen gegen Hornkranz auf; ich blieb als Kommandant in Windhuk zurück. Bastardpatrouillen hatten gemeldet, daß Witbooi wieder eine stark verschanzte Stellung am „roten Berge" bezogen habe, und von zwei Seiten rückten die Kompagnien von Hornkranz aus gegen dieselbe vor. Es waren überaus anstrengende Märsche, die hier in einem Gelände ausgeführt wurden, wie es wilder, zerklüfteter und unübersichtlicher nicht gedacht werden kann; aber der Feind hatte seine Stellungen bereits geräumt und sich weiter zurückgezogen, so daß es nur zu einem Patrouillengefecht kam, in dem leider einer unserer tüchtigsten Unteroffiziere, Sergeant Wrede, fiel und zwei Reiter schwer verwundet wurden, von denen einer seinen Verletzungen erlag. Die Geschütze warfen einige Granaten in die feindliche Stellung, aber bald erkannte der Major, daß nur kleinere feindliche Abteilungen ihm gegenüberständen, und auch diese zogen sich vor dem Geschützfeuer eiligst zurück. Eine sorgfältige Durchsuchung des Geländes ergab denn auch, daß die Hauptmacht des Feindes geflüchtet war, und so beschloß der Major, mit der Truppe nach Windhuk zurückzukehren, wo dieselbe am 7. Oktober wieder eintraf.

Von nun an wurde unausgesetzt an den Vorbereitungen für die große Expedition gearbeitet, die um die Jahreswende dem Feinde unersetzlichen Schaden bringen sollte.

6. Kapitel.

Stationschef in Swakopmund.

Reise zur Küste.   In Swakopmund und Walfischbai. — Major Leutwein. — Nach Otjimbingwe.

In der nächsten Zeit hörte man von Hendrik Witbooi wenig. Er hatte im September einen Brief an Samuel Maharo nach Okahandja geschrieben, in dem er anfragte, wie dieser sich dazu stellen werde, wenn er, Hendrik, die deutschen Ansiedler in Otjimbingwe angreifen würde. Da er sich jedoch eine Abweisung seitens des Kaffernhäuptlings holte, kam er auf diesen Punkt nicht mehr zurück, in der Furcht, sich die Herero von neuem zu Feinden zu machen. Aus dem südlichen Groß-Namalande trafen bald erfreuliche, bald trübe Nachrichten ein; doch konnte in keinem Falle die reine Wahrheit ermittelt werden, da uns jeder sichere Gewährsmann dort fehlte, und erst viel später erfuhren wir, daß Hendrik wieder einmal Streifzüge durch den Süden des Schutzgebiets ausgeführt hatte. Aus Keetmanshoop mußten sogar einige deutsche Kaufleute mit ihren Familien bis über den Oranjefluß fliehen, da Witbooi alle möglichen Drohungen gegen sie ausgestoßen hatte und seine Scharen im November diesen Ort berührten.

In Windhuk ging indessen das Garnisonleben seinen gewohnten Gang. Eine ganze Anzahl Bauten war mit der Zeit fertiggestellt worden, so ein neues Offizierwohnhaus, Unterkunftsräume für Unteroffiziere und Mannschaften und ein Gebäude für die Hauptwache, sämtlich nördlich der Feste an dem Wege nach dem Kommissariat gelegen. Auch die Küche der Schutztruppe wurde erweitert und der Bau eines Schlachthauses in Angriff genommen.

Die Ansiedlerfamilien hatten sich, so gut es ging, eingerichtet, einige in Groß-, andere in Klein-Windhuk. Letztere betrieben auf den ihnen zugewiesenen Heimstätten hauptsächlich Gartenbau. Sie alle aber fühlten

Das Tal von Klein-Windhuk.

6*

95

sich, wie ich bereits erwähnte, bitter enttäuscht, denn man hatte ihnen in Deutschland versichert, daß ihnen nach ihrer Ankunft im Schutzgebiet sofort Farmen zugeteilt werden würden, und daß sie diese unmittelbar nachher beziehen könnten.

In den letzten Tagen des Oktober lief eine Nachricht aus Swakopmund ein, die uns alle auf das tiefste betrübte: Herr v. Bülow hatte sich auf der Jagd durch einen unglücklichen Zufall schwer am Kopfe verletzt und mußte mit dem nächsten Dampfer nach Deutschland reisen. In ihm schied ein treuer Freund von uns, mit dem wir so manche frohe und trübe Stunde durchlebt hatten, und für das Schutzgebiet ein Mann, der seine reichen Geistesgaben, seine umfassenden Kenntnisse und vor allem seine hervorragenden Charaktereigenschaften ganz in den Dienst der deutschen Sache gestellt hatte. Ich wurde zum Nachfolger Bülows als Stationschef von Swakopmund bestimmt.

Über Otjisewa und Groß-Barmen erreichten wir Otjimbingwe, wo zu dieser Zeit auch zwei eben aus Deutschland im Schutzgebiet angelangte Offiziere, die Leutnants Bethe und Eggers, eintrafen. Ich hatte beschlossen, von Otjimbingwe aus über Anawood, Büllsbont und Potmine marschierend dem Laufe des Swakop bis Dorstrivier zu folgen, dort die nördlich des Flusses liegenden Hochflächen zu ersteigen und über Jakalsfontein und Haigamkab die Küste zu erreichen. Dieser sogenannte „Flußweg" ist zwar sandiger als die über Tsaobis führenden Straßen, bietet aber für nicht beladene Wagen keine Schwierigkeiten und hat den großen Vorzug wundervoller Weide und überaus zahlreicher Wasserplätze im Bett des Swakop.

Bald umfingen uns die üppigen Anawaldungen des Flusses, in deren lauschigem Schatten wir tagelang fortzogen. Von unseren Lagerplätzen war einer schöner als der andere, immer in dem tiefen Frieden des Uferwaldes, hoch über uns die dichtbelaubten, gegen die Sonnenstrahlen schützenden Baumwipfel, in denen zahllose Vögel ihr Wesen trieben, und dazu der süße, oft fast betäubende Duft von Milliarden von Blüten, mit denen die Baumriesen über und über bedeckt waren.

Nach dem Flusse zu, dessen Bett in diesem Teil seines Laufes ganz flach, fast in gleicher Höhe mit den Ufern liegt, standen Schilf und Rohr in dichten, verworrenen Massen, und unsere Pferde schwelgten in den frischen, saftigen Trieben des Rieds. Auch für unsere Küche war wohl gesorgt, denn wilde Enten belebten die großen Wassertümpel, Tauben, Wasserwachteln, Perl- und Savannenhühner durchstreiften die Uferdickungen, und Spring- und

Buschböcke kamen hier zur Tränke. Eine echte und rechte Frühlingsfahrt war dieser Zug durch das schöne Flußtal.

In Dorstrivier aber hatte die Lieblichkeit der Landschaft ein Ende. Schon als wir uns der Stelle näherten, an welcher der Tsaobisfluß von Süden kommend in den Swakop mündet, stiegen im Westen und Südwesten gewaltige Felsmauern vor unseren Augen auf, die wilden Gebirge des Dorstriviers und von Horebis, das nur eine kleine Reitstunde südwestlicher liegt. Dunkle Wolkengebilde lagerten schwergeballt auf den Berghäuptern und verhießen neue Regenstürme. Es war ein farbenprächtiger, wunderbarer und überwältigender Anblick, wenn durch diese finsteren Wolkenhaufen, unter denen die Berge schwarzblau erschienen, ein Sonnenstrahl brach und für Sekunden grellrote Lichter auf die schroffen Hänge warf.

Schon kurz vor Dorstrivier treten die Berge näher zusammen, und bald beginnt dann der Canon des Swakop, der nach der Küste zu, besonders von Usab bis Nanikontes, immer wildere und riesenhaftere Formen annimmt.

Endlich konnte eines Abends der Aufstieg beginnen. In einem trockenen Flußbett, dem Gamikaub, ging es bergan, ununterbrochen, nur mit einer einstündigen Rast die ganze Nacht hindurch, denn vor Sonnenaufgang mußte auf jeden Fall die Hochfläche gewonnen sein. Ein schauerlicher Weg lag vor uns, immer aufsteigend, eingeklemmt zwischen hohen Felswänden, tiefsandig und mit so scharfen Biegungen, daß die Wagen oft in Gefahr waren, umzufallen. Mit einem Seufzer der Erleichterung begrüßte ich am Morgen, dicht vor Sonnenaufgang, die Hochebene. Aber auch hier wurde nur kurze Rast gehalten und dann der Marsch auf Jakalsfontein, das wir des Wassers wegen so schnell als möglich erreichen mußten, fortgesetzt.

Vorbei an den Khnosbergen zogen wir über die mit kurzem Toagras, Seifen- und Milchbüschen bestandene Fläche dahin und trafen noch vormittags an dem ersehnten Wasserplatz ein.

In der folgenden Nacht durchzogen wir die Pforte von Usab in heller Mondnacht. Tiefes Schweigen herrschte ringsum, und müde schleppten die Ochsen die leise knarrenden Wagen in langem Zuge vorwärts. Die Treiber schliefen auf ihren Bocksitzen, und vorn, im Dunst und dem unsicheren Licht des Mondes, ritt die Spitze dahin, lange gespenstische Schatten werfend. Da donnert der Galopp eines Pferdes auf der harten Fläche heran. Einer der Späher jagt zurück. Kurz vor mir pariert er sein Pferd und ruft: „Ganz frische Wittampspuren!" Wir traben nach vorn, und bald sieht man hier und dort Streichhölzchen aufflammen und einzelne dunkle

Gestalten lang auf dem Erdboden liegend die Spuren „studieren". Es ist kein
Zweifel: eine 40 bis 50 Pferde starke feindliche Abteilung hat hier, von
Süden kommend, den Weg gekreuzt, die Spuren führen in nördlicher Rich-
tung weiter. „Wie alt mögen die Spuren sein?" — „Höchstens einen halben
Tag!" tönt es aus dem Dunkel zurück. „Nun, dann vorwärts!"

Vorn aber geht eine Abteilung eiligen Schrittes gegen das Felsentor
von Usab vor, dessen nadelgleiche Spitzkuppen aus der im Mondlicht weiß-
flimmernden, unendlichen Fläche auftauchen.

„Alles ist sicher!" meldet ein herantrabender Reiter dem Führer der
Wagenkolonne, während wir schon die Pforte durchritten haben, auf deren
anderer Seite in angemessener Entfernung von den Bergen ein kurzer Halt
gemacht wird.

Welch ein wunderbarer, ergreifender poetischer Zauber liegt über einem
solchen nächtlichen Halt in der Wüste! Mir fielen stets die Verse Freiligraths aus dem „Gesicht des Reisenden" ein:

> „Mitten in der Wüste war es, wo wir nachts am Boden ruhten;
> Meine Beduinen schliefen bei den abgezäumten Stuten.
> In der Ferne lag das Mondlicht auf der Nilgebirge Jochen;
> Rings im Flugsand umgekommener Dromedare weiße Knochen . . ."

und dann weiter:

> „Tiefe Stille, nur zuweilen knistert das gesunk'ne Feuer;
> Nur zuweilen kreischt verspätet ein vom Horst verirrter Geier;
> Nur zuweilen stampft im Schlafe eins der angebundenen Rosse;
> Nur zuweilen fährt ein Reiter träumend nach dem Wurfgeschosse . . ."

Am nächsten Vormittage stiegen wir hinab in die ungeheure Talspalte
des Swakopflusses. Stundenlang windet sich der Weg durch ein Labyrinth von
haushohen Felsen und scharf eingerissenen Schluchten, von massigen Kuppen
und schroffen Schründen bergab in den Cañon, und über ein Wirrsal, ein
Meer von Berg- und Felsgipfeln schweift der Blick des Reisenden hinüber
zu den fernen Hochflächen des jenseitigen Ufers. In der Nacht noch hatten
wir die letzten, schon recht dünnen Grasfelder passiert und befanden uns von
der Usabpforte an bereits im Gebiet der Namibwüste.

Von Vegetation war hier keine Rede mehr, nur hier und dort tauchte
eine merkwürdige Wüstenpflanze auf, die „Welwitschia mirabilis", die dicht
am Boden wie eine einzige riesige Blume daliegt und ihre oft von der
Sonne halbverbrannten, dünnen Blätter meterweit über den heißen Sand

ausstreckt. Auch an den Felsen, welche die hinabsteigende Straße begleiten,
finden sich nur spärliche Zeichen von Bewachsung: Aloën und Wolfsmilch=
arten, kümmerliche Moose und einige wenige Blumen und Eispflanzen; aber unten, im Flußbett selbst, säumt dichtes Buschwerk die Seiten des
Tales, Ana= und Dornbäume und =Büsche grünen dort, bald vereinzelt
stehend, bald zu dichten Hainen vereint. An vielen Stellen war damals noch
das Swakoptal mit so wirren Ried= und Rohrdickichten bewachsen, daß man
kaum hindurchzudringen vermochte, und eine fortlaufende Narbe frischen,
saftigen Queckgrases gab den Ochsen und Pferden genügende Weide. In
den folgenden Jahren aber ging die Bewachsung mehr und mehr zurück, denn
der immer zunehmende Frachtverkehr führte viele Tausende von Ochsen all=
jährlich hier zusammen, und was diese nicht abweideten, zertraten sie, so daß
ein Nachwuchs nicht aufkommen konnte. Heute ist die Sohle des Riviers
nur noch eine tiefsandige Fläche, und die üppig=grünen Wiesen, die uns zu
jenen Zeiten nach manch heißem Wüstenritt entzückten, sind geschwunden als
Opfer des nie rastenden Verkehrs. Und doch hat die allsorgende Mutter
Natur auch hier vorgesehen, daß den hungernden Tieren das Futter nicht
fehle, denn die braunen, runzligen Schoten, die alljährlich vom Anabaume
niederfallen und in dicken Haufen die Erde bedecken, sind das nahrhafteste,
beste Viehfutter der Welt.

Nachdem wir mittags unweit von Haigamkab gerastet hatten, zogen wir
gegen Abend an diesem Ausspannplatze vorbei und erreichten spät in der
Nacht Kanikontes, wo seit kurzem eine kleine Militärstation errichtet war.
Der Marsch dorthin durch die malerischen Felsbildungen des Cañons war
in der zauberhaften, lichten Mondnacht landschaftlich wundervoll, aber doch
so kalt, daß wir froh waren, als wir endlich unser Ziel erreicht hatten. Es
war dies übrigens mit mancherlei Schwierigkeiten verknüpft, da wir das enge
Quertal, in dem die Station lag, zunächst nicht fanden und Signalschüsse
abgeben mußten. Lange währte es, bis uns dumpfe Schüsse aus der Ferne
antworteten, aber bald darauf begrüßten wir den Stationschef und seine drei
Getreuen, die leider sämtlich am Fieber litten.

Der nächste Morgen war kalt und unfreundlich. In dicken Schwaden
lag der Seenebel, der oft bis Usab, ja manchmal sogar bis Gawieb vor=
dringt, über der Landschaft, und die Sonne ließ sich nicht blicken. Ringsum
himmelhohe Felsen, von denen Schutt= und Geröllfelder sich herniederziehen;
mitten darin ein niedriges, aber festes Haus aus kunstvoll zusammengefügten
Felsblöcken mit einem Wellblechdach; davor ein kleiner, stacheldrahtumzogener

Das Ewatoptal bei Kanitonces.

Garten und endlich das Rivier mit den hier, nahe der Küste, schon recht
unansehnlichen Bäumen — das ist Kanikontes!

Auch die Fauna ist hier unsagbar arm; nur kleine Felsentauben flattern
unruhig an den Wänden, in deren Spalten sie nisten, hin und her, und
magere, scheue Berghasen äsen die spärlichen Kräuter in den Regenschluchten
der Uferberge. Aber selbst wenn keine Seenebel die Sonne verdecken, erscheint sie doch den Bewohnern des engen Cañons viel später als den Reisenden, die hoch auf der Fläche dahinziehen, und ebenso sinkt sie schon früh,
sehr früh wieder hinter den Felskolossen im Westen nieder. Wenn dann die
Festtunden vorüber sind, in denen sie ihre wärmenden Strahlen in den
Schlund wirft, dann herrscht sofort eisige Kälte in der Tiefe und zwingt die
Menschen, das hell lodernde Feuer aufzusuchen. Am vollkommensten aber
hat man den Eindruck, sich in einem Keller zu befinden, wenn man laut
spricht. Hohl und dumpf, wie in einem unterirdischen Gewölbe, hallen dann
die Worte von den Felswänden wieder.

Von Kanikontes aus erklommen wir die südlich des Swakop sich hin-
ziehende Namibwüste in langem, besonders für die Wagen beschwerlichem
Aufstiege. Dann aber, nachdem die Höhe gewonnen war, rollten die Fahrzeuge auf harter, guter Straße leicht dahin. Nach einiger Zeit beginnt der
Weg allmählich zu sinken, im Südwesten erscheint der Dünengürtel des
Walfischbaigebiets, die Uferberge des Flusses werden niedriger, und plötzlich
steht man am Rande der Hochfläche, tief unter sich das breite, grüne, nun
ganz baumlose Bett des Swakop. Von hier aus fällt der Weg stark bergab
und wird recht sandig, bis er nach höchstens dreiviertel Stunden Fahrzeit
den Fluß überschreitet. Wir sind in Ronidas, dem letzten Ausspannplatz
vor Swakopmund. Schon von Kanikontes aus haben wir ein ununterbrochenes dumpfes, grollendes Geräusch gehört, das hier in Ronidas noch
deutlicher an unser Ohr schlägt: das Toben der Meeresbrandung, die sich
donnernd an den Klippen und Felsen des Gestades bricht.

Am nächsten Morgen erreichten wir die Küste. Da lag der unendliche,
weite Ozean nun wieder vor uns. Woge auf Woge rollte aus dem fernen
Westen heran, und an dem öden Sandstrande brachen sich die blauen Wasser,
hochaufspritzend, die schwarzen Riffe umtosend, vorschießend und wieder
zurückflutend, Wolken von Wasserdampf erzeugend, die den ewigen Kampf
der Elemente wie durch einen Schleier sehen ließen. An diesem wild-einsamen
Gestade sollte ich, vielleicht monatelang, verweilen, aber mir bangte nicht vor
der Einsamkeit. Solange sich noch eine Woge donnernd und schäumend an

Swakopmund
im Jahre 1893.

den Klippen bricht, solange bietet der Ozean immer neue, farbenprächtige,
abwechslungsreiche Bilder. In stiller Mondnacht, im Nebelmeere, im heißen
Sonnenschein dem nimmer müden Spiel der Wellen zuzuschauen, und die
Gedanken dann weit über die Meere nach fernen, fremden Landen schweifen
zu lassen — wer könnte dabei ermüden? Doch nur der Arme, dem der Sinn
für eine großartige Natur und das geheimnisvolle, unerforschliche Walten
ihrer Kräfte fehlt!

Verändert hatte sich Swakopmund seit dem März übrigens wenig,
das sah ich auf den ersten Blick. Da standen noch auf der Terrasse über
dem Meer die drei elenden Wellblechbuden, in deren einer Unteroffizier
Hannemann mit einigen Matrosen hauste, und nur ein Leinwandzelt, das in
einiger Entfernung aufgeschlagen war, zeigte an, daß noch ein weiterer An-
wohner sich eingestellt hatte. Es war dies ein Deutscher, v. Broen, der den
Bau eines Kaufhauses für unsere größte Firma, Mertens und Sichel,
überwachen sollte.

In den nächsten Tagen richtete ich mich, so gut es ging, in meiner
Wellblechbude häuslich ein. In einem Briefe finde ich über diesen Prachtbau
folgende Notizen: „Ich bewohne zwei Stuben (wenn man so sagen kann),
eine größere und ein Loch, in dem meine Lagerstatt aufgeschlagen ist. Diese
besteht aus einem viereckigen Holzrahmen, der auf kurzen, morschen Füßchen
ruht und mit Riemen bespannt ist, ein schwacher Ersatz für eine Matratze.
Fenster   nicht vorhanden, dafür pfeift aber der Wind durch tausend
Löcher, und ab und zu beschäftige ich mich damit, unter Beihilfe Schneidewinds die Ritzen mit Werg zu verstopfen. Der Fußboden, der in Er-

manglung von Dielen aus dem feinen Sande der Hochfläche besteht, wimmelt von Millionen von Sandflöhen. Mein Mobiliar machen einige Kisten und Kasten aus, von denen einzelne als Sitze, andere als Schränke dienen. Vor der Tür habe ich meine meteorologische Station etabliert, einige Thermometer und eine von Dove erworbene Bussole, denn Temperatur, Wind- und Brandungsstärke usw. sollen beobachtet werden. Hierüber wird ein tägliches Journal geführt. Kaum 20 Schritt seewärts meines Palastes ist in den sandigen Absturz der Hochfläche eine mit Brettern verschalte Höhle eingebaut, deren Dach über riesigen Walfischrippen, die man überall am Strande herumliegen findet, aus einer Bedeckung von Wellblech, Segeltuchlappen und Dachpappefetzen besteht, über die Sand geschaufelt ist. Hier hausen   nicht etwa einige Schakale — sondern die Unglaubes, Vater und Sohn, deren Feldschmiede vor der Villa aufgeschlagen ist. Beide sind fleißige und geschickte Leute, die mit Wagenreparaturen und ähnlichem ein schönes Stück Geld verdienen. — Das Klima ist vorläufig noch kalt und nebelig, doch soll es nach Hannemanns Aussage bald besser werden, besonders im Februar und März.

Die Tage flossen eintönig, aber ohne jede Langeweile dahin, und unser Leben erinnerte mich einigermaßen an das Robinson Crusoes. Fortwährend wurden Verbesserungen an unseren Wohnräumen vorgenommen, und jede alte Planke, jedes Stück Wellblech, das irgendwo aufgefunden wurde, erregte unsere Freude. Auch mancherlei Fischfangversuche und kleine und größere Jagdzüge erheiterten unser Dasein; ebenso lange Spaziergänge am Strande, auf denen eßbare Muscheln gesammelt wurden, und Streifereien in die östliche Wüstenfläche, über deren geognostische Verhältnisse ich mich möglichst zu unterrichten suchte. Quarzriffe treten dort und an den Ufern des Swakop vielfach zutage, und Broen hatte an der Flußmündung goldhaltigen Sand gefunden und auch Körnchen des edlen Metalls ausgewaschen. Der Reichtum an schönen Kristallen in den Quarzgängen ist erstaunlich.

Oft führte mich die Absicht, meiner Küche eine Abwechslung zu verschaffen, in das nahe Flußbett, in dessen schilfumsäumte Lagunen große Schwärme wohlschmeckender Süßwasserenten einfielen. Auch prächtig rot gefärbte Flamingos, Pelikane, schlanke Reiher, Sumpfhühner und eine Unzahl von Möven, Strandläufern und Meerenten bevölkerten die Flußmündung und den sandigen Strand, an dem bei Ebbe bis weit in das Meer hinaus schwarze Felsen sichtbar werden. Selbst Hasen und Springböcke kamen damals noch dicht an die Mündung, und eines Morgens zeigte mir Broen

die frischen Fährten einiger Strauße, die in der Nacht kaum 200 m von
unseren Hütten entfernt an den Fluß geeilt waren, um dort zu trinken. Das
Dünengebiet aber auf der englischen Seite war von vielen Schakalen bewohnt,
die frühmorgens hungernd am Strande umherstrichen und vom Meere aus-
geworfene Fische suchten. Von ihnen erlegte ich mehrere von einer Jagd-
hütte aus, die ich am Strande aus Treibholzstämmen gebaut hatte. Recht
unangenehm war uns übrigens bei der Entenjagd das giftige Gewürm der
Sand- und Hornvipern, das sich besonders an den Uferabhängen des Flusses
breitmachte und den Jäger, wenn er hinter einem der Sandhügel liegend
den Einfall der Enten erwarten wollte, zu größter Vorsicht zwang.

Ein Ereignis war es stets, wenn ein Wagen aus dem Innenlande
ankam, denn die Mehrzahl derselben fuhr zu jenen Zeiten noch nach Walfischbai, da dort die meisten Kaufleute der Sicherheit des Landens und der
niedrigeren Landungsspesen wegen ihre Güter löschen ließen. Wenn aber
fern an den Höhen im Osten, nach Nonidas zu, Staubwolken aufwirbelten,
dann richteten sich alle vorhandenen Krimstecher dorthin, und mit Jubel rief
einer dem andern zu: „Ein Wagen!“ Gab es doch nun bald „Neues“ zu
hören aus den Dörfern weit im Osten, vom Kriege und den Kameraden,
und ebenso wie sich die Weißen des Platzes um den „Baas“, den Herrn
des Wagens, gleichviel ob er weiß, gelb oder schwarz war, sammelten, so
umgaben unsere farbigen Diener den Leiter und Ochsenwächter und hockten
schwatzend mit ihnen am Boden. Dann hagelte es oft Stories, und die
unglaublichsten Lügen wurden mit ernster Miene aufgetischt. Ein alter
englischer Händler erzählte mir einst bei einer solchen Gelegenheit, wie seiner
Ansicht nach die meisten Stories entständen. Er führte ihren Ursprung auf
die Sucht der Eingeborenen, und ganz besonders der Herero zurück, bei Be-
gegnungen mit ihresgleichen stets „etwas Neues“ erfahren zu wollen, und
ich habe später gesehen, daß der Alte recht hatte. „Sehen Sie, Leutnant,“
sagte er, „wenn sich zwei solche verdammte Kaffern irgendwo im Felde treffen,
so geben sie sich ihre schmutzigen Tatzen, hocken zusammen und saugen nun
zuerst an einer gemeinsamen Pfeife, indem sie sich anglotzen. Dann beginnt
der eine: Erzähl' was Neues! — Ich weiß nichts!‹ entgegnet der andere,
wenn er wirklich nichts Neues erfahren hat. Nun wieder der erste: Erzähl'
was Neues! — Ich weiß nichts! — ‹Erzähl' was Neues!‹ — »Ich
weiß nichts! — Dann lüge was! — Und dann setzt der zweite seine
verfluchte Ehre darein, die verdammtesten Lügen auszukramen, die der erste
dem Nächsten, den er trifft, für wahr weitererzählt. Sehen Sie, Leutnant,“

schloß der würdige Greis, „so entstehen diese verdammten Stories, und wenn
Sie mir nun einen Tropfen Brandy geben wollten, so wäre ich Ihnen
Gott verdamme mich! — herzlich dankbar, denn meine Kehle ist rissig wie
das Fell eines alten Elefanten!"

Diese harte Verurteilung der Stories hinderte den Braven jedoch nicht,
mir unmittelbar darauf die schamlosesten Lügen und Jagdgeschichten aufzu-
tischen, wobei er zu meinem Entsetzen eine ganze Flasche meines kostbaren
Hennessy††† aussog und mit dem furchtbaren, auch bei den Bastarden sehr
gebräuchlichen Schwur schloß: „Denn ich bin der größte Elefantenjäger des
Landes, so wahr meine Mutter eine weiße Haube trägt!" . . .

Wir wußten nun zwar genau, welchen Wert wir den Alarmnachrichten
beizumessen hatten, die uns ab und zu aus dem Inneren erreichten, aber doch
war äußerste Vorsicht geboten, und es ist mir noch heute unklar, warum
Hendrik niemals den Versuch gemacht hat, Swakopmund anzugreifen und sich
der dort lagernden reichen Waffen-, Munitions- und Proviantvorräte zu
bemächtigen. Im Hinblick auf diesen möglichen Fall ließ ich die von Bülow
am Wohngebäude der Matrosen angelegte Schanze erweitern und verstärken
und an meinem Hause eine neue bauen, aus der man die dahinter liegende
tiefe Schlucht bestreichen konnte. Sandgefüllte Säcke und Tonnen gaben ein
vorzügliches Baumaterial ab. Der nächtliche Wachtdienst, der nicht scharf
genug gehandhabt werden konnte, war für die Besatzung bei einer Stärke
von 2 Unteroffizieren, 6 Matrosen und 2 Reitern sehr anstrengend, so daß
ich die Kräfte der Leute tagsüber soviel als möglich schonte. Nur Schul-
schießen wurde fast täglich abgehalten, und wenn Wagen ankamen, mußten
die Matrosen beim Aufladen der Güter helfen, denn die Frachtfahrer suchten
so schnell als möglich wieder das ferne Grasland zu erreichen.

Kaum war nach der Ankunft an der Küste ausgespannt, so wurden die
vor Durst laut brüllenden Ochsen zum Wasser getrieben, dann, während
der Wagen befrachtet wurde, ihnen das Futter (geschnittenes Gras oder
Anaschoten), das der Transportfahrer auf dem Wagen aus dem Inneren
mitgebracht hatte, vorgeworfen und, wenn dies aufgefressen war, wieder ein-
gespannt und abgefahren.

Von den Frachtfahrern kaufte ich öfter Gras und Anaschoten für unsere
Pferde. Die Tiere nahmen die Schoten gern und gediehen sichtlich bei
diesem Futter, während das saftige Queckgras im Flußbett sie wohl auf-
schwemmte, ihnen aber keine Kraft gab. Das sahen wir am besten an unseren
Schlachtschafen, deren Fleisch desto trockener wurde, je länger sie im Swakop

geweidet hatten. Der Hauptviehposten befand sich landeinwärts am Hanoas-
gebirge unter Aufsicht eines Buschmanns Diwib, und von dort wurde zweimal im Monat eine Anzahl Schafe oder Ziegen nach Swakopmund getrieben.
Trotz schärfster Überwachung gelang es mir und Hannemann übrigens nicht,
zu verhindern, daß der Viehbestand an den Bergen sich dauernd verminderte.
So oft Diwib, dieses krummbeinige und schieläugige Ungeheuer, in Swakopmund erschien, sah er stets wohlgenährter aus, berichtete aber mit Jammer-
miene von neuen Verlusten. Bald sollte ein Leopard einige Schafe geraubt
haben, bald war angeblich eins derselben von den Felsen abgestürzt und ver-
endet. Wer konnte ihm das Gegenteil beweisen?! Ich schickte zwar einige
Male Patrouillen zur Revision des Postens ab, aber diese fanden dann alles
in Ordnung, was mich nicht überraschte, da Diwib den Staub der Reiter
schon Stunden vor ihrer Ankunft sehen und etwa geschlachtetes Vieh in
Sicherheit bringen konnte. Ihm ein Gewehr zur Abwehr des angeblich vorhandenen Raubzeuges anzuvertrauen, wagte ich aber nicht, denn im Besitze
eines solchen Schatzes würde er sich wohl auf Nimmerwiedersehen empfohlen
haben. So mußte ich ihn denn, da außerdem ein Ersatzmann nicht zu finden
war, gewähren lassen und redete ihm nur ab und zu ins Gewissen. Wer
dann sein scheinheiliges Gesicht sah und den schnalzreichen Wortschwall seiner,
mir übrigens unverständlichen Beteuerungen hörte, konnte nicht zweifeln,
einen der treuesten Diener des Staates vor sich zu haben.

Mit Broen machte ich in der Folgezeit einige kleine Jagdausflüge in
die nordöstlichen Namibflächen und längs des Meeresgestades nach Norden.
Weithin war hier der Sandstrand, der in einer Entfernung von 50 bis 200 m
von den niedrigen, aber steilen Abstürzen der sterilen Hochfläche begleitet wird,
mit Treibholz bedeckt, und langgestreckte Salzwasserlagunen zogen sich damals
noch von der Station aus nördlich und südlich hin, deren eine sich, dicht
unterhalb der Gebäude beginnend, bis beinahe zur Mündung des Swakop
erstreckte. Auf ihr schwammen unsere beiden Brandungsboote, die, wenn sie
gebraucht wurden, nach dem Meere hinübergerollt werden mußten, da sie der
Brandung wegen in diesem nicht verankert werden konnten. Später flossen
die Lagunen sämtlich aus, nachdem die See die trennenden Sandanhäufungen
weggespült hatte.

Weiter nach Norden zu, ungefähr eine halbe Stunde zu reiten, liegt
dicht an der tosenden Brandung eine weitausgedehnte Salzpfanne. Über einen
Fuß tief steht die Sohle über dem Lehmboden, und die Ränder des Beckens
glitzern von kristallinischen Absonderungen. Ein stark bitter-salziger Geruch

kündet die Nähe der Pfanne an, aus der die Hottentotten dicke Salzstücke für ihren Gebrauch zu holen pflegten.

Von hier aus ist die Küste, besonders in der Nähe der Wüstenbai, mit Schiffstrümmern wie besät. Riesige kupferbeschlagene Balken, Bruchteile von starken Masten, zerbrochene Ruder, Planken, Kisten und Tonnen liegen am Strande umher, und dicht nördlich der eben genannten Bai stehen einige aus Walfischrippen und Brettern errichtete, halb zerfallene Hütten, die einst von Schiffbrüchigen bewohnt gewesen sein mögen. Dies alles, die wütende Brandung, die an den fast überall der Küste vorgelagerten Riffen tobt, und die Wracks, die sowohl bei Kap Croß wie auch an den südlichen Gestaden bei Angra Pequena liegen, sprechen für die Gefährlichkeit der Küsten unseres Schutzgebiets.

Mit Broen studierte ich damals den von der englischen Admiralität zusammengestellten „Afrika-Pilot", da uns leider die von unserem Reichs-Marine-Amt herausgegebenen diesbezüglichen Bücher nicht zur Verfügung standen. Von Interesse dürfte besonders sein, was dieses Buch in seinem zweiten, die Westküste behandelnden Teil über die Swakopmündung sagt. Die Entdeckung der Mündung wird H. M. S. „Espiègle" im Jahre 1824 zugeschrieben, die Lage auf 22° 40′ s. Br. angegeben. Der Fluß wurde damals „Somerset River" getauft, jedoch dabei bemerkt, daß bei den Eingeborenen sein „eigentlicher" Name Tsoathaub sei.

Ferner bringt der „Pilot" einen Bericht des Leutnants Raxton aus dem Jahre 1845. Dieser Offizier muß nach seinen durchaus richtigen und erschöpfenden Angaben die Örtlichkeit genau und eingehend untersucht haben. Er sagt, die Flußmündung sei etwa 500 Yards breit und dicht mit Vegetation, Schilf, Binsen und einer Schierlingsart (?) bedeckt. Der Fluß müsse oft sehr stark fließen, da er sich seinen Weg durch hohe Granitwände gebrochen habe. Weide für viele tausend Rinder sei in der Nähe vorhanden. Er bemerkt weiterhin, daß vor der Mündung eine Sandbarre liege, daß im Flußbett viele Pfützen seien, und daß „Wasser nur wenige Zoll unter der Oberfläche des Sandes" stets zu finden sei. Auch wird erwähnt, daß die Weide nach Osten hin zunähme und die Straße „für eine Art von Ochsenwagen, wie sie im Lande gebraucht würden", gut sei. Die Länge des Swakoplaufes wird auf 300 (englische) Meilen, nach Angaben Eingeborener, geschätzt. Das Alluvium bestehe aus schwarzem salpeterhaltigen Lehm, und vor der Mündung lägen weit in die See hinausragende Felsen, so daß es, selbst wenn der Fluß Wasser führen sollte, unmöglich sein würde, denselben hinaufzufahren.

Schwabe, Im deutschen Diamantenlande.   7

Angeregt durch die obigen Mitteilungen über die Vegetation an der Küste, will ich noch einige Worte über diese einflechten. Die Schuld an ihrer Armseligkeit tragen wohl zum größten Teil der starke Salzgehalt des Bodens, die Seenebel und die heftigen Winde, vorherrschend südwestliche, westliche und nordwestliche, während östliche (Landwinde) selten sind. Vor einer Reihe von Jahren sollen die Flächen der Namib bis beinahe an die Küste, auf englischer Seite bis an die Dünen, mit Gras bedeckt gewesen sein; seitdem aber sind schlechte, regenarme Jahre verstrichen, der Salzgehalt des Bodens ist gestiegen, das Gras verdorrt und der Same verweht.

Die Dünen zeigen nur elende Spuren einiger Arten von Eispflanzen, die kümmerlich dicht am Boden ihr Dasein fristen, und ab und zu niedrige Büschchen eines Klettergewächses, das die Eingeborenen „Saridi" nennen.

An dieser Stelle sei auch darauf hingewiesen, daß sich mir bereits damals die Überzeugung aufdrängte, daß für den Bau der Eisenbahn in das Innere die Swakopmündung die gegebene Anfangsstation sei, besonders auch, da es mir, ganz abgesehen von der Erörterung technischer Fragen, wohl keine unbillige Forderung gegenüber englischen Interessen schien, deutschen Handel für deutsches Hinterland auch durch deutsche Häfen zu leiten. Aber wie lange hat es gedauert, bis es uns gelungen war, die Walfischbai endgültig nieder-zukämpfen! Daß ich dabei an leitender Stelle mitarbeiten konnte, zuerst als Stationschef von Swakopmund, dann als Chef des Distrikts Otjimbingwe, zu dem auch die Küste gehörte, hat mir immer große Freude bereitet, denn hier haben wir England tatsächlich ganz aus dem Felde geschlagen, und zwar erst nach harten Kämpfen, die auch von gegnerischer Seite mit allen verfüg-baren Mitteln geführt worden sind. Doch davon später mehr. — Kehren wir zurück zu den Ereignissen in Swakopmund am Ende des Jahres 1893.

Ende Dezember langte aus Windhuk die Nachricht an, daß mit dem nächsten im Januar fälligen Dampfer ein preußischer Offizier, Major Leutwein, im Auftrage des Reichskanzlers in Swakopmund eintreffen werde, um eine Informationsreise durch das Schutzgebiet zu machen und eventuell später eine hohe Verwaltungsstellung einzunehmen.

Für den Empfang des Schiffes wurde alles vorbereitet; die Landungs-stellen für die Boote genau untersucht, diese selbst kalfatert und gestrichen und am Strande Platz für die neuankommenden Frachten geschaffen, denn ungefähr 60 Wagenlasten lagen noch vom letzten Dampfer am Ufer umher. Es war auch keine Aussicht vorhanden, sie bald nach Windhuk verfrachten zu können, denn von dort hatte man mir geschrieben, daß die Lungenseuche furchtbar unter den Ochsen aufräume, und deshalb nur wenig Wagen nach der Küste abgeschickt werden könnten. Diese mußten ausnahmslos mit Proviant und Munition für die Truppe beladen werden, so daß in Windhut der Mangel an Wein, Bier, Zigarren und ähnlichem wieder fühlbar genug sein mochte.

Das Klima war inzwischen täglich besser geworden, mittags herrschte

In den Küstendünen.

oft eine ziemlich empfindliche Hitze, und der Seenebel erschien seltener. Hannemann hatte am Flußbett einen kleinen Garten angelegt und die ver- schiedensten Gemüse gepflanzt, aber alle Mühe und Arbeit war vergebens, denn die zahlreichen Scharen von Springmäusen und ähnlichem Gelichter fraßen alle jungen Triebe ab. Es war unmöglich, sich der Tiere zu er- wehren, und die von uns gelegten Giftpillen schienen ihnen vorzüglich zu be- kommen. Auch eine englische Polizeistation war in der Zwischenzeit am Swakopmund dicht am südlichen Ufer des Flusses errichtet worden, ein nettes, weißgestrichenes Holzhaus, das zwei Zimmer und einen Pferdestall aufwies, und über dem stolz von hohem Mast die britische Flagge, der

7*

„Union Jack" flatterte. Hier waren stets zwei der hottentottischen Konstabler aus Walfischbai stationiert, die wöchentlich abgelöst wurden. Für uns war dies der regelmäßigen Verbindung mit dem englischen Hafen wegen sehr angenehm.

Am 30. Dezember traf der Dampfer „Marie Woermann" auf der Reede von Swakopmund ein. Ich fuhr an Bord und begrüßte Major Leutwein, den Marinestabsarzt a. D. Dr. Sander und eine Anzahl von neuen Ansiedlern.

Dr. Sander, der von der Deutschen Kolonialgesellschaft zur Bekämpfung der Viehseuchen entsandt worden war, beschäftigte sich viel mit naturwissenschaftlichen Untersuchungen. Den Ansiedlern war übrigens in Deutschland wieder das unglaublichste Zeug vorgeredet worden. Einer derselben wollte durchaus in Nonidas eine — — Brauerei errichten, obwohl er nie Brauer gewesen war und auch weder genügende Mittel noch die nötigen Maschinen und Apparate besaß.

Nach ungefähr 14 tägigem Aufenthalt an der Küste fuhr Major Leutwein in einer Pferdekarre nach Windhuk ab. Auch Dr. Sander war nach dem Inneren aufgebrochen.

Es wurde nun wieder stiller in Swakopmund. Die neuangekommenen Ansiedler hatten sich, so gut es ging, Hütten aus Holz, Walfischrippen und Wagenplänen errichtet, und einige brachte ich in dem von den Matrosen an der Rückseite meines Wohnhauses angebauten Pferdestall unter. Auch eine kleine Veranda mit einem Dache aus Segeltuch zierte jetzt auf der Seeseite meine Villa.

Auf einem der Jagdzüge, die ich mit Broen unternahm, entdeckten wir in nordöstlicher Richtung ein breites, tiefsandiges Flußbett, dem wir den Namen „Springbockfluß" gaben. Nach der ganzen Richtung und Lage desselben drängte sich uns die Vermutung auf, daß wir ein altes Bett des Swakop vor uns hätten; doch werden, wenn dies zutrifft, wohl schon Jahrhunderte vergangen sein, seitdem hier der Fluß zum letzten Male abgekommen ist.

Wenn man dem Kompaß nach von Swakopmund aus in direkt nordöstlicher Richtung reitet, so erreicht man diese interessante Stelle nach einstündigem scharfen Ritt. Zuerst geht es über öde Kies- und Sandflächen, dann folgen niedrige Höhenzüge, an denen überall Quarz zutage tritt, plötzlich aber steht man vor dem steilen Absturz des Flußufers, der an einzelnen Stellen bis zu 20 m betragen mag. Mit Leichtigkeit ist auch hier der Reichtum an Quarzadern zu konstatieren. Uns überraschte damals die Menge der Fährten von Zebras, Straußen und Springböcken, und von letzteren trafen wir in dem Flußtal auf größere Rudel bis zu 50 Stück, obwohl wir nirgends Wasser fanden. Entweder wandern also die Tiere bis zum Swakop, oder sie löschen ihren Durst an einer kleinen Wüstenpflanze, die wir in Massen sowohl hier als auch dicht bei Swakopmund antrafen. Es ist dies ein niedriges, blattloses Gewächs von hellgrüner Farbe, das nur aus einer Anzahl dicker Stengel besteht, die eine leicht brackig schmeckende Flüssigkeit enthalten. Saugt man diese aus, so kann man sich wohl auch ohne Wasser einige Tage hindurch vor dem Verdursten bewahren. Die Kenntnis solcher Pflanzen ist für den Reisenden von unschätzbarem Wert, und ich will hier gleich erwähnen, daß es auch im Binnenlande außer der sogenannten Wasser= wurzel eine dem Kandelaberkaktus sehr ähnliche Kaktusart gibt, die eine wässrige und trinkbare Flüssigkeit enthält. Der milchige Saft des Kandelaber= kaktus jedoch birgt ein stark wirkendes, tödliches Gift. Mein Wissen in dieser Beziehung verdanke ich zum großen Teil Broen und Hannemann und habe es stets zum Gegenstande der Instruktion bei den mir unterstellten Mannschaften gemacht.

Das bis zu 1500 m breite Springbockflußtal war zu jenen Zeiten dicht mit Gras bewachsen und endete nach dem Meere zu in einer großen Salz= pfanne. Wäre ein Bohrapparat vorhanden gewesen, so hätte ich den Versuch gemacht, Wasser zu schaffen und hier einen Viehposten anzulegen. Einen besseren und geeigneteren Platz für einen solchen kann man sich kaum denken, denn auch nach Norden und Nordwesten zu begrenzen steilabfallende Höhen das Tal.

Die Tage wurden jetzt immer schöner, und wir konnten in den Lagunen baden, deren Wasser eine Temperatur von 17 bis 20 R. zeigte, während die Wärmegrade der See nie über 9 R. stiegen. Abends entzückte uns häufig prächtiges Meerleuchten.

Meine Zeit an der Küste aber näherte sich ihrem Ende, denn in den letzten Tagen des Februar langte Leutnant Eggers in Swakopmund an und überbrachte mir meine Ernennung zum Distriktschef von Otjimbingwe. Briefe der Majore v. François und Leutwein enthielten die Instruktionen und näheren Angaben über den neu zu gründenden Distrikt, welcher zunächst die Militärstationen Otjimbingwe, Tsaobis, Salem und Swakopmund um= fassen sollte; die Station Kanikontes ging ein. Eggers blieb als Stations= chef an der Küste, und die Besatzung jedes der kleineren Posten wurde auf mindestens 1 Unteroffizier und 9 Reiter verstärkt.

Ich war über diese Nachrichten hocherfreut und machte mich reisefertig, nachdem ich mich in Walfischbai verabschiedet hatte. Hannemann war ebenfalls nach Otjimbingwe versetzt worden und begleitete mich, als ich mit zwei Wagen und einigen Reitern nach dem Innern aufbrach. Über Modderfontein—Salem erreichten wir unseren Bestimmungsort.

Bevor ich jedoch auf die Schilderung meiner neuen Tätigkeit näher eingehe, ist es nötig, das nachzuholen, was in der Zwischenzeit an kriegerischen Ereignissen vorgefallen war. Von Eggers bereits hatte ich flüchtig von den unsagbar mühevollen erneuten Kämpfen gehört; in Otjimbingwe erfuhr ich eingehenderes aus Briefen und Berichten.

7. Kapitel.

Vom Dorißbrivier zur Naukluft.

Die Kämpfe in der Dorißbschlucht und an der Naukluft. — Der Vormarsch in das
Groß-Namaland. Waffenstillstand.

Im Oktober bereits hatte sich die Maßregel des Majors v. François,
das Bastardland durch die Besetzung einer Anzahl von Wasserplätzen
zu schützen, als durchaus wirksam und zweckmäßig erwiesen. Bald
hier, bald dort hatten feindliche Abteilungen versucht, in das Gebiet der
Rehobother einzufallen, und waren dabei auf die deutschen Grenzwachen
gestoßen. So bei Gurumanas und Tsebris, wo sie durch die Tapferkeit der
kleinen deutschen Besatzung — 3 Soldaten und wenige Bastarde unter Unteroffizier Lange — schwere Verluste erlitten.

In der zweiten Hälfte des November hatte Major v. François mit
dem Premierleutnant Bethe und 40 Reitern Windhuk wieder verlassen und
durchstreifte die Gegend zwischen Rehoboth, Tsebris und Horntranz. Am
2. Dezember folgte ihm der Hauptteil der Truppe, neu ausgerüstet und be-
kleidet und mit Proviant und Munition reichlich versehen, unter dem Kommando des Premierleutnants v. Heydebreck, 2 Offiziere (Leutnants Lampe
und Eggers), 1 Arzt (Dr. Richter), 14 Unteroffiziere, 116 Reiter und 1 Geschütz stark.

Über Horntranz vordringend schloß der Major den Gegner in der
Dorißbschlucht ein und brachte ihm hier schwere Verluste bei. Dann wurde
im Januar über Areb der Blumfischfluß erreicht und von hier gegen die
Naukluft vormarschiert, in deren Felslabyrinth sich Hendrik nunmehr zurückgezogen hatte. Hier kam es jedoch nur zu leichteren Gefechten, da die Kräfte
jedes einzelnen infolge der furchtbaren Anstrengungen dieses zehnwöchigen
Feldzuges auf das äußerste erschöpft waren, der Proviant zur Reige ging,
und Zug- und Reittiere kaum noch gebrauchsfähig waren. Daher gab Major

Marinestabarzt Dr. Sander phot.

Hochebene im Nautluft-Inneren.

v. François den Befehl zum Rückmarsch, und am 14. Februar zog die Truppe wieder in Windhuk ein.

Hier war inzwischen Major Leutwein eingetroffen, und in den Beratungen, welche die beiden Majore nun pflogen, wurde beschlossen, sobald als möglich mit zwei Kolonnen in das Namaland einzurücken, den Feind zunächst nur zu beobachten, ihm aber vor allem seine rückwärtigen Verbindungen durch die Anlage einer Anzahl neuer Stationen im Süden abzuschneiden. Da die Feldtruppe durch die beabsichtigten Stationsgründungen sehr geschwächt werden mußte, wurde eine Verstärkung aus Deutschland erbeten.

Während nun schon einige Tage nach dem Eintreffen der Truppe in Windhuk Major v. François über Rehoboth wieder nach dem Süden aufbrach, wandte sich Major Leutwein zunächst ostwärts dem Stromgebiete des Nosob zu, wo Khauas- und Simon Koppersche Hottentotten fortdauernd den Landfrieden störten. Obwohl sie allerdings nicht gewagt hatten, sich den Witbooischen offen anzuschließen, so konnte doch über die Gesinnung dieses Raubgesindels der deutschen Sache gegenüber kein Zweifel bestehen. Außerdem aber hatten die Khauas, ohne einen anderen Grund als Raub- und Mord-

lust zu haben, die Niederlassungen friedlicher und fleißiger Betschuanen bei
Olais überfallen, ausgeraubt und die kriegsungewohnten und fast wehrlosen
Bewohner zusammengeschossen. Auch der Mord des Händlers Krebs war noch
ungesühnt, und Abgesandte der Betschuanen hatten bei Major v. François
Hilfe erbeten.

In der zweiten Hälfte des Februar verließ die Ostkolonne unter
Premierleutnant v. François Windhuk. Sie bestand aus einer Fuß= und
einer berittenen Abteilung, einem Geschütz und mehreren Wagen. Leutnant
v. Ziethen führte die Reiter. Um das eigentliche Ziel des Marsches möglichst
lange zu verschleiern, wurde zunächst in der Richtung auf Rehoboth vor=
gerückt und dann plötzlich östlich nach dem Schafsluß zu abgebogen. Hier
stieß Major Leutwein zu der Truppe, deren Führung er nun übernahm. In
Eilmärschen ging es auf Olais los. Der Platz bot einen traurigen Anblick.
Die Mordbrenner der Khauas hatten ihre Arbeit gründlich getan; die Häuser
waren niedergebrannt, die Gärten verwüstet. Nach mehrtägiger Rast, während
welcher mit den Betschuanen verhandelt und ihnen eine deutsche Besatzung
zugesichert wurde, zog die Truppe weiter, dem Laufe des Nosob südwärts
folgend. Ein Teil der Betschuanen schloß sich unter ihrem Kapitän dem
Vormarsche an, aber diese wenig kriegerischen Kaffern waren so verängstigt
und in steter Furcht vor den Khauas, daß es Ziethen, dem Führer der
Avantgarde, sehr schwer wurde, aus ihrer Terrainkenntnis Nutzen zu ziehen.
Je näher man dem Lager der Khauas in Naosannabis kam, um so mehr
suchten sich die Betschuanen zu drücken und unter allerhand nichtigen Vor=
wänden zurückzubleiben.

Früh am Morgen war es, als die Truppe nach beschwerlichem Marsch
überraschend vor Naosannabis erschien. Der Kapitän der Khauas, Andreas
Lambert, machte zuerst gute Miene zum bösen Spiel und kam mit seinen
Großleuten in das deutsche Lager, um seine Ergebenheit zu bezeugen. Auf
seine Bitte erhielt er die Erlaubnis, in das Dorf zurückkehren zu dürfen,
doch wurden einer seiner Brüder und der Feldkornett und Magistrat Bieder=
muis als Geiseln festgehalten. Die Naman zeigten sich zuerst recht freund=
lich und brachten Milch und anderes in das Lager, aber bald sollte sich zeigen,
daß dies nur Verstellung war, denn kurz vor Sonnenuntergang meldeten die
Bastardtreiber der Truppe, daß die Khauas alle Vorbereitungen zu einer
eiligen Flucht träfen. Weiber und Kinder hätten sie bereits in aller Stille
vorausgeschickt und ließen nun ihre Pferde von der Weide holen. Auf diese
Nachrichten hin befahl Major Leutwein seinen beiden Offizieren, von zwei

Seiten gegen das Dorf vorzugehen, die beabsichtigte Flucht der Khauas zu verhindern und Pferde, Gewehre und Munition zu beschlagnahmen. Den Leutnant v. Ziethen aber beauftragte er besonders, unter allen Umständen den Kapitän, tot oder lebendig, in das Lager zu bringen. Er selber übernahm das Kommando über dasselbe.

Andreas Lambert, den man wie alle kampfesfähigen Männer im Kreise seiner Großen mit schußbereiten Gewehren in seiner Hütte sitzend antraf — die Pferde gesattelt vor der Tür — wurde von Ziethen gefangen genommen und in das Lager geführt. Gegen zwanzig Pferde, zum großen Teil mit Sattelzeug, und über fünfzig Gewehre nebst reichlicher Munition wurden von dieser Abteilung erbeutet. Die folgenden Tage füllten die Verhandlungen gegen den Kapitän aus. Er war angeklagt, die Betschuanen grund- und rechtlos überfallen und beraubt sowie den Mord des Händlers Krebs befohlen zu haben, weil dieser

Andreas Lambert,
ein früherer Kapitän der Khauas.

ihn an die Bezahlung einer Schuld gemahnt hatte. Nach kriegsgerichtlichem Urteil wurde Lambert dieser Taten für schuldig befunden und zum Tode verurteilt. An seiner Stelle wurde sein Bruder provisorisch als Kapitän eingesetzt. Leutnant v. Ziethen erhielt den Befehl, den Häuptling erschießen zu lassen, und dies wurde am andern Morgen ausgeführt. Leider war der Feldkornett Blödermuis bei Nacht und Nebel entflohen.

Dann setzte die Truppe den Marsch in der Richtung auf Gochas fort, um Simon Kopper zur Anerkennung der deutschen Schutzherrschaft zu zwingen. An dem Wege dorthin standen alle Werfte leer, die Bewohner waren auf das Gerücht von der Hinrichtung des Khauas-Häuptlings geflohen. In der Morgendämmerung eines Märztages besetzte Ziethen mit der berittenen Abteilung und einem Geschütz einen Höhenzug bei Gochas, da erkundet worden war, daß die große Straße nahe am Orte von den Hottentotten, die sich verschanzt hatten, stark besetzt sei. Die Fußabteilung und die Wagenkolonne marschierten mit großem Abstande auf der Heerstraße vor. Von der Höhe aus beherrschte die berittene Abteilung das Dorf vollkommen. Major Leut-

wein ritt nun, nur von einem Unteroffizier, einem Trompeter und einem
schwarzen Diener begleitet, in das Dorf zu Simon Kopper. Das Geschütz
der Abteilung v. Ziethen war auf das Haus des Kapitäns eingerichtet, die
Reiter lagen gefechtsbereit in Schützenlinien. Major Leutwein hatte mit dem
Leutnant v. Ziethen verabredet, daß, wenn er mit dem Taschentuche winke,
dies Krieg, also Feuer, bedeuten sollte. Doch dazu kam es nicht. Simon
Kopper bat sich eine Bedenkzeit aus, die ihm auch gewährt wurde, und am
Nachmittage wurde auf der den Platz beherrschenden Höhe ein festes Lager
bezogen. Da der Häuptling jedoch zu zögern schien, den Schutzvertrag anzunehmen, ließ ihm der Major noch abends sagen, er solle bis zum anderen
Morgen den Vertrag unterschreiben, andernfalls würde das Dorf beschossen
werden. Darauf antwortete der Kapitän sofort, daß er sich Seiner Majestät
dem Kaiser von Deutschland unterwerfe. So war denn auch dieser Busch-
klepper, der nie ein Hehl aus seiner Abneigung gegen Recht und Gesetz gemacht hatte, eingeschüchtert worden.

Der Vormarsch nach Südosten begann. Von Gochas aus zog die
Truppe über Berseba auf Bethanien. Von einer Wasserstelle, die halbwegs
zwischen den beiden letztgenannten Orten liegt, von Jakalswasser aus, eilte

Lüderitzbucht im Jahre 1897.

119

der Major mit Ziethen und der berittenen Abteilung nach Bethanien voraus. Das Gros des Detachements machte unter dem Leutnant v. François in Jakalswasser Halt. In Bethanien traf Major Leutwein mit dem Major v. François zusammen, und hier wurde über die weiteren Maßnahmen beratschlagt. Nachdem verschiedene Verhandlungen mit dem Häuptling der Bethanier, Paul Frederiks, erledigt waren, zog Major v. François nach dem Süden weiter. Er erreichte den Oranjefluß, kehrte dann zurück und traf vor der Naukluft wieder mit Major Leutwein zusammen.

Dieser gründete im April den Distrikt Bethanien, der in mannigfacher Beziehung sehr wichtig war: Einmal lag in ihm die einzige Verkehrsstraße des Groß-Namalandes mit dem Meere in der Linie Aus—Ugama—Lüderitzbucht, dann sperrte er einen der Hauptwege nach dem Süden, und endlich versicherte man sich durch seine Gründung der Bethanier, deren Häuptlingsfamilie mit Hendrik verschwägert war, und von denen ein Teil auf dessen Seite gegen uns im Felde stand. Major Leutwein stellte den Leutnant v. Ziethen, dessen soldatische Eigenschaften er auf dem Zuge gegen die Khauas- und Kopper-Hottentotten schätzen gelernt und erprobt hatte, an die Spitze dieses Distrikts. — Bis gegen Ende des Jahres 1894 hat dieser Offizier den Distrikt Bethanien verwaltet und nacheinander die Stationen Kubub, Lüderitzbucht und Grootfontein gegründet.

Am 6. April ritt der Major nach Keetmanshoop. Hier wurde der Premierleutnant Bethe Distriktschef. Auch diese Gründung war für den Fortgang des Krieges von allergrößter Bedeutung, und Bethe ruhte und rastete nicht. Von der fernen Ostgrenze bei Rietfontein bis zu den Sandwüsten am Meeresgestade, vom Oranjeflusse bis hinauf nach Gibeon schweiften seine Reiter, und daß damals der Munitionsschmuggel plötzlich abnahm, das war sein und seiner Leute Verdienst. Jahre hindurch hat er unter überaus großen Schwierigkeiten einen energischen und glücklichen Krieg gegen die Räuberbanden geführt, die dort unten hausten, späterhin unterstützt von dem tatkräftigen Leutnant v. Bunsen.

Im Distrikt Keetmanshoop wurden im April 1894 die Stationen Rietfontein, Warmbad und Ubabis gegründet. Auch Gibeon, der verlassene Stammsitz Hendriks, wurde besetzt.

Dann zog Major Leutwein nordwärts vor die Naukluft, in welcher Hendrik Witbooi noch saß. Zu einem Kampfe ließ es der Major jedoch nicht kommen, besonders im Hinblick auf die viel zu geringe Zahl seiner Streitkräfte. Hendrik selbst knüpfte Verhandlungen an. Er bat um einen

Waffenstillstand und auf die Frage, ob er die deutsche Schutzherrschaft annehmen wolle, um Bedenkzeit. Trotzdem er nun während der Verhandlungen plötzlich bei Büllspoort ausbrach und einen erfolgreichen Viehraub im Bastardlande ausführte, wurde ihm ein zweimonatiger Waffenstillstand gewährt, da der Major Zeit gewinnen mußte, um vor dem Kampfe die aus Deutschland erbetenen Verstärkungen an sich zu ziehen. So marschierte er denn in den letzten Tagen des Mai nach Windhuk weiter.

8. Kapitel.

Diſtriktschef von Otjimbingwe.

Die Herero. — Ein Tag auf der Militärſtation. — Ein Kriegs- und Jagdzug gen Süden.
Zur Rauluft.

ährend ſich die kriegeriſchen Ereigniſſe im Groß-Namaland abſpielten, ging die Einrichtung des Diſtriktes Otjimbingwe ſtetig vorwärts.

Die Herero, mit denen wir vor dieſer Zeit niemals in engere Berührung gekommen waren, verhielten ſich im allgemeinen abwartend und ruhig, wenn auch kleinere Reibereien infolge der Neuordnung der Verhältniſſe nicht ausblieben. Mir perſönlich mußte vor allem daran liegen, die Charaktereigenſchaften, Sitten, Gebräuche und Rechtsanſchauungen dieſes Bantukaffernſtammes möglichſt ſchnell und genau kennen zu lernen. Was ich bisher über das Leben und Treiben der Herero, beſonders aber über ihre Stellungnahme gegenüber der im Verhältnis zu anderen Kolonien ſehr ſtarken weißen Bevölkerung Südweſtafrikas, gehört hatte, war wenig vertrauenerweckend. Bedrückungen und Vergewaltigungen weißer Kaufleute waren an der Tagesordnung geweſen, wobei die Kaffern ihre Macht und numeriſche Überlegenheit einzelnen gegenüber ſchonungslos und ohne auch nur einen Schein des Rechts zu wahren, ausgenutzt hatten.

Von den weißen Einwohnern Otjimbingwes wurde demgemäß die Beſetzung des Ortes, um die ſie ſchon häufig gebeten hatten, mit großer Freude begrüßt. Einige von ihnen hatten in ſtetem Streit und ſteter Furcht vor den Kaffern gelebt, andere hatten ſich Ruhe und Frieden dadurch erkauft, daß ſie alle Forderungen ihrer Quälgeiſter befriedigten.

Von Bezahlung war ſelten genug die Rede, und auch dann nur nach oft monate-, ja jahrelangem Warten. In vielen Fällen blieb ſie auch ganz aus, und die Kaufleute ſchrieben bei einzelnen beſonders gefürchteten und gewalttätigen Kaffern Jahre hindurch Schuld zu Schuld, in der Hoffnung,

später einmal unter Mithilfe einer Regierung durch Vieh- oder Landüber-
weisungen entschädigt zu werden. Derartige Verhältnisse fanden sich an allen
Orten vor, in denen weiße Kaufleute unter den Herero wohnten, so in
Omaruru, Okahandja und Otjimbingwe, wo die Summen, die einzelne Eingeborene den Firmen schuldeten, ganz enorme waren.

Das mußte anders werden, und schon in den ersten Tagen meiner
Anwesenheit in Otjimbingwe berief ich eine größere Versammlung der
Herero, in welcher ich ihnen ihre Sünden in längerer Rede vorhielt und

Station Otjimbingwe.

erklärte, daß ich die Weißen gegen alle Übergriffe energisch schützen würde.

Aus der Treulosigkeit der Herero zog ich übrigens den Vorteil, jederzeit gut von Spionen bedient zu sein, die für Geld alles, auch gegen ihre
Stammesgenossen, taten und mir in den späteren Kriegen wesentliche Dienste
leisteten. Die Furcht vor ihren Brüdern bewog sie aber doch, mich stets
nur in tiefer Nacht aufzusuchen. Ein Posten führte sie dann zu mir. Lehr-
reich und kennzeichnend dürfte auch das Urteil eines Herero über den Charakter seines Volkes sein. Ich hatte unter meinen Dienern einen jungen
Kaffern, der mir sehr ergeben war und mir eines Tages sagte: „Wenn die
Herero zornig sind und toben, dann ist nichts zu befürchten, aber wenn sie
lachen und freundlich sind, dann, Herr, sei vor ihnen auf der Hut!“ Der-

selbe Junge sagte übrigens Leutnant Eggers und mir im Jahre 1896 den
Ausbruch des großen Aufstandes voraus. Und ein anderer meiner Diener,
ein treuer, anhänglicher und gewissenhafter Bastard, Petrus Benz, versicherte
mir: „Mijnheer, die Herero sind so verschlagen, daß, wenn Du auch ihre
Sprache verstehst und mit ihnen am Feuer sitzt, sie Deinen Tod beschließen
können, während Du glaubst, sie sprächen von Blumen!" —

„Man lernt", so schrieb ich damals, „dieses Volk erst kennen, nachdem
man jahrelang unter ihm gelebt hat, und wie mancher Missionar hat mir
bittere Klagen über die geringen Fortschritte der Mission unter den Herero
ausgesprochen. Mißtrauisch, dünkelhaft, stolz und wiederum bettelhaft und
hündisch, lügnerisch und treulos, diebisch und — wenn sie in der Überzahl
sind — gewalttätig und grausam, das sind die hervorstechendsten Charakter=
eigenschaften der echten Herero, die sie übrigens mit vielen Kafferstämmen
Südafrikas teilen. Das Einzige, was man der Mehrzahl nicht absprechen
kann, ist Tapferkeit im Kriege, aber auch nur, wenn es zum äußersten
kommt. — Hart mag mein Urteil sein, gerecht aber ist es jedenfalls, und
hart und gerecht muß auch die Behandlung sein und bleiben, die wir den
Kaffern angedeihen lassen, sonst werden sie uns noch oft übel mitspielen, denn
der Herero hält Milde und Nachsicht stets für Schwäche und Feigheit!"

Meine erste Sorge war, die Sicherung des Baiweges so durchzuführen,
daß Vorfälle wie die bei Horebis und Diepdal unmöglich würden. Daher
wurden zunächst genaue Vorschriften über die Diensteinteilung, Verteidigung,
Verproviantierung und den Patrouillendienst für die einzelnen Stationen,
und ebenso strenge Wachinstruktionen erlassen.

Die unausgesetzte Sicherung des Baiweges, die hauptsächlich den
kleineren Stationen oblag und durch fortwährendes Patrouillieren bewerk=
stelligt wurde, machte die größten Schwierigkeiten. Es war ein anstrengender
Dienst, wie denn überhaupt die Chefs der Unterstationen eine große Ver=
antwortlichkeit trugen. In ihrer Hand lag nicht allein die militärische Weiter=
bildung der ihnen unterstellten Mannschaften, besonders im Schießen und
Reiten, sondern sie hatten auch als Polizeibehörden für den Bereich ihrer
Stationsgebiete auf die strenge Durchführung aller bestehenden Gesetze zu
achten, deren wichtigste für den Baiwegdistrikt die Bestimmungen über die
Bekämpfung der Lungenseuche und das Gesetz über das „Freihalten" des
Weges von Ansiedlungen waren. Es ist bemerkenswert, daß schon vor der
Besitzergreifung des Landes durch das Deutsche Reich die eingeborenen
Häuptlinge, in deren Gebiet der Weg zur Küste lag, bestimmt hatten, daß

Garten der Militärstation Otjimbingwe.

niemand längs dieses Weges und des Laufes des Swakop wohnen oder
Herden halten solle, damit „Wasser und Weide ausschließlich den Frachtfahrern reserviert bleibe, und der Verkehr mit dem Hinterland nicht geschädigt oder unmöglich gemacht werde". Nur die Wasserplätze Tsaobis
und Salem waren ausgenommen, da an ihnen Wasser und Weide in Menge
vorhanden war.

In der nächsten Zeit sollten wir übrigens wieder von Hendrik Witbooi
hören. — In Otjimbingwe war die Hochzeit des Sohnes Christoph der Frau
Hälbich gefeiert worden. Auch aus Walfischbai trafen Gäste ein, von denen
ich erfuhr, daß noch vor kurzem eine Abteilung Witbooischer dort gewesen
war. Als wir nach dem Hochzeitsmahle den Kampfspielen berittener Bastarde
zusahen, fielen mir unter den herumlungernden Eingeborenen einige fremde
Gesichter auf, und richtig: in der Nacht führte Hannemann einen der Spione
zu mir, der aus den Bergen kam und meldete, er habe dort einen 150 Mann
starken Trupp bewaffneter Bergdamara getroffen. Dies seien Hendriksche
und dieselben Bluthunde, die bei Horebis mitgearbeitet hätten. Ihre Spione
seien auf dem Platze gewesen und hätten sich unter die Volksmenge, die sich
infolge der Hochzeit versammelt habe, gemengt. Was ihre Absicht sei, wisse

Schwabe, Im deutschen Diamantenlande. 8

er nicht. — Der Mann wurde reich beschenkt entlassen. Am nächsten Morgen aber traf ein Bote aus Salem mit der Nachricht ein, daß fremde, stark bewaffnete Bergdamara auch dort gesehen worden seien, und man bei Nonidas die Spuren feindlicher Reiter bemerkt habe. Infolge dieser Nachrichten beschloß ich, mit einer starken Patrouille für einige Zeit in Salem Standquartier zu nehmen.

Wenige Tage später ritt ich in Salem ein und traf dort Eggers, der mit einer Patrouille den neu angekommenen Leutnant Troost bis hierher begleitet hatte. Am Baiwege schien alles ruhig. Wir konnten auf unseren Streifereien nichts Verdächtiges entdecken und kehrten nach einigen Tagen nach unseren Stationen zurück. Aber wenige Wochen später tauchten neue beunruhigende Gerüchte auf, gerade als ich die Nachricht erhielt, daß als Ersatz für Assessor Köhler der Regierungsassessor v. Lindequist in Swakopmund eingetroffen sei. Wieder brach ich mit einer starken Abteilung und einer Ochsenkarre nach Salem auf, wo ich Eggers, Assessor v. Lindequist und Bureauvorsteher Junker, der aus Warmbad zurückgekehrt war, in Begleitung einer stärkeren Patrouille antraf. Ich beschloß, mit allen zur Verfügung stehenden Kräften den südlichsten Weg über Tinkas, Onanis, Witwater zu erkunden und festzustellen, ob feindliche Abteilungen hier vorgestoßen seien. Über Ried und Gawieb rückten wir vor, längs des Randes der Namibwüste. —

Soweit das Auge sehen kann, liegt eine unendlich einförmige Fläche gelben Sandes vor uns, nur hier und dort unterbrochen von kleinen, weißglänzenden Hügeln, auf denen Quarzadern zutage treten, und von langgestreckten, niedrigen Höhenzügen, deren schwarzes, verwittertes Gestein fast ganz von feinem Sande bedeckt ist. Kein Baum, kein Strauch, keine Blume unterbricht die Eintönigkeit, die unsagbare Traurigkeit dieser Einöden; niedrige, kriechende Moose und Eispflanzen von wunderlichen Formen sind die einzigen Kinder der Flora, die in den längst ausgetrockneten Wasserrinnen ihr kümmerliches Dasein fristen. Denn seit vielen Jahren vielleicht hat es in diesen Gegenden nicht geregnet, und selbst die anspruchslosen Moose gleichen, von der Sonne verbrannt und gedörrt, mehr kleinen Aschenhaufen als lebensfähigen Pflanzen. Und ebenso dürftig ist auch das Tierleben in diesen trostlosen Wüsten. Kein fröhliches Vogelgezwitscher grüßt hier den Morgen, keine schlanke Antilope verirrt sich hierher, nur Aasgeier und Krähen zeigen sich auf den Kadavern verschmachteter Zugochsen, die von den die Wüste durcheilenden Wagenzügen zurückgelassen wurden, und sandfarbene Laufkäfer

huschen über den Erdboden. — Über dem Ganzen aber, über diesem furchtbaren Meere von Sand und Kieseln, über den Haufen gebleichter Knochen
und ausgefressener Ochsenschädel, welche den Lauf der Fahrstraße bezeichnen,
strahlt vom stahlblauen Himmel die unbarmherzige, gelbweiße Sonne des
Südens. Es ist brennend heiß, kein Lüftchen regt sich, und nur zuweilen
hebt sich eine schwefelfarbene Sandsäule hoch empor, aufgejagt durch die
glühenden Wirbelwinde dieser Zonen. Die Luft scheint zu tanzen unter den
Sonnenstrahlen, die der Boden der Wüste zurückwirft; durch die niederen
Luftschichten geht ein Wogen und Flimmern, ein Glitzern und Branden.
Merkwürdig verschwommen und verzerrt scheinen die Spitzen der entfernter
liegenden Hügel in der Luft zu schweben, losgelöst vom Erdboden durch eine
wunderbare Erscheinung, die bald wie Luft, bald wie Wasser sich zeigt, und
oft zaubert die Fata Morgana in all' die Senkungen der Wüste köstliches
Wasser, den unerfahrenen Wanderer zu verwirren.

Dort am Rande der Namibwüste, wo spärliche, vom Winde zerzauste
Gräser den allmählichen Übergang zur Steppe anzeigen, ritten wir dahin,
eingehüllt in eine Wolke von Staub. Die Pferde, durstig und hungrig, die
Augen und Nüstern voll feinem Sand, schlichen mit schlagenden Flanken, bei
jedem Schritte tief einsinkend durch das Gewirr von schmalen, trockenen
Flußbetten, das sich vom Gawiebberg hinunterzieht zum Swakopflusse. —
Uns war das Plaudern längst vergangen, die Zunge klebte am Gaumen,
und alle hatten nur den einen Gedanken: Wasser. — Die Augen schmerzten
uns von dem langen Ritte durch die Wüste. Wenn wir nach rechts sahen,
lag sie vor uns im Sonnenbrande, weit nach Westen bis zum Meere sich
ausdehnend, ohne dem Auge einen Ruhepunkt zu geben — ganz gelb und
weiß. Links von uns aber türmten sich die steilen, wildzerrissenen Massen
des Gawiebgebirges auf, dessen brandrote Felsenmauern jeden Sonnenstrahl tausendfach zurückwarfen in das enge Flußtal mit seinen ver-
krüppelten staubigen Dawibüschen, deren schmutziggrüne Farbe für unsere
Augen ein Labsal war.

Immer noch wollte sich keine zusammenhängende Grasfläche zeigen, die
für die ermatteten Pferde so nötig gewesen wäre. Der Charakter der Gegend
blieb der der Wüstensteppe: bald gelber, bald roter Sandboden, mit Gesteinstrümmern bedeckt und nur hier und da ein armseliges Grasbüschel, halb-
verbrannt und ohne Saft und Kraft. Wir rechneten darauf, in einer Stunde
in einer der finsteren Gebirgsschluchten Wasser zu finden. Dort sollte eine
kleine, nur Jägern bekannte Quelle aus den Felsen sprudeln. — Es war

8*

bereits Mittag, und die Sonne stand senkrecht über uns. Wir hatten uns
des Staubes wegen in zwei Trupps geteilt und ritten mit ungefähr 200 m
Abstand voneinander. Unsere Ochsenkarre, die mit Proviant, etwas Hafer
und Wasser beladen war, mußte noch Stunden zurück sein. Lindequist und
Eggers ritten an der Spitze des ersten, Junker und ich an der des zweiten
Trupps, und troß der allgemeinen Müdigkeit wurde scharf ausgespät nach
Pferde- und Wildspuren. Das Gebirge tritt hier an vielen Stellen hart an
den Weg, wenn man einige alte Pferde- und Wagenspuren so nennen darf,
heran, und an einer solchen Stelle war es, wo ich plötzlich hoch über uns
auf einer überhängenden Felsplatte zwei Pferdeköpfe sah. Mein erster Gedanke war: Witbooi! Ich schrie der vor uns reitenden Schar zu: „Achtung!"
und wies mit der Hand bergauf. Zugleich sprangen wir von den Pferden,
rissen die Gewehre aus den Schuhen und kletterten den steilen Hang hinauf,
nur einige Reiter zurücklassend, die sich hinter Felsblöcken schußfertig machten.
Aber schon knallte es von der vorderen Abteilung her, donnernd rollte das
Echo der Schüsse in den Bergen. Ein Reiter galoppierte von vorn heran
und rief schon von weitem: „Es sind zwei Zebras! Das eine liegt schon!"
In diesem Augenblicke stürmte das andere Tier, in großen Galoppsprüngen
über die umhergestreuten Steine seßend, den Hang hinunter, um auf unserer
Seite durchzubrechen. Drei Schüsse der Reiter streckten es nieder. Es
waren zwei prächtige Tiere, Hengst und Stute, und wir mußten sie ihrer
Größe wegen dort, wo sie lagen, ablebern und Felle und Fleisch dann her-
untertragen. Inzwischen hatten andere in einem kleinen Tal, in dem die
ersten niedrigen Dornbäume standen, die Pferde abgesattelt, und ich beschloß,
hier die Mittagsrast zu halten. Feuer loderten auf, und Stücke des frischen,
saftigen Fleisches wurden in der Asche gebraten, aber ein Genuß war diese
Mahlzeit nicht, denn das Zebrafleisch hat einen widerlich süßen Geschmack
und ist überaus grobfaserig, ganz abgesehen davon, daß es zu frisch war.
Wasser hatten wir leider nicht gefunden, Gras war ebenfalls nicht da, und
so standen denn unsere armen Pferde mit hängenden Köpfen in dem
Schatten der Bäumchen. Nach Stunden erst kam die Karre heran, so daß
jeder wenigstens einen Becher Wasser erhalten konnte. Dann suchten wir
ermattet Ruhe.

Es war spät am Nachmittage, als wir wieder aufbrachen, und die
glühende Hiße des Tages hatte sich etwas gemildert. Ein langer Marsch
stand uns bevor; wir wußten, daß der nächste Wasserplaß Klein-Tinkas sei,
und diesen mußten wir auf jeden Fall noch nachts erreichen, denn Wasser

war unseren Pferden und Ochsen nötiger als alles andere. So zogen wir denn wieder dahin durch das hügelige Land dem ersehnten Ziele zu. Als die Sonne sank, erhob sich der kühle Nachtwind und erfrischte Menschen und Tiere.

Es begann zu dunkeln, und während das Gebirge hinter uns zurück-blieb und immer schattenhaftere Formen annahm, öffneten sich vor uns die großen Ebenen, und das häufiger und dichter stehende Gras und Baum-gruppen zeigten uns, daß wir das Steppengebiet betreten hatten. Es wurde kälter und kälter, der Wind nahm stetig zu, und bald raste ein Sturm über die Fläche, der dunkle Wolkengebilde vor sich her trieb. Kein Stern war zu sehen, und der Mond vermochte nicht durch die Wolken zu dringen. Der Pfad wurde ab und zu mit angebrannten Streichhölzchen gesucht, und man mußte dazu stets absteigen, um, auf der Erde liegend, die Spuren erkennen zu können. Mehrfach verloren wir diese ganz, und das bedeutete jedesmal einen längeren Halt.

Der Weg war inzwischen so schlecht und felsig geworden, daß die schwere Karre, auf die wir an besonders gefährlichen Stellen warteten, oft nur durch unsere gemeinsamen Anstrengungen vor dem Umstürzen bewahrt wurde. Da, es mag gegen 1 Uhr nachts gewesen sein, rief einer der Spitzen-reiter das erlösende Wort: „Wasser!" Er war eben durch ein kleines Rinnsal geritten, aber das Naß schmeckte bittersalzig. Dennoch waren wir froh. Wir wußten nun, daß wir in Klein-Tinkas waren, denn dieser Platz hatte, wie uns bekannt war, eine Salz- und eine Süßwasserquelle. Nach halbstündigem Suchen fanden wir auch diese, und hier wurde abgesattelt. Die Pferde wurden getränkt, dann gespannt auf die Weide gejagt, und bald war alles, mit Ausnahme der Posten, in tiefen Schlaf gesunken. An Kochen dachte niemand mehr nach den Anstrengungen des Tages, und auch die Ankunft der Karre ließ uns gleichgiltig.

Die Sonne war noch nicht aufgegangen, und eben erst zog ein lichter Schein am östlichen Himmel empor, als mich die Kälte weckte. Es war bitterkalt; der Tau der Nacht hatte Decken und Kleider durchnäßt, und fröstelnd versuchte ich ein Feuer zu machen. Nach langen Bemühungen brannte endlich das feuchte Holz, und dichtgedrängt umstanden die inzwischen erwachten Lagergenossen die Flammen, auf denen ein starker Kaffee gekocht wurde. Dann wurden die Pferde zusammengetrieben, gesattelt, und fort ging es, hinaus in den taufrischen Morgen. Die Karre hatte heut nur einen kurzen Marsch bis Groß-Tinkas und sollte uns dort erwarten, wo sich die

Ochsen von den Anstrengungen der letzten Tage in gutem Grase erholen konnte. Einige Reiter blieben als Bedeckung bei der Karre, denn große Vorsicht war jetzt, wo wir uns den durch Streifzüge der Witbooi gefährdeten Gegenden näherten, mehr als je geboten.

In breiter Linie ausgeschwärmt, Patrouillen auf den Flügeln, trabten wir vor. Unendliche Flächen öffneten sich vor uns, ein wogendes Meer gelben Grases, nur selten unterbrochen von niedrigen Baum- und Busch-gruppen. Zur Rechten begleiten sanfte Höhenzüge die Ebene, während nord-wärts ein jäh abstürzendes, schluchtendurchrissenes Bergland von wild-romantischen Formen und Bildungen sich emportürmt. Hier bricht der finstere Canon eines Bergflusses durch die schroffen Granitwände, dort er-scheint Spitze hinter Spitze, dort gewaltige, kahle Bergrücken — erglühend unter den ersten Strahlen der aufgehenden Sonne. Es ist das gewaltige, öde und unerforschte Felsengebirge, das sich in einer Länge von mehr als 60 km von Gawieb über Tinkas und Onanis bis nach Witwater und Tsaobis hinzieht, das von Tinkas im Süden hinaufstreicht bis an die grünen Ufer des Swakop bei Salem und Horebis, über 40 km breit. Nur eine Fahr-straße läuft durch das Gebirge — die von Salem über Wilsonsfontein nach Tsaobis —, sonst führen nur Buschmanns- und Wildpfade über die steinigen Pässe und durch die sandigen Schluchten.

Wir sind weit, über 4 km, auf der ganz übersichtlichen Fläche aus-einandergezogen; ich reite bei der linken Seitenpatrouille. Da schmettert von rechts das Signal „Achtung" herüber — Halt! — Weit entfernt sehen wir die rechte Seitendeckung vorsichtig die niedrigen Höhen hinaufreiten eine Richtungsveränderung! Dort muß etwas Außergewöhnliches bemerkt worden sein: Pferdespuren oder Wild, denn ich hatte befohlen: „Es wird heute ge-jagt und frischen Wildspuren gefolgt!" —

Meiner Ansicht nach ist die Jagd ein hervorragendes Mittel zur Auf-klärung, solange sie mit Besonnenheit und Ruhe ausgeübt wird. Wieviel Neues und Bemerkenswertes sieht man, wenn man den Spuren des flüchtigen Wildes folgt! Ja, ich behaupte sogar, daß nur der wandernde Händler, der Farmer, Jäger und Soldat, der weitab von den Straßen und den Wohnungen der Menschen das „Feld" durchschweift, der über Berg und Fluß, durch Tal und Wald vordringt — nach den Gestirnen des Himmels sich richtend —, daß nur dieser die Eigenart eines Landes, wie es Südwestafrika ist, kennen lernen kann. Nicht aber der, welcher, und wenn auch hundertmal, die großen Straßen hinaufzieht, die der Verkehr geschaffen hat.

Aber vorwärts! Wir sehen, daß der Haupttrupp sich teilt. Einige Reiter halten im Schritt die alte Richtung; ihnen liegt es ob, die Ebene weiter aufzuklären, die anderen aber traben an, wir fallen in Galopp, und so wird um die rechte Seitendeckung als Drehpunkt eine riesige Rechtsschwenkung ausgeführt. Jetzt donnern Schüsse herüber, und ein Reiter trabt uns entgegen. Nach kurzer Zeit erfahren wir, daß zwei Zebras geschossen worden sind, deren Häute später von den Eingeborenen geholt werden sollen. Die Herde ist nach Süden, nach der Wüste zu, die man von den Hügeln aus gesehen hat, entwichen.

Wieder geht es nun in der früheren Richtung weiter. Die Sonne steigt höher und höher, und um 12 Uhr mittags befehle ich: „Kehrt! und zurück nach Groß-Tinkas!" Die Ebene konnte in ihrer ganzen Breite als aufgeklärt gelten. Wir wenden die Pferde in der glühendheißen Sonne nach Westen, und plötzlich ruft einer der eingeborenen Führer, mit der Hand nach vorn deutend: „Da, Mijnheer, liegt Groß-Tinkas, und dort weiden die Pferde der Reiter, die bei der Karre geblieben sind!"

Wirklich, da weiden Pferde — wir reiten auf sie zu, und als wir noch etwa 200 bis 300 m von ihnen entfernt sind, bemerken sie uns, und eins von ihnen, anscheinend ein Hengst, trabt uns mit hocherhobenem Kopf und fliegendem Schweif entgegen. Da — bei einer Wendung des Tiers — sehen wir plötzlich, daß wir Zebras vor uns haben, und im gleichen Augenblick haben auch diese, die unsere Pferde für ihresgleichen hielten, ihren Irrtum erkannt. Der Hengst stutzt einen Augenblick, dann dreht er und jagt zurück, und mit ihm fegt die ganze Herde im Galopp davon, auf eine Felsenpforte zu, die sich — wir sind nahe an den nördlichen Bergen — vor ihnen öffnet. Aber auch wir lassen unseren Pferden die Zügel, eine wilde Jagd beginnt. Tief auf den Widerrist gebeugt, das Gewehr in der Faust, galoppieren wir dahin; weit, weit voraus vor den anderen trägt mich meine schnellfüßige Stute, die im Sprunge Felsblöcke und Büsche nimmt, daß mir Hören und Sehen vergeht. Jetzt bin ich dem Wild auf 20 Schritt nahe, ein prächtiges Fohlen ist schon rechts hinter mir zurückgeblieben — hätte ich nur einen Lasso oder eine Bola bei mir! So aber beschließe ich, eine dicht vor mir dahinjagende Stute, ein herrliches Tier, zu schießen, und versuche mit der ganzen Kraft meines linken Armes, das Feuer meines Pferdes zu zügeln — vergebens! — ich erreiche nur, daß es sich, fortgerissen von seiner Jagdpassion, hoch aufbäumt. Diesen Augenblick benutze ich, um mich seitwärts hinabgleiten zu lassen. Halb fallend, schlage ich auf den steinigen Erdboden, liege aber in der nächsten Sekunde im Anschlag und strecke mit zwei Schüssen durch Hals und Kopf die Zebrastute nieder, die inzwischen etwa 100 m vorgekommen war. Nun preschen die anderen Reiter an mir vorbei, geben die Jagd aber bald auf, weil der Boden mit Felsblöcken besät ist. Meine Stute ist mit Sattel und Zaumzeug in der Fluchtrichtung des Wildes verschwunden, und Junker sendet seinen gewandten Bergdamaradiener aus, sie zu suchen. Inzwischen ledere ich mit Reiter Ertel das Zebra ab, eine harte Arbeit. Nach einer halben Stunde kommt der Bergdamara mit der Stute zurück und erzählt, daß sie erst den Zebras gefolgt sei, dann aber zu weiden begonnen habe. Es wird Kriegsrat abgehalten, denn es hat sich herausgestellt, daß wir keineswegs in der Nähe von Groß-Tinkas sind, und daß niemand weiß, wo dieser Platz eigentlich liegt, mit einem Wort: wir haben uns verritten!

Spät abends erst erreichten wir Groß-Tinkas. Allerdings ist dieser Wasserplatz sehr schwer zu finden. Mitten in der Ebene nämlich gähnt ganz unvermutet ein tiefer und breiter Schlund, etwa wie eine Kiesgrube in unseren deutschen Landen, und unten entspringt, von Schilf und Binsen umgeben, eine schwach salzig schmeckende Quelle.

Neugestärkt erwachten wir am nächsten Morgen, und ich beschloß, Reit- und Zugtieren einen Ruhetag zu gönnen. Aber wir blieben trotzdem nicht müßig, sondern zogen zu Fuß in kleineren Abteilungen nach allen Himmelsrichtungen aus, um die Gegend genauer zu erkunden. Ich ging mit einigen Leuten auf einen Punkt des nördlichen Gebirges zu, an dem weithin sichtbar ein Cañon von riesenhaften Dimensionen in die Ebene mündet. Nach zweistündigem Marsch über die leicht wellige Grasfläche erreichten wir unser Ziel, ein sandiges Flußbett, das zwischen gigantischen Felskolossen eingeengt ist. Unterirdische Steinbänke müssen hier das unter dem Sande dahinströmende Wasser an die Erdoberfläche drängen, denn weithin war der Boden feucht, durchsetzt von Wasserlachen und durchrieselt von schmalen Wasseradern, die in der Fläche versickerten. Zahllose Wildspuren fanden wir allenthalben. Wir unterschieden die Fährten von Zebras, Straußen, Gemsböcken, Kuddus, Spring- und Klippböcken, von Leoparden, Hyänen, Schakalen, Riesentrappen und Hühnern aller Art, die Zeugnis ablegten von dem enormen Wildreichtum dieser menschenleeren Ebenen. Auch frische Pferdespuren waren sichtbar, doch konnte nicht mit Bestimmtheit festgestellt werden, welcher Art und Form die Eisen gewesen waren. Jedenfalls aber waren Berittene noch vor kurzem hier vorbeigezogen. Wir erstiegen eine der höchsten Spitzen und genossen eine herrliche Fernsicht. Weit im Westen und Südwesten konnten wir die

Wüste erkennen, davor und nach Süden und Osten zu die wogenden Grassteppen und hinter uns ebenso wie im Nordosten das wilde Bergland, starr
und tot wie eine Mondlandschaft.

Nachdem ich die Lage des Flußbettes mit dem Peilkompaß bestimmt
hatte, traten wir den Rückmarsch nach Tinkas an, das wir nicht verfehlen
konnten, denn ich hatte befohlen, daß von 10 Uhr an ein mittels eines
Feuers aus feuchtem Holz und Ochsenmist hergestelltes Rauchsignal unterhalten werde. Am Nachmittage erkundeten wir nochmals einige bemerkenswerte Punkte, und am nächsten Morgen wurde nach Onanis
aufgebrochen. - —

Wieder durchzogen wir ausgedehnte Flächen. Die Truppe hatte ich so
verteilt, daß immer zwischen je drei Reitern ein Zwischenraum von 700 bis
1000 m war. In dieser Weise beherrschten wir einen sehr großen Raum,
und nichts Verdächtiges konnte trotz des oft stark welligen Terrains unseren
spähenden Blicken entgehen, besonders da ich bei der Karre, die auf gutem
Wege rasch zu folgen vermochte, nur einen Reiter gelassen hatte. Nach
kurzer Zeit bemerkten wir große Herden von Springböcken — viele hundert
Stück, und die Jagd begann, denn wir führten kein Schlachtvieh mit uns.
Hier und dort stiegen Rauchwölkchen auf, Schüsse knallten, und die Böcke
flohen zwischen den Reitergruppen hin und her.

Ein prächtiger Anblick, diese stattlichen und doch leicht beweglichen Antilopen mit den schlanken, geschmeidigen Gliedern, dem feinen Kopf mit den
klugen, braunen Augen und dem lyraförmigen Gehörn, den zierlichen Läufen
und Hufen. Wie Meereswogen fluten sie heran, hochaufschnellend zur mächtigen, nach vorwärts-aufwärts gerichteten Flucht, die dem Wilde den Namen
gab. Ein ununterbrochenes Auftauchen und Verschwinden von lichtbraunen
Körpern, von weißen Rückenmähnen und Spiegeln ist es! Lindequist und
ich traben auf der Fahrstraße dahin, die auf ein massiges Felsentor, die
„Pforte von Onanis", zuführt. Der Weg biegt hier scharf nach Norden
ab, von nun an auch im Osten von Bergzügen begleitet. „Herunter vom
Gaul und in die Kniee! Da kommen die Böcke von links!" — Aus der
Mündung des Gewehrs quillt ein blaues Wölkchen, ein scharfer, peitschen-
ähnlicher Knall, und Schuß auf Schuß in langsamem, wohlgezielten Feuer
schlägt in die Herde. Die Tiere stutzen, ein Zittern geht durch die Menge,
die hinteren prellen auf die vorderen auf, plötzlich aber — wie auf Kommando
— eine blitzartige Wendung und, der Leitbock voraus, stürmen sie zwischen
uns und der nur einige tausend Meter entfernten Karre hindurch nach Osten.

„In den Sattel und nach!" — Parallel mit der Herde jagen wir dahin in
dem Beftreben, ihr den Weg zu verlegen, und es gelingt uns. Noch einmal
bringen wir fie zum Stehen. Lindequist ftreckt den Leitbock nieder, ich feuere
auf einen ftarken „Bullen", wie unfere Eingeborenen fagen. Die Herde
brauft davon, weit zurückbleibend folgt mit heraushängenden Eingeweiden der
von mir angefchoffene Bock. Einige Galoppfprünge bringen mich an feine
Seite, aber es bedarf bei der bewunderungswürdigen Zähigkeit des Steppen=
wildes noch einiger Sekunden atemlofer Verfolgung, bis er fich klagend
niedertut, und ich ihm mit dem Jagdmeffer den Fangftoß geben kann; ich
weide den Bock aus und kehre mit Lindequist zur Straße zurück, an welcher
die Karre hält. Ein Schluck Waffer erfrifcht uns. Jetzt naht von Weften
her ein zweiter Pulk des flüchtigen Wildes; wir gehen zu Fuß entgegen,
aber plötzlich fchlägt es hier und da auf den Boden, Staubwölkchen auf=
wirbelnd, mit fcharfem Pfeifen. In eiligem Laufe erreichen wir einige Fels=
blöcke, hinter denen wir Deckung finden: wir find in die Schußrichtung des
nächften Jägertrupps geraten, der, ohne uns zu fehen, in die auf uns zu=
fliehende Herde feuert. Ein Hornfignal gibt das Zeichen zur Beendigung
der Jagd; von allen Seiten wird das erlegte Wild an der Karre zufammen=
gefchleppt und auf ihr befeftigt. Gefreiter Schücke reitet im Schritt heran,
von dem Widerrift feines Pferdes hängen zu beiden Seiten zwei ftarke Böcke
herab, die Gehörne im Sande fchleppend. Eindringlich ermahne ich die
Reiter, in Zukunft nicht zu vergeffen, daß bei ähnlichen Jagden nur nach
vorn und hinten, niemals nach der Seite gefchoffen werden darf. Ich habe
das fchon oft inftruiert, aber die Jagdleidenfchaft hat einige fortgeriffen, fo
daß fogar das Pferd eines Reiters einen Schuß durch die Nafe erhalten
hat, der aber fchon nach wenigen Tagen geheilt ift. — Nach kurzem Halt
ziehen wir weiter, Fleifch ift jetzt zur Genüge vorhanden, und ich befehle,
daß von nun an kein Schuß mehr auf Wild abzugeben ift. Als wir die
Pforte von Onanis durchreiten, grüßt fern von Südoften der Gansberg bei
Hornkranz herüber. Der riefige Tafelberg ift faft 30 km von uns entfernt,
aber ftolz erhebt er fich weit über die um ihn lagernden Gebirge, ein Wahr=
zeichen des nördlichen Namalandes. Gelbe Grasfavannen und ftarre Berg=
länder, in denen aus taufend Quellen und Wafferläufen der Kuifebfluß ent=
fteht, öde, unbekannte Gebiete, trennen unfere Straße von ihm, aber unfere
Gedanken fliegen hinüber zu feinen fchroffen Abftürzen, wo jetzt vielleicht
Kanonendonner durch die Schluchten rollt und tapfere deutfche Reiter ver=
bluten . . . .

Südwestafrikanischer Leopard.

Von der Pforte aus zieht sich der Weg bergabführend in den meilen-
weiten Talkessel von Onanis. Nach kurzer Rast an den wassergefüllten Fels-
bänken hart östlich bei Haukubib erreichten wir am Spätnachmittage unser Ziel,
wo meine Leute an der in enger Schlucht liegenden Wasserstelle ein Zusammentreffen mit einem starken Leoparden hatten.

Früh am Morgen brachen wir gen Witwater auf. Durch liebliche,
dichtbewaldete Flächen, die von kahlen Felsmassen eng eingeschlossen sind,
führt die Fahrstraße nach Nordosten, und am Abend lag die Wasserstelle
zwischen himmelhohen Klippen vor uns. Als wir uns einigen verlassenen
Pontoks näherten, tauchte plötzlich auf dem Wege vor uns ein Bergdamara
aus Otjimbingwe auf, der mir einen Brief einhändigte: Major Leutwein
rief mich mit allen abkömmlichen Mannschaften zur Hilfe vor die Naukluft.
Noch tief in der Nacht ging es weiter, und am 11. Mai ritten wir in
Otjimbingwe ein.

Von hier aus kehrte Eggers zur Küste zurück, während ich mit Lindequist in Eilmärschen nach Windhuk zog, wo so schnell als möglich eine ungefähr 40 Reiter starke Abteilung ausgerüstet wurde. Rehoboth, das ich bald
darauf erreichte, fand ich in großer Aufregung.

Wenige Tage vorher nämlich hatte Hendrik Witbooi den Bastarden
Hunderte von Rindern geraubt. Bei Nacht und Nebel war er, ohne daß
dies von unseren vor der Naukluft lagernden Truppen bemerkt wurde, durch
das Tal von Büllspoort mit einem starken Reitertrupp ausgebrochen, hatte
die Viehposten der Bastarde gebrandschatzt und ebenso unbemerkt mit dem
Raube seinen Schlupfwinkel wieder gewonnen. Aber die Rehobother ließen
ihn nicht so leichten Kaufes ziehen. Der tapfere Feldwebel Heller, der zufällig dort weilte, warf sich mit dem Kaufmann Rosenhauer, Ansiedler Johr
und etwa zehn Bastarden auf die Pferde, umritt in der Nacht die feindliche
Abteilung, die der Rinder wegen nicht schnell marschieren konnte, und besetzte
ungesehen eine an der Straße liegende Spitzkuppe. Als am Morgen die
Witbooi heranzogen, eröffneten die Unseren das Feuer, konnten aber den
Marsch des Feindes nicht aufhalten, denn während die Schützen desselben die
Spitzkuppe von allen Seiten umzingelten und beschossen, trieben andere die
Herden seitwärts ab. Die Pferde der kleinen Schar, die in einer Schlucht
am Fuße der Kuppe standen, waren oft in größter Gefahr, und nur ihrem
wohlgezielten Feuer, durch das der Feind mehrere Leute verlor, hatten die
Rehobother es zu danken, daß die Tiere nicht von den Witbooi genommen
wurden. Ein Glück war es für Hendrik, daß ich nicht fünf Tage früher

in Rehoboth eingetroffen war. Später fand ich noch in der Wasserstelle von Anchaub den Leichnam eines Namakriegers, der sich, in dem Gefecht verwundet, bis hierher geschleppt hatte und beim Trinken gestorben sein mußte.

Über Kamgams erreichte ich das südliche Aub, wo ich zu meinem größten Erstaunen Major Leutwein traf. Ich erfuhr hier von dem an Hendrik Witbooi auf seine inständigen Bitten gewährten Waffenstillstand und konnte dem Major als freudige Nachricht eine Depesche übergeben, die das baldige Eintreffen einer bedeutenden Verstärkung der Truppe aus Deutschland meldete.

Gemeinsam zogen wir nun über Rehoboth zurück nach Windhuk, und von dort eilte ich über Otjimbingwe zur Küste, um alles für den Empfang des Verstärkungstransports vorzubereiten.

9. Kapitel.

Des Nama=Königreiches Ende.

Die Naukluft. — Der Vormarsch. — Der letzte Tag des Waffenstillstandes. — Vergebliche Unterhandlungen. — Ein Angriff von drei Seiten. — Auf Hendriks Spuren im Hochgebirge. — Das Gefecht im Tsauchabtal. — Friede!

Bevor ich die Schilderung der letzten Kämpfe mit Hendrik Witbooi in der Naukluft beginne, will ich eine kurze Skizzierung des Geländes vorausgehen lassen, dessen Eigenart diese Kämpfe zu überaus mühevollen und anstrengenden machen sollte.

Die Naukluft, d. h. „enge Kluft", ist ein Gebirgsstock, der aus den zu jenen Zeiten noch unbekannten, menschenleeren, aber wildreichen Grasflächen sich erhebt, welche, am Rande des Dünengürtels sich hinziehend, im Gebiete des längst zersprengten Namastammes der Groot=Doden liegen. Nur durchstreift von wilden, jagenden Buschleuten, waren diese Gegenden selbst unseren sonst gut unterrichteten Bastard=Hilfstruppen ganz unbekannt, und keines Weißen Fuß hat vor der deutschen Truppe diese Einöden betreten. Überall steil aus den Ebenen aufsteigend, erstreckt das Gebirgsviereck sich vom Tsondabflusse im Norden bis zu dem sagenumwobenen Tsauchabrivier im Süden, von dem undurchdringlichen, hier etwa 160 km breiten, wasserlosen Dünen= und Wüstengürtel im Westen bis in das Quellgebiet des lieblichen Blumfischriviers im Osten. Wenn man von Windhuk her über Rehoboth und Aub auf den weit übersichtlichen, großen Ebenen des Bastardlandes heranzieht, steigen allmählich aus der Fläche diese steilen, trotzigen Felsenmauern empor, erst bläulich duftig, dann dunkler und dunkler, bis man, noch weit von ihrem Fuße entfernt, den Eindruck hat, als ob man unmittelbar unter ihren Graten dahinritte. Erdrückend und gewaltig, einem riesigen Kastelle gleich, wächst der Gebirgskoloß aus der Ebene empor. Nur wenige schroff eingeschnittene Flußtäler bilden die Eingangstore in das Gebirgsinnere.

Im Norden ist es das Tsondabtal, das bei Büllspoort oder Gobamnas sich öffnet. Von hier aus zieht sich die Ostfront der Naukluft bis in die Nähe des Tsauchabtals. Ausgedehnte wellige Flächen trennen sie von östlicheren, sanfter aufsteigenden Höhenzügen, und steile Spitzkuppen steigen ab und zu aus den Ebenen auf, ausgezeichnete Stellungen für unsere Posten. Hier, ungefähr in der Mitte vor der Ostfront, hatte schon im Mai das Hauptlager der Truppe auf einer Spitzkuppe gelegen. Dieser gegenüber durchbricht wiederum ein Flußtal das Gebirge und bildet in der eigentlichen Naukluft und der Oniapschlucht den Hauptzugang auf der Ostseite. Ein kleinerer liegt etwa 2000 m weiter nördlich. Auch nach Süden hin bleibt die Zahl der Eingänge, deren wichtigster die Gurusschlucht ist, eine geringe.

Bei Gelegenheit der Schilderung der Ereignisse komme ich auf die Beschreibung des Geländes nochmals zurück und will nur noch kurz die Vor- und Nachteile berühren, welche die Stellung in der Naukluft für die beiden kriegführenden Parteien hatte.

Hendrik Witbooi hatte sich schon früher, seit dem Januar 1894, mit seinem ganzen Stamme in die Naukluft zurückgezogen. Diese bot ihm mannigfache Vorteile.

In bezug auf die Ernährung seiner Leute, des Viehes und der Pferde verdient folgendes erwähnt zu werden: Die um die Kluft liegenden Ebenen enthalten ausgedehnte Uintjesfelder. Ganze Kolonnen von Weibern und Kindern passierten täglich, als noch Waffenstillstand war, unser Lager, um Uintjes zu graben und abends, beladen mit Fellsäcken voll der nahrhaften Früchte, in die Kluft zurückzukehren. Wild bevölkerte in großen Herden die Ebenen. Ferner liegen innerhalb des Gebirges ausgedehnte Grasflächen, welche Vieh und Pferden der Witbooi für Monate ausreichende Weide boten. Köstliches klares Wasser tritt an vielen Stellen im Naukluftinneren in Quellen zutage, die sich in verschiedenen Schluchten zu wundervollen Gebirgsbächen vereinigen.

Ein weiterer großer Vorteil war es für Hendrik, daß er nach allen Himmelsrichtungen mit Ausnahme von Osten vollständig gedeckte Rückzugslinien in einem Gelände hatte, das er und seine Leute genau kannten, das aber, ganz abgesehen von seiner geradezu fabelhaften Unwegsamkeit, uns gänzlich unbekannt war. Und das gerade — Hendrik hat dies später selbst zugestanden — ist sein Hauptgrund für die Wahl der Naukluft gewesen.

Was die Nachteile der Stellung für Witbooi und zugleich die Vorteile für uns betrifft, so ist das Wichtigste das Vorhandensein von ausgedehnten

(Nach einer 1894 gefertigten Skizze des Verfassers.)

Der nordöstliche Teil der Naukluft.

Wasserstellen und Quellen außerhalb des Gebirgsstockes an solchen Plätzen, die für unsere Stellungen günstig lagen. Ferner die grasreichen Ebenen, auf denen wir die vielen Hunderte von Pferden und Ochsen ernähren konnten, die wir mit uns führten, und endlich der Umstand, daß das Gebirge nur eine

Schwabe, Im deutschen Diamantenlande.   9

ganz beschränkte Anzahl von Zugängen hat, die wir ohne Ausnahme erkundeten und besetzten.

Die enorme Ausdehnung und Tiefe seines Schlupfwinkels war, wie
bereits erwähnt, für Witbooi einerseits vorteilhaft, denn sie begünstigte ein
Zurückweichen in das Innere desselben außerordentlich, andererseits aber konnte
er nur einen kleinen Teil des Gebirges besetzen und übersehen. Vor einem überraschenden, kühn angesetzten Angriff von irgend einer Seite war er nie sicher.

Für uns wurde der Nachteil der Ausdehnung unserer Stellung durch
die oben erwähnte geringe Anzahl von Ausgängen etwas gehoben, da es für
uns lediglich darauf ankam, das Gebirgsviereck so mit Posten zu umschließen,
daß wir jedes Ausbrechen der Witbooi sofort bemerkten und rasch Truppen
an den bedrohten Punkt werfen konnten. Das Gebirge dürfte ungefähr die
Größe des Harzes haben.

Es war, wie bekannt, im Mai 1894, als dem Kapitän der Witbooi vom
Major Leutwein, der ihn in der Naukluft umlagert hatte, auf seine Bitten
hin ein Waffenstillstand gewährt wurde. Diese Frist wurde ihm zugebilligt,
damit er sich noch einmal mit seinem Volke eingehend beraten könne, ob er
die deutsche Schutzherrschaft freiwillig annehmen und Seine Majestät den
Kaiser als seinen Oberherrn anerkennen wolle. Während des Waffenstillstandes traf Major Leutwein seine Maßnahmen zur eventuellen Fortsetzung des Krieges. Der Major befand sich im Anfang des Juli an der
Küste, um die dort eintreffende Verstärkung der Schutztruppe von 6 Offizieren und 200 Reitern zu erwarten und in den Krieg zu führen. Leutnant
Eggers und ich waren bei ihm. Die Zwischenzeit wurde zu eingehenden
Erkundungen der direkten Wege zwischen Walfischbai und Naukluft benutzt,
da die Truppe getrennt von zwei Seiten gegen die Stellung Hendriks vorrücken sollte. Es war nämlich ausgemacht worden, daß beide Parteien,
Deutsche wie Witbooi, nach Ablauf des Waffenstillstandes genau dieselben
Stellungen einnehmen sollten, die sie am letzten Tage vor dem Waffenstill-
stand innegehabt hatten. Die Schutztruppe hatte damals als Hauptlager die
Spitzkuppe vor dem Hauptosteingang zur Naukluft, außerdem verschiedene
Stellen im Tsauchabtal sowie die Spitzkuppe im Tal von Büllspoort und
die Wasserstelle Uhunis besetzt. Hendrik Witbooi hatte mit seiner Haupt-
macht im Hauptosteingange, mit kleineren Abteilungen bei Büllspoort und
Uhunis gestanden.

Den zweimonatigen Waffenstillstand hatte er dazu benutzt, nach allen
Seiten, ausgenommen nach Norden, kleinere Expeditionen zu entsenden, die

Waffen, Munition, Pferde und Proviant herbeischaffen sowie, wenn möglich, Bundesgenossen werben sollten. Er selbst begab sich ebenfalls auf kurze Zeit nach dem Süden, sicherlich um andere Ramahäuptlinge für sich zu gewinnen. Auch in Windhuk wurde mit allen Kräften gearbeitet. Die Schmiedefeuer rauchten Tag und Nacht, Wagen und Geschütze wurden instandgesetzt, Pferde beschlagen und zugeritten, Gewehre repariert und angeschossen, das Sattelzeug ausgebessert und neues hergestellt. Große Wagenzüge brachten von der Küste Proviant und Munition, Bekleidungs- und Ausrüstungsgegenstände herauf. Der Kaufmann Schmerenbek reiste im Auftrage der Landeshauptmannschaft zu Schiff nach der Kapkolonie, um dort etwa 200 Pferde für die Truppe zu kaufen, die er in Rietfontein, an der Grenze von Britisch-Betschuanaland, versammelte und zusammen mit dem dorthin entsandten Leutnant Lampe unter Bedeckung vor die Naukluft führte, gerade dort anlangend, als die gesamte Truppe vor ihr sich vereinigte. Inzwischen war es dem Premierleutnant Bethe in Keetmanshoop geglückt, durch Patrouillen die Engländer Duncan, Mc Kennan und Flint festzunehmen, die allgemein im Lande als Munitionsschmuggler und Freunde Witboois bekannt waren. Sie wurden nach Windhuk transportiert, dort in der Feste interniert und ihnen der Prozeß gemacht. So lagen die Verhältnisse, als im Juli Major Leutwein in Walfischbai die Nachricht erhielt, daß die Ankunft des Verstärkungstransports der Schutztruppe zehn Tage später erfolgen werde, als dies ursprünglich beabsichtigt war. Die Truppen konnten somit nicht am 31. Juli, dem letzten Tage des Waffenstillstandes, vor der Naukluft versammelt sein, und es lag dann die Gefahr vor, daß Hendrik sich seines Versprechens, den Major am 1. August in seinen im Mai in der Naukluft innegehabten Stellungen zu erwarten, ledig glaubte und in noch entlegenere Gegenden entwich.

Infolgedessen erhielt ich von Major Leutwein den Befehl, über Windhuk mit ungefähr 50 Reitern, ebensoviel Bastarden und 2 Geschützen vor die Naukluft zu marschieren und dort die Witbooi noch vor Ablauf des Waffenstillstandes einzuschließen.

Mit wenigen Reitern eilte ich über Otjimbingwe nach Windhuk, schon auf dem Wege alle nur verfügbaren Mannschaften von den Stationen meines Distrikts an mich ziehend. Mit 55 Reitern, 2 Geschützen, einigen Wagen und einer großen Herde Zug- und Schlachtochsen zog ich dann in Eilmärschen nach Rehoboth, wo sich mir 50 Bastardreiter unter Hans Diergaard anschlossen. Die Truppe marschierte über Aub nach Anchaub,

9*

während Hans Diergaard mit 20 Bastarden in meiner rechten Flanke
über Hornkranz auf Anchaub ritt und sich dort wieder mit mir vereinigte. Bereits vorher jedoch, einen Tag nach dem Abmarsch aus Rehoboth,
erhielt ich in Neuras einen Brief Hendriks, der an Major Leutwein gerichtet war. Ich ließ gerade eine Anzahl lungenseucheverdächtiger Schlachtochsen erschießen, als sich, eskortiert von einer Patrouille der Außenwachen,
ein merkwürdiger Zug näherte. Voran marschierte ein Witbooi ohne Waffen,
dann folgte ein Bergdamara, der auf einer langen Stange eine weiße Fahne
trug, und den Schluß machte ein mit einem Gewehr bewaffneter, so schiel-
äugig und verschlagen aussehender Hottentott, daß mir sofort klar wurde,
daß Hendrik den größten Spitzbuben zu diesem schwierigen Auftrage ausgesucht hatte. Der Schielende übergab mir den Brief, den ich nach Kenntnis-
nahme sofort weiterschickte. Nach beabsichtigter Unterwerfung sah das, was
ich da las, allerdings nicht aus. Hendrik beklagte sich über die Gefangennahme seines Freundes Duncan und forderte seine Freilassung, da derselbe
ganz ohne Schuld sei. Dieser, so schrieb der Häuptling, habe ihm keine
Munition gegeben, sondern der „große Mann der Kompagnie" — gemeint
war die „De Beers-Kompagnie", der die Diamantminen in Kimberley gehören —, Cecil Rhodes. Weiterhin bat er den Major, „doch von ihm
abzulassen", und stellte die naive Frage, was er denn eigentlich verbrochen
habe. Kurz, ich ersah aus dem ganzen Phrasengeklingel des Schreibens, daß
der stolze Namab uns auch fernerhin trotzen wollte.

Der weitere Marsch war anstrengend und mühevoll, vollzog sich aber
ohne Zwischenfall.

Höher und höher stiegen zuerst die Gipfel des wilden Berglandes des
Dorisib, dann die der Naukluft über dem Horizonte empor, und am 29. Juli
früh, kurz nach Tagesanbruch, ritt ich in das Tal von Büllspoort ein. Das
Gewehr quer vorn über dem Sattel, spähend und sichernd, in breiter Schützenlinie vorrückend, tummelten die kriegsgeübten, von der Sonne Afrikas ge-
bräunten Reiter der Spitze ihre Pferde auf dem kurzen Rasen des Tales,
und auf allen umliegenden Bergen wimmelte es von Menschen: Wir hatten
Fühlung mit dem Feinde. —

In breiter Fläche durchbricht in seinem Eingang das Tal des Tsondab
das unersteigliche Gebirge, dann aber verengt es sich rasch mehr und mehr
und wird durch einen riesigen Spitzberg abgeschlossen. An den Seiten desselben vorbei führen schmale Fußpfade dem Laufe des Flusses folgend über
Ubunis nach Ababes und treffen dort die Straße nach Walfischbai. Direkt

unter der eben erwähnten Spitzkuppe und von ihr beherrscht liegen die Wasserstellen des Tsondab. Das Tal ist nach dem Wasser und den Bergen zu durch dichten Wald und Busch ganz unübersichtlich; die entgegengesetzte Seite ist wellige Grasfläche. Schon von weitem konnten wir auf der Kuppe des Spitzberges, den wir besetzen sollten, Menschen erkennen, mit Hilfe des Krimstechers auch eine Schanze, und jetzt tauchte, aus der Schlucht kommend, eine Gestalt auf, die mit einer weißen Flagge uns zuwinkte. Ich erwiderte durch Schwenken des Taschentuches, und es nahte sich langsam ein Hottentott, der mir einen Brief übergab. Ich hieß ihn warten, denn wir mußten zunächst an das Wasser. Wir ritten durch das Dickicht bis hart an die Wasserstelle, die ich sofort durch Vorschieben eines Postens von 1 Unteroffizier und 6 Reitern für uns sicherte, und tränkten unsere durstigen Pferde — unmittelbar am Fuße des von den Witbooi besetzten Spitzberges. Dann kehrte ich mit Hans Diergaard zurück zu der anmarschierenden Truppe. Eine hinter einem niedrigen Hügel liegende Senkung, dicht an dem tief eingeschnittenen Flußbett, wurde zum Lagerplatz bestimmt. Hier spannten die Wagen ziemlich gedeckt aus, die Geschütze protzten ab, das Lager wurde etabliert, Posten ausgestellt und Vieh und Pferde nach rückwärts auf die Weide getrieben. Vor uns, nach der Schlucht zu, hatten wir an dem eben erwähnten Hügel eine ausgezeichnete Verteidigungsstellung.

Nun erbrach ich den Brief und las folgendes:

"Büllspoort, 29. Juli 1894.

An den wohledlen Kommandanten Leutnant Schwabe!

Sie sind nicht den rechten Weg gekommen, sondern ohne Weg. Darum soll Ihnen der, der den Brief bringt, den rechten Weg zeigen; er ist einer meiner Leute. Er soll den rechten Weg nach Naukluft zeigen, denn dort ist der Kapitän, und es ist nicht sehr weit.

Mit herzlichen Grüßen.

Ich bin der Rat und Korporal

Samuel Dragoner."

Es wurde mir aus diesem Schreiben sofort klar, daß Witbooi durch Verhandlungen versuchen wollte, das von mir geführte Kommando geschlossen vor den Haupteingang der Naukluft zu schieben, und daß der Korporal von Hendrik die Weisung erhalten hatte, auf jede Weise die Besetzung von Büllspoort und Uhuis zu verhindern zu suchen und seinerseits sich den Anschein zu geben, als wisse er von der für beide Parteien vereinbarten Bedingung, am 1. August in denselben Stellungen wie im Mai zu stehen, nichts. Unter

Hinweis auf diese Bedingungen schrieb ich dem Samuel Dragoner, daß ich auf Befehl des Majors Leutwein Büllspoort und Ahunis besetzen würde, und forderte ihn auf, die Schanze auf der Spitzkuppe sofort zu räumen. Dies verweigerte der Namab, indem er sich auf die Befehle seines Kapitäns berief. Da ich so wie so in Büllspoort einen Ruhetag machen wollte, zogen sich die Verhandlungen, während deren Samuel mir nicht weniger als 16 Briefe schrieb, bis zum Abend resultatlos hin, und ich beschloß, am Morgen des 30. die Schanze zu nehmen. Ich hatte Samuel zu mündlicher Rücksprache eine Zusammenkunft auf halbem Wege zwischen unseren Lagern vorgeschlagen, aber der mißtrauische Namab, der einen Hinterhalt fürchten mochte, schlug es aus. Sein letzter Brief war voll Drohungen, und es hieß in ihm: „. . . . Noch ist Friede zwischen uns, darum, lieber Herr, sage ich Ihnen, ziehen Sie vorbei. Lassen Sie uns nichts ohne den Kapitän tun, der nahebei in Naukluft ist. Der Major soll keinen Schaden davon haben. (?) Und so rate ich Euer Edlen nochmals: Kehren Sie schnell um, denn Sie stehen nicht am rechten Platze, so lauten die Worte meines Kapitäns, die ich Ihnen schreiben soll. Bleiben Sie hier, so mögen die Folgen über Sie kommen. Also ziehen Sie weiter! Ich habe Ihnen heute Wasser gegeben für Menschen und Tiere. Von morgen an erhalten Sie keines mehr! Ich bin der Korporal und Rat Samuel Dragoner." — Außerdem setzte der letzte Bote mündlich hinzu, der Kommandant ließe sagen, wenn wir morgen früh Kaffee trinken wollten, so sollten wir uns das Wasser noch abends holen! Das war mir denn doch zu viel, und ich ließ dem Namaführer nur sagen, ich sei kein Kind, das sich durch leere Reden schrecken ließe. Es sei genug der Briefe und Worte!

Während des ganzen Tages sahen wir die Witbooi unausgesetzt auf allen umliegenden Höhen Schanzen bauen, und mit Einbruch der Dunkelheit begannen sie an den wenigen Stellen, an denen die schroffen Berge ersteigbar erschienen, vom Kamme derselben große Felsstücke herabzurollen, aus Furcht, daß wir unter dem Schutze der Dunkelheit eine ihrer Stellungen zu nehmen versuchten. Die ganze Nacht hindurch hörten wir den Donner und das dumpfe Aufprallen der zu Tal fahrenden Gesteinsmassen.

Die Nacht verlief ruhig, und es war noch tiefdunkel, als wir das Lager abbrachen und uns zur Tagesarbeit rüsteten. Der Hauptteil des Kommandos besetzte den vor dem Lager liegenden Hügel, und den Unteroffizier Froede schickte ich mit einer Abteilung im Flußbett vor, um zu verhüten, daß die Besatzung der Spitzkuppe Verstärkungen erhielte. Dieser entledigte sich seines

Auftrages mit Umficht und Geschick. Bei Tagesgrauen wurden die Geschütze auf die der Spitzkuppe zunächftliegenden feindlichen Schanzen eingerichtet, und der Sergeant Gilfoul erhielt den Befehl, mit acht Mann die Schanze auf der Kuppe zu befetzen und die Witbooi herauszuwerfen. Der Auftrag war um fo schwieriger und gefährlicher, als ich meiner Inftruktion gemäß dem Sergeanten befehlen mußte, auf keinen Fall den erften Schuß zu tun. Die ganze Truppe stand bereit zum Gefecht, als die kleine Schar die Spitzkuppe zu erfteigen begann. In jeder Minute erwarteten wir die erften Schüffe. Es waren spannende 1½ Stunden, während welcher diefe Tapferen auf der einzig zugänglichen, von uns abgekehrten Seite den Berg erftiegen. Dann fahen wir fie endlich schon nahe dem Gipfel, die Gewehre auf dem Rücken, rüftig klettern; wir fahen die Witbooi auf fie anlegen, dann umherlaufen und winken, und plötzlich ging ein „Hurra!" durch unfere Reihen: Von der Schanze wehte die deutsche Flagge! Von Sergeant Gilfoul erfuhr ich später folgendes: Als die Unferen fich dem Gipfel näherten, riefen ihnen die Wit-booi wiederholt zu: „Halt! oder wir schießen!" Aber ohne fich daran zu kehren, kletterten die Braven, auf die vom Feinde mehrfach angelegt wurde, weiter, und als fie noch ungefähr 15 Schritt unterhalb der Schanze waren, wurde diefe von den Nanan geräumt. Nicht in eiliger Flucht, fondern langfam zogen fich die weißhütigen Krieger zurück, dicht an der Schützenlinie des Unteroffiziers Froede vorbei. Gilfoul befetzte die Schanze, und das Waffer war in unferer Hand. Es war nun offenbar, daß auch Hendrik feinen Leuten verboten hatte, den erften Schuß zu tun.

In Eile wurde jetzt am Fuße des Spitzberges ein Lager für den Ser-geanten Gilfoul eingerichtet, der mit einer kleinen Abteilung von Reitern und Baftarden hier blieb und auch die Schanze auf dem Berge befetzte. Einen Wagen mit Munition und Proviant ließ ich zurück, dann zog ich mit der Truppe ab, denn ich wollte noch am Nachmittage den Haupteingang der Nautluft erreichen und dort mein Lager auffchlagen.

Den Unteroffizier Spatz ließ ich mit einer kleinen Abteilung ebenfalls in Büllspoort, mit dem Befehl, am 31. Uhunis zu befetzen. Nach einem anftrengenden und gefahrvollen Nachtmarfch durch die engen und unwegfamen Schluchten des Gebirges führte diefer Unteroffizier die Befetzung aus, erbaute Schanzen und wurde den Witbooi bald fehr unbequem. Auch ihm machten fie allerhand Schwierigkeiten, die er jedoch energifch überwand.

Ich erreichte am Nachmittage des 30. den Berg, auf dem schon im Mai das Hauptlager der Truppe gewefen war, und befetzte ihn, ohne Widerstand zu finden. Bereits unterwegs erhielt ich den ersten Brief Hendriks, in dem er sich über die Vorfälle in Büllspoort beklagte sowie eine Beschwerde bei Major Leutwein in Aussicht stellte. Er schrieb: „Ich verstehe den Frieden und Waffenstillstand nicht, in dem Sie kommen, wenn Euer Wohledlen meine Leute aus den Schanzen treiben. Das ist kein Friede." Der Brief schloß: „Ich bin mit herzlichen Grüßen Ihr Freund, der Herr der Wasser und König von Groß-Namaland.   Hendrik Witbooi."

Ich blieb dem Häuptling die Antwort nicht schuldig, in der ich ihm auseinandersetzte, daß es für mich nur die Befehle des Majors gäbe. Er beruhigte sich dabei, und es wurde festgesetzt, daß beide Parteien in Büllspoort und Uhunis ungehindert Wasser holen sollten.

Inzwischen hatten wir uns im Hauptlager eingerichtet. — Dieses lag hinter einer Spitzkuppe, welche nach hinten (Osten) zu eine ausgedehnte Fläche

Die Nautluft vom Hauptlager aus gesehen.

zeigte, und war gegen Sicht vorzüglich gedeckt. Der Berg fiel schroff nach allen Seiten ab und war im Notfalle leicht zu verteidigen. Von dem Gipfel der Kuppe aus sahen die Posten weit nach allen Seiten, und auch ein dicht daneben, etwas nördlicher liegender Spitzberg wurde mit einem Doppelposten besetzt, der die Straße nach Büllspoort beherrschte. Große Wasserstellen lagen unmittelbar am Fuße der Berge.

Die Wagen wurden nun aufgefahren, Schanzen, Geschützdeckungen und Zelte aus Wagenplänen gebaut und ein scharfer Vorpostendienst eingerichtet, wobei uns bei Nacht unsere Truppenhunde, deren wir 15 bis 20 mit uns führten, ausgezeichnete Dienste taten. Tagsüber angekettet, umkreisten sie nachts das Lager und meldeten jeden Ankömmling durch wütendes Gebell. Eingeborene, die sich dem Lager näherten, griffen die Doggen und Bastard-Windhunde sofort an, und die Posten mußten öfter eingeborene Boten aus schlimmer Lage befreien. Unsere Pferde und Ochsen weideten unter dem Schutze der Posten und des bewaffneten, eingeborenen Wagenpersonals in nächster Nähe des Lagers, wo gutes Gras stand.

Wenige Tage nach dem Eintreffen schickte ich den Unteroffizier Graf
v. Giczewski mit einer Abteilung von Reitern und Bastarden nach dem
Tsauchabtale. Bei Nacht und Nebel ritt das Kommando ungesehen vom
Feinde ab und besetzte einen mehr südlich gelegenen Eingang zum Naukluft-
inneren (Posten I), um ein Entweichen Hendriks in das unwegsame und unbekannte Tafelgebirge von Zarris zu verhindern. Vom Feinde wurde hier
nichts bemerkt, und die Umschließung der Kluft war, soweit ich dies mit
meinen geringen Streitkräften möglich machen konnte, beendet. Die Zeit
wurde nun fleißig zu Erkundungen nach allen Seiten benutzt. Täglich
hielten Patrouillen Verbindung mit den Posten bei Büllspoort, Uhunis und
im Tsauchabtal. Größte Vorsicht war geboten, und, wie sich später herausstellte, hatte Hendrik in der Tat zweimal den Plan gefaßt, mich vor Ankunft
der anderen Truppen zu überfallen. Einmal standen seine Leute schon bei
den gesattelten Pferden, aber beide Male entschloß er sich im letzten Augenblick, Frieden zu halten. Bald entwickelte sich auch zwischen beiden Lagern
ein lebhafter Verkehr. Selbstverständlich hatte ich Befehl gegeben, daß den
Witbooi das Betreten des Lagers verboten sei, aber unten an die Wasserstellen kamen besonders viel Weiber und Kinder, die bettelten und den
Reitern Kleider und Wäsche wuschen. Männer zeigten sich wenig, doch
bald erschienen die ersten Überläufer, einige Weiber und zwei Hottentotten-
Jungen, von denen der eine, namens Korinthe, mir wertvolle Mitteilungen
machte. Fast alle waren sie durch Hunger gezwungen worden, die Fahnen
Hendriks zu verlassen. Der obenerwähnte Nama-Junge war einer der wenigen
Überlebenden aus dem von Hendrik 1893 bei Horebis verübten Gemetzel und
von dort mitgeschleppt worden, also ein Todfeind der Witbooi. Er war in
Rehoboth geboren und von dem bei Diepdal ermordeten Hans Benkes er-
zogen worden. Meine Bastarde erkannten ihn sofort. Stets hatte er auf
eine Gelegenheit zur Flucht gewartet, denn er bekam, wie er mir sagte, nichts
zu essen, dafür aber oft Prügel.

Täglich erstieg ich mit dem Namab einen der umliegenden Berge, und
er gab mir Aufschlüsse über das Gelände, besonders die Oniapschlucht, über
Stärke, Bewaffnung und Absichten des Feindes. Er versicherte schon damals,
daß Hendrik nicht an Frieden denke. Später diente er dem Hauptmann
v. Sack als Führer von Uhunis aus. — So verging die Zeit bis zum
6. August. An diesem Tage trafen Major Leutwein und Leutnant Lampe
in Büllspoort und vier Tage später der Major mit seinem Adjutanten,
Premierleutnant Diestel, im Hauptlager ein. Am folgenden Tage ritt er

weiter ins Tsauchabtal, um die dortigen Posten zu besichtigen. Die Nord=
seite hatte er bereits in den Tagen vom 6. bis 8. abgeritten. Auch von
meinem Lager aus wurde die Zwischenzeit wiederum zu Erkundungsritten
nach allen Himmelsrichtungen benutzt, und ich zeichnete von der Spitzkuppe
aus das Gebirge und stellte möglichst genaue Krokis der Umgegend her. Am
schwersten war es, eine Vorstellung von dem Haupteingang und der Oniap=
schlucht zu gewinnen, da der Einblick durch eine vorspringende Bergnase und
dichten Wald gehindert wurde. Aus letzterem stiegen täglich dichte Rauch=
wolken auf, und ich erfuhr von ausgesandten eingeborenen Spionen, daß
Hendrik dort eine Feldschmiede und Geschoßfabrik etabliert hatte. Korinthe
berichtete, daß, obwohl die Witbooi im Besitze großer Vorräte fertiger
Patronen seien, schon seit Wochen Munition aus allem nur möglichen
Material hergestellt werde. Patronenhülsen und Pulver seien in Menge vor=
handen, nur an Blei mangele es, und als Ersatz hierfür ließe Hendrik Geschosse
aus eisernen Treckketten, alten Gewehrteilen und Konservenbüchsen schmieden.

In der Zeit vom 14. bis 17. August trafen die beiden Feldkompagnien
nach anstrengenden Märschen von der Küste in Büllspoort ein, und zwar
die 2. Kompagnie (Hauptmann v. Sack, Premierleutnant v. Burgsdorff,
Assistenzarzt Dr. Schöpwinkel) über Onanis—Hornkranz und die 1. (Haupt=
mann v. Estorff, Premierleutnant v. Perbandt, Sekondleutnant Volkmann,
Marinestabsarzt Dr. Sander, Unteroßarzt Rickmann) über Otjimbingwe,
Windhuk und Rehoboth. Die Postenkette wurde sofort verstärkt und ver=
mehrt, so daß am 20. die Umschließung des Gebirges als beendet angesehen
werden und Major Leutwein sich sagen konnte, daß ein unbemerktes Aus=
brechen Hendriks nunmehr unmöglich sei. Die Nordfront sperrte Haupt=
mann v. Sack von Ababes bis Büllspoort, und seine Reiter schweiften von
dem Dünengürtel und der Fahrstraße nach Walfischbai bis zu den östlichen
Flächen am Tsondabflusse, während die Ostfront durch eine Anzahl selb=
ständiger Posten, mit denen vom Hauptlager aus täglich Verbindung ge=
halten wurde, besetzt war. Die wichtigsten dieser Stellungen waren: Der
Posten des Unteroffiziers Zarradt nordwestlich des Hauptlagers und der
Posten des Unteroffiziers Pitt an der Straße nach Berseba. Am Tsauchab=
flusse endlich, im Süden, stand Premierleutnant v. Burgsdorff, der von dem
„Roten Gebirge“ bis zu den Vorbergen des wildzerklüfteten Tafelberglandes
von Zarris sicherte.

Außer fast sämtlichen Bastarden waren 70 Reiter auf die 15 Posten
verteilt, und zwar 40 auf der Nord=, 30 auf der Südfront. Die Westseite

der Naukluft begrenzt der undurchdringliche, wafferlose Dünengürtel, der eine Abfperrung überflüffig machte.

„Um diefes Gebirge zu umreiten," fagt Premierleutnant v. Perbandt in einer Abhandlung über die letzten Kämpfe gegen Hendrik, „braucht man 5 bis 6 Tage, und der höchfte Kegel erhebt fich wohl bis zu 3000 Fuß über das umliegende Terrain."

Von einer Eintönigkeit des Lagerlebens konnte übrigens wenig die Rede fein; Patrouillen kamen und gingen, Nachrichten aus allen Himmelsrichtungen liefen ein, Überläufer wurden vorgeführt, die Kompagnien zufammengeftellt, die Pferde verteilt und neu befchlagen — kurz, alles war in vollfter Tätigkeit im Oftlager, wo die Hauptftreitkräfte zufammengezogen worden waren. Perbandt, der fich feine Sporen bereits in Oftafrika verdient hatte, übernahm die lediglich aus altgedienten Mannfchaften neugebildete 3. Feldkompagnie, zu der auch ich mit meinen Leuten trat. Die Einteilung der auf der Oftfront zur Verfügung ftehenden Truppen war folgende:

Stab: Major Leutwein, Prlt. Dieftel (Adjutant), Stabsarzt Dr. Sander, Unteroßarzt Rickmann.

1. Feldkompagnie: Hptm. v. Eftorff, Seklt. Volkmann.

3. Feldkompagnie: Prlt. v. Perbandt, Seklt. Schwabe.

Artillerie: Seklt. Lampe.

Die Kriegslage hatte fich inzwifchen nicht verändert, obwohl der Waffenftillftand bis zum 20. Auguft verlängert worden war und Major Leutwein in mehreren Briefen Hendrik aufgefordert hatte, fich zu unterwerfen.

Darauf antwortete Hendrik, nachdem er gefagt hatte, daß er „keinen einzigen der anderen Höfe" zuerft angefallen, fondern fich nur gegen die Angriffe derfelben verteidigt habe, folgendes:

„So habe ich durch den Krieg, mit welchem François mich überzogen hat, großen und traurigen Verluft empfangen, aber ich bin in Wahrheit unfchuldig an dem Befehl, welchen der Deutfche Kaifer an François über mich ausgegeben hat. Und nun kommen Euer Hochedlen als Mann, welcher auch von dem Deutfchen Kaifer entfendet ift, ebenfalls mit einem Befehle gegen mich, um Friede und Anerkennung des Traktates

Skizze der Marfchlinien.

von mir zu fordern. So gebe ich Euer Hochedlen über diese beiden
Punkte folgende Antwort: Wegen des Friedens gebe ich dieselbe Antwort,
welche ich Euer Hochedlen bereits früher gegeben habe: Ich bin mit
meinem ganzen Herzen geneigt und gewillt zum Frieden und gebe Ihnen
mit meinem vollen und aufrichtigen Herzen den wahren Frieden nach
des Herrn Willen. Euer Hochedlen brauchen an diesem Frieden, den
ich Ihnen gebe, nicht zu zweifeln, und wegen des Traktates sage ich so:
Das ist gerade die Ursache, wegen welcher ich mit François im Kriege lebe,
und so ist diese Sache für mich eine schwerwiegende. Wie Euer Hochedlen
mir sagten, haben Sie wenig Zeit und Ihr Aufenthalt hier ist eilig; so ist
diese Zeit auch für mich zu kurz und zu schnell, um Euer Hochedlen in
dieser kurzen Zeit auf den heutigen Tag Antwort zu geben. Ich ersuche
daher Euer Hochedlen freundlichst, so gut zu sein, mir Gelegenheit und Zeit
zu geben, damit ich über die Sache nachdenken kann und damit ich später
Euer Hochedlen eine feste Antwort geben kann. So bitte ich Sie, sich zuerst
mit dem Frieden, den ich Ihnen gebe, zu begnügen und für das Erste nach
Windhuk zurückzukehren, wohin ich Antwort über den anderen Punkt über=
senden werde. Unsere Friedenssache, welche wir miteinander verhandeln, ist
keine leichte Sache, die man an einem Tage und im Augenblick erledigen
kann, sondern dies ist eine ernste und heilige Sache. — Bis so weit! —
Ich schließe als Ihr Freund, der Kapitän gez. Hendrik Witbooi."

Am 15. schickte Major Leutwein die Antwort auf dieses Schreiben, in
der er sagte: „Dein zweimonatiges Nachdenken hat Dich also dahin ge=
führt, daß Du die Anerkennung der deutschen Oberherrschaft abermals ab=
lehnst! Das bedaure ich, denn nach dem, was ich Dir bis jetzt über diese
Sache geschrieben habe, mußt Du wissen, daß Deine Ablehnung einer Kriegs=
erklärung gleich zu achten ist . ." Und weiterhin: „Zum Schlusse will ich
Dir als Zeichen meines freundlichen Wohlwollens noch folgendes schreiben:
Die Zeiten der unabhängigen Kapitäne im Namalande sind für immer
vorbei, und diejenigen Kapitäne, die das rechtzeitig erkannt und sich offen
der deutschen Regierung angeschlossen haben, das waren die klügeren, denn
sie haben bei der Sache nur Nutzen und garkeinen Schaden gehabt. Ich
halte Dich auch für einen klugen Mann, aber in dieser Sache hat Dich
Deine Klugheit verlassen, weil Dein persönlicher Ehrgeiz Deinen Verstand
verdunkelt hat. Du mißkennst die Verhältnisse bis auf den heutigen Tag.
Dem Deutschen Kaiser gegenüber bist Du nur ein kleiner Kapitän. Ihm
Dich zu unterwerfen würde für Dich keine Schande, sondern eine Ehre sein."

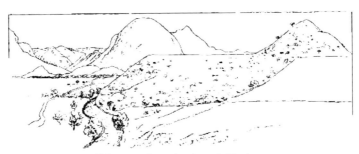

Blick vom Hauptlager nach Norden.

Der Major schloß mit der Mahnung, daß es für Hendrik nutzlos sei, ihn umzustimmen versuchen zu wollen, und gewährte Bedenkzeit bis zum 21., aber der Häuptling antwortete schon am 17.

Aus seinem Schreiben, das wieder grobe Entstellungen der Vorgänge enthielt, ging zur Genüge hervor, daß er starr und unbeugsam an seinem vermeintlichen Rechte festhalten wollte, und uns war klar, daß dieser Kampf, zu dem beide Parteien die größtmöglichen Vorbereitungen getroffen hatten, ein schwerer und harter werden würde.

Die letzten Tage vor dem Angriff, den Major Leutwein auf den 27. festgesetzt hatte, vergingen schnell. Mit Diestel erkundete ich noch einmal nach Süden zu über den Posten Pitt hinaus, während Burgsdorff einen Vorstoß in das Tafelbergland von Zarris machte und dort ein so wild-zerrissenes, unwegsames Gebirge fand, daß wir schon damals vermuteten, Hendrik würde, wenn er gezwungen wäre, die Naukluft zu verlassen, diese furchtbaren Einöden und Bergwildnisse zu erreichen versuchen. Es war ein wunderbarer, überwältigender Anblick, wenn man abends kurz vor Sonnenuntergang auf der Spitzkuppe über dem Hauptlager stand und Umschau hielt.

Drohend stiegen im Westen, wie greifbar nahe, die blauschwarzen, schon im Dunkel liegenden Felsenmauern der Naukluft aus der schweigenden Ebene auf, und an ihrem Fuße, besonders am Haupteingang und vor dem Posten Zarrabt, flimmerten und blitzten, bald strahlend hell, bald dunkler, feurige Punkte in langen Reihen — die Wachtfeuer des Feindes. Fern im Süden aber türmte es sich auf zu einem gewaltigen, erdrückenden Kolosse — Tafelberg hinter Tafelberg —, das Tafelbergland von Zarris, bestrahlt von der untergehenden Sonne.

Dazu neben uns das leise Sprechen der Posten, aus dem Lager der Gesang schwermütiger deutscher Lieder, das Kläffen der den Berg umkreisenden Hunde, und von der Kluft her das dumpfe Rollen zu Tal stürzender Gesteinsmassen, welche die Witbooi hier, wie einst in Büllspoort, allnächtlich in den Regenschluchten herabwälzten, um sich gegen einen Aufstieg von unserer Seite zu sichern.

Am 25. nachmittags ritt ich mit Diestel, Perbandt, Lampe und einigen Reitern in südwestlicher Richtung auf die Naukluft zu, um eine ersteigbare Schlucht zu erkunden. Ungesehen erreichten wir den Fuß des Gebirges und fanden südlich des Kramarzberges ein enges Steintal, das sich zwar bald in den ungeheuren Felsbergen verlor, aber doch die Möglichkeit zu bieten schien, die Höhe zu gewinnen. Daß dies mit unsagbaren Schwierigkeiten verknüpft sein würde, erkannte jeder von uns, aber hier war die einzige Stelle, an welcher wir hoffen konnten, unser Ziel zu erreichen. Die sämtlichen anderen Berge waren für eine größere Truppenmasse einfach unersteigbar, und der Kramarzberg außerdem stark besetzt. Am folgenden Tage langten auch Troost, mit einem Wagen und Post von Windhuk, und die Ansiedler Niemeyer und Panslaw an, die von Windhuker Kaufleuten Waren in Kommission bekommen hatten, um sie im Feldlager zu verkaufen. Das war für uns sehr angenehm, denn die Vorräte, besonders an Zigarren, Wein und ähnlichem, gingen stark zur Neige. Auch nach Seife, Lichten, Backpulver, Tabakspfeifen, Messern, Butter und Fett in Büchsen, Hemden und Taschentüchern herrschte große Nachfrage, vor allem von seiten der Mannschaften, die mit mir nun schon fast sechs Wochen im Felde, und davon vier vor der Naukluft lagen.

Am Nachmittage des 26. machte Major Leutwein nochmals den Angriffsbefehl bekannt. Der Angriff sollte konzentrisch von Norden und Osten erfolgen, und nur die Postenkette am Tsauchab erhielt die Weisung, sich abwartend zu verhalten. „Die rechte Seitenabteilung (2. Komp.)", hieß es in dem Befehl, „setzt sich am Abend des 26. mit Einbruch der Dunkelheit von Büllspoort nach Uhnis in Marsch, kocht dort ab und beginnt am anderen Morgen die Angriffsbewegung mit Wegnahme der dortigen Hottentottenwerft (Überfall). Der Zeitpunkt hierfür ist so zu wählen, daß die weitere Offensive mit Tagesanbruch erfolgen kann. Demnächst geht die Kompagnie gegen die Hauptwerft vor und sucht spätestens von hier Verbindung mit der Hauptabteilung zu erstreben. Diese Angriffsbewegung wird durch eine ebensolche von Büllspoort aus unter dem Sergeanten Gilsoul längs des östlichen Gebirgsrandes begleitet. Diese unter Anstrebung der Verbindung mit der Hauptabteilung über die Oniapschlucht (nordöstliche Abzweigung der Naukluft). Weiteres ordnet der Kompagnieführer an.

Die Hauptkolonne greift den Haupteingang der Naukluft an, außerdem mit schwächeren Kräften den nördlich gelegenen Nebeneingang sowie die zwischen beiden gelegene Gebirgswand. Zu letzterem Angriff sind vorzugsweise die der Kompagnie zugewiesenen Bastarde zu verwenden.

Die 3. Kompagnie setzt sich in Besitz der südlich der Kluft gelegenen Höhe und greift von dort die Naukluft an . . . Der Aufbruch der 3. Kompagnie vom Lager findet morgens 2 Uhr statt, der der 1. Kompagnie und der Artillerie um 4 Uhr." Es war ferner gesagt, daß die Artillerie mit der 1. Kompagnie vorzugehen und die an den Hängen der Berge erbauten Schanzen zu bestreichen habe, sowie, daß alle Abteilungen noch in der Dunkelheit so nahe wie nur irgend möglich an den Feind heranzugehen hätten und dann das Tageslicht abwarten sollten. Höchst bemerkenswert ist auch folgender Passus: „Sollte dem Feinde an irgend einem der Beobachtungsposten der Durchgang gelingen, so hat der letztere sich an dessen Fersen zu heften und Meldung hiervon von Posten zu Posten an mich zu erstatten. Die Führer aller Grade, die in Besitz dieser Meldung gelangen, handeln nach Umständen. Zur Bedeckung des Lagers bleiben ein Unteroffizier der 1. Kompagnie als Lagerkommandant, sowie von jeder Kompagnie drei Reiter zurück, außerdem sämtliche bewaffneten Eingeborenen des Wagenparks sowie die Bastarde, die ich noch bestimmen werde. Das Vieh wird nicht auf die Weide getrieben, sondern mit Tags zuvor geholtem Gras gefüttert. Die Pferde außerdem mit Hafer. Die letzteren werden bei Tagesanbruch gesattelt den Kompagnien nachgeführt und bleiben an geeigneten Plätzen zur Verfügung. Als Führer dienen die unbewaffneten Eingeborenen, als Bedeckung die Offizierburschen. Weiteres ordnen die Kompagnien selbständig an. Ich werde zunächst bei der Artillerie, dann bei der 1. Kompagnie und später da zu finden sein, wo die erste Entscheidung gefallen ist. Für die Nacht werde ich Sorge tragen, daß mein Aufenthalt sowohl im Lager wie am Eingang der Naukluft zu erfahren sein wird. Der Hauptverbandplatz hinter der Front, Truppenverbandplätze bei jeder getrennt fechtenden Abteilung. Herr Stabsarzt Dr. Sander wird das Erforderliche veranlassen. . . ."

Zum Schlusse wurde befohlen, daß jeder Mann für drei Tage Proviant, Mantel und Kochgeschirr mitzunehmen habe, und daß ein mit Proviant beladener Wagen jederzeit zum Abrücken fertig sein müsse. —

Die Stunde der Entscheidung naht. Um $1\frac{1}{4}$ Uhr nachts tritt die 3. Kompagnie im Hauptlager an. Waffenklirren — unterdrücktes Sprechen die Glieder ordnen sich; da kommt der Major. Ein Händedruck noch, ein ernstes „Auf Wiedersehen!" und fort geht es in die Nacht hinaus. Ein schwerer Marsch in der Dunkelheit; lautlos eilt die Kolonne vorwärts, der Spitze nach, die Lampe, der sich uns anschließen durfte, führt. Ab und zu hört man einen dumpfen Fall und leisen Fluch, wenn wieder einer der Leute über einen Stein oder Baumstamm gefallen ist. Die Nacht ist stockdunkel, der Boden mit Felstrümmern und spitzen Steinen bedeckt. Endlich, um 5 Uhr morgens, sind wir an der Felsschlucht, und der Aufstieg beginnt. Mit umgehängtem Gewehr wird geklettert, oft sind die Abstürze so hoch und steil, daß einer auf des anderen Schulter steigen muß, um den nächsten Absatz zu erreichen; der letzte wird dann an Gewehrriemen heraufgezogen. Die Feder vermag diesen Aufstieg nicht zu schildern, so unbeschreiblich und furchtbar waren die Anstrengungen, welche die Kolonne hier zu überwinden hatte. Oft, wenn die Spitze sich verstiegen hat und eine himmelhohe Felswand das weitere Vordringen hindert, muß umgekehrt und ein anderer Weg gesucht werden. Nach vierstündigem atemlosen Steigen ist die Höhe erreicht. Todmüde, mit zerrissenen Kleidern und zerfetzten Händen sammelt sich die Kompagnie, wütender Durst plagt alle, denn längst sind die Feldflaschen geleert. Verbandt befiehlt eine halbe Stunde Ruhe, die dringend nötig, aber auch ebenso peinvoll ist, denn schon seit einer Stunde, seit 8 Uhr, dringen Kanonendonner und der Schall des Kleingewehrfeuers von Norden her zu uns herauf. Dort sollten wir jetzt unseren stürmenden Kameraden helfen, doch die schrecklichen Schwierigkeiten des Geländes hindern es. Aber vorwärts! Feldwebel Zachalowsky wird in der linken Flanke mit einer starken Patrouille vorgeschickt; wir treten wieder an, und in ununterbrochenem Marsche geht es nordwärts, über steile Höhen und durch dunkle Schluchten, bergauf, bergab.

Glühend heiß ist die Luft und der Erdboden, der die Strahlen der Sonne zurückwirft. Mechanisch setzen die Leute Fuß vor Fuß, der Atem geht keuchend, man ist wie in Schweiß gebadet. Aber — vorwärts vorwärts — immer vorwärts — einer ermuntert den anderen, viele Leute tragen zwei Gewehre, um ihre schwächeren Kameraden zu entlasten, und alle beseelt nur der eine Gedanke, in das Gefecht zu kommen. Es ist drei Uhr nachmittags, wahnsinnige, erdrückende Hitze. Eben haben wir den kaum meterbreiten, nach beiden Seiten schroff abstürzenden Grat eines Berges in der Kolonne zu Einem überschritten und sind nun auf dem Kramarzberg. Das

Grab des Reiters Kramarz und einige verlassene Schanzen bleiben rechts liegen — der Abstieg beginnt. Plötzlich hemmt eine riesige, steilabstürzende Felswand von mindestens 30 m Höhe das weitere Vordringen. Mit dem Mute der Verzweiflung versuchen wir dennoch hinabzuklettern, aber nur Perbandt, einem Trompeter und mir gelingt es, da wir schwindelfrei sind, die Wand zu überwinden; der mir folgende Mann muß schleunigst wieder hinaufgezogen werden, da er abzustürzen droht. Ein einziger Fehltritt bringt hier sicheren Tod, denn die Sohle der Schlucht starrt von ungeheueren, wild durcheinanderliegenden Felsblöcken. Den Körper dicht an den Fels pressend, oft nur mit einem Fuße Halt findend, das Gewehr am Riemen um den Hals, so daß es vorn quer über dem Leibe hängt, erreichen wir endlich den festen Boden, während die Kompagnie Gott sei Dank inzwischen einen etwas bequemeren Weg gefunden hat. Nun geht es in der engen Schlucht an einem rauschenden Wasserfall vorbei weiter, und gegen 5 Uhr abends öffnet sich vor uns die Naukluft. Die Leute liegen wie tot am Wasser und trinken wieder und wieder. Eine halbe Stunde Rast ist befohlen, aber der unermüdliche Lampe bricht mit einigen Leuten schon früher auf und dringt in der Schlucht vor. Kaum ist er zehn Minuten fort, da kommt einer seiner Reiter zurückgeeilt und ruft uns schon von weitem zu: „Die Geschütze sind in Gefahr. Die Hottentotten greifen an!" Zugleich dringt deutlich Geschützdonner an unser Ohr. Sofort wird angetreten und im Eilschritt vorgerückt. Die Schlucht windet sich in Schlangenlinien durch das Gebirge und wird immer enger. Bald hier, bald dort wachsen aus den Bergen felsige Querriegel hervor, die umgangen werden müssen, und eine Zeitlang marschieren wir in dem klaren, schnellfließenden Wasser des Baches, der die ganze Talsohle ausfüllt. An einer anderen Stelle wuchert weit übermannshohes Ried und Rohr in so dichten Massen, daß man auf vier Schritt seinen Vordermann nicht mehr sieht. Rauschend schließt sich das Dickicht über den vordringenden Mannschaften. Jetzt wird das Gelände freier; weitverästete wilde Feigenbäume stehen umher; durch das Wasser, das von Taschenkrebsen wimmelt, sieht man die Räderspuren der Geschütze, und auch die Zeichen des stattgehabten Kampfes mehren sich. Überall liegen Ausrüstungsstücke auf dem Boden und im Wasser verstreut umher, hier gerollte Mäntel, Brotbeutel, Kochgeschirre, Sättel und Decken, dort zerbrochene Gewehre, weißbezogene Witbooihüte und blutige Lappen. Im Vorübereilen erkennen wir deutlich die Stellungen der Unseren an den massenhaft umherliegenden Patronenhülsen. Und wieder verengt sich die Schlucht, das Rohrdickicht ist hier niedergebrannt, und gurgelnd schießt das Wasser um mehrere Pferdekadaver, die mit verglasten Augen und bleckenden Zähnen daliegen. Es dämmert bereits, aber an einer kleinen Anhöhe vermögen wir die Leichen von drei bis vier Witbooi zu erkennen, die wohl ein Schrapnell niedergerissen hat. Immer näher tönt jetzt auch Gewehrfeuer von vorn, und immer eiliger wird der Marsch. Da blitzt etwas Weißes durch die Bäume: Zwei gesattelte Schimmel, die in der Schlucht weiden. Perbandt und ich schwingen uns sofort in die Sättel. Nach wenigen Minuten taucht ein Soldat vor uns auf: „Leutnant Lampe läßt melden, daß er seitwärts, nach Westen zu, vor= gegangen ist und sich bereits im Gefecht befindet. Er bittet noch um sechs Mann." -- Diese werden im Marschieren abgeteilt, und kurz darauf hört die Schlucht plötzlich auf, und ein kleiner, von hohen Bergen umgebener Talkessel öffnet sich vor uns, durchtobt von dem sinnverwirrenden Lärm eines heftigen Kampfes. Tausendfach hallt jeder Schuß von den mächtigen, düsteren Wänden wieder, und wie brüllender Donner rollt das Echo in den Bergen. Im ersten Augenblick vermögen wir uns kaum zu orientieren — überall blitzt und kracht es, und die Dunkelheit sinkt schon hernieder. Jetzt verlassen wir die Schlucht: „Aufschließen! — So breit, wie es geht, Schützenlinie formieren!" schallen die Kommandos. „Marsch — marsch!" Waffenklirrend bricht die Kompagnie aus dem Schlunde hervor — kaum haben wir aber die letzten schützenden Felsen verlassen, da pfeift und singt es um uns. Scharf schlägt hier ein Geschoß auf einen Stein auf, klatschend fährt dort ein anderes in einen Baum, und das Wasser des Baches spritzt hoch auf. „Runter von dem Schimmel!" schreit von hinten aus der Schützen= linie eine Stimme, und ich glaube, so rasch sind wir, Perbandt und ich, niemals wieder von den Pferden gekommen, deren weiße Leiber den Nama ein willkommenes Ziel boten.

Vor uns liegt eine schwarze, langgestreckte Klippe, von der uns zu= gerufen wird: „Hierher — 3. Kompagnie — hierher!" und in dem rasenden Feuer richtet sich unser Lauf dorthin. „Die Klippe besetzen — Schnell= feuer!" Halb fallend, schwer aufschlagend, werfen sich unsere Schützen nieder, und nun beginnt ein Höllenfeuer, wie ich es nicht wieder erlebt habe. „Das war Hilfe zur rechten Zeit!" schreit mir Diestel aufatmend ins Ohr. Das Feuer verstärkt sich von beiden Seiten, die nächsten Schützen des Feindes sind nicht 100 m entfernt, aber nichts ist zu sehen außer dem Anfblitzen der Schüsse. Und von allen Seiten wird auf uns gefeuert; aus dem Talkessel hinter Bäumen und Felsen hervor, von den niedrigen Klippen, von den

Hängen der unsere Stellung gewaltig überhöhenden Berge und aus dem Röhricht des Baches. Ungefähr 50 m vor der von uns besetzten schwarzen Klippe stehen die Geschütze und Protzen, um die der Kampf tobt. Unter der einen Protze hervor fallen fortgesetzt Schüsse; dort liegt der tapfere Gefreite Richter, der unverwundet blieb, trotzdem die Eisen- und Holzteile der Geschütze zahllose Geschoßspuren aufwiesen. Die Klippe schützt uns übrigens nicht gegen das feindliche Feuer, das hoch von den Bergen kommt, und staubaufwirbelnd und Steinsplitter umherwerfend sausen Geschosse von oben her mitten zwischen uns. Allmählich aber breiten sich unsere Linien mehr und mehr aus, ein Felskomplex rechts seitwärts wird besetzt, Brustwehren werden, so schnell es möglich ist, aus Steinen gebaut, und das feindliche Feuer wird schwächer. Nach ungefähr zwei Stunden zieht Perbandt die Schützenlinie dicht hinter die Klippe zurück, die Leute schlafen auf der Erde ausgestreckt, das Gewehr im Arm, Doppelposten bleiben in den Stellungen liegen und wechseln einzelne Schüsse mit den nun in größere Entfernung zurückgedrängten Witbooi; von den Bergen aber im Nordwesten her schallt noch immer heftiges Gewehrfeuer herüber. Dort muß die 1. Kompagnie im Kampfe liegen.

Von Diestel und Sander, die mit nur acht Mann die Geschütze verteidigt und in größter Gefahr geschwebt hatten, erfuhren wir die Vorgänge bei der 1. Kompagnie.

Diese war unter der heldenmütigen Führung des Hauptmanns v. Estorff um 6½ Uhr morgens in den Haupteingang der Rankluft eingedrungen, nachdem die Geschütze die auf den Höhen rechts und links liegenden Schanzen unter Feuer genommen hatten. Heftiger Widerstand empfing die sprungweise vorgehenden Schützenlinien, die jedoch in unaufhaltsamem Vordringen blieben und den Feind, der sich ganz gedeckt in vorzüglichen Stellungen befand, nach furchtbaren Anstrengungen zurückwarfen. Hauptmann v. Estorff, der am linken Fuß verwundet wurde, blieb gleichwohl zu Pferde und bei der Kompagnie, die unter Kreuz- und Rückenfeuer von den Berghängen, nachdem das erste Gefecht am Schluchteingang um 8 Uhr beendet war, um 11 Uhr die Hottentotten aus einer zweiten Stellung im Schluchtinneren geworfen hatte. Schon waren mehrere schwere Verwundungen zu verzeichnen, und Leutnant Volkmann mußte mehrfach seitwärts gegen die Schanzen an den Bergabhängen vorgehen. Nur eine Stunde später entbrannte in der Hauptwerft Witbois ein neuer Kampf, und der Feind zog sich trotz heftigen Geschütz- und Gewehrfeuers erst zurück, als es Volkmann gelungen war, eine die feindliche Stellung überhöhende Kuppe zu erklimmen.

10*

Die Witbooi hatten sich in allen diesen Gefechten vorzüglich geschlagen, die Unseren oft ganz nahe herankommen lassen und auch das gutgezielte Schrapnellfeuer so lange ausgehalten, bis die Kompagnie mit „Hurra“ vorgegangen war. Man muß dies schreckliche Gelände gesehen haben, um beurteilen zu können, was hier jeder einzelne Unteroffizier und Reiter unter dem anfeuernden Beispiel der Offiziere Estorff, Volkmann und Troost geleistet hat.

Gegen 2 Uhr war die Hauptwerft in den Händen der Unseren; der ganze Briefwechsel Hendriks wurde erbeutet. Hauptmann v. Estorff, zu dem seine Leute voll Bewunderung aufblickten, mußte hier, durch Blutverlust und den Schmerz des zerschossenen Fußes geschwächt, auf Befehl des Majors das Kommando an Volkmann abgeben und blieb auf dem in der Hauptwerft errichteten Verbandplatz, der aber bald, nachdem ein Reiter an der Seite Estorffs erschossen worden war, weiter nach dem Haupteingang zu verlegt wurde.

Die 1. Kompagnie nämlich war nach kurzer Rast dem abziehenden Gegner gefolgt und hatte, die inzwischen nachgeführten Pferde am Zügel, die nördlich gelegenen, steilen Berge erklommen. Hier hatten sich die Witbooi wieder gesetzt und empfingen die unter großen Schwierigkeiten kletternde Kolonne mit Schnellfeuer. Dies war um 4 Uhr, und Major Leutwein beschloß, noch vor Sonnenuntergang eine wildzerklüftete, steile Felskuppe nehmen zu lassen, deren Gipfel eine vom Gegner besetzte Schanze krönte. Mit großer Bravour stürmten die Mannschaften unter Führung Volkmanns und des tapferen Unterroßarztes Rickmann die Spitzkuppe, wobei die Reiter Bartsch und Bock fielen. Hier blieb die 1. Kompagnie die Nacht vom 27. zum 28., nachdem sie an einem Tage vier schwere Gefechte siegreich durchfochten hatte.

Inzwischen hatten die Witbooi im Rücken der Kompagnie von neuem den Talkessel der Hauptwerft besetzt und richteten ein furchtbares Feuer auf die Geschütze und den Verbandplatz. Jede Verbindung mit der 1. Kompagnie war abgeschnitten.

So lagen die Verhältnisse in der Nacht vom 27. zum 28., während welcher das Feuer nie ganz erstarb.

Am Morgen erhoben wir uns, von der Nachtkälte durchschauert, von unserer felsigen Lagerstätte und suchten zunächst festzustellen, wo der Feind sei. Verbandt und ich rekognoszierten mit Krimstechern die umliegenden Höhen, als plötzlich ein Schuß fiel, und das Geschoß zwischen uns hindurchsauste. Der Schütze war nicht zu sehen, nur hoch oben in den Bergen spielte

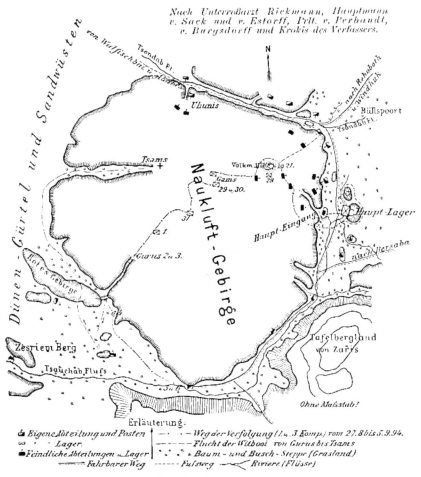

Nach Unterroßarzt Rickmann, Hauptmann
v. Sack und v. Estorff, Prlt. v. Perbandt,
v. Burgsdorff und Krokis des Verfassers.

Das Naukluft-Gebirge.

der Morgenwind mit einem blauen Wölkchen. Dies war der letzte wit-
booische Schuß, der in der Hauptwerft fiel. Wir sahen nichts mehr vom
Feinde, und Perbandt ließ die Kompagnie antreten, gerade, als unter
Schneidewinds Führung die anderen Burschen und einige Eingeborene mit

den Pferden eintrafen. Mit welcher Freude drückte mir der Wackere die
Hand, als er mich unverletzt sah. — Unsere nächste Sorge war nun, etwas
Proviant für unsere Leute zu erhalten, denn fast alle hatten auf dem Ge-
birgsmarsch Mantel, Kochgeschirr und Brotbeutel weggeworfen, da sie so
bepackt die gefährlichen Auf- und Abstiege nicht hätten überwinden können.
Es fand sich denn auch etwas Brot und Fleisch, aber lange nicht genug, um
den Hunger aller zu stillen. Viele kauten rohen Reis aus den Brotbeuteln,
die überall herumlagen. Diese, sowie einige Feldflaschen und Wassersäcke
aus Segelleinwand, die andere Mannschaften verloren hatten, ließ ich sammeln
und ging dann zu mehreren halbeingefallenen Pontoks, die in der Nähe
standen. In einem derselben lag einer unserer braven Reiter, den ein Schuß
durch den Kopf getötet hatte.

Gegen 8 Uhr wurde von den Bergen her wieder Gewehrfeuer hörbar,
und die Kompagnie brach dorthin auf. Die Pferde mußten, wie fast stets
während der nächsten Tage, am Zaume nachgezogen werden, denn an ein
Aufsitzen war bei diesen Boden- und Steigungsverhältnissen nicht zu denken.
In dem engen, üppig bewachsenen Tal eines Bergflusses, der rauschend über
die glänzenden Kiesel schoß, ging es bergauf. Nach einiger Zeit trafen wir
die ersten Mannschaften der 1. Kompagnie, mit denen wir Hurras aus-
tauschten, und etwas später begegnete uns ein trauriger Zug — ein Kommando,
das die Körper der getöteten Kameraden zu Tal trug. Als wir die Höhe
erreicht hatten, bekamen wir Feuer von einem ungefähr 450 m entfernten
Berg, der aber durch eine tiefe Schlucht von uns getrennt war. Das
Gefecht war nicht von langer Dauer, die Witbooi zogen sich zurück, und zu
gleicher Zeit sahen wir tief unter uns in der Schlucht Menschen. Wie hoch
die Berge und wie tief eingeschnitten die Schluchten sind, geht aus dem
Umstande hervor, daß wir nicht einmal mit recht guten Ferngläsern zu erkennen vermochten, ob dies Soldaten oder Witbooi seien.

Später stellte sich heraus, daß es Mannschaften waren, die von
Büllspoort aus bis hierher vordringend die Meldung überbracht hatten, daß
Hauptmann v. Sack bei Uhnnis von übermächtigen feindlichen Streitkräften
aufgehalten werde. Sergeant Gilfoul wurde infolgedessen nach der Nordfront zurückgeschickt, und wir lagerten auf der Höhe, während unsere Pferde,
von denen einige verwundet waren, zwischen den überall verstreuten Felsblöcken weideten. Am Nachmittage kehrte Major Leutwein mit Diestel nach
dem Hauptlager zurück, nachdem er Perbandt den Befehl über ein aus der
1. und 3. Kompagnie gebildetes Detachement übergeben hatte, welches dem

Feinde folgen und ihn aus dem Gebirge heraustreiben sollte. Volkmann erhielt das Kommando über die 1., ich über die 3. Kompagnie, und außerdem waren noch Troost und Rickmann als Kompagnieoffiziere da. Es war wieder einmal ein Abstieg, der einem Hals und Beine kosten konnte, als das Detachement am Nachmittage in die Schlucht, in der etwas westlicher die verlassene Werft van Zijls lag, hinabkletterte. Zwei Pferde überschlugen sich denn auch und stürzten eine Strecke hinab, ohne sich indessen wesentlichen Schaden zu tun. Ich machte den Weg übrigens mit einer Patrouille noch einmal, um einige stehengebliebene Pferde zu holen. Auf dem gegenüberliegenden Berge lagerten wir die Nacht hindurch und stiegen am 29. früh wieder zu Tal, um die Spuren des flüchtigen Feindes zu suchen. Mit Perbandt und Volkmann ging ich in der Schlucht ungefähr eine Stunde weit vor und stellte die deutlichen Spuren des Feindes fest, der in westlicher Richtung zurückgewichen war. Inzwischen rastete die Truppe unter Troost, und es gelang uns, auf der Erkundung drei fette Fohlen zu schießen, die sofort zerlegt und verteilt wurden, da es uns an Proviant vollständig gebrach. Eilig wurde das halbrohe, in der Asche gebratene Fleisch ohne Salz verzehrt, dann hing sich jeder ein Stück an den Sattel, und mittags begann der Vormarsch. Ich, als der einzige Offizier, der länger im Lande war und das Spurensuchen gründlich verstand, führte die Spitze, doch war auch Perbandt fast stets mit vorn. Der Vormarsch gestaltete sich überaus schwierig, wobei besonders der Umstand ins Gewicht fiel, daß wir in der engen Schlucht keinesfalls ohne Seitenpatrouillen auf den Bergen rechts und links marschieren durften. Diese gebrauchten aber, bis sie die Höhen erklettert hatten, oft $3/4$ bis $1^1/_2$ Stunden, und während dieser Zeit mußten wir unten warten. Welche Anstrengungen diese Patrouillen durchzumachen hatten, ist schwer zu beschreiben, und zuzeiten, wenn in der Höhe tiefe Schluchten oder steile Kuppen ihr Vordringen verlangsamten, blieb uns nichts anderes übrig, als zu rasten, um nicht vorzukommen. Am ärgerlichsten war es jedoch, wenn eine Seitenschlucht das Gebirge jäh bis an den Fuß durchriß. Dann ließ ich sofort halten und schickte eine neue Patrouille bergauf, während die alte in die Schlucht hinabstieg und sich uns anschloß.

Auch das Spurensuchen, zu dem ich meine gewandtesten Leute kommandierte, bedeutete keine leichte Arbeit, besonders, weil der Boden fast stets felsig war oder aus hartem Lehm bestand. Wieviel hundertmal habe ich damals untersucht, ob der Rindvieh- oder Pferdemist noch frisch oder trocken sei, ob die ungeknickten Büschchen und Gräser an den Bruchstellen noch Saft zeigten, ob eine Fuß- oder Pferdespur noch rein oder bereits vom Winde mit feinem Sand beweht sei, und ähnliches mehr.

Die Sonne sank bereits, als plötzlich die Schlucht aufhörte, zu beiden Seiten von gigantischen Spitzkuppen eingeengt. Ein hügeliges Gelände mit üppigem Graswuchs lag vor uns, und wir hofften schon, das Gebirge vollständig überwunden zu haben. Aber als ich mit der Spitze die erste Höhe erstiegen hatte, sah ich, daß wir uns in einem meilenbreiten, von sanft ansteigenden, aber doch nicht niedrigen Hügeln erfüllten Kessel befanden, der auf allen Seiten von mächtigen Bergländern eingeschlossen war. Dicht am Schluchteingang hatten wir ein altes Witbooiweib gefunden, das entsetzlich abgemagert aussah und auf alle Fragen nur leise antwortete: „Wasser!" Unsere mitleidigen Reiter gaben ihr denn auch zu trinken und warfen etwas Fleisch auf den Boden; als ich die Frau aber am nächsten Morgen holen lassen wollte, war sie verschwunden, so daß wir an eine Kriegslist glaubten.

Der Abend brach herein, und ich suchte mit Spitze und Seitenpatrouillen einen langgestreckten Hügel als Lagerplatz aus, der nach allen Seiten gutes Schußfeld bot. Als ich den Unteroffizierposten nach dem Feinde zu ausstellte, sah ich fern an den Bergen, hinter denen die Sonne sank, eine dünne Rauchsäule kerzengrade in die klare Abendluft steigen. Ich fragte den Unteroffizier: „Sehen Sie dort an jener roten Spitzkuppe, auf deren halber Höhe eine schwarze Höhle gähnt, etwas Außergewöhnliches?" Angestrengt sah der Mann, der erst kurze Zeit im Lande war, hinüber, dann antwortete er: „Nein, ich sehe nichts!" Die Posten, zwei „alte Leute", lächelten, und als ich weiter fragte: „Nun?" entgegneten beide: „Dort raucht es!" Ich erwähne diesen Vorfall nur, um darzutun, wie sehr sich bei längerem Aufenthalt in solchen Ländern die Sinne schärfen. An Verbandt ließ ich sofort melden, daß sich an der roten Spitzkuppe wahrscheinlich Hendriks Lager befände, und besichtigte mit ihm zusammen nochmals die Posten. Dann nagten wir bald alle an Fohlenknochen und schliefen ohne Decken und Feuer fest bis zum Morgen, trotzdem die Kälte uns hart zusetzte.

Schon früh ging es weiter, leider ohne Frühstück, das, wie man militärisch sagt, „supponiert" wurde. Es wird scharf ausgeschritten, denn jeder sucht die erstarrten Glieder wieder geschmeidig zu machen. Wir sind kaum 15 Minuten in der Richtung auf die Kuppe unterwegs, da fallen links seitwärts Schüsse. Dumpf schallt der Knall aus der Entfernung zu uns herüber. „Halt!" Von der linken Seitenpatrouille löst sich ein Mann, der auf uns zueilt; wir lauschen. Da — neue Schüsse! — „Richtung auf das Feuer!"

befiehlt Perbandt, der zur Spitze vorgetrabt ist, und ich biege links ab. Immer deutlicher dringt der Schall zu uns, und: „Es kann nur Burgsdorff sein, der von Süden vorgedrungen ist!" hört man hier und dort aussprechen.

„Da läuft ein Soldat — dort! — links unten!" schreit plötzlich einer meiner Leute auf. Wirklich — von links unten aus dem Eingang eines tiefliegenden Kessels ist ein Soldat aufgetaucht, anscheinend ein Verwundeter, denn er hält sich die linke Schulter. Und jetzt erscheint ein zweiter; wir rufen nach unten: „Hierher!" und sind gerade, auf einer langgestreckten Höhe vorgehend, an ihrem Abfall in die Fläche angelangt, da kracht und pfeift es von einem 400 bis 500 m entfernten Hügel mitten zwischen uns. Die Geschosse schlagen so dicht auf, als wenn jemand eine Hand voll Erbsen auf den Boden würfe, und das Feuer ist so stark, daß wir unsere Pferde, wo sie gerade sind, stehen lassen müssen und schleunigst zurückspringen auf den Gipfel des Hügels. Hier entwickelt sich nun eine langgezogene Schützenlinie, zum Teil etagenförmig, so bei der Nachhut, die Wachtmeister Stellbrink kommandiert und die bedeutend höher liegt als wir. Die Kompagnien konzentrieren ihr Feuer auf den oben erwähnten Hügel, der oben ein Quarzriff zeigt; auch unten in dem Kessel wird noch heftig geschossen. Inzwischen ist der verwundete Reiter bei uns angekommen, und es stellt sich heraus, daß Burgsdorff mit 12 Mann vom Tsauchabtal aus vorgestoßen und hier den Witbooi in die Arme gelaufen ist. Meine linke Seitenpatrouille unter dem tapferen und umsichtigen Reiter Krudewig sucht so weit als möglich vorzudringen, um in das Gefecht im Kessel eingreifen zu können. Perbandt läßt ab und zu „3. Kompagnie" blasen, um Burgsdorff die Richtung anzugeben, denn wir selbst können vorläufig nicht vorgehen, zumal da wir nun auch von rechtsrückwärts Feuer bekommen und die Situation nicht besser wird. Die Mannschaften bauen im Feuer Steinschanzen nach beiden Seiten, und obwohl Volkmann und ich mehrfach versuchen, schnell zu den Pferden hinabzuspringen und sie in Deckung zu führen, müssen wir die Versuche infolge des heftigen Feuers immer wieder aufgeben. Übrigens wird merkwürdigerweise keines der Pferde verwundet. Inzwischen ist es Burgsdorff gelungen, sich frei zu machen und sich auf uns zurückzuziehen, aber wir hätten nicht eine Stunde später kommen dürfen. Dann wäre er nicht mehr zu retten gewesen, denn von drei Seiten war die kleine Schar bereits eingeschlossen, als wir in das Gefecht eingriffen, und die vierte wollten die Witbooi eben versperren.

Burgsdorff, der vier Leichtverwundete hatte, die nun zunächst verbunden wurden, verließ uns mit seinen Leuten noch vormittags, um über das Hauptlager nach dem Tsauchabtal zurückzukehren. Vorher besprachen wir mit ihm unsere Absichten, und ich entsinne mich noch der letzten Worte, die ich dem Scheidenden sagte, nämlich: „Also, Burgsdorff, vergessen Sie nicht, daß, wenn am Tsauchabtal die Witbooi aus dem Gebirge heraustreten, wir dicht hinter denselben sind!" Dann zog er ab, und nur ein Bastard seiner Ab teilung und ein unbewaffneter alter Buschmann, der als Führer mitgeschleppt wurde, blieben bei uns.

Die Gefechtslage hat sich inzwischen nicht geändert; das Gefecht steht! Verbandt hält Kriegsrat ab, und es wird beschlossen, mit starken Abteilungen auf beiden Flügeln vorzustoßen, um den Gegner zum Verlassen seiner Haupt stellung in der Mitte zu zwingen. Troost erhält den Befehl, mit einer Ab teilung einen etwa 2000 m rechtsseitwärts gelegenen Höhenzug zu gewinnen und auf ihm gegen die rote Spitzkuppe und die Schlucht, an der ich am Abend vorher die Rauchsäule bemerkt hatte, vorzudringen. Unter einem Hagel von Geschossen springt ein Halbzug auf und geht im „marsch-marsch" nach rechts vor, um zunächst hinter einigen kleinen Hügeln Deckung zu gewinnen. Später sehen wir, daß Troost sich in Besitz des Höhenzuges gesetzt hat. Unter leb haftem Feuer — also auch dort müssen feindliche Abteilungen stehen — führt er seine Schützen vor. Ebenso schiebt sich die verstärkte linke Seitendeckung vorwärts, während wir die Quarzkuppe mit Geschossen bedecken. Aber noch hält der Feind stand; eine Patrouille unter Unteroffizier Herz, die aus der Front nach rechts vorgeschickt wird, muß eilends zurück, nachdem ein Mann leicht verwundet worden ist und Herz einen Schuß durch die Mütze erhalten hat, während ein zweites, bereits mattes Geschoß seine Brust trifft und in dem Notizbuch stecken bleibt. Nach einer halben Stunde wird das feindliche Feuer schwächer. Wie ein Orkan fegen unsere Geschosse hinüber, der Feind räumt die Stellung, um der drohenden Umklammerung zu entgehen, Reiter und Fußvolk eilen bunt durcheinandergewürfelt zurück. Durch den Krim stecher ist der ganz weiß gekleidete Führer, der hier- und dorthin galoppiert, deutlich zu erkennen. Ein Trompetensignal — schmetternd klingt es über die Steppe: „Schnell avancieren!" Ich trete mit der Spitze an, und vorbei an der vom Feinde verlassenen Stellung dringen wir vor. Im Grunde an gekommen, können wir eine kurze Strecke reiten, dann wird das Gelände felsig und ganz unübersichtlich, von Hunderten mäßig hoher Hügel durchsetzt, so daß wir absteigen müssen. Der Durst plagt uns furchtbar, denn wir haben seit gestern mittag kein Wasser gehabt. Jetzt, es ist 2 Uhr, werden dichte Staub wolken an der roten Kuppe, „Gams" nennt der Buschmannführer den Ort,

sichtbar, und eine Meldung von Troost trifft ein, die besagt, daß von Gams
aus Viehherden nach Süden getrieben würden. „Das Detachement bleibt im
Vormarsch" wird zurückgemeldet. Um 4¼ Uhr befiehlt Perbandt eine kurze
Rast, da alle völlig erschöpft sind. Während dieser trifft Troost, dem infolge
seiner geschickten Führung nächst Perbandt das Hauptverdienst des Tages
gebührt, persönlich bei der Hauptkolonne ein und berichtet, daß starke Ab=
teilungen in südlicher Richtung aus Gams abzuziehen schienen. Wir erfahren
von ihm, daß, als er mit seinen Schützen den Rücken des uns rechts flan=
kierenden Höhenzuges erreicht hatte, sich eine feindliche Abteilung, die dasselbe
Ziel hatte, nur noch 20 bis 30 Schritt von dem Rücken entfernt befand und
unter großen Verlusten vollständig zersprengt wurde. Auch auf unserer Seite
deuten die zahlreichen Blutspuren, die besonders am Fuß der Quarzkuppe
gefunden wurden, auf starke Verluste des Gegners. Zum Absuchen des
Gefechtsfeldes war leider keine Zeit. Ich benutze die Rast, um zu der linken
Seitendeckung zu eilen und sie persönlich über den weiteren Vormarsch zu
unterrichten. Als ich zurückkehre, ist die Spitze unter dem tüchtigen Unter=
offizier Apelt bereits wieder angetreten, und es gelingt mir trotz aller Mühe
nicht, sie einzuholen oder festzustellen, wo sie sich überhaupt befindet. Die
Verbindung mit ihr ist verloren, und ich bilde eine neue Spitze. Plötzlich
hören die Hügel auf. Vor uns liegt eine wohl 1½ bis 2 km breite baum=
lose, ganz ebene Fläche, hinter der wieder welliges Gelände sichtbar wird,
und darüber erhebt sich drohend das finstere Gebirge, in dessen Mitte, von
den beiden riesigen, roten Spitzkuppen flankiert, der tiefschwarze Eingang einer
Bergschlucht gähnt. Die Sonne sinkt bereits, es dämmert, und an dem Fuße
der Berge werden zahllose Feuer sichtbar. So scheint also Gams noch besetzt,
aber gleichviel: Wir müssen heute noch an das Wasser, koste es, was
es wolle! Darüber sind sich alle Stimmen des schnell gebildeten Kriegsrates
einig, während über die Ausführung die Meinungen geteilt sind. Schließlich
aber wird der Vorschlag angenommen, die Ebene und den nach Gams zu
abschließenden sanften Höhenzug zu Pferde zu forcieren. Sollte der Höhenzug
noch vom Feinde besetzt sein, so hatten wir uns entschlossen, die Entscheidung
mit blanker Waffe herbeizuführen, außerdem war es für uns günstig, daß
die Dämmerung ein genaues Zielen nicht mehr zuließ. Wohl wußten wir,
welch ein gefährliches Wagnis der Ritt war, aber wir konnten uns auf ein
langes Gefecht nicht mehr einlassen, wir mußten zum Wasser und — fortes
fortuna adjuvat! — Die Fußmannschaften, d. h. die Reiter, deren Pferde
erschossen oder verwundet waren oder überhaupt fehlten, rücken seitwärts in

breiter Schützenlinie vor. Es wird aufgesessen, das Gewehr in der Rechten, Revolver und Messer noch einmal gelockert. . . . „Fertig?" — „Jawohl!" „Nun, dann vorwärts!" Die Führer setzen sich an die Spitze. „Marsch!" Da schmettert es heraus: „Galopp!" Eine dichte Staubwolke wirbelt hoch auf. Man hört nur das Schnauben der Pferde, die ermunternden Zurufe der Reiter, das Klatschen der Peitschen, der Erdboden dröhnt unter den Hufen. Da überschlägt sich rechtsseitwärts von mir Volkmann mit seinem Pferde; mehrere Meter weit wird der Reiter fortgeschleudert, und dicht hinter mir bricht ein anderes Tier zusammen. Schon glaube ich die ersten Schüsse des Feindes überhört zu haben — doch es ist nichts, beide folgen wieder nach. Jetzt ist das Ende der Ebene erreicht; in gewaltigen Sprüngen tragen uns die Pferde die sanft ansteigende Hügelkette hinan. „Halt! — Schützen vor!" und im Nu bedeckt sich der Rücken des Höhenzuges mit ab-gesessenen Reitern, aber nichts regt sich, alles bleibt tot und still, lauschend und spähend steht die Schützenlinie.

„Spitze antreten, Pferde holen, die Kolonne folgt!" — Ich rücke vor. Nach einem Marsch von 30 Minuten liegen die Feuer in langer Reihe vor uns, hell lodernd und mit dicken Baumstämmen genährt, aber kein lebendes Wesen ist zu sehen; pfeifend fährt der Abendwind über das Land, er zerzaust die spärlichen Dornbüsche, bricht heulend in die Schluchten und jagt Funken-regen aus den Feuern auf. Da ruft einer meiner Leute: „Die linke Spitz-kuppe ist besetzt!" Alle Blicke richten sich nach oben. Dort, hoch oben auf dem abschüssigen, etwa 300 m aufragenden Kegel bewegen sich menschliche Gestalten, und durch mein gutes Glas erkenne ich trotz der Dunkelheit, daß sie uns zuwinken und einer von ihnen etwas hin- und herschwenkt, eine kleine Flagge, wie wir sie in den deutschen Farben als Erkennungszeichen mit uns führen. „Es ist Apelt mit der Spitze — vorwärts, Leute, in die Schlucht!" Feuchtkalte Kellerluft umgibt uns zwischen den kerzengerade aufsteigenden Felswänden, lange, gespenstisch aussehende Schlingpflanzen schaukeln sich im Winde, Wasser tropft aus den Rissen und Spalten, und ein Bächlein murmelt am Boden, hier und da ein Felsbassin mit dem klaren Naß füllend. Wortlos werfen sich die Leute nieder und trinken, dann gehen wir in der Schlucht, die sich immer mehr, bis auf 2, ja 1½ m, verengt, vor, einige hundert Schritt. Ich lasse einen Unteroffizier und sechs Mann dort, mit den übrigen kehre ich zurück an den Schluchteingang, wo an den hell lodernden Feuern reges Leben herrscht. Volkmann sichert das Lager durch eine Posten-kette und Perband gibt Befehle aus. Ein angeschossenes Pferd wird geschlachtet, und bei Fleisch und Wasser kehrt die deutsche Fröhlichkeit zurück, wobei die Leute sich am meisten darüber freuen, daß die „gelben Hunde" ihnen selbst die Feuer angemacht und Holz herbeigetragen haben. Die Feuer muß die Nachhut der Witbooi vor ihrem Abzuge hochaufgeschürt haben, um uns zu täuschen und dadurch einen größeren Vorsprung zu gewinnen. Während der Nacht wacht stets ein Offizier, und die Posten werden stünd- lich revidiert.

Am nächsten Morgen widmen wir uns ganz der Erkundung des umliegenden Geländes und stellen fest, daß die Hauptschlucht, soweit man von den Bergen sehen kann, in fast direkt westlicher Richtung fortführt. Dort werden hinter kahlen Hochflächen und steilen Berghäuptern die Dünen sichtbar, über denen der Horizont fahlgelb erscheint. In der nach Südwesten abgehenden Bergschlucht treffen Patrouillen auf die unverkennbaren Spuren des geflohenen Feindes. Im Laufe des Vormittags trifft Diestel ein, der im Auftrage des Majors die 2. Kompagnie gesucht, aber nicht gefunden hat und sich uns anschließen will. Er erhält auf seine Bitte hin von nun an das Kommando über die selbständige Avantgarde, die auf Befehl Perbandts aus Mannschaften beider Kompagnien gebildet wird. Kurz darauf langt aus dem Hauptlager eine aus mehreren Mauleseln bestehende Kolonne an, die Munition, Kaffee, Reis, Mehl und Salz für zwei Tage bringt. Ich verteile den Proviant und lasse noch ein Pferd erschießen und zerlegen. Wieder werden von den Posten „Reiter aus Osten" gemeldet. Es ist Gefreiter Näse mit zwei Mann, die sich am 27. durch Sturz von einem Felsen verletzt hatten, inzwischen aber so weit zusammengeflickt sind, daß sie auf ihre Bitten hin uns nachgeschickt werden konnten.

Das Lager gleicht einer Handwerksstätte. Überall sieht man die Leute an der Reparatur ihrer Bekleidungs- und Ausrüstungsstücke arbeiten. Das Schuhwerk der Mehrzahl ist in einem Zustande, der jeder Beschreibung spottet. Die spitzen Steine und Felsen haben Sohlen und Oberleder buch- stäblich zerschnitten, und viele Leute, darunter auch ich, sind am gestrigen Tage eigentlich auf bloßen Füßen gelaufen. Die Proviantkolonne hat übrigens auch einige Paar Stiefel mitgebracht, aber viel zu wenig gegenüber dem Bedarf. Eine Anzahl Reiter bewickelt sich Füße und Beine mit den frisch abgezogenen Pferdehäuten, andere mit Proviantsäcken, die mit Stricken festgeschnürt werden.

Perbandt läßt in Gams unter dem Befehl des erprobten Unteroffiziers Lange einen Posten, zu dem die am schwersten fußkranken Mannschaften kommandiert werden. Die Zeit bis zum Abmarsch wird zum Bau einer starken Schanze für die Zurückbleibenden benutzt. Um 3 Uhr nachmittags setzt sich die Kolonne auf der Spur des Feindes in Bewegung, während Troost zur Berichterstattung nach dem Hauptlager zurückreitet.

In dem Tal eines Bergflusses dringen wir vor. Der Boden ist wieder bedeckt mit einem Gewirr von Steinen und Blöcken, und durchsetzende Felsstufen erschweren den Marsch. Die Pferde, diese armen, treuen Tiere, müssen oft mit Kolbenstößen angetrieben werden, wenn sich einzelne hartnäckig weigern, von einem Felsen auf einen anderen, 1 bis $1\frac{1}{2}$ m tieferen hinabzuspringen. Ein Pferd, das sich den linken Hinterfuß gebrochen hat, wird erschossen, der Sattel bleibt liegen. Diestel, zu dem ich einmal voreile, als die Spitze die Spur verloren hat, sagt mir: „Das ist entsetzlich! Keine Schwadron würde in Deutschland hier vorgehen können, aber diese mageren, abgetriebenen Pferde leisten wirklich Erstaunliches!" Immer wilder wird die Landschaft, Schluchten münden bald von rechts, bald von links, und die Reiter der Seitenpatrouillen, die wir hoch über uns zwerghaft klein klettern sehen, müssen immer öfter durch neue ersetzt werden. Jetzt prallen wir in einem düsteren, von wohl an 600 bis 1000 Fuß hohen Wänden umschlossenen Kessel auf die Avantgarde. Die Spur ist verloren, oder vielmehr, es führen Spuren nach allen Himmelsrichtungen, überall, wo nur ein steiler Paß sich zeigt. Der Kessel, höchstens 400 m breit, gleicht einem Grabgewölbe, Kellerluft umgibt uns — die Lage wird kritisch, wenn uns hier ein Angriff überrascht. In fliegender Eile werden die Pässe besetzt, Erkundungsabteilungen vorgetrieben, und nach einstündigem Halt und fieberhaftem Suchen finden wir die Hauptspur mit Hilfe des Buschmanns an einer versteckt liegenden Wasserstelle, links seitwärts unserer Marschrichtung.

Mir ist es noch heute ein Rätsel, auf welche Weise die Witbooi von dem Kessel bis zu dieser Stelle die Spuren ihres Zuges beseitigt hatten; ich kann es mir nicht anders erklären, als daß sie den frischen Ochsen- und Pferdemist aufsammelten und mitnahmen.

Es ist spät geworden, und mit verdoppelter Schnelligkeit und Kraft beginnt jetzt wieder der Vormarsch steil bergauf in einer neuen Schlucht, in der ein munterer Gebirgsbach tosend hinabschießt. Messer und Seitengewehr müssen oft den Weg bahnen, denn der enge Spalt — diese Bezeichnung ist die treffendste — ist vollständig zugewachsen; fremdartiges Laubholz, übermannshohe Rohr-, Binsen- und Schilfdickungen füllen die Sohle so dicht aus, daß wir nur in der Kolonne zu einem vorrücken können. Das Führen der Pferde gestaltet sich immer schwieriger, und man sieht während des Marsches tatsächlich weder Vorder- noch Hintermann. Ab und zu wird haltgemacht und aufgeschlossen, denn durch ein widerwilliges Pferd wird die ganze nachfolgende Kolonne aufgehalten und bleibt zurück. Da es schon dämmert und noch kein Ende der fortdauernd steigenden Schlucht abzusehen ist, geben Perbandt und ich unsere Pferde ab und eilen der Kompagnie allein voraus. Nach kurzer Zeit erreichen wir einen der Reiter, welche die Verbindung zwischen Gros und Avantgarde aufrecht zu erhalten haben, aber der Mann meldet, daß er den Vortrupp aus dem Gesicht verloren habe. — Vorbei! — Das Tageslicht nimmt merklich ab, die Schlucht erweitert sich ein wenig und zieht sich in Schlangenwindungen dahin. Die Bewachung hat aufgehört, aber mächtige, überhängende Felsen, von denen dicke, knorrige Baumwurzeln dem Erdboden zustreben, hindern jeden Ausblick. Mit schußfertigen Waffen, dicht an den Fels gedrückt, schleichen wir zu beiden Seiten vor; verworrenes Geräusch dringt ab und zu von der folgenden Kolonne her zu uns herauf. Schon dämmert es, als Perbandt mich leise anruft und nach vorn zeigt. Dort bewegt sich etwas in einer höhlenartigen Felskluft, und als wir uns näher heranpürschen, erkennen wir ein einsames Kälbchen und etwas weiter eine Kuh, die auf das Geräusch unserer Schritte uns ihren buschigen Kopf brummend zuwendet. Kaum haben wir die Tiere passiert und eine scharf vorspringende Felsecke umgangen, da entfährt uns beiden ein Ruf des Frohlockens: die Schlucht hört plötzlich auf, und die Dämmerung läßt uns gerade noch eine Ebene erkennen, aus der in einiger Entfernung ein trotziger Berg aufsteigt. An einigen verlassenen Pontoks und Wasserlachen vorbei gewinnen wir nach wenigen Minuten den Schluchteingang und bemerken zwei Berittene, die sich uns nähern, Mannschaften der Avantgarde. Bald erscheint auch Diestel und berichtet, daß er auf dem einzelnstehenden Berge einen vorzüglichen Lagerplatz gefunden habe. Gemeinsam warten wir die Kolonne ab, deren Spitze bei vollständiger Dunkelheit erst nach ³/₄ Stunden aus der Schlucht auftaucht; dann ziehen wir über die grasige Hochfläche auf den Berg, der, eine natürliche Festung, auf allen Seiten schroff und unersteigbar aus der Ebene aufsteigt und nur an einer Stelle zugänglich ist. Wasser muß aus der Schlucht geholt werden.

Am nächsten Morgen läßt Perbandt die Kuh und das Kalb holen, schlachten und an die Mannschaften verteilen, während ein altes, krank aufgefundenes Hottentottenweib verhört wird und aussagt, daß Hendrik den Platz erst gestern mittag verlassen habe. Kurze Zeit nach dem Aufbruch

Marineabarzt Dr. Sander phot.

Hügellandschaft im Naukluft-Inneren.

führt der Marsch wiederum in dunkle Schluchten, und das Gelände wird
so schwierig wie am Tage zuvor. Gegen 10 Uhr verlieren wir die Fühlung
mit der Avantgarde, stellen sie aber nach beinahe zweistündigem, rastlosen
Suchen glücklicherweise wieder her und stoßen um 1 Uhr auf ein feindliches
Lager, das erst vor kurzem verlassen sein kann. Die Feuer brennen noch
lustig, Töpfe voll kochenden Wassers stehen an ihnen, und umherliegende
Bündel von Fellen und Decken verraten den hastigen, übereilten Aufbruch
der Besitzer. Verbandt läßt halten und abkochen, und eine Stunde später
melden die Posten, daß über die Berge von Nordosten her eine Anzahl
Bewaffneter, anscheinend Soldaten, sich nähere. Noch einige Minuten der
Ungewißheit, dann schüttelt mir Lampe die Hand, der mit 14 Mann uns
seit dem 28. gefolgt ist. Er weiß nichts Neues zu berichten, was natürlich
ist, denn vor uns, im Südwesten, liegt die Entscheidung.

    Gegen 2 Uhr rücken wir weiter, die Berge scheinen niedriger, die
Hänge sanfter zu werden, und wieder wiegen wir uns in der Hoffnung, das
Hochgebirge endlich überwunden zu haben, als bei sinkender Sonne eine Gras-
ebene vor uns liegt, aus welcher, wie gemacht für unsere Posten, vier nicht

allzuhohe Kuppen aufragen. Mitten zwischen ihnen wird das Biwak aufgeschlagen, und während Diestel noch nach Süden zu erkundet, weise ich den
Unteroffizierposten ihre Stellungen an. Von dem Gipfel einer der Kuppen
sehe ich weit hinaus über das Land; ich sehe das Labyrinth, das wir eben
durchquerten, und tief unter mir das Gewimmel im Lager, ich sehe im Westen
das rätselhafte, unbekannte, todbringende Gebiet der Dünen und des Flugsandes, davor aber, was all' unsere Hoffnungen zunichte macht, eine neue
kolossale Gebirgsmasse, ein neues Chaos von Gipfeln und Berghäuptern, von
tiefen Rissen und Schluchten, ich sehe neue furchtbare Mühen und Anstrengungen, neuen Hunger und Durst. Aber nicht diese an sich sind es, die mich
für Augenblicke, während ich in die Fläche hinabsteige, trübe in die Zukunft
blicken lassen, sondern die ruhige Erwägung, daß einst der Tag kommen muß,
an dem die Kräfte unserer Leute vollständig erschöpft sein werden, an dem
der freudige Soldatenmut dieser Braven gebrochen sein wird durch die
physische Schwäche des Körpers, und dieser Tag kann nicht mehr fern sein!
— — Was dann? — Wo bleibt dann der Erfolg, wo der Lohn der namenlosen Strapazen? — Aber fort mit den trüben Gedanken! Ich habe eines
nicht bedacht, daß die Feinde auch nur Menschen sind, daß ein Troß hülf-
loser Greise, Weiber und Kinder sie unbehilflicher macht und den Tag des
Unheils für sie wohl früher heranbeschwören wird als für uns. — Vor dem
Lager treffe ich Diestel, der eben zurückgekehrt ist. Er bestätigt, daß am
Ende der stark nach Südwesten abfallenden Ebene die Spur wiederum in
eine finstere Bergschlucht tauche, die an gigantischen Formen alles überträfe,
was er bisher gesehen habe. Lange sitzen wir noch in ernstem Gespräch bei-
sammen, bis die Müdigkeit einen nach dem andern überwältigt.

Die aufgehende Sonne findet uns bereits auf dem Marsch, und immer
wilder und unwegsamer, immer zerklüfteter und unübersichtlicher wird das
Gebirge. Die Spuren führen in dem Cañon eines Wildbaches fort, der jetzt
trocken liegt und nur ab und zu Wasser in Felslöchern zeigt. In der Regenzeit aber muß das Gebrüll der Wasser, die hier, eingeengt von vielen hundert
Fuß hohen Felswänden und gestaut an den scharfen Biegungen von Cañons,
zu Tal schießen, meilenweit hörbar sein. Ich erinnere mich, Bilder aus den
Felsengebirgen des westlichen Nordamerikas gesehen zu haben, die diesen
vollkommen gleichen. Wie in einer engen Großstadtgasse ziehen wir dahin,
die Pferde sind kaum noch fortzuschleppen; keuchend und stolpernd tappen sie
vorwärts. Mehrfach ist die Schlucht vollständig ungangbar, ein wirres,
hochaufgetürmtes Durcheinander von Felsstücken und Baumstämmen gebietet

Schwabe, Im deutschen Diamantenlande.   11

dem Vordringen Halt. Dann ist auch stets die Spur verloren, und es heißt
umwenden und dieselbe suchen. An verschiedenen derartigen Stellen machen
die Spuren einen bedeutenden Umweg: In einer Seitenschlucht geht es schroff
bergauf über Trümmerfelder und Schutthalden, auf denen der Fuß nur schwer
einen Halt auf dem abrutschenden Gestein findet. Oft lösen sich große Blöcke
unter der tastenden Hand und gefährden abstürzend die weiter unten Kletternden. Eine Zeitlang führt der „Weg" auf dem kaum 1 1/2 m breiten Absatz
einer senkrecht abfallenden Wand dahin, mehr als 200 m über der Schlucht-
sohle. Hier stürzen denn auch zwei Pferde ab und bleiben mit zerschmetterten
Gliedmaßen in der Tiefe liegen. Immer aber kehrt die Spur in die Hauptschlucht zurück, und zu dem letzten Abstiege in diese gebraucht die Kolonne
aus einer Höhe von 200 bis 300 m fast 3/4 Stunden. Die Talspalte, hier
etwa 6 bis 8 m breit, verengt sich schnell bis auf die Hälfte und ist stark
bewachsen. Dichtbelaubte und mit einer Anzahl noch unreifer Früchte bedeckte
wilde Feigenbäume stehen um ein verschilftes Wasserloch, untermischt mit
weidenähnlichem Gestrüpp. Nur am Mittage, wenn die Sonne senkrecht
über uns steht, können ihre Strahlen in diese kalte, finstere Tiefe fallen. Ein
kurzer Halt am Wasser belebt uns neu, dann heißt es: „Vorwärts!" An
der Spitze des Detachements marschieren Perbandt, Lampe und ich.

Vorher ist mir schon öfter aufgefallen, daß der Buschmann unruhig die
Berge mustert, aber es ist nichts aus ihm herauszubekommen. Da kommt
eine Meldung von der Avantgarde. Diestel berichtet kurz, daß die Schlucht
immer enger werde, daß die Berge rechts und links nun auch für die Seitenpatrouillen ungangbar seien, und daß er empfehle, das Detachement in Trupps
von zehn Mann einzuteilen und diese mit einem Abstand von je 100 m vordringen zu lassen. Diese Maßregel wird jedoch verworfen, und plötzlich
zuckt der Buschmann zusammen und macht eine Bewegung, als ob er entfliehen wolle. In einem Sprunge bin ich bei ihm und setze ihm den Revolver
auf die Brust, denn ich glaube Schüsse gehört zu haben. Die Kolonne
stockt. — „Fielen da nicht Schüsse?" Atemloses Lauschen — da — jetzt
wieder — deutliches, starkes Gewehrfeuer! — — und zugleich stürzen von
vorn drei unserer Reiter, zwei verwundet, keuchend heran und melden, daß
von der Spitze niemand mehr lebe. — Kurze, hastige Befehle; das Detachement entwickelt sich. Vor uns liegt, in die Schlucht hineinragend, ein felsiger
Querriegel. Auf diesen geht im Laufschritt eine Abteilung zu und besetzt
ihn, um die Pferde, die wir im Grunde zurücklassen müssen, zu schützen. Ich
schicke den Gefreiten Näse mit drei Reitern auf den links gelegenen Berg-

zug mit dem Befehl, eine dort mündende Seitenschlucht zu überwachen, und
eile dann Lampe nach, der mit dem kurz zuvor gebildeten Vortrupp meiner
Kompagnie bereits begonnen hat, die Berge auf der rechten Seite zu ersteigen.
Ungefähr 30 Mann unter dem Unteroffizier Paschle schließen sich mir an,
das Detachement unter Perbandt folgt. So rasch als es unsere Kräfte zu-
lassen, klettern wir bergauf über schroffe Abstürze und Schründe, Trümmerfelder und Felsspitzen, das Gewehr über dem Rücken. Ab und zu eine
kleine Pause, ein Rasten — dann hört man das pfeifende Atmen der Leute,
die sich ganz erschöpft an den Fels lehnen. Weiter! Höher und höher wird
gestiegen, Fuß um Fuß gewonnen; die Lungen sind auf das äußerste ange-
spannt, man glaubt sein Herz klopfen zu hören, die Zunge klebt am Gaumen,
aber weiter — weiter! Rechts von uns hebt sich ein massiges, steilabfallendes
Berghaupt hoch in die Lüfte, links springt ein schmaler Grat weit nach dem
Feinde zu vor. Schon längst schlagen Geschosse zwischen uns ein. Sie
müssen von der linken Seite der Schlucht kommen; die Schützen sind nicht
zu sehen. Endlich, nach fast einstündigem Klettern, haben wir die Höhe des
Grates erreicht, auf dem Lampe kaum 200 m vor uns sich befindet. Im
heftigen feindlichen Feuer, das von einem durch eine tiefe Querschlucht von
uns getrennten, aber kaum 250 m entfernten Höhenrücken kommt, springen
wir gebückt vor, und an einer ungefähr meterhohen Erhebung auf dem Grate
lasse ich meine Leute zurück, die von hier aus das Feuer auf den sie überhöhenden Feind eröffnen. Ich selbst laufe weiter bis an die äußerste Spitze,
wo sich Lampe mit seinen Schützen eben einnistet. Ein Hagel von Geschossen überschüttet uns von vorn und rechtsseitwärts. Ein Reiter wird
durch die Schulter geschossen, einem andern der Gewehrkolben zerschmettert,
einem dritten das Seitengewehr vom Koppel gerissen und die Mütze durch-
bohrt. In Eile schichten wir Steine vor uns auf und schaffen uns eine kleine
Deckung, die uns allerdings nur schlecht gegen das von hoch-rechtsseitwärts
kommende Feuer schützt. Nachdem noch ein Mann einen leichten Streifschuß
erhalten hat, ziehe ich die 6 bis 8 Schützen, die dicht rechts neben uns unter
Unteroffizier Fröde liegen, etwas mehr zurück, dann beobachte ich mit Lampe
nach vorn, während höchstens zehn Schritte links unter uns auf einer nur
2 bis 3 Leuten Platz gewährenden Felsplatte die Reiter Geritzmann und
Hochtritt, unbekümmert durch das auf sie gerichtete heftige Feuer, mit umgehängtem Gewehr eine Schanze aus Felsblöcken bauen.

Die Gefechtslage ist folgende: Vor uns liegt ein vielgipfeliges Bergland, das nach der Schlucht zu ausnahmslos schroffe Abstürze zeigt. All'

11*

diese Höhen, Kuppen, Grate und Plateaus, die wir vor uns sehen, sind von
den Witbooi besetzt, mögen sie nun tiefer oder höher als unsere Stellung
liegen, und von überall her wird — trotz der teilweise recht bedeutenden
Entfernungen — stark gefeuert, teils auf die Pferdewache an dem Querriegel
im Grunde der Schlucht, teils auf uns, teils auf die noch im Steigen be-
griffene Hauptabteilung, die später ohne Verluste die hohe Bergkuppe rechts
von uns besetzt. Wenn wir dem Laufe der in vielen Windungen sich dahin-
ziehenden Schlucht folgend nach Südwesten blicken, so können wir ein kleines
Stückchen gelbleuchtender Fläche erkennen, hinter dem wieder ein mächtiges,
rotfarbiges Gebirge auftaucht, und links von uns, im Südosten, zeigt das
Bergland auf seinem breiten Rücken weitausgedehnte Hochflächen, aus denen
wiederum Bergzüge emporwachsen. Tief unter uns aber, unmittelbar zu
unseren Füßen, liegt das Lager Hendriks. Wie in einem Termitenhaufen
wimmelt es dort in dem kleinen Kessel von Männern, Weibern und Kindern,
von Ochsen, Kühen, Pferden, Hunden und Kleinvieh. Das erste, was ich
durch den Krimstecher sehe, sind die Pferde unserer Spitze, die von einigen
Hottentotten fortgetrieben werden, und nun senden wir ein rasendes, vernichtendes Schnellfeuer in das Durcheinander von Menschen und Tieren.
Bald hier, bald dort stiebt die Menge auseinander, um sich an einer anderen
Stelle wieder zu sammeln, aber überall erreichen sie unsere Geschosse. Wir
haben alle Schützen, deren wir habhaft werden können, herangezogen; Lampe
und ich beobachten abwechselnd mit dem Fernglas das Einschlagen der Geschosse. Schon sind die Gewehrläufe so heiß, daß die Leute sie kaum mehr
anfassen können, als die letzten Flüchtlinge des Witbooivolkes hinter der
nächsten Schluchtbiegung verschwinden, nur Vieh läuft noch brüllend umher.
Von der uns gegenüberliegenden Höhe hat sich inzwischen das Feuer eher
verstärkt als vermindert; klatschend schlagen die Geschosse an unsere Stein-
deckungen, und die in den Kessel feuernden Schützen müssen darauf bedacht
sein, ihre Köpfe nicht über die seitlich deckende Steinmauer zu erheben. Spät
nachmittags begebe ich mich zu der nächsten Abteilung meiner Kompagnie,
die unter Unteroffizier Paschke zwischen Lampe und dem Haupttrupp liegt,
wobei ich fortwährend durch Schüsse, die oft ganz dicht bei mir einschlagen,
belästigt werde. Kaum bin ich dort angelangt, als von Lampe die Meldung
eintrifft, daß stärkere, feindliche Abteilungen zur Besetzung der linksseitwärts
liegenden Höhen vorgingen. Ich eile zu Lampe zurück, nachdem ich die Mit-
teilung an Perbandt weitergeschickt habe, und lange erst spät am Abend auf
demselben Wege bei der Hauptabteilung an, von der inzwischen Volk-

mann mit einer Anzahl Reiter aufgebrochen ist, um die jenseit der Schlucht
gelegenen Berge, auf denen sich bis dahin nur die Patrouille Näse befand,
zu besetzen. Unter unsäglichen Anstrengungen muß Volkmann in die Tiefe
hinabsteigen, um dann wiederum die linksseitigen steilen Felshänge zu er=
klettern. Troost, der mit einer Proviant= und Munitionskolonne von Nau=
kluft her im Anmarsch war, ist dieser auf den Schall des Gewehrfeuers hin
vorausgeeilt und hat sich Volkmann angeschlossen. Die Hauptabteilung hat
mit schwächeren Kräften die steile Bergkuppe, mit dem Rest die Ränder
eines schmalen Plateaus unter dieser besetzt. Hier treffe ich Perbandt und
Rickmann. Wir übersehen die ganze Stellung des Feindes, der uns allem
Anscheine nach zu umfassen sucht. Mit Perbandts Genehmigung schiebe ich
einen Posten von drei Mann unter dem inzwischen vorn abgelösten Unter=
offizier Froede auf eine kleine, etwa 300 m rechts von uns gelegene Kuppe
vor und lasse dort eine Schanze bauen. Die Dunkelheit bricht herein, aber
die ganze schrecklich kalte Nacht hindurch, in welcher der Sturmwind die
Berge umbraust und uns bis ins innerste Mark vor Kälte erschauern läßt,
dauert das Gefecht fort. Oben bei uns in der Höhe fallen zwar nur ver=
einzelte Schüsse, aber unten in der Schlucht tobt der Kampf trotz Nacht und
Dunkel weiter. Wie wütender Donner rollt das Gewehrfeuer in den Bergen,
bald anschwellend zum wahnsinnigen, betäubenden Orkane, bald wieder er=
sterbend, aber nur, um nach kurzer Pause plötzlich sich abermals zu erneuern.
Hier in dem Rivier versucht der kühne Feind unter dem Schutze der Nacht
Vorstoß auf Vorstoß, doch das Feuer der Unseren, besonders der Patrouille
Näse, wirft ihn stets zurück. Auch von den Höhen im Südosten schallt un=
unterbrochen und dumpf der Knall der Schüsse, und wenn wir hinüberblicken,
vermögen wir an dem Aufblitzen des Feuers deutlich die Lage der beider=
seitigen Schützenlinien zu erkennen.

Lang, endlos lang erscheint uns die Nacht, und als sie endlich verronnen
ist, als der erste Sonnenstrahl die höchsten Bergspitzen erglühen macht, da
entfesselt der junge Morgen von neuem die Wut des Kampfes.

Eben erheben wir uns von den eiskalten Felsen, um in der ersten
Tageswärme die erstarrten Glieder geschmeidig zu machen, und auch drüben
in der Schanze Froede sieht man die Leute aufstehen und sich etwas Bewegung
machen, da kracht plötzlich eine glatte Salve von rechts, die sofort in Schnell=
feuer übergeht. Uns kann das Feuer nicht gelten, denn die Geschosse sausen
pfeifend hoch über unsere Stellung fort, aber in der Schanze sind die Leute
wie mit einem Schlage verschwunden — spärliche Schüsse fallen aus ihr, und

nun klettert ein Mann über die Brüstung und eilt über den niedrigen Sattel
auf uns zu. — Staub wirbelt zu seinen Füßen auf, hervorgerufen durch die
ihn verfolgenden Geschosse. Wir sind in der Nacht umgangen worden, ohne
daß wir es bei der geringen zur Verfügung stehenden Zahl von Streitern
verhüten konnten, das ist uns allen sofort klar. Auch von rückwärts, von
einer dort gelegenen steinigen Höhe, wird jetzt auf uns gefeuert. Ich eile
dem Kommenden entgegen, der atemlos meldet: „In der Schanze bis auf
einen Mann alles kampfunfähig; ein Reiter verwundet, Schuß durch die
Schulter; zwei Gewehre vollständig zerschossen!" — Da tut rasches Handeln
not. Im Laufe geht Verstärkung nach der Schanze vor, der Verwundete
wird zurückgeführt, und die Hauptabteilung richtet ein heftiges Feuer auf
den neuaufgetauchten Feind. Und es gelingt; nach einer halben Stunde verläßt der Gegner seine Stellungen, und Verbandt schwächt notgedrungen die
Hauptabteilung noch mehr und läßt die von den Witbooi eben geräumten
Höhen durch einige Leute besetzen.

Währenddessen tobt der Kampf auf allen Seiten mit unverminderter
Heftigkeit fort, überall steigt Pulverdampf auf, und tief unter uns erneuert
der Feind die Versuche, in der Schlucht vorzudringen. Wir können es aus
der Höhe deutlich sehen, wenn seine Schützen, an die Felshänge des Riviers
gepreßt, bald vorschleichen, bald im vollen Laufe eine neue Deckung zu erreichen streben, um an den Querriegel zu gelangen, hinter dem unsere Pferde
stehen, und von dem es fortwährend blitzt und kracht. Aber sein verwegenes
Vorhaben soll ihm nicht gelingen. Hart am Absturze unserer Bergstellung
liegen in einer Schanze Rickmann, Schneidewind und einige andere vorzügliche
Schützen. Sie beherrschen die Schlucht vollständig, und Schuß um Schuß
in langsamem, wohlgezieltem Feuer fährt in die Tiefe, sobald sich dort eine
Vorwärtsbewegung zeigt. Wir sehen die Geschosse zwar nicht aufschlagen,
aber das immer sich wiederholende Zurückweichen des Gegners beweist genug.

Die Sonne steigt höher und höher, kein Lüftchen rührt sich, die Felsen
werfen die unbarmherzigen Strahlen des Gestirns zurück, es herrscht eine
wahnsinnige, betäubende Glut und Hitze, doppelt und dreifach fühlbar für
uns, die wir seit dem vorigen Morgen Hunger und Durst leiden. Ich
fürchte ernstlich für die Gesundheit einiger schwächlicherer Reiter und der
Verwundeten, die ohne Sinn und Verstand uns um Wasser bitten, obwohl
sie doch wissen, daß kein Tropfen zu erlangen ist. Sie stehen furchtbare
Qualen aus. Da meldet sich Schneidewind und noch ein Braver. Sie wollen
im feindlichen Feuer den Weg in die Tiefe wagen, dort versuchen, wenigstens

etwas Eßbares zu erlangen, und dann ſofort zurückkehren. Im Notfalle
ſollen ſie ein Pferd ſchlachten, wird ihnen noch nachgerufen.

Es iſt Mittag, glutatmender Mittag, als Lampe von vorn mit einer
aufregenden Meldung eintrifft. Soeben iſt auf der kleinen Fläche diesſeit
des fernen roten Gebirges ein 50 bis 60 Pferde ſtarker Reitertrupp auf
kurze Zeit ſichtbar geweſen, im Galopp auf den Rücken der feindlichen
Stellung zujagend. Wer kann das ſein? Unſere Tſauchabpoſten, von deren
Stellungen wir unmöglich weit entfernt ſein können? Hilfstruppen für
Hendrik von ſeiten Simon Koppers oder der Khauasnaman? oder endlich
eine bisher detachierte Abteilung Witbooiſcher? Wenn es die Unſeren ſind,
dann iſt Hendrik verloren! .... Aber unſere Hoffnungen werden bald zunichte: Von vorn kommt die Meldung, daß der Feind auf allen Seiten ſeine
Stellungen verſtärke. Ein Kriegsrat wird abgehalten, und alle beſchäftigen
die Fragen: Wie lange können wir noch ohne Waſſer aushalten, und wann
wird unſere Munition erſchöpft ſein? Es wird beſchloſſen, den Munitions-
verbrauch nach Möglichkeit einzuſchränken, denn die Trooſtſche Kolonne, von
deren Nahen wir nachts Meldung erhalten haben, iſt noch nicht ſichtbar.
Um ihr Schickſal ſind wir ernſtlich beſorgt.

Nach vier Stunden taucht plötzlich das ſtrahlende Geſicht Schneidewinds auf, er bringt eine freudige Nachricht. Mit lautem Hallo ſchwenkt
er in der einen Hand ein Kochgeſchirr, in der andern einige gefüllte Waſſer-
ſäcke: „Waſſer!“ Von allen Seiten regnet es Fragen, und noch ganz außer
Atem vom Steigen berichtet der Wackere, daß unmittelbar hinter dem Querriegel ſich zwiſchen Schilf und Rohr eine ausgiebige Waſſerſtelle befinde.
„Hurra, dann haben unſere armen Pferde, die nun ſchon über 24 Stunden
unter dem Sattel ſtehen, wenigſtens ſaufen können!“ Aber Schneidewind hat
noch mehr zu melden; er hat die Pferde gezählt und — 17, darunter auch
das meinige, fehlen! Ihre Spuren führen nach dem Feinde zu, wahrſchein-
lich ſind ſie nachts vom Hunger getrieben in dem Rivier vorgelaufen und
den Witbooi gerade in die Hände gerannt. Das iſt ein harter Schlag, aber
gleichviel, er wird aufgewogen durch das Bewußtſein, daß wir Waſſer, wenn
auch ſchwer erreichbar, im Notfalle haben. Nun werden die Verwundeten
und Schwachen gelabt, für jeden der Geſunden bleibt kaum ein Schluck. Auch
ein Kochgeſchirr halb voll Reis, den er in einer Satteltaſche gefunden und
unten ſchnell gekocht hat, bringt Schneidewind mit, und er hat den Pferden,
deren er habhaft werden konnte, die Sattelgurte gelockert. Jetzt dämmert
uns auch eine Ahnung, weshalb die Witbooi ſo energiſch verſucht haben, in

der Schlucht vorzustoßen, und je länger wir darüber nachdenken, desto mehr gewinnt es an Wahrscheinlichkeit: „Der Feind hat kein Wasser!" Und das stellt sich auch später als Tatsache heraus.

Uns belebt diese Hoffnung neu, und auch die Nacht mit ihrer Kälte und dem eisigen Südweststurm kann unseren Mut nicht brechen. Der Morgen dämmert, und wieder verstärkt sich das Feuer des Feindes in den Bergen; in der Schlucht hat das Gefecht fast die ganze Nacht hindurch gewütet. Gegen 9 Uhr wird das Feuer des Gegners schwächer, plötzlich verstummt es ganz, und zur selben Zeit kommt von dem äußersten Posten die Meldung, daß die Witbooi ihre Stellungen räumten. Wie ein elektrischer Schlag durchfährt diese Meldung einen jeden; vergessen sind Hunger, Durst und Müdigkeit.

„Das Detachement folgt dem Feinde!" Patrouillen und Hornrufe tragen die Kunde hinaus nach allen Himmelsrichtungen. — „Leutnant Schwabe, treten Sie mit der Avantgarde an!" — Unter Hurra und Hallo geht es bergab, kletternd und rutschend. Nach dreiviertelstündiger, halsbrecherischer Kletterpartie sind wir im Tal und am — Wasser!

Wir werfen uns nieder und trinken, um immer wieder zu trinken. Endlich ist unser Durst gelöscht, die Feldflaschen gefüllt, und ich treibe die Leute vorwärts. Die Schlucht windet sich, immer enger werdend, durch die Felsen, jetzt eine scharfe Biegung, da stockt mein Fuß, die Leute stehen still, wir ziehen die Mützen ab: Vor uns liegen, dicht nebeneinandergelegt, unsere toten Kameraden im Schatten eines wilden Feigenbaumes. Hier Diestel, dort die vier Reiter der Spitze und der Bastardführer. Waffen und Oberkleider fehlen, sonst sind die Leichen unberührt. Nach ihrem Gesichtsausdruck und den vielen Wunden, besonders Kopf- und Brustschüssen, die ein jeder hat, müssen sie einen schnellen, schmerzlosen Tod erlitten haben. An den Stamm des Feigenbaumes ist ein Brief geheftet, der in roter Schrift die Worte enthält:

Gurus, 3. September 1894.

Hochedler Major Leutwein!

Hierdurch sage ich Ihnen diese Worte bei Ihren fünf Toten: Mein lieber edler Herr, ich bitte Sie, lassen Sie mich doch endlich stehen und verfolgen Sie mich nicht weiter! Sie sehen ja, daß ich fliehe. Ich bin ja nicht so schuldig. In der Hoffnung, daß Sie dies tun, bin ich der Kapitän

Hendrik Witbooi.

Ich bitte Sie, hören Sie doch auf mit dem Blutvergießen, lassen Sie ferner kein Blut mehr fließen."

Ich schicke den Brief an Perbandt und rücke dann eilends vor, um das Begräbnis zu decken. Die Schlucht verbreitert sich, und einige hundert Meter weiter besetze ich mit meinen Schützen eine niedrige Anhöhe. Frische Gräber und zahllose Blutspuren sind zu sehen. Auf die Höhen rechts und links, die jetzt plötzlich kaum 200 m hoch und leicht ersteigbar sind, schicke ich Seitenpatrouillen. Dann geht es weiter, denn das Gros wird hinter mir in dem Schluchteingang sichtbar. Es herrscht trübe Stimmung, wie es nach dem Begräbnis so vieler lieber Kameraden nicht anders möglich ist. Auch Volkmann und Troost sind inzwischen zu uns gestoßen. Sie haben einen sehr schweren Stand gehabt und ebenso wie wir furchtbar unter Hunger und Durst gelitten. Nachts sind ihnen wiederholt die Witbooi ganz nahe auf den Leib gerückt, und ein Toter und mehrere Verwundete auf unserer Seite zeugen auch dort von der Wut des Kampfes. Nach 1½stündigem Marsch liegt eine Fläche vor uns, dieselbe, die ich von unserer vordersten Stellung aus bereits am ersten Tage des Gefechts gesehen hatte. Nach Westen zu wird sie breiter, und von dort sehen wir die rotgelben Dünen herübergrüßen. Welch ein Labsal ist es für uns, wieder Sandboden unter unseren wunden Füßen zu haben und das gelbe Gras zu sehen. Aber in unserer Marsch-richtung erhebt sich ein neues, riesiges Gebirge. Brandrot sind die schroffen Abstürze, die spitzen Kuppen und scharfen Zacken, und nur im Süden zeigt sich ein niedrigerer, sattelähnlicher Bergzug, der das „rote Gebirge" mit den südöstlichen Ausläufern des Gurnscañons verbindet. Hierhin richtet sich unser Marsch, und während das Detachement auf halbem Wege haltmacht und rastet, geht Lampe mit Patrouillen gegen die Paßhöhe vor.

Am Nachmittage erst überschreitet das Gros den Bergzug, nachdem die Avantgarde die Höhen zu beiden Seiten besetzt hat, und obwohl die Anstrengungen nichts sind im Vergleiche zu denen der letzten Tage, schleppt sich die Kolonne nur mühsam bergauf über das Geröll und die spitzen Steine. Vielen bluten die Füße und wohl keiner ist mehr im Besitze eines Paares auch nur einigermaßen schützender Stiefel. Hunger und Durst, die sich in der Mittagshitze wieder brennend fühlbar machen, haben die Leute entkräftet; seit drei Tagen hat niemand etwas genossen außer wenigen Bissen halbrohen, schon faulenden Fleisches, und wer diese tapferen Krieger so dahinziehen sieht, mit blutenden Händen, zerrissenen Kleidern und Stiefeln, schmutz-starrend und die Gesichter rotbraun gefärbt, der möchte sie wohl eher für eine Räuberbande denn für deutsche Soldaten halten. Eine Reitkuh wird in der Kolonne mitgetrieben, ein mageres, unglückseliges Tier, das man irgendwo aufgegriffen hat. Ein alter Sattel ist ihr aufgelegt worden, und darauf sind die Habseligkeiten von uns allen befestigt: Einige alte, zerschliffene und angesengte Decken und zwei bis drei zerbeulte Kochgeschirre. Das ist unser ganzer Besitz.

Die Spitze hat die Paßhöhe erreicht, und ein Jubelgeschrei, ein Jauchzen aus tiefster Brust, ein schmetterndes, helles „Hurra!" tönt hernieder zu dem kletternden Gros. Alle blicken hinauf, hasten nach vorwärts, und jeder, der die Höhe erklommen hat, stimmt in die jubelnden Rufe ein und wendet sich dann, den Kameraden das Glück zu verkünden: „Die Fläche — Hurra! die Fläche . . .!" Ja, dort liegt sie vor uns, weit, weit bis zum Horizont sich ausdehnend, bis zu den fernen, duftig blauen Bergen, gelbschimmernd im Glanze der Nachmittagssonne, mit Baumgruppen besät, und in ihrer Mitte — kenntlich an den dichten Galeriewaldungen — zieht sich in Windungen ein Flußlauf hin: „Das muß der Tsauchab sein!" Wer denkt jetzt noch an die Schrecken der letzten Tage?! Was wir im glühenden Sonnenbrand, in kalter Sturmnacht, im Tosen des Kampfes ersehnt und erträumt haben — dort liegt es vor uns, und der Blick, getrübt durch das Halbdunkel der Schluchten und den Pulverrauch, schweift trunken über diese lachenden Gefilde. So und nicht anders, so jubelnd und die Arme ausbreitend, hat einst das Griechen-heer unter Xenophon die blauen Fluten des Meeres begrüßt: „ϑάλαττα, — ϑάλαττα". Und wenn die alten, tiefgefurchten Berghäupter, die uns von drei Seiten umgeben, sehen, hören und denken könnten, wie würden sie ver-wundert um sich schauen! Sie, die sonst nur die Herden der zierlichen Antilopen, den schnellen Strauß, das bunte Quagga zu ihren Füßen weiden sahen, sie könnten jetzt berichten von den Leidenschaften der Menschen, von Trotz und Treue, von Haß, Kühnheit und Wagemut. —

Und die Brust dehnt sich, der Schritt wird elastischer, das Auge blitzt wieder; so schreiten wir von den Bergen zu Tal. Doch was ist das? — Ein ferner, dumpfer Donner schlägt an das Ohr. Verwundert schauen wir dem Schall nach hinaus in die Ebene. „Dort! — da ist es wieder!" — „Da steigt Rauch auf!" tönen die Rufe durcheinander. Eine seltsame Er-scheinung: Von einem Punkte in der Fläche schießt eine dicke, weißliche Rauchwolke hervor und zerflattert dann langsam im Winde. „Das ist ein Geschütz! — Hurra! — Die Witbooi sind in der Ebene! — Vorwärts!" Und eiliger wird der Marsch. Am Fuße des Passes sickert eine spärliche Quelle aus dem Fels, tropfenweise quillt das Naß aus einer Spalte, aber die Leute werfen sich nieder und saugen an dem kalten Gestein. Ich eile mit

Lampe den anderen voraus, und plötzlich sehen wir weit draußen in der
Ebene Staub aufsteigen und erkennen deutlich durch die Krimstecher eine
große Masse Menschen und Vieh, die langsam von der Ebene her auf das
rote Gebirge zu dahinzieht. So ist es denn erreicht, was wir uns als Ziel
gesetzt hatten: Fraglos ist es das Witbooivolk, das aus dem Gebirge gedrängt dort über die Tsauchabebene das Tafelbergland von Zarris zu erreichen suchte und von unseren südlichen Posten auf die Dünen zurückgeworfen
wird! Schnell Meldung an Verbandt, denn wir müssen versuchen, den Feind
zwischen zwei Feuer zu bringen. Jetzt traben die Reiter, die noch im Besitze von Pferden sind, von hinten vor, und wir bilden Schützenlinien, links
meine, rechts Volkmanns Kompagnie. Noch 150 m sind wir von einem
kleinen Rivier entfernt, das quer vor uns liegt, da erhalten wir starkes
Feuer. — „Hinlegen!" Ein kurzes, aber heftiges Gefecht entwickelt sich.
Dem Roßarzt, der rechts neben mir liegt, wird die Mütze vom Kopf geschossen; vor mir schlägt ein Geschoß so dicht auf, daß mir Sand und
Steinchen in die Augen fliegen und ich für Augenblicke nichts sehen kann.
Aber die Zeit drängt, die Sonne ist bereits im Westen blutrot gesunken,
wir müssen eine Entscheidung herbeiführen: „Seitengewehr pflanzt auf!" . . .
Da, als wir eben zum Sturm ansetzen wollen, verstummt das feindliche
Feuer, und durch die Bäume und Büsche des Riviers sieht man die Krieger
zurückjagen. Es dunkelt, und Verbandt befiehlt, eine kaum 500 m südöstlich
liegende niedrige Kuppe zu besetzen. Spät trifft Volkmann dort ein, der von
den roten Bergen heftig beschossen wurde. Leider ist zu Beginn des Gefechts unsere Reitkuh in einem Galopp, den man ihr gar nicht mehr zu-
getraut hätte, zum Feinde übergegangen, ein schmerzlicher Verlust, der aber
verwunden wird, da wir sonst nur einige leichte Streifschüsse zu verzeichnen
haben. Wir sichern uns durch Posten und verbringen die Nacht wachend.
Von den roten Bergen steigen fortwährend Rauchsignale auf.

Als der Morgen dämmert, beginnt das Geschütz in der Ebene von
neuem seine Arbeit. Schuß auf Schuß donnert in der Richtung auf das
Gebirge; dort muß also, für uns unsichtbar, der Feind noch liegen. Es soll
Wasser geholt werden, und während die hierzu kommandierten Mannschaften
unter dem Schutze einer Schützenlinie nach der kleinen Quelle zurückgehen,
werden von dort Reiter gemeldet, und zwar „Reiter der Truppe". Es
ist Major Leutwein, der uns von Naukluft aus nachgeritten ist, mit
drei Reitern, die zwei magere Kühe vor sich hertreiben, die sofort geschlachtet werden.

Noch einmal haben wir Gelegenheit, auf den Feind zu feuern, denn plötzlich jagt von Süden her eine 25 bis 30 Reiter starke Abteilung auf ungefähr 700 m vor uns vorbei nach Westen. Ich lasse einige Salven auf sie abgeben. Dann marschieren wir ab, nachdem noch mehrere Witbooi-Pferde, die gesattelt am Rivier weiden, eingefangen worden sind. Lampe bleibt mit einer starken Patrouille zurück, um die noch immer nicht eingetroffene Munitionskolonne zu erwarten, und der tapfere Reiter Ertel wird dieser mit dem Namajungen Lampes entgegengeschickt. Während nun Troost zu Burgsdorff reitet, um diesen von den Ereignissen zu unterrichten, treten wir den letzten, schweren Marsch über die sonnige Ebene an.

In seinem Bericht an den Reichskanzler sagt Major Leutwein über die damalige Kriegslage: „Witbooi war, gedrängt durch die 1. und 3. Kompagnie, am 4. September nachmittags aus dem Gebirge herausgetreten. Von der Absperrungsabteilung gefaßt, war er westlich in das Gebirge zurückgewichen und saß nun, total erschöpft und zersplittert, mit seiner Werft an den Südwestabhängen desselben. Östlich davon, gleichfalls am Südwestrande des Gebirges und nicht minder erschöpft, stand die diesseitige Hauptabteilung. Taktisch würde es nun das Richtige gewesen sein, die letztere in das Gebirge zurückzuführen, um Witbooi abermals die Nordfront abzugewinnen und ihn auch ferner zwischen zwei Feuern zu halten. Als ich jedoch diese durch ungeheuere Strapazen erschöpften Mannschaften sah, die schwer unter dem Wassermangel litten, so empfand ich die Unmöglichkeit, den Befehl dazu zu geben. Ich zog es vor, sie in das Hauptlager der SüdAbsperrungsabteilung bei Posten 3 zu führen, wo ich vorher bereits Proviant hatte aufstapeln lassen, und ihnen dort eine zweitägige Ruhepause zu gönnen."

Spät am Abend langte die Kolonne am Posten 3 an. Einzelne Leute, die nicht weiter mitkonnten, hatten wir unterwegs liegen lassen müssen. Diese brachten Burgsdorff und Sack, die nach uns mit Lampe und der inzwischen glücklich herangezogenen Munitionskolonne eintrafen, mit. Unterwegs waren wir dem Unteroffizier König und dem Gefreiten Melchior begegnet, die nach Westen vorritten, um die Abzugsrichtung Hendriks auszuspionieren. Besonders Melchior, ein kühner und tapferer Mann, der schon in Tongking gedient hatte, leistete damals der Truppe unschätzbare Dienste. Tagelang durchstreifte er allein die Gebirge, ein vollendeter Kundschafter, und kehrte niemals ohne einen Sack wertvoller Meldungen zurück. Von den Mannschaften des Postens wurden wir mit Jubel empfangen, und ein Festmahl, aus Fleisch, Reis und Brot bestehend, war bereits für alle vorbereitet.

Aber wir hatten es auch nötig, denn abgesehen von der allgemeinen Ent-
kräftung hatte sich eine Anzahl von uns, darunter auch Perbandt und ich,
infolge der übergroßen Anstrengungen ein Herzleiden zugezogen.

Wie ich bereits bemerkte, befand sich auch Hauptmann v. Sack, und
mit ihm die 2. Kompagnie, im Tsauchabtale und hatte mit den Truppen
Burgsdorffs vereint den Gegner auf das Gebirge zurückgeworfen. Die
2. Kompagnie hatte am 27. August einen sehr schweren Stand gehabt.

Da alle Posten in den Schluchten des Tsondab-Riviers besetzt bleiben
mußten, konnte die Kompagnie in nur geringer Kopfstärke zum Angriffe vorrücken, und als sie in der Morgendämmerung des 27. die Berge erstieg,
stieß sie bald auf den heftigsten Widerstand des Gegners. Wohl gelang es
Sack, in wütendem Ansturm die feindlichen Schanzen, welche den Schlüssel
zu dem Gebirgsinneren bildeten, zu nehmen, aber hoch auf der Bergeshöhe
mußte der kühn angesetzte Angriff stocken, denn es zeigte sich, daß der Feind
weit in der Übermacht auftrat. Schon waren drei Mann gefallen (Unteroffizier Schern, der tapfere Hans Diergaard und ein zweiter Bastard) und
neun Reiter verwundet worden, als Sack einsah, daß er nicht weiter vordringen könne. Von drei Seiten war das Häuflein der Unseren von den
Kriegern des Feldkornetts Christian Koch vollständig eingeschlossen, und von
Büllspoort aus erhielten diese noch während des Kampfes Verstärkung.

Über eine wie große Anzahl von Streitern Hendrik Witbooi gebot,
geht daraus hervor, daß er, während seine Hauptmacht in der Naukluft und
Oniapschlucht focht, zugleich hier in so bedeutender Übermacht erscheinen,
außerdem aber noch im Rücken der 2. Kompagnie einige der Posten im
Tsondabtal angreifen lassen konnte. Der Kampf wurde von beiden Seiten
mit höchster Erbitterung geführt und dauerte Tag und Nacht hindurch bis
zum 28. früh.

Am 27. hatte Sack eine Meldung an den Major geschickt, in welcher
er um Verstärkung bat. Infolgedessen wurde der Sergeant Gilsoul, der den
Angriff der 2. Kompagnie in der linken Flanke begleitet hatte und nach
einem erfolgreichen Gefecht bis an das Ende der Oniapschlucht vorgestoßen
war, am 28. früh von Major Leutwein sofort nach der Nordfront zurückgeschickt.

An diesem Morgen waren die Witbooi bei Uhunis plötzlich verschwunden, ihre Spuren führten nach Osten. Schon am Tage des Angriffs
hatte Sack von der Wasserstelle Uhunis, die in seinem Rücken lag und an
der große Proviant- und Munitionsvorräte unter nur geringer Bedeckung

aufgestapelt waren, heftiges Gewehrfeuer herüberschallen hören. Nun eilte
er dorthin, ungewiß, wie er die Lage antreffen werde. Aber es waren, wenn
auch nur wenige, so doch deutsche Reiter, die in der Schanze von Ahunis
lagen, und sie hatten die heftigen Angriffe des Feindes scharf zurückgewiesen.
Assistenzarzt Dr. Schöpwinkel hatte alle Hände voll zu tun und unterzog sich
seiner Aufgabe mit großer Aufopferung, obwohl er selbst verwundet war.
Ihm wurde an dem Tage des Sturms nicht allein das Gewehr aus der
Hand geschossen, sondern er erhielt auch noch drei Streifschüsse.

Von Kundschaftern und gefangenen Hottentotten hatte Sack inzwischen
die Nachricht erhalten, daß die Witbooi beabsichtigten, sich an der einzigen
Wasserstelle auf der Westfront der Naukluft, in Tsams, zu sammeln. Diese
Nachricht entsprach auch insofern der Wahrheit, als, wie sich später heraus=
stellte, Hendrik diesen Ort zur letzten Zuflucht in Aussicht genommen hatte;
zunächst dachte er aber noch gar nicht daran, sich dorthin zurückzuziehen, da
er ja zu dieser Zeit sein Spiel noch nicht verloren gab. Und so scheinen
sich denn auch die Streitkräfte, die Sack bei Ahunis gegenüberstanden, am
29. bei Gams mit dem Haupttrupp ihrer Stammesgenossen vereinigt zu haben.

Das konnte jedoch der Führer der 2. Kompagnie nicht ahnen, und er
faßte sofort den Entschluß, ohne weitere Befehle abzuwarten nach Tsams
zu marschieren und den Gegner aufs neue anzufassen. Am 30. mittags er=
reichte die Kompagnie Ababes und lagerte abends auf den Dünen. Da
keinem der Soldaten und Bastarde die Lage von Tsams und der Weg
dorthin bekannt war, hatte Sack einen gefangenen Witbooi als Führer mit=
genommen. Am 31. früh zog die Abteilung weiter. Gegen Mittag sollte
nach der Aussage des Führers Tsams erreicht werden, aber als zu dieser
Zeit die Spitze, um die Wasserstellen zu suchen, nach Osten in das Gebirge
eindrang, gelang es dem führenden Namab infolge einer Unachtsamkeit des
Unteroffiziers der Spitze, zu entkommen. Das war ein schlimmer Vorfall
für die Kompagnie, denn weder die Spitze, noch die nach allen Seiten aus=
geschickten Patrouillen fanden Wasser. Sack befand sich in einer sehr üblen
Lage. Ohne Kenntnis von dem Gelände vorwärts und seitwärts seiner An=
marschlinie und von der Entfernung bis Tsams, das ja noch Tagemärsche
vor ihm liegen konnte, wenn der Führer gelogen hatte, blieb ihm nichts
übrig, als zurückzukehren. Den Ausschlag gab der Umstand, daß Menschen
und Pferde zu ermatten begannen, denn im Tsondabtal hatte man das letzte
Wasser und die letzte, spärliche Weide gesehen. Dann aber war man in
einem ununterbrochenen, furchtbaren Defilee marschiert, eingeengt im Westen

von dem Meer von Dünen und Flugsand und im Osten von den starren, wilden Felsmauern des Gebirgskolosses.

Als die Sonne blutrot flimmernd hinter den vom Sturmwind aufgejagten Sandmassen zur Rüste ging, da gab Sack schweren Herzens den Befehl zum Rückzug nach Ababes. — Ein unbeschreiblich anstrengender Nachtmarsch brachte die Truppen dorthin zurück; am 1. um Mitternacht wurde Uhunis erreicht, und am folgenden Tage erstieg die Kompagnie zum zweiten Male das Gebirge, um auf die Hauptwerft Hendriks vorzustoßen, in die am 3. September vormittags eingerückt wurde. Sack hatte gehofft, hier irgendwelche bestimmten Nachrichten erhalten zu können; aber er erfuhr nur, daß das Detachement Perbandt seit dem 28. den Spuren der Naman folge, und daß diese aller Wahrscheinlichkeit nach auf die Tsauchabtal-Posten geworfen werden würden. Ohne Besinnen rückte Sack sogleich nach Süden weiter und erreichte in Eilmärschen am 4. mittags die Stellungen Burgsdorffs. Auf dem Wege vom Hauptlager traf ihn ein Befehl Major Leutweins, der ihn in das Tsauchabtal rief. Mit 30 Reitern eilte der Hauptmann auf das Gefechtsfeld voraus und warf, wie wir bereits gesehen haben, im Verein mit den Truppen Burgsdorffs den verzweifelt vorstoßenden Feind auf das „rote Gebirge" zurück. Die Leistungen der 2. Kompagnie waren bewunderungswürdig und konnten nur von einer Truppe ausgeführt werden, die in der Hand ihres Führers lag wie ein Schwert. —

Das Witbooivolk lagerte nach den Ereignissen der ersten Septembertage müde und abgehetzt, aller Hilfsmittel bar, in den Schluchten und Klüften des Gebirges; aber trotz der schweren Verluste, die seine Truppen erlitten hatten, trotzdem Hunger, Durst und Krankheit in seinem Lager herrschten, verzagte Hendrik noch nicht. Langsam und schwerfällig schleppte sich die Volksmasse unter seiner Führung nordwestwärts in der Richtung auf Tsams, auf die einzige Wasserstelle zu, deren Benutzung ihr offen stand. Wohl hatten die Witbooi mit dem Mute der Verzweiflung versucht, eine der von Burgsdorff besetzten Wasserstellen zu nehmen; etwa 50 Krieger griffen dort energisch an, aber die zwei Reiter, die als Besatzung in einer starken Schanze lagen, wiesen alle Angriffe zurück — eine Heldentat ersten Ranges. Der Unteroffizier, der diesen Posten kommandierte, wollte, als die Witbooi sich näherten, Hilfe holen und jagte in der Richtung auf seinen Nebenposten davon, wurde aber von nachsetzenden feindlichen Reitern in der Ebene eingeholt und erschossen.

Große Haufen von Weibern und Kindern kamen in diesen Tagen an die Stellungen der Tsauchabposten und baten um Aufnahme, Wasser und

Nahrung. Aber man mußte hartherzig sein, wenn der Erfolg nicht gefährdet werden sollte. Sie wurden zurückgeschickt und ihnen gesagt, nur
wenn sie mit ihren Männern kämen, würden sie aufgenommen und verpflegt
werden.

Nach zweitägiger Ruhe zogen nun die Kompagnien nach dem Hauptlager weiter. Von dort marschierte die 2. Kompagnie sofort auf Gams, um
dem Feinde die Ostfront abzugewinnen, denn Major Leutwein hatte durch
Kundschafter und eine gewaltsame Rekognoszierung festgestellt, daß die Witbooi sich tatsächlich in Tsams gesammelt hatten. Am 9. September folgte
er selbst mit Teilen der 1. und 3. Kompagnie. Inzwischen hatte Unteroßarzt Rickmann, der die Vorposten kommandierte, die Fühlung mit dem Feinde
hergestellt. In einer Plänkelei fielen hier als letzte Opfer des Krieges die
Reiter Fleischer und Lange. Der Mangel an Offizieren machte sich jetzt
plötzlich sehr unangenehm fühlbar.

Diestel war gefallen, Estorff verwundet im Hauptlager, Perbandt
schwerkrank infolge der Anstrengungen und bereits mit Sander auf dem Wege
nach Windhuk, um nach Deutschland zu reisen, und mich hatte Major Leutwein zum Kommandanten der eroberten Teile der Naukluft ernannt. So
blieben für die Offensive nur Sack, Lampe, Volkmann, Troost und Rickmann
zur Verfügung, da Burgsdorff das Tsauchabtal nicht verlassen durfte.
Infolgedessen befahl mir Major Leutwein kurz nach dem Eintreffen im
Hauptlager, eine Patrouille nach Walfischbai zu schicken, die dem Leutnant
v. Erckert, der im Juli als Stationschef nach Ururas beordert worden war,
den Befehl überbringen sollte, sich sofort zu den vor der Naukluft versammelten Truppen zu begeben. Ein gleichlautender Befehl ging an den
Premierleutnant v. Heydebreck nach Windhuk ab.

Nach Walfischbai entsandte ich die Reiter Keil und Talaska sowie
einen Bastard, die zugleich Depeschen an den Reichskanzler mit sich führten.
Über Uhunis und Ababes sollten sie der Küste zueilen. Dann rückte ich
mit einem Detachement in die Naukluft ein und schlug in dem wilden Berg-
kessel, in dem am 27. August abends der Kampf um die Geschütze gewütet
hatte, mein Hauptquartier auf. Den am 30. bei Gams zurückgelassenen
Posten zog ich ein und sicherte mich durch eine Kette von Unteroffizierposten,
so daß alle Pässe und wichtigeren Punkte in meiner Hand waren.

Die Schwierigkeit und Unübersichtlichkeit des Geländes brachte es mit sich,
daß mein äußerster Ausguckposten über eine deutsche Meile vor meiner Hauptstellung, die ich stark verschanzen ließ, stand, und zwar hoch auf einer der beiden

Spitzkuppen, die das Schluchtengewirr der Naukluft nach dem Hügellande
bei Gams zu abschließen. Man hatte bis dorthin fünf Stunden zu mar=
schieren! Als Verständigungsmittel zwischen den einzelnen Posten und dem
Hauptquartier wurden tags Flaggen-, nachts Feuersignale benutzt, die mit
Hilfe des Krimstechers stets ausgezeichnet zu erkennen waren. Aber es
sollte zu einer ernstlichen Verwertung dieses Signalsystems nicht kommen,
denn nachdem die Kompagnien über meine Stellung hinaus auf Gams
vorgestoßen waren, beschränkte sich meine Aufgabe mehr auf die unmittelbare
Sicherung ihrer rückwärtigen Verbindungen, meiner Stellung und des
Hauptlagers.

Wenige Tage vergingen, während welcher wir von den jenseit Gams
stehenden Kompagnien nichts hörten, dann aber kam eines Morgens die
überraschende Kunde: „Hendrik Witbooi hat sich, ohne den letzten Angriff
abzuwarten, ergeben — es ist Friede!"

Nur derjenige, der die schweren Kriegszeiten miterlebte, kann ermessen,
was dieses eine Wort „Friede" für uns, für das ganze Schutzgebiet be=
deutete. Reitende Boten trugen es hinaus nach allen Himmelsrichtungen;
von Dorf zu Dorf, von Hütte zu Hütte sprach es sich fort, weit über die
Grenzen des Landes hinweg nach Norden, Osten und Süden. Und südlich
des Oranjeflusses nahm es der Telegraph auf und verbreitete es über die
Lande, denn dieser Krieg, dieses erbitterte Ringen eines Volkes unter einem
solchen Führer, wie Hendrik Witbooi es war, hatte ganz Südafrika bis an
die Gestade des östlichen Ozeans in Spannung erhalten.

Nun aber hatte der kühne Häuptling die Waffen gestreckt, er beugte
sein stolzes Haupt vor Seiner Majestät dem Kaiser und der schwarz-weiß-
roten Flagge; er erkannte die deutsche Schutzherrschaft an.

Unmittelbar nach dem Rückmarsch der Kompagnien, die sich nun im
Hauptlager sammelten, schickte mich Major Leutwein mit verschiedenen Auf=
trägen zu Hendrik Witbooi. Eines Morgens ritt ich ab, nur von dem
Unteroffizier Siewelies und dem Trompeter Näse, der eine weiße Flagge
trug, begleitet. Wir nahmen den alten Weg, den wir auf der Verfolgung
zurückgelegt hatten. Gegen Mittag wurden wir plötzlich von einem Hügel
aus in holländischer Sprache mit einem lauten „Houd!" (Halt!) angerufen.
Wir befanden uns an den Vorposten Hendriks, welcher, wie wir hier er=
fuhren, bei Gams lagerte.

Kurz darauf ritten wir an größeren, etwa unseren Feldwachen ent=
sprechenden Abteilungen vorbei, die bei ihren weidenden Pferden lagerten.

Schwabe, Im deutschen Diamantenlande.   12

Die Führer grüßten mich höflich. Als wir uns der Wasserstelle Gams näherten, kamen uns einige Hottentotten entgegen und geleiteten uns bis an das Lager, an dem uns im Auftrage seines Vaters Klein-Hendrik empfing. Nach der Begrüßung und dem üblichen Händeschütteln wies uns Klein-Hendrik im Schatten eines großen Dornbaumes den Lagerplatz an; einige seiner Leute reinigten auf sein Geheiß schnell die Stelle von Steinen, andere sattelten unsere Pferde ab und trieben sie zum Wasser. Dann erst fragte der Sohn des Häuptlings: „Der deutsche Kapitän will meinen Vater sprechen?" Ich entgegnete, daß ich im Auftrage des Majors Leutwein um eine mündliche Unterredung mit dem Häuptling bitte. Klein-Hendrik verschwand, kehrte aber schon nach kurzer Zeit wieder und sagte mir, sein Vater schlafe und er werde ihn wecken lassen, wenn ich es wünsche; der alte Mann sei aber durch die Strapazen des Feldzuges so krank und schwach, daß er bitte, ihn noch etwas schlafen zu lassen. Selbstverständlich wartete ich. Die Haltung der uns umgebenden Naman war würdig und ernst, aber nur den Männern wurde es gestattet, sich unserem Lagerplatze zu nähern, die Weiber und Kinder hielt ein Posten zurück. Die Führer, die sämtlich kamen, um mich zu begrüßen, und mit denen ich einige Worte wechselte, waren zurückhaltend und zeigten zum Teil fast finstere Mienen, und nur einer, der Griquabastard van Zijl, trug eine mir unangenehme Freundlichkeit und Zutraulichkeit zur Schau. Da waren Samuel Isaak, Keister, Samuel Dragoner, Christian Koch, Jakobus Frederiks und wie sie alle hießen, die Ratsleute, Unterkapitäne und Feldkornetts. Einige von ihnen gaben ihrer Bewunderung der Leistungen der deutschen Truppe offen Ausdruck. So sagte mir einer in tiefem Ernst: „Wir hätten nie erwartet, daß Ihr uns durch das Gebirge folgen könntet!"

Plötzlich erschien Klein-Hendrik wieder und sagte: „Der Kapitän ist bereit, Euer Edlen zu empfangen!" Ich legte meine Waffen ab und folgte dem Vorausschreitenden; die Ratsleute und Feldkornetts waren schon vorher aufgebrochen. Wir durchschritten zunächst die Reihen der Krieger, die in weitem Halbkreis um den Schluchteingang in ihren Verteidigungsstellungen lagerten. Dahinter befanden sich die Frauen und Kinder, für die Major Leutwein Proviant zurückgelassen hatte. In dem Schatten eines mächtigen Dornbaumes empfing mich der berühmte Häuptling, umgeben von seinen Großen, die sich ernst und schweigsam auf Feldstühlen und Decken um ihn niedergelassen hatten. Alles erhob sich, als ich herantrat; Hendrik wurde von zwei seiner Diener gestützt und reichte mir die Hand zum Gruße.

Wir sahen uns gerade in die Augen und tauschten einen kräftigen Händedruck, wie es sich für zwei Krieger geziemt, die sich 18 Monate hindurch in
ehrlichem Kampf gegenüber gestanden hatten. Der Häuptling machte im
ersten Augenblick einen müden, gebrochenen Eindruck, aber aus seinen Augen
blitzte jugendliches Feuer. Seine Gestalt war schlank und zierlich. Oft zog
er während der Verhandlungen, die, obwohl er das Holländische fließend
spricht, durch Dolmetscher geführt wurden, ein Taschentuch aus seinem englischen Jackett und wischte sich den Schweiß von der Stirn. Sein weiß-
bespannter Hut, sein Halstuch und Hemd waren ebenso tadellos rein wie die
Leinwandbeinkleider und die gelben Lederstiefel. — Noch als wir berieten
und ich mich meiner Aufträge entledigte, erschien Lampe mit zwei Reitern
aus dem Hauptlager. Am Abend traten wir dann in Begleitung der Ratsleute und Unterkapitäne den Rückweg an. Diese sollten den Friedensschluß
unterzeichnen.

Als wir an den Paß und Wasserfall kamen, über den vor dem letzten
Vormarsch auf Tsams Lampe unter unsäglichen Mühen ein Geschütz hatte
schaffen lassen, stießen die Naman Rufe der Überraschung aus, als wir
ihnen die Radspuren in der Schlucht an der Werft van Zijls zeigten. Ein
vollständiger Weg hatte erst angelegt werden müssen, um das demontierte
Geschütz über die Paßhöhe bringen zu können, was zwei Tage in Anspruch
nahm. 50 Mann zogen an eisernen Ketten die einzelnen Teile des Geschützes
über die senkrechten Felswände des Wasserfalls.

Die Friedensverhandlungen zogen sich noch eine Zeitlang hin, aber
endlich waren sie beendet, und wir marschierten in drei Staffeln über Rehoboth nach Windhuk, während Burgsdorff, der zum Distriktschef von Gibeon
ernannt worden war, mit 30 Reitern das Witbooivolk dorthin geleitete,
denn dieser Platz war Hendrik als Wohnsitz zugewiesen worden. Die
Witbooi blieben übrigens im Besitz ihrer Waffen und Pferde, außer den
von uns erbeuteten, auch hatte Major Leutwein ihnen ein Geschenk an Vieh
versprochen, damit sie von nun an ein friedliches Leben führen könnten.
Dem Kapitän wurde ein Jahresgehalt zugesichert.

Rehoboth trafen wir in tiefer Trauer über den Tod Hans Diergaards,
des besten, tapfersten und einsichtigsten Bastards, den ich je gekannt habe.

Im übrigen war es ein fröhlicher Rückmarsch, überall wurden die siegreichen Truppen herzlich und freudig begrüßt. Ich führte die 3. Kompagnie,
meine alten, braven Jungen, als erste Staffel, bei mir befand sich Riet-
mann. In Aris erwarteten wir die anderen Kompagnien, Estorff und Sack,

12*

und rückten vereint nach Windhuk, wo wir in den ersten Oktobertagen eintrafen. Hier ließen uns frohe Feste schnell die vergangenen schweren Wochen
vergessen, und nur eine Trauerbotschaft störte plötzlich die allgemeine Freude:
Leutnant v. Erckert hatte sich auf dem Wege zur Naukluft verritten und
war mit den Reitern Pohland und Börtz in den furchtbaren Kuisebwüsten
verdurstet. Nur einer der Reiter, den Erckert ausgeschickt hatte, Wasser zu
suchen, konnte sich durch einen Zufall retten und brachte die traurige Kunde
nach der Küste. Erst die dritte der abgeschickten Expeditionen, an der sich
Rechtsanwalt Wasserfall, der auf einer Vergnügungsreise an der Küste
weilte, und englische Konstabler in anerkennenswerter Weise beteiligten, fand
die Leiche des jungen, unglücklichen Offiziers nach namenlosen Mühen und
Strapazen; die Reiter sind verschollen bis zum heutigen Tage.

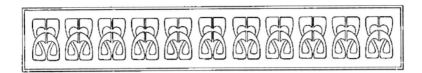

10. Kapitel.

Das Wachsen der deutschen Macht.

Unruhen im Osten. — Ein Jahr des Friedens. — Die Bastarde von Rehoboth. — Neue Verwicklungen im Osten. — Ein Patrouillenritt längs des Nuisebflusses.

Während in der Naukluft die Entscheidung gefallen und das Kriegsbeil begraben war, gärte es bereits wieder im Osten des Schutzgebietes an den Grenzen jener unbekannten Wüstensteppe, die man Kalahari nennt.

Die Völker des Namastammes, die dort ein unstetes Nomadendasein führten, die von Jagd, Raub und Mord zu leben gewohnt waren, wollten es nicht glauben, daß die Macht des trotzigsten und stärksten der Namafürsten gebrochen worden sei. Sie verlachten die Boten, die ihnen die Nachricht von den deutschen Siegen brachten, und wiesen ihnen mit Schlägen den Heimweg.

In Windhuk saß damals als Distriktschef der Premierleutnant v. Heydebreck. Ihm unterstanden die Stationen in den Tälern des Auas- und Ongeamagebirges, am Schafluß und fern im Osten, wo der weiße und schwarze Nosob sich zu einem Strome vereinigen. Während des letzten Feldzuges hatte ihm der Schutz des Hauptwaffenplatzes Windhuk und der Straßen zur Küste obgelegen, er hatte das Transportwesen gesichert und geregelt und der im Felde stehenden Truppe Proviant und Munition nachgesandt.

Aber es war ihm zu gleicher Zeit nicht unbemerkt geblieben, daß im Stromgebiete des Nosob sich ernste Dinge vorbereiteten. Auch die Herero, die östlich und nördlich des Schaflusses saßen, rührten sich; die weißen Farmer dieses Gebietes wurden von ihnen bedrängt und mußten in einzelnen Fällen die Hilfe der Polizei in Anspruch nehmen.

Auf der am weitesten nach Osten vorgeschobenen Station Aais kam es zu den ersten Feindseligkeiten. Seit den Ereignissen im Februar und März

hatte man dort wenig von den Khauas-Hottentotten bemerkt. „Aber eines
Tages“, so erzählt Heydebreck, „tauchte, über die östlichen Dünen kommend,
ein langer Reiterzug auf. Er stieg in das Tal des Nosob hinab und zog
an dem kleinen Stationsgebäude vorüber. Dort stand auf der Veranda der
Stationschef, Feldwebel Bohr. An der Spitze der Hottentotten ritt der
einst bei Naosannabis entkommene Feldkornett Vledermuis; mit höhnischer
Miene maß er den deutschen Befehlshaber und ritt ohne Gruß vorüber;
desgleichen alle seine, wohl an hundert Begleiter, die meist auf Pferden,
teils aber auch auf Ochsen und Kühen saßen. Sie führten sämtlich Gewehre und waren, wie der Augenschein lehrte, mit Munition reichlich versehen. — Im Stationsgebäude, einem kleinen, einstöckigen, leicht aus Luft-
ziegeln gebauten Hause befanden sich fünf Soldaten; die anderen waren im
Felde bei den weidenden Pferden. Die gelben Reiter zogen hinunter zur
Wasserstelle am Fuße des Stationshügels und sattelten dort ab. Es dauerte
nicht lange, da erschien aus einer anderen Richtung ein zweiter, kleinerer
Reitertrupp, an seiner Spitze der Häuptling Eduard Lambert. Nachdem er
abgesattelt, kam er mit einigen seiner Leute auf die Station und setzte sich
in das Zimmer des Feldwebels. Dieser stellte ihn des Benehmens seines
Feldkornetts wegen zur Rede, aber Lambert meinte, er sei machtlos und
glaube, daß jener »Krieg machen« wolle. Während dieses Gesprächs sah
man von der Wasserstelle her den Feldkornett mit wenigen Begleitern den
Hügel heraufkommen. Bohr faßte sofort den Entschluß, sich womöglich
dieses Schurken zu bemächtigen, um weiteres Blutvergießen zu vermeiden,
und instruierte seine Leute entsprechend. Der Namakrieger trat mit zwei
Begleitern in das durch einen Vorhang von der Feldwebelstube getrennte
Mannschaftszimmer und forderte von den Leuten Schnaps. Als ihm dieser
verweigert wurde, sprangen er und seine Begleiter plötzlich auf und suchten
sich der Gewehre zu bemächtigen, die an der Wand hingen. Nun war auch
für die Soldaten der Augenblick zum Handeln gekommen; die Tür wurde
verschlossen, und ein erbittertes Ringen entstand. Die beiden Begleiter des
Kornetts lagen bald erschlagen am Boden; er selbst — ein Mann von
riesigem Körperwuchs — wehrte sich verzweifelt, bis eine Kugel ihn nieder-
streckte. Eduard Lambert und die mit ihm Gekommenen ließen alles ruhig
geschehen, aber von der Wasserstelle, an der des Getöteten Mannen lagerten,
fielen jetzt Schüsse, und Kugeln drangen in das Mauerwerk der Station.
Bohr, der den Frieden wollte, ließ das Feuer nicht erwidern, und so verstummte es bald.“

Die Hottentotten ritten nun eiligst ab, und Bohr schickte Meldung nach Windhuk. Aber obwohl diese besagte, daß Lambert nun nach dem Tode des Feldkornetts unter seinen Leuten wohl werde Ruhe halten können, traute doch Heydebreck dem Frieden nicht und schickte 10 Reiter als Verstärkung nach Aais. Mehr konnte er nicht entbehren, denn gerade zu dieser Zeit rief ihn der Befehl des Landeshauptmanns nach der Naukluft. Auf dem Marsche dorthin traf ihn aber bereits dicht südlich von Rehoboth die Nachricht von dem mit Hendrik geschlossenen Frieden, und er kehrte nach Windhuk zurück. Dort war inzwischen eine neue Hiobspost aus Aais eingetroffen: Die Khauas hatten in einer Nacht die Pferde der Station und den Ansiedlern Ohlsen und Mähler an 150 Ochsen und Kühe geraubt.

Prof. Zeitschr phot.

Hottentott-Frau.

breck mit 40 Reitern und einem Geschütz nach Aais ab. Er sollte die Stärke und den Aufenthaltsort der Naman erkunden, die Südostfront des deutschen Ansiedlungsgebietes schützen und keine Gelegenheit vorübergehen lassen, dem Feinde zu schaden. Später wollte dann Major Leutwein selbst nach Süden gegen die Khauas ziehen, zu-

Diese freche Räuberei erforderte energische Gegenmaßregeln; demzufolge rückte am 20. Oktober Heyde-

nächst riefen ihn jedoch Unruhen ins Hereroland. Bei Omaruru nämlich hatten Herero den Engländer Christy ermordet, und die Stimmung gegen die Weißen schien eine so bedrohliche, daß hier etwas geschehen mußte. So zog denn der Landeshauptmann mit einem starken Aufgebot von Truppen, einigen Geschützen und begleitet von Lindequist, Volkmann, Dr. Schöpwinkel und den Herero-Häuptlingen Samuel Maharo und Zacharias Zeraua über Otjimbingwe nach Omaruru. Wilde Gerüchte von einem allgemeinen Aufstande der Nordherero durchliefen das Land, aber als im Anfang des Dezember die Truppen ihren Bestimmungsort erreichten, hüteten sich die Kaffern wohl, loszuschlagen. Der Mörder Christys wurde erschossen, einige andere Beteiligte festgesetzt, und mit dem Häuptling Manasse Tjiseseta von Omaruru ein Vertrag abgeschlossen. Volkmann blieb als Stationschef dort und begann sofort mit dem Bau einer Feste, die zu den schönsten des Damaralandes zählte. In Okombahe, das Manasse abtreten mußte, wurde eine Bergdamara-Niederlassung gegründet, um diese Unglücklichen, die von den Herero oft ohne jeden Grund wie Tiere niedergeschossen worden waren, vor ihren Peinigern zu schützen. Dann zog der Major über Okahandja südwärts und traf Ende Dezember mit 50 Reitern in Aais bei Heydebreck ein. Dieser war inzwischen dort nicht auf Rosen gebettet gewesen.

Aber ich will zunächst zurückgreifen und eine hochinteressante und treffende Schilderung jener östlichen Gebiete einflechten, die mir Heydebreck, ein ebenso feiner Kenner und Beobachter der Natur wie tapferer und umsichtiger Soldat, in liebenswürdigster Weise zur Verfügung gestellt hat:

„In den ersten Tagen, als der Weg durch die Niederung des Schafflusses führte, traf ich häufig auf Ansiedlungen von Buren, Herero und Hottentotten; überall sah man Rinderherden und zahlreiches Kleinvieh. Aber das wird hinter Hatsamas anders: Die Gebirge bleiben im Westen zurück, und das Land nimmt immer mehr den ausgesprochenen Charakter der Savanne an. Weite Grasfluren mit einzelnen oder in Gruppen stehenden Bäumen, die sich stellenweise zum Wald verdichten, wurden durchzogen, dann wieder große Flächen, mit Dornbüschen bestanden. Hier findet sich Wasser nur in weit auseinanderliegenden Kalkpfannen, und Menschen und Tiere haben schwer unter dem Durst zu leiden. Und dann wieder ging der Marsch tagelang durch unabsehbare Steppen, auf denen nirgends eine Spur von Schatten dem scheitelrechten Strahl der Sonne wehrt — die ganze Landschaft liegt tot und grau im Winterkleide, und die vernichtende Kraft der trockenen Jahreszeit läßt alles Pflanzenleben verdorren in den Sonnenstrahlen. Alles Angenehme schwindet, aber alles Unangenehme tritt bedrohlich hervor: Blätter und Blüten welken, aber Dornen und Stacheln bleiben zurück; Vögel und Schmetterlinge wandern aus oder sterben — aber Schlangen, Skorpione und giftige Spinnen genießen die höchste Daseinsfreude. — Unsägliche Glut bei Tage, unerträgliche Schwüle bei Nacht sind die Leiden dieser Monate, gegen die es kein Mittel der Abwehr gibt. Selbst der Himmel ändert sein bisher selten getrübtes Blau in fahlere Farben, denn die Atmosphäre ist mit Staub erfüllt, und ein grauer Dunst verhüllt oft stundenlang die Sonne, ohne ihr jedoch von ihrer Glut zu rauben. — Kein kühlender Hauch fächelt die Stirn, kein Blütenduft, kein Vogelgesang, kein Zaubergemälde in leuchtenden Farben und tiefdunklen Schatten, wie es das über-

quellende Himmelslicht der Wendekreisländer sonst wohl hervorruft, erfrischt
die Seele: Alles Lebendige ist in todähnlichen Schlaf versunken! —

Aber schon kündete ab und zu ferner Donner das Nahen des Früh-
lings an." —

Bald erreichte die Truppe nun auch den Binnenland-Dünengürtel, der
das eigentliche Kalaharigebiet von den westlicheren Landschaften scheidet, und
dessen Überschreiten den Wagen ungeheure Schwierigkeiten machte. Am
30. Oktober war Aais erreicht, wo Heydebreck mit Jubel begrüßt wurde.
Nun begann eine eifrige Tätigkeit: Nach allen Seiten stießen Patrouillen
vor, weithin wurde das Gelände erkundet, Spione durchstreiften bei Tag und
Nacht die weiten Ebenen, und die Station wurde ausgebaut und befestigt.
So verflossen zwei volle Monate.   In den letzten Tagen des Dezember
traf aus Hoachanas die Trauerbotschaft ein, daß zwei Reiter der dortigen
Station im Gefechte mit den Hottentotten gefallen seien, und kurz darauf
langte, wie schon erwähnt, Major Leutwein in Aais an.

Nun begann unter des Majors Leitung der Vormarsch gegen den Feind,
dessen Stellung und Stärke Heydebreck bereits erkundet hatte. Mit 80 Reitern
drang er längs des Nosob nach Süden vor, während eine zweite, gleichstarke
Kompagnie unter Hauptmann v. Sack von Windhuk aus über Hoachanas im
Anmarsch war. Aber die Khauas waren auf ihrer Hut, und als die Kolonne
Sack nach furchtbaren Entbehrungen in den Durststrecken dieser Gegenden den
Nosob erreichte, fand sie das Nest leer. Ein Reiter dieser Kompagnie hatte
sich beim Pferdesuchen verirrt und war verdurstet. — Eine Offizierpatrouille
(Troost) stellte die Flucht der Naman nach Südwesten fest. Dorthin wandten
sich nun die Kompagnien, und dort hausten in Gochas unter dem Häuptlinge
Simon Kopper die Fransman-Naman, denen ja auch nie recht zu trauen war.
Simon Kopper bezeigte zwar keine Lust, sich den Khauas, die vor Gochas
lagerten, anzuschließen, er meldete vielmehr ihr Erscheinen dem Landeshauptmann, dennoch aber blieb bei der Gesinnung seiner Leute, die das Dorf verlassen und sich in ihre Bergschanzen zurückgezogen hatten, die Lage eine
unsichere. Zufällig traf in dieser Zeit der Distriktschef von Gibeon, Premierleutnant v. Burgsdorff, der ahnungslos Simon Kopper einen Besuch hatte
machen wollen, in Heydebrecks Lager ein. Hendrik Witbooi hatte ihn auf
die Kunde von der Lage der Dinge durch nachgesandte Reiter gewarnt. Als
nun auch noch Hauptmann v. Estorff, der auf die Nachricht von neuen Unruhen von Kapstadt über Lüderitzbucht und Gibeon herbeigeeilt war, und auf
seine Veranlassung Witbooi selbst mit 100 Reitern, sowie Eggers mit 20 Reitern

und einem Geschütz von Windhuk vor Gochas eintrafen, da ergaben sich die
Khauas, die sogar die Abteilung Burgsdorff noch beschossen hatten, nach langen
Verhandlungen dem Major und versprachen, von nun an Frieden zu halten.
Sie sollten das geraubte Vieh ersetzen, unter der Aufsicht Witboois in
Goamus bei Gibeon wohnen und mußten ihre Pferde abgeben. — Wie
sie diese Milde lohnten, wird sich später zeigen. —

Während so die Un-   ruhen im Osten sich in die
Länge gezogen hatten, war   doch das Jahr 1895 für
das Land und ganz   besonders für den
Distrikt Otjim-   bingwe ein Jahr

Der Leuchtturm in Swakopmund im Jahre 1903.

des Friedens und der Entwicklung. Zahlreiche Ansiedler und Kaufleute
landeten an der Swakopmündung; neue Firmen wurden ebendort, in
Windhuk, Omaruru und an anderen Plätzen gegründet, und die Bau-
tätigkeit nahm infolgedessen so zu, daß man einen Platz, den man monatelang nicht gesehen hatte, bei einem erneuten Besuch kaum wiedererkannte.

Bereits damals machte sich übrigens der Mangel einer schnellen und
sicheren Verbindung mit der Küste, einer Eisenbahn, und von Telegraphen-
linien sehr unangenehm bemerkbar, und es verdient erwähnt zu werden, daß
schon zu jener Zeit der Geheime Regierungsrat Schwabe, mein Vater, dem
Auswärtigen Amte Anerbietungen für den Bau und Betrieb von Telegraphen-
linien machte. Infolgedessen wurden durch die Landeshauptmannschaft von

fast allen Distriktschefs genaue Berichte über das bei einem eventuellen
Bau in Frage kommende Gelände und über allerhand technische Fragen ein-
gefordert.

Major Leutwein und Assessor v. Lindequist waren unausgesetzt mit der
Organisation der Verwaltung, die täglich an Ausdehnung gewann, beschäftigt.
Die Ausbreitung des deutschen Einflusses schritt gleichmäßig nach Norden,
Osten und Süden vor, wobei die Expeditionen und Reisen einzelner Offiziere
und Lindequists ausschlaggebend waren. Bald wurden hier mit eingeborenen
Häuptlingen Verträge abgeschlossen, bald dort eine Landstrecke zu Kronland
erklärt; dabei hielt Lindequist Gerichtstage in Otjimbingwe, Omaruru und
Windhuk ab und schuf eine Reihe segensreicher Verordnungen, deren wichtigste
die zur Bekämpfung der Lungenseuche und zum Schutze der Holzbestände
waren. Auch in die Distriktsverwaltungen kam immer mehr Ordnung, und
die Arbeit der einzelnen Distriktschefs begann ineinander einzugreifen. Die
westlichen Herero gewöhnten sich allmählich an den ihnen zuerst so verhaßten
Zwang, und Buren kamen immer zahlreicher in das Land gezogen. So entstanden Buren-Niederlassungen im nördlichen Grootfontein, auf der südlichen
Seite des Auasgebirges bei Aris, am großen Fischfluß, bei Otjimbingwe und
Omaruru. Ich konnte mich wieder ganz der Verwaltung meines Distriktes
widmen. Fast allmonatliche Reisen führten mich an die Küste, wo ich die
Landung und das Löschen der anlaufenden Schiffe zu überwachen hatte.

Im Januar 1895 brachte der Dampfer „Thekla Bohlen" zwei neue
Offiziere, die Premierleutnants Heldt und v. Giese, und für Swakopmund
eine große Firma, die Damara- und Namaqua-Handelsgesellschaft. Herr
Schluckwerder, der Generalvertreter der Gesellschaft, begann sofort mit dem
Bau von Wohn- und Lagerhäusern und hatte eigene Brandungsboote aus
Deutschland mitgebracht, was wesentlich zur Erleichterung des Verkehrs mit
den Schiffen beitrug. Ich sah eine meiner Hauptaufgaben an der Küste
darin, darauf hinzuwirken, daß die Landungsspesen, die bis dahin noch ganz
bedeutend höher wie in der Walfischbai waren, sich verringerten und der
Verkehr zwischen Schiff und Küste sich möglichst sicher gestaltete. Hierdurch
allein konnte der Walfischbai der Rang abgelaufen werden.

Kurz darauf ritt ich mit wenigen Begleitern über Karibib nach Etiro,
um dort den Distriktschef von Omaruru, Volkmann, zu treffen, mit ihm die
Grenzen unserer Distrikte abzureiten und zu bestimmen und außerdem zu
jagen, wo sich uns gerade Wild zeigen würde. Ich hatte schon auf dem
Hinwege das Glück, drei Strauße zu schießen, und die folgenden Jagdtage

auf den großen grasreichen Ebenen, die sich längs des Erongogebirges von
Karibib nordwärts bis über Etiro hinaus hinziehen, und die von Springböcken und Straußen sehr stark bevölkert sind, werden uns unvergeßlich sein.
Als ich nach einigen Tagen wieder nach Otjimbingwe zurückkehrte, rief mich
ein Brief des Hauptmanns v. Estorff nach Okahandja. Ich brach sofort
wieder auf, traf dort noch Lindequist, Eggers und Lampe und erfuhr viel von
den Vorgängen im Süden und Osten des Schutzgebiets. Eggers sollte in
Okahandja bleiben, während Lampes Abreise nach Aais in vierzehn Tagen
geplant war. An demselben Abend noch ritt ich zurück und kam nach an-
strengendem Marsche früh an die Wasserstellen des Sneyriviers, wo meiner
eine wenig angenehme Überraschung harrte. Die tief in den Sand gegrabene
Wasserstelle, aus der bei unserer Ankunft ein Schakal herauslief, war nämlich
von sechs toten Ochsen, die schon in Verwesung übergegangen waren, so angefüllt, und die Kadaver lagen so übereinander, daß von einem Tränken der
Pferde oder von einem Wasserentnehmen für uns selbst gar keine Rede war;
das gehört zu den Leiden des Reisenden in Südwestafrika.

Am Ende des Monats traf aus dem Amboland der Missionar Meisen-
holl in Otjimbingwe ein. Er kam aus Ukuanjama jenseit des Kunene-
flusses und war vor dem dort in der letzten Zeit besonders stark auftretenden
Fieber nach Süden geflohen. Zugleich gab er eine Beschwerde des Ovambo-
Häuptlings Uejulu gegen Samuel Maharo und Kambazembi — 1100 geraubter Rinder wegen — zu Protokoll. Nach den Erzählungen des
Missionars mußten die Zustände im portugiesischen Ambolande ganz un-
glaubliche sein. Wenn wir auch schon gehört hatten, daß der Einfluß der
portugiesischen Regierung nicht allzuweit in das Hinterland reiche, so hatten
wir uns doch keine Vorstellung gemacht von den Verhältnissen, die in diesem
Lande wirklich zu herrschen schienen. Der Sklavenhandel, so erzählte der
Missionar, blühe in einer Weise, wie es die Beschreibungen Stanleys aus
Zentralafrika nicht krasser hinstellen könnten; für Branntwein und Gewehre
wäre jede beliebige Anzahl Menschen zu kaufen, und Mord und Totschlag
seien an der Tagesordnung. Außerdem sei die Lungenseuche in fortwährender
Ausbreitung begriffen, und obwohl viele eßbare Früchte im Felde zu finden
seien, und auch Ackerbau von den Ovambo in ausgedehntem Maßstabe betrieben werde, so sei doch die Not eine große.

Die Regenzeit 1894/95 blieb, was Reichhaltigkeit der Niederschläge betrifft, zwar merklich hinter der des Vorjahres zurück, war aber für das
mittlere Damaraland doch nicht ungünstig zu nennen. In ihrem Gefolge er-

Landschaft im Amboland.

schien, wie alljährlich, die Schlangenplage, und ich muß sagen, daß ich das giftige Gewürm selten so zahlreich gesehen habe wie gerade kurz nach dieser Regenperiode in Otjimbingwe. Das Unangenehmste war, daß die Schlangen auch in die Stuben eindrangen. So fand Schneidewind eines Tages eine Kobra in dem in meiner Schlafstube aufgeschlagenen Feldbett des Leutnants Eggers, der mich von Okahandja aus besucht hatte. Aber von Unglücksfällen durch Schlangenbiß hört man in ganz Südafrika wenig, was um so merkwürdiger ist, als die vorkommenden Arten zum Teil dieselben sind wie in Indien, wo alljährlich Hunderte von Menschen dem Gifte zum Ofer fallen. Ist nun auch die Bevölkerung Indiens eine weitaus zahlreichere und die Bewachsung eine dichtere als in Südafrika, so möchte ich mich dennoch dem anschließen, was einige Forscher behaupten, nämlich, daß die Schlangen Süd= afrikas — wahrscheinlich infolge der klimatischen Verhältnisse — ein bedeutend besseres Gehör haben als die indischen, und es daher (da wohl jede Schlange den Menschen flieht, wenn sie seine Annäherung hört) weniger häufig vorkommt, daß die Tiere gestoßen oder getreten werden, in welchem Fall sie sofort angreifen.

Mich hat nur einmal eine Schlange, und zwar eine riesige schwarze Mamba, angenommen. Es war dies in der Nähe von Otjiseva, wohin ich mit Lindequist ritt, und es blieb mir, als das Tier hochaufgerichtet und

zischend aus dem Busch hervorschoß, nichts übrig, als meinem Pferde die
Sporen in die Seiten zu pressen und davonzujagen. Meine Begleiter rissen
nach der anderen Seite aus. Nach einiger Zeit kehrten wir zu dem Platze
zurück und entdeckten das Ungeheuer in den Ästen eines Baumes, von wo
ich es mit einigen Gewehrschüssen herunterholte. Als bestes Mittel gegen
Schlangenbiß gilt bei den Buren und allen Eingeborenen Südafrikas das
getrocknete und pulverisierte Fleisch der „Springschlange", eines Eidechsen-
ähnlichen Tierchens. Das Pulver wird in die Wunde gestreut und auch
genossen. Auf längeren Reisen trägt wohl jeder Eingeborene ein mit diesem
merkwürdigen Mittel gefülltes Beutelchen mit sich.

Im April traf ein Ablösungstransport von 100 Reitern für die
Schutztruppe unter den Leutnants Helm und Schmidt ein, und diese zogen
bald darauf in das Innere, während von Kapstadt her der erste Postbeamte,
Postsekretär Sachs, der schon in Ostafrika tätig gewesen war, anlangte, um
in den größeren Plätzen Postanstalten einzurichten. Heydebreck mußte leider
nach Deutschland zurückkehren, da er schwer am Fieber litt.

So vergingen die Monate bis zum Juni in steter Arbeit, bald im
Innern, bald an der Küste. Am 1. dieses Monats traf der „Carl Woermann" in Swakopmund ein. Er brachte uns den Major Mueller, der
zum stellvertretenden Truppenkommandeur ausersehen worden war.

In den folgenden Monaten hatte ich viel mit der Bekämpfung der
Lungenseuche zu tun, zu welchem Zweck Lindequist die Einsetzung von Lungen-
seuchekommissionen in verschiedenen großen Plätzen angeordnet hatte. Trotzdem
aber nahm der Wagenverkehr infolge der größeren Einwanderung immer
mehr zu, und die Wagenbauanstalten waren kaum mehr in der Lage, die
massenhaft einlaufenden Bestellungen auszuführen. Aus Deutschland und
Kapstadt wurden fertige Wagen und Wagenteile eingeführt.

Im Anfang des August kehrte Perbandt auf der „Jeannette Woermann" aus Deutschland zurück, und derselbe Dampfer brachte die Direktoren
der englischen Kompagnie, die von der Kolonialgesellschaft für Südwestafrika
die Rechte für Guanogewinnung und Robbenschlag an der Küste zwischen
dem Omaruru- und Ugabflusse für ein Spottgeld erworben hatte. Bald
bildete Kap Croß eine ausgedehnte Niederlassung. Die bis auf etwa 7 km
von der Küste entfernt liegenden Guanofelder wurden mit dieser durch eine
Eisenbahn verbunden und zahlreiche Gebäude aufgeführt; Schiffe, meist
Segler, lagen stets auf der Reede vor Anker, um Ladung zu nehmen, und
die deutsche Regierung richtete eine Zoll- und Polizeistation ein.

Inzwischen hatte Major Leutwein mit Estorff, Giese, Eggers und Helm einen Zug nach dem Norden des Schutzgebiets unternommen und war über Waterberg bis nach Grootfontein gelangt, wo er unter großen Festlichkeiten von den dort unter ihren Kommandanten Lombard und Joubert angesiedelten Buren empfangen wurde. Leutnant Dr. Hartmann, der Vertreter der South West Africa Co., machte die Reise mit und schloß daran eine Expedition bis hinauf nach der Mündung des Kunene und durch das Kaokofeld, um diese fast ganz unbekannten Gebiete zu erforschen und zur Erschließung vorzubereiten. Auf dem Zuge begleiteten ihn Estorff und Helm, während Volkmann von Omaruru aus vorstieß und an der Küste mit der Expedition zusammentraf.

Inzwischen aber gärte es bereits wieder im Osten. Es waren Berichte des Leutnants Lampe aus Gobabis eingetroffen, welche die Lage dort durchaus nicht rosig schilderten und mitteilten, daß ein ausgedehnter Munitionsschmuggel an der Ostgrenze und besonders bei Olifantskluft stattfände. Auf Grund dieser Nachrichten ging dann später der Hauptmann v. Sack nach Gobabis, und es gelang ihm und Lampe, die Munitionsschmuggler zu fangen und — wenigstens für eine Zeitlang — Ordnung und Ruhe zu schaffen. Ich hatte bereits im August vom Major Leutwein ein Schreiben folgenden Inhalts erhalten: „Euer Hochwohlgeboren erhalten in Anlage Abschrift eines

Aus: Leutwein, Elf Jahre Gouverneur in Deutsch Südwestafrika.

Durchquerung des Kunene.

mit den Bastarden von Rehoboth abgeschlossenen Vertrages, betreffend militärische Ausbildung der letzteren. Die Ausbildung der ersten Quote soll mit dem 1. November d. Js. beginnen. Den Wünschen der Bastarde Rechnung tragend, und weil das Gelingen dieser für das Schutzgebiet wichtigen Sache im wesentlichen von den Ergebnissen des ersten Jahres abhängig ist, habe ich beschlossen, die diesjährige Ausbildung in Ihre Hände zu legen, da Sie Land und Leute am längsten kennen. Sie wollen sich daher so frühzeitig nach Rehoboth begeben, daß Sie dem Kapitän behilflich sein können, die Sache Ihren Wünschen gemäß in Gang zu setzen, damit der rechtzeitige Beginn gesichert ist."

In Windhuk angekommen, widmete ich mich nun ganz den Vorbereitungen für die interessante Aufgabe, die mir geworden war. Dann ritt ich nach Rehoboth und legte zunächst mit Hilfe des Missionars Heidmann nach den Kirchenbüchern eine Liste der waffenfähigen Mannschaften an. Der Kapitän Hermanus van Wijk hatte sich verpflichtet, im ersten Jahre 40 bis 50 und in jedem weiteren ungefähr 20 seiner jungen Leute zu stellen. Er war lediglich für die rechtzeitige Gestellung der Rekruten verantwortlich, Bewaffnung und Verpflegung dagegen erhielten diese von der Kaiserlichen Schutztruppe, und später wurde auch noch die Bekleidung geliefert. Die Ausbildungszeit sollte im ersten Jahre sechs, die jährlichen Wiederholungsübungen zwei bis vier Wochen dauern, und das Truppenkommando behielt sich vor, die Tüchtigsten der Ausgebildeten im Laufe der Zeit zu Vorgesetzten zu befördern. Die einmal ausgebildeten Bastarde sind auf die Dauer von 12 Jahren wehrpflichtig und stehen während dieser Zeit unter der Kontrolle der Polizeibehörde in Rehoboth.

Ich will hier gleich bemerken, daß die jungen Bastarde uns nicht so viel Mühe machten, wie ich gefürchtet hatte. Die meisten von ihnen waren gehorsam, pflichttreu und eifrig, so daß der Dienst uns allen eine Freude war und Strafen überhaupt nicht verhängt zu werden brauchten. Hier muß ich des Einflusses und der segensreichen Tätigkeit gedenken, die mein verehrter väterlicher Freund, der Missionar Heidmann, unter den Bastarden ausübte.

Es war im Jahre 1865, als Heidmann bei den Bastarden, die damals noch südlich des Oranjeflusses in de Tuin und Pella an der Grenze des wüsten Buschmannlandes saßen, eintraf. Die Bastardansiedlungen erfreuten sich jedoch nicht der Gunst der englischen Regierung. Von einwandernden Buren wurden die Weidefelder besetzt, und obwohl sich die Bastarde an den

Gouverneur und das Parlament in Kapstadt wandten und Schutz erbaten, ja sogar eine bedeutende Summe Geldes für die Erwerbung eines Stückes Land boten, ward ihnen keine Hilfe zuteil. So beschlossen sie denn, in das Groß-Namaland auszuwandern. Die Ausführung dieses Entschlusses wurde noch beschleunigt durch die Ereignisse, die sich in den Jahren 1867 und 1868 im nördlichen Klein-Namaland abspielten. Wilde Horden von Koranna-Hottentotten und Buschleuten brachen in diesen Jahren aus den östlichen Wüsten hervor und stürzten sich raub- und mordlustig auf die blühenden Bastard- und Burenniederlassungen am Oranjeflusse. Bald konnte man nachts den Feuerschein brennender Dörfer den Himmel erleuchten sehen, und die Auswanderung der Bastarde im November 1868 glich einer eiligen Flucht. Aber ihr treuer Missionar ließ nicht von ihnen. Mit seiner Gemeinde zog er nordwärts über den Großfluß, unter tausend Fährlichkeiten, durch Steppen und Wüsten, die Zersprengten sammelnd, die Schwachen und Verzagten tröstend, die Kranken heilend, dem Volke ein — man möchte sagen: von Gott gesandter — Führer in seinem harten Schicksal. Denn ohne ein bestimmtes Ziel zog die Gemeinde einer dunklen Zukunft entgegen, und mit scheelen Augen blickten die Namastämme des Nordens auf das Häuflein der Heimatlosen, das ihre Gebiete durchquerte. Was wäre wohl aus diesen geworden, wenn nicht Heidmann, dem 1869 noch seine Frau folgte, mit ihnen gewesen wäre! Und in den schweren Jahren wurden diese beiden nicht müde, dem Volke Gutes zu tun. Unterwegs wurde das Wort Gottes verkündet und die Kinder gelehrt, und als im Jahre 1871 der Stamm sich in Rehoboth sammelte, konnte Heidmann sich freudig sagen, daß nun wohl endlich das Ziel erreicht, der Lohn der unsäglichen Mühen gekommen sei. Hier in Rehoboth hatte bis zum Jahre 1864 durch 19 lange Jahre hindurch der Missionar Kleinschmidt unter den Swartbooi gepredigt, war aber dann in das traurige Schicksal des Stammes verwickelt worden und auf der Flucht vor den wilden Horden Jan Afrikaners, Oasibs und des Hendrik Zes in Otjimbingwe gestorben. So stand denn Rehoboth seit dieser Zeit leer. Öde und wüst sah es auf dem Platze aus — und heute? — Wer heute das gesittete, fröhliche Volk sich in dem lieblichen Dorfe zwischen den weißen, reinlichen Häusern tummeln, wer die stattliche Kirche, die schön eingefaßten Quellen, die Gärten, die abends heimkehrenden Herden sieht, denkt der daran, daß hier einst — vor 39 Jahren — ein junges Missionarsehepaar einzog, selbst krank und schwach von den Entbehrungen der langen, gefahrvollen Reise und umgeben von einem Häuflein Verzagter, aber voll Hoffnung und

Schwabe, Im deutschen Diamantenlande.   13

Gottvertrauen? Noch oft ist seit diesen Tagen das Dorf von Feinden berannt, noch oft sind die Herden beraubt worden, aber dann — in den Zeiten der Not — scharte sich das Volk um seinen Lehrer, der immer half, sorgte und tröstete. Heute sind, wie ich hoffe und wünsche, die Tage der Not für Rehoboth für immer vorbei. Stark und einig steht die Bastardnation da, behütet von der deutschen Regierung, die wohl erkannt hat, wie wertvoll für sie dieses Volk ist, das wohl immer dankbaren Herzens seines alten Missionars gedenken wird! Wahrlich das Leben dieses Mannes ist ein solches, wie jeder edle Mensch wünschen wird, es durchlebt zu haben, ein Leben voll Liebe und Treue, voll Hingabe und Gottvertrauen, voll Mut und Unverzagtheit, ein Leben ganz nach dem Spruche: „Edel sei der Mensch, hilfreich und gut!" —

So ging denn die Ausbildung der jungen Bastarde rüstig vorwärts, und als am 14. Dezember die Majore Leutwein und Müller zur Besichtigung erschienen, konnten sie ihrer vollsten Befriedigung Ausdruck geben und der erstere sagen, er habe viel erwartet, aber so in jeder Beziehung durchgebildete Soldaten zu sehen, habe er sich nicht träumen lassen.

Am 16. Dezember kehrte ich mit meinen Leuten nach Windhuk zurück, um dort die Führung der 1. Feldkompagnie zu übernehmen. In dem Hauptorte des Landes befanden sich damals 2 Feldkompagnien — die 2. führte Hauptmann v. Sack — und 1 Batterie zu 4 Geschützen, die Eggers, den in Okahandja Leutnant Schmidt abgelöst hatte, befehligte. Perbandt war Distriktschef in Windhuk.

Obwohl es nun äußerlich so schien, als ob wir friedlichen Zeiten entgegengingen, so glaubte weder Eggers noch ich, die wir die Herero genau kannten, an einen dauernden Frieden. Beunruhigende Nachrichten drangen aus dem Norden und Osten fortwährend zu uns, und mein Hererobastardjunge wußte, wie ich bereits früher erwähnte, allerlei von den Absichten der östlichen Herero und Ovambandjeru zu berichten, was nicht gerade vertrauenerweckend klang. Ich erinnere mich noch, daß er eines Tages zu mir kam und sagte: „Mijnheer, ich habe gestern am Feuer in der Eingeborenenwerft gehört, daß die Leute im Osten unzufrieden sind. Ja, ich glaube auch, daß sie die Deutschen dort nicht wollen und daß sie schießen werden!" Aber noch schien, wie gesagt, alles ruhig, und das Weihnachtsfest feierten wir in Frieden.

In den ersten Tagen des Januar ritt ich mit Major Müller und 40 Reitern nach Seeis und Otjihaenena. Die Herero, die dort ihre Grenze überschritten und die Farmer Otto, Körner, Bremen und Ludwig beunruhigt und bestohlen hatten, sollten zurückgetrieben werden. Wir fanden sie nicht mehr diesseit des Seeisflusses, aber der Empfang, der uns am weißen Nosob im Dorfe der Häuptlinge Mambo und Kajaëta bereitet wurde, sah nicht sehr friedlich aus. Viele hundert mit Hinterladern bewaffnete Herero hatten die Höhen rings um das Dorf besetzt, weitere Zuzüge fanden von allen Seiten während unserer Anwesenheit statt, und die Weiber sangen Kriegs- lieder und tanzten den Kriegstanz. Ein zufällig von irgend einer Seite ab- gegebener Schuß hätte damals unser Schicksal besiegelt, denn an ein Durch- schlagen wäre inmitten der mehr als zwanzigfachen Übermacht nicht zu denken gewesen. Schließlich beruhigten sich die durch Kriegsgerüchte aufgeregten Kaffern zwar etwas, aber ich war doch froh, als ich meine Leute wieder in Seeis hatte. Die Lage schien mir schon damals so ernst, daß ich in der nächsten Nacht die Reiter mit aufgepflanztem Seitengewehr an den Ufern des Seeisflusses schlafen ließ, da ich einen Überfall befürchtete. Das Stations- gebäude, eine Wellblechbude, bot garkeinen Schutz und lag weitab von den Wasserstellen.

Auch Feldwebel König, der Stationschef von Seeis, hegte Befürchtungen für die Zukunft, obwohl er persönlich mit den Herero seines Bezirks gut stand. Auch er bezeichnete als die eigentlichen Unruhestifter die weiter östlich wohnenden Ovambandjeru und die Khauashottentotten, die wieder einmal von sich reden machten.

In Windhut widmeten wir uns nun ganz der Ausbildung unserer Kompagnien, des Spruches gedenkend: „Si vis pacem, para bellum".

In der Folgezeit machten sich die Kaffern immer unliebsamer bemerkbar. Kaum ein Tag verging, an dem nicht neue Viehdiebstähle, Räubereien und Gewalttaten der Herero gemeldet wurden, und die Lage wurde so unleidlich, daß der Landeshauptmann eine Versammlung aller Kaufleute, Ansiedler und Farmer einberief, um sich mit ihnen zu beraten. Die Ansichten der weißen Bevölkerung waren geteilte; einige — und diese bildeten wohl die Mehrzahl — sprachen offen für den Krieg, da der Friede mit Ehren nicht mehr aufrecht zu erhalten sei, und forderten Verstärkung der Schutztruppe, andere hielten die Lage nicht für so kritisch. Am 20. Januar ritt der Landeshauptmann mit Eggers und 40 Reitern nach Okahandja, wo fast alle Hererohäuptlinge ver- sammelt waren, und dort beschworen diese sämtlich den Frieden, den zwei von ihnen wenige Wochen später in schmählicher Weise brechen sollten. Aber uns war bereits damals klar, daß die Herero den Krieg wollten, und daß

13*

ihr Vorgeben, sie müßten mit den Herden ihre Grenzen überschreiten, weil
es ihnen an Weide mangele, leeres Geschwätz war. Hatte doch Major
Leutwein auf dem Zuge nach Grootfontein im Innern des Damaralandes
große, frei von allem Vieh daliegende Weideflächen gefunden, während an
den Grenzen die Kaffern unaufhörlich vorstießen. So überschritten sie am
26. scharenweise mit ungeheueren Herden den Seeisfluß und überschwemmten
die Gebiete der dort sitzenden Farmer, so daß diese zurückweichen mußten.

Major Leutwein.   Dolmetscher   Häuptling   Samuel Maharo,
Ludwig   Manasse von   Oberhäuptling
Kleinschmidt.   Omaruru.   der Herero.

Eine politische Unterredung in Windhuk.

Das war ihr Dank dafür, daß der Landeshauptmann ihnen eben die Benutzung der Weide zwischen Nosob und Seeis gestattet hatte. Samuel
Maharo, der sogenannte „Oberhäuptling" der Herero, dessen Einfluß von
jeher gleich Null gewesen war, konnte auch hier wenig helfen, obwohl er den
besten Willen zu haben schien.

Kurz darauf rückte Hauptmann v. Sack mit der 2. Kompagnie nach
Seeis ab, um die Grenze zu schützen, Lindequist folgte ihm. Inzwischen
waren Samuel Maharo und Nikodemus, der Häuptling der Ovambandjeru,
in Windhuk angelangt, letzterer anscheinend, um seine friedlichen Absichten
klarzulegen, aber man brauchte den verschlagenen Kaffern mit dem unsteten
Blick nur zu sehen, um ihm zu mißtrauen. Der Ruf einer Bestie, eines

Tigers in Menschengestalt, ging ihm voraus. In den Kriegen gegen die Naman hatte er sich durch wilden Blutdurst und tierische Grausamkeit ausgezeichnet, und in einem Gefechte bei Hornkranz hatten seine unmenschlichen Mordbuben Säuglinge in die Feuer geworfen und ihnen die Schädel mit Keulen zerschmettert. Was konnte man von einem solchen Mann anders erwarten als Treubruch und Verrat? Aber gleichviel, die Lage schien sich gebessert zu haben, und der Landeshauptmann erteilte mir vom 1. April ab einen sechsmonatigen Urlaub nach Deutschland.

Inzwischen war eines Morgens Leutnant Lampe mit einigen Reitern von Gobabis her in Windhuk eingeritten. Er hielt die Lage im Osten für so bedenklich, daß er die weite Reise zu persönlicher Berichterstattung nicht gescheut hatte. Lampes Lage war die denkbar ungünstigste. Er saß weitab von dem Mittelpunkt des deutschen Einflusses am Rande der Binnenlandwüste, seine Nebenstationen Rietfontein und Olifantskluft waren viele Tagereisen von dem Hauptorte Gobabis entfernt, die Verbindungen dorthin unsicher und schwierig, und sein Stationsgebäude, ein altes halbverfallenes Missionshaus, war kaum noch brauchbar zu nennen.

Kurz nachdem Lampe nach Gobabis zurückgeritten war, trafen Nachrichten aus Omaruru und dem Ambolande ein, die darauf hinwiesen, daß die anti-deutsche Bewegung auch dort sich ausbreite. In Omaruru war es der Häuptling Manasse selbst, der, nachdem er eben erst sechs Monate in Windhuk auf Kosten der Regierung gelebt hatte und von Dr. Richter von schwerer Krankheit geheilt worden war, nun als Dank seine Leute gegen uns aufhetzte, und außerdem wurde bekannt, daß der Herero Traugott, ein Sohn des Häuptlings Tjetjoo, mit einer vielhundertköpfigen Herde durch Amboland nach dem Kunene gezogen war, um dort von portugiesischen Schmugglern Munition zu erhandeln. Kein Mensch konnte dies hindern, da die Grenzen im Norden unbesetzt waren und der deutsche Einfluß noch gar nicht bis in das Amboland reichte. —

Inzwischen war der Hauptmann v. Sack erkrankt und mußte sich nach Walfischbai begeben, um über Kapstadt einen Heimatsurlaub anzutreten. Ich folgte ihm am 8. März. — In Otjimbingwe traf ich Estorff und Helm, die eben aus dem Kaokofeld zurückgekehrt waren, und Hermann, der aus seiner Stellung bei der Kolonialgesellschaft für Südwestafrika geschieden war und es für rationeller hielt, auf eigene Faust ein landwirtschaftliches Unternehmen zu beginnen. Er war mit Troost und auf dessen Dampfer „Leutwein" vor kurzem aus Deutschland eingetroffen. Ich will hier gleich bemerken, daß dem

Leutnant Troost für den auf eigene Kosten unternommenen Ankauf und die Einstellung des Dampfers „Leutwein" zwischen Kapstadt, Lüderitzbucht, Walfischbai und Swakopmund ebenso der Dank aller Südwestafrikaner und Kolonialfreunde gebührt, als für die Versuche, die er später unter großen Kosten mit einer Straßenlokomotive gemacht hat. — Ich habe seinerzeit erwähnt, daß die Reederei des englischen Dampfers „Nautilus" sich beharrlich geweigert hatte, Swakopmund anzulaufen. Hierin eine Änderung herbeizuführen, war troß aller Bemühungen im Jahre 1895 nicht geglückt. Solange der das Schutzgebiet mit Kapstadt verbindende Dampfer Swakopmund nicht anlief, konnte dieser Plaß die Walfischbai nicht überflügeln. Nun war das jedoch erreicht! Troost hatte für seinen Dampfer den Kapitän Parrow, der bis dahin 1. Steuermann des „Nautilus" gewesen war, gewonnen, das leßtgenannte Schiff stellte seine Fahrten bald darauf ein, und Swakopmund hatte gesiegt!

Von Otjimbingwe, wo ich erfuhr, daß der deutsche Dampfer einen Monat später als fahrplanmäßig, nämlich erst am 1. Mai, eintreffen werde, ritt ich mit Heldt nach Swakopmund. Auf dem Wege traf uns ein reitender Bote der Station Ururas, dessen Meldung uns stußig machte. Der Stationschef, Unteroffizier Schücke, berichtete, daß am 13. d. Mts. ein von 14 Verseba= und Witbooihottentotten begleiteter Wagen auf dem Wege von Walfischbai ins Innere die Station passiert habe, und daß die Naman unter Drohungen und Schimpfreden mit Waffengewalt die vorgeschriebene Untersuchung der Fracht durch die Reiter der Station verhindert hätten. Gab nun schon der Umstand zu Nachdenken Anlaß, daß 14 Bewaffnete einen nach dem Frachtbriefe nur mit „Lichten, Seife, Jam und ähnlichem" beladenen Wagen begleiteten, so wurde der Verdacht, daß Munition auf dem Wagen versteckt sei, durch die Handlungsweise der Naman fast zur Gewißheit. An der Küste wurde es auch offen ausgesprochen, daß der englische Händler Green in Walfischbai den Hottentotten Munition für Straußfedern verkauft habe. Heldt beabsichtigte, dem Wagen, der allerdings fast 14 Tage Vorsprung hatte, sofort eine starke Patrouille nachzusenden, und ich erbot mich als Führer, da ich bis zur Ankunft des Dampfers nicht untätig in Swakopmund sißen wollte. Mit Hannemann, Schücke und ungefähr 10 Reitern brach ich am 31. auf und erreichte nach dreistündigem, scharfen Ritt Walfischbai. Hier schloß sich mir troß seines Leidens Hauptmann v. Sack mit einem Diener an. Wir wußten, daß ein überaus schwieriger und anstrengender Ritt uns bevorstand — längs des Knisebflusses und des Dünengürtels, der sich hier in mächtiger Breite von der Küste bis nach

Händler im Amboland.

Ababes an der Naukluft hinzieht. Proviant konnten wir nur in geringer
Menge mitführen, um die Pferde nicht zu sehr zu belasten, dagegen ließ ich
die Stationskarre von Arras, mit Hafer und Wasser beladen, uns folgen.
Sie sollte so schnell und so weit wie möglich vordringen und bei „Oswells-
Werft", einer Wasserstelle im Kuiseb, unsere Rückkehr erwarten. Dort, so
hatte Schücke berichtet, setzten riesige Dünen durch die Fahrstraße, und es
werde der Karre mit ihren schwachen Ochsen unmöglich sein, sie zu überwinden. Der tapfere Unteroffizier, der sich schon so oft ausgezeichnet hatte,
brannte darauf, sich an den Naman, denen er mit nur zwei Mann gegenüber gestanden hatte, zu rächen. In Walfischbai borgte mir mein Freund
Sichel noch ein Pferd, da wir eins der unseren eines Kolikanfalles wegen
dort stehen lassen mußten. Dann ging es vorwärts — Tag und Nacht, und
bald umfingen uns die furchtbaren, wasser- und weidelosen Sand- und Steinwüsten des Kuiseb, dieselben, in denen einst Leutnant v. Erckert seinen Tod
gefunden hatte. Mir fielen auf dem Ritt durch diese Einöden die Verse
Freiligraths ein:

> „Sie dehnt sich aus von Meer zu Meere;
> Wer sie durchritten hat, den graust.
> Sie liegt vor Gott in ihrer Leere,
> Wie eine leere Bettlerfaust.
> Die Ströme, die sie jach durchrinnen;
> Die ausgefahrenen Gleise, drinnen
> Des Kolonisten Rad sich wand;
> Die Spur, in der die Büffel traben: —
> Das sind, vom Himmel selbst gegraben,
> Die Furchen dieser Riesenhand." —

Inzwischen drangen wir unter großen Beschwerden weiter vor. Über
Arras, Zwartbank und Klipneus erreichten wir am Abend des 2. April
Oswells-Werft. Auf dem Wege bereits hatten wir erfahren, daß zehn
weitere Witbooireiter zu dem Wagen gestoßen seien, und daß diese frische
Pferde und Ochsen von Ababes her angetrieben hätten. Unsere Pferde
hatten schon drei Tage lang kein Hälmchen Gras gesehen, und das Wasser
im Bett des Flusses war allenthalben so schlecht und brackig, daß wir bereits
fünf Pferde, die heftig an Durchfall erkrankt waren, hatten stehen lassen
müssen. Jetzt dankte ich dem Himmel, daß ich sechs überzählige Pferde mit-
genommen hatte. — Aber es sollte uns nicht gelingen, den Wagen einzuholen. Am 3. mittags mußte ich schweren Herzens den Befehl zur Umkehr geben, da schon wieder eins der Pferde schlapp geworden und bei den
anderen dasselbe in kürzester Zeit zu erwarten war. Im Bette des Kuiseb

fanden wir ab und zu aus Büschen geflochtene Hütten, in denen die sogenannten „Rivierhottentotten" hausten, ein elendes, von Schmutz starrendes,
scheues Gesindel, das sich hauptsächlich von den Früchten der Narrapflanze
nährt. Unsere Pferde waren so hungrig, daß sie die dicke, trockene Rinde
von den Anabäumen fraßen. Nach endlosen Nachtmärschen erreichten wir
teils zu Fuß, teils zu Pferde wieder Ururas, wo ich infolge des schlechten
Wassers heftig an Magenkrämpfen erkrankte. Sack bannte jedoch das Übel
durch Auflegen von heißgemachten Steinen in so überraschend kurzer Zeit,
daß wir am Abend weiterreiten konnten und am 8. über Walfischbai in
Swakopmund einrückten. Am 13. dampfte Sack auf dem „Leutwein" nach
Kapstadt ab. Später reichte ich der Landeshauptmannschaft einen Bericht
über den Kuisebweg ein, aus dem ich einige Stellen anführen will:

„Bis Zwartbank, das über 60 km südöstlich von Walfischbai liegt, zieht
sich von der Küste aus eine von tiefen Einschnitten durchfurchte Sandwüste
hin. Dann beginnen die Steinwüsten. Bis zum Horizont ist der Erdboden
besät mit riesigen Granit- und Gneisblöcken. Bei Oswells-Werft (Narob)
reitet man über eine Stunde lang in tiefsandigem Boden hinunter in das
wildromantische Bett des Flusses, das bis hierher flach und breit — bei
Ururas etwa 2000 m — jetzt plötzlich beginnt, sich zu verengen und von
steilen Felswänden eingeschlossen ist. Undurchdringlicher, wildverworrener
Wald füllt die Tiefe aus; schmale Wildpfade durchkreuzen ihn, und nur an
einer Stelle ist das Dickicht lichter. Hier lagen die Spuren des Witbooi-
Wagens. Der Weg bis zu der unter weitüberhängenden Felsen versteckten
Wasserstelle ist schwer zu finden und furchtbar sandig. Das Wasser selbst
steht in einem wohl 3 m tiefen Loch, ist für Tiere unzugänglich und mußte
von uns in Kochgeschirren geschöpft werden. Einer unserer Karrenochsen fiel
abends in das Loch und konnte nur mit großer Mühe nach einstündiger
Arbeit gerettet werden. Wir wanden Zugtaue und Steigbügelriemen um
die Hörner und den Leib des Tieres und zogen es glücklich heraus. An der
Wasserstelle lag ein krepiertes Witbooi-Pferd.

Der Aufstieg aus dem Flußbett auf die westlichen Wüstenflächen ist
der schwierigste, den ich jemals gesehen habe. Über zwei Stunden geht es
in Sand und Geröll steil bergauf. Wagen, die ja diesen Weg nur höchst
selten benutzen, müssen nach Aussagen Eingeborener fast leer hinauffahren.
Die größere Hälfte der Fracht muß vorher abgeladen und dann nachgetragen
oder nach einigen Tagen, wenn die Zugtiere wieder gekräftigt sind, nach-
geholt werden. Der Witbooi-Wagen soll hier sechs Tage gelegen haben. —

Von nun an führt die Straße auf dem linken Flußufer weiter, auf einer fortwährend von kleinen Dünen durchsetzten Fläche, welche sich, hart an den Felskañon herantretend, ab und zu auf höchstens 200 bis 300 m verbreitert, meist aber von den von Westen her vorrückenden Sanddünen auf 50 bis 100 m eingeengt wird. Der Dünengürtel begleitet, wie ich bereits bemerkte, den Weg bis Ababes, wo er in dem Feldzuge in der Rankluft von der Kompagnie v. Sack angetroffen wurde. Von Walfischbai bis Ababes beträgt seine Länge nach den Karten 200 km! Der eben beschriebene Fahrweg bildet so in dem mir bekannten Teile von Oswells-Werft aus ein fortwährendes Defilee, und wir konnten ihn nicht verfehlen, obschon die Wagenspuren oft auf Hunderte von Metern weit verweht waren. Dicht hinter dem Werftplatz setzt eine riesige Düne, deren Sandmassen bis hart an die Abstürze des Kañons reichen, quer durch den Weg und später, bei einem „Horebis" genannten Fleck, sieben weitere kurz aufeinander folgende Sandberge. Es erscheint kaum glaubhaft, daß Frachtwagen hier überhaupt passieren können. Jedenfalls muß man auf jeden Wagen 40 bis 50 starke und frische Ochsen rechnen. —

Die Weideverhältnisse sind, soweit ich sie gesehen habe, entsetzliche, besonders wenn, wie in diesem Jahre, im Flußbett fast gar keine Anaschoten liegen. Unteroffizier Schücke hatte mir gesagt, daß von Oswells-Werft aus an den Dünen gutes Gras stände. Umsomehr waren wir enttäuscht, als wir auch dort keinen Halm fanden. Schücke behauptete, daß noch vor vier bis sechs Monaten gute Weide vorhanden gewesen sei, und bald klärte sich diese uns zuerst rätselhafte Sache dahin auf, daß die Grasnarbe vollständig durch Sandmassen zugeweht war. Wir kamen darauf, als wir einige Grasspitzen aus dem Boden hervorragen sahen und mit den Händen den Sand fortscharrten. Nun stellte es sich heraus, daß dies die Spitzen des hohen Sauergrases waren, welches vom Vieh nicht genommen wird; Büschel süßen, aber von der Hitze des Sandes verbrannten und verdorrten Grases fanden wir auf über Seitengewehrtiefe unter der darübergewehten Sandschicht.

Die Wegekundigen behaupteten ferner, daß Weg und Dünen sich seit ihrem letzten Ritt ganz auffallend verändert hätten. Das erscheint nicht wunderbar, wenn man eine der Dünen ersteigt und sich überzeugt, daß man die Augen vor herumwirbelndem Sand kaum öffnen kann. Es wurde mir nun auch erklärlich, warum seinerzeit die Patrouille des Leutnants v. Erckert nicht auf ihren eigenen Spuren zurückzureiten versuchte, als ich sah, daß die Hufeindrücke unserer Pferde vom Morgen am Mittage desselben Tages,

als wir zurücktritten, schon vollständig zugeweht waren. Glatt und ohne
Merkmal lag die Wüste vor uns.

Aus demselben Grunde ist auch die Wasserversorgung für Menschen
und Vieh erschwert, denn ebenso wie auf der Fläche ist auch im Bett des
Kuiseb der Sand in steter Bewegung und füllt in kurzer Zeit die frisch
gegrabenen „Pützen" wieder aus. Ein großes Verdienst hat sich Leutnant
v. Erckert dadurch um die hier Reisenden erworben, daß er auf seinem letzten
Ritt an allen Stellen der Fläche, an denen ein Abstieg möglich und unten
im Flußbett Wasser erhältlich ist, weithin sichtbare Steinpyramiden errichten
ließ. — Der Abstieg in die gähnende Talspalte — übrigens nur an sehr
wenigen, stundenlang voneinander entfernt liegenden Punkten möglich —
bedeutet an allen Stellen, die ich sah, eine große Anstrengung selbst für
loses Vieh. Die Regenschluchten, die bei Usab und Kanikontes in den
Swakop führen, sind dagegen ein Kinderspiel, denn ihnen fehlt die Steilheit
der Zugänge des Kuiseb, die uns oft nötigte, von den Pferden zu steigen.
Dazu kommt noch, daß der Boden der Abstiege aus ganz losem, nach=
gebenden Flugsand besteht, so daß ich den Eindruck gewann, daß an diesen
Stellen ehemals riesige Dünenmassen bis in den Fluß gereicht haben und
später die auf der Fläche ruhenden Teile auseinandergeweht worden sind.
Dagegen konnten wir jetzt ein erneutes Vorrücken der Dünen gegen den
Kañon mit Bestimmtheit feststellen.

Auf den sogenannten „Flußweg", eine Wagenspur im Bett des Kuiseb
selbst, will ich nicht näher eingehen, da dieser noch schlechter und sandiger als
der Flächenweg, stellenweise aber durch dichte Bewachsung, umgestürzte Baum=
riesen und tiefe durch das Wasser gerissene Spalten ganz unfahrbar ist." —

11. Kapitel.

Der Aufstand der vereinigten Khauas, Herero und Ovambandjeru.

Erste Gerüchte. — Nach Okahandja. — Stationsleben im Kriege. — Durch Kampf zum Sieg. — Die Erschießung der Rebellenhäuptlinge. — Friede. — In Windhuk und Rehoboth. — Von neuem zur Küste.

Als wir am Abend unserer Ankunft in Swakopmund Bahrs Hotel „Zum Fürsten Bismarck" betraten, fanden wir eine aufgeregte Gesellschaft vor. Schon waren dunkle Gerüchte von den ersten Feindseligkeiten im Osten bis hierher gedrungen, und man wußte bereits, daß die Truppe in zwei Kolonnen von Windhuk gegen Gobabis vorgerückt war. Infolgedessen wurde die Heimsendung der zur Entlassung kommenden Mannschaften bis auf weiteres verschoben, und Major Mueller, der kurz zuvor an der Küste eingetroffen war, beschloß, den Hauptteil derselben zur Besetzung und Sicherung des Baiwegs zu verwenden. Am 10. verließ er mit Heldt und den Mannschaften Swakopmund, nachdem alle vorhandenen Wagen requiriert worden waren, und zog ins Innere. Die Stationen Nonidas, Haigamkab, Salem und Tsaobis wurden stark besetzt. Inzwischen ließ ich Swakopmund zur Verteidigung einrichten. Dies war aber leichter gesagt als getan, denn der Ort ist weit ausgedehnt, und die Anzahl der vorhandenen Waffen war gering. Ich gab sofort der „Damara- und Namaqua-Handels-Gesellschaft" und der „Kolonial-Gesellschaft für Südwestafrika" Erlaubnisscheine zur Einfuhr von Gewehren, Revolvern und Munition aus Kapstadt, und der „Leutwein" sollte diese so schnell als möglich holen. Die Stories, die das Land durchschwirrten, wirkten auf die Bevölkerung, Weiße wie Eingeborene, sehr beunruhigend. Da hörte man, die gesamten Herero seien aufgestanden; Hendrik Witbooi habe sich ihnen angeschlossen, und die Naman des Südens und Südostens seien in heller Empörung. Ich maß zwar diesen Gerüchten, soweit sie Hendrik betrafen, keinen Glauben bei, aber dennoch mußten wir in Swakopmund auf einen Angriff gefaßt sein. Mit Leutnant Troost und Feldwebel Zalachowsky erwog ich die Verteidigungsmaßregeln, und es wurde uns klar, daß die meisten Gebäude, zumal sie ja nur aus Holz bestanden, nicht zu halten sein würden. So wurde denn am höchsten Punkte, ungefähr in der Mitte des Platzes, der Bau einer geräumigen, starken Schanze beschlossen und in Angriff genommen. Sandgefüllte Säcke und Tonnen gaben ein vorzügliches Material ab. In diese Schanze sollten sich sowohl die Reiter der Garnison als auch alle übrigen Weißen mit Frauen und Kindern und, wenn möglich, die Eingeborenen im Falle eines Angriffs zurückziehen. Die in den einzelnen Kauf- und Lagerhäusern befindlichen großen Warenvorräte konnten durch Feuer aus der Schanze besser geschützt werden, als wenn jeder Besitzer in seinem Gebäude blieb. —

Am 13. kam die Post aus dem Innern an, und wir erfuhren, daß die Unruhen mit der Ermordung einer Patrouille von drei Reitern, die Lampe von Olifantskluft nach Gobabis geschickt hatte, begonnen hatten. Der 15. aber sollte uns nähere Nachrichten bringen. Mittags sah man plötzlich von Osten her einen einzelnen Reiter auf den Ort zujagen. Alles lief zusammen, und als der Soldat auf schweißbedecktem Pferde sich nahte, erkannte ich den Stationschef von Haigamkab, Unteroffizier Keil. Schon von weitem rief er mir zu: „Gute und schlimme Nachrichten! Ein Sieg bei Gobabis, aber Leutnant Lampe gefallen! — Herr Leutnant sollen sofort herauf!" Zugleich übergab er mir einen offenen Brief folgenden Inhalts:

„Tsaobis, 12. April 1896, abends.

Eben folgende Nachrichten hier eingetroffen, datiert 5. April nachmittags: Die vereinigten Khauas und Damara von Nikodemus und Kahimemua griffen mich heute früh, nachdem ich gegen Nacht bei Gobabis eingetroffen, in sehr kühner und geschickter Weise an. Mit Tagesanbruch etwa 100 bis 150 Hottentotten, um $\frac{1}{2}$10 Uhr früh zweiter Angriff von 300 Hottentotten und Damara. Beide Angriffe wurden durch meine 50 Reiter und 1 Geschütz siegreich abgeschlagen, obwohl es stellenweise zum heftigsten Handgemenge kam. Der Gegner flüchtete darauf in die Werft des Nikodemus; der Kampf währte bis Mittag. Ich ging nachmittags mit einem Teil der Reiter gegen die Werft vor. Es sind noch weit über 300 berittene und mit guten Hinterladern bewaffnete Herero hier, daneben viel Volk zu Fuß, auch mit Hinterladern bewaffnet. Verlust des Gegners wird unsrigen 6 mal übersteigen. Unter den Toten ist Eduard Lambert, der

Khauaskapitän. Unser Verlust: 5 Tote (Lt. Lampe; Freiwilliger Lt. der Res. Schmidt; Uffz. Lazarettgeh. Bannach; Reiter Exner, Jendjes); sehr schwer verwundet: Sergeant Fisch; Uffz. Susath; leicht verwundet: Lt. Eggers; Gefr. Schmidt, Wielandt; Bastardreiter Paul. v. Estorff.

Perbandt jetzt Okahandja, Samuel Maharo ruhig bis jetzt, gibt vielleicht Hilfstruppen, alsdann Perbandt mit denselben ebenfalls nach Gobabis. — Lt. Schwabe sofort heraufkommen; Sergeant Zarradt unter allen Umständen mit Woermanndampfer und Eingeborenen, die scharf zu bewachen sind, nach Hause. (Troost Station Swakopmund.) Stores möchten möglichst viel Reis nach oben schicken, da Truppe unten nichts mehr liegen hat.
Mueller."

So war denn unser lieber Lampe, dieser tapfere, unermüdliche Soldat, auch dahingegangen mit soviel Braven! Aber uns blieb nicht lange Zeit, trüben Gedanken nachzuhängen; Hals über Kopf ging es an die Arbeit. Die Pferde wurden herangeholt und beschlagen, ich übergab die Station an Leutnant Troost, und dann strebten wir in Eilmärschen Otjimbingwe zu. Auf dem Baiwege traf ich eine heillose Verwirrung an. Überall wollten die Frachtfahrer umkehren, infolge der Nachricht, Hendrik sei mit den vereinigten Raman, „zahllos wie Heuschrecken" sagte mir ein Bastard, im Anmarsch auf Usab, um den Weg zu sperren. Nur mit Mühe gelang es, die meisten zum Weiterfahren zu bewegen. Am 19. ritten wir in Otjimbingwe ein, wo mich der neue, weniger erfreuliche Befehl traf, nicht nach Gobabis, sondern nach Okahandja zu eilen, um den dortigen Distrikt zu übernehmen. In Otjimbingwe fiel mir wieder auf, wie erwünscht der Mehrzahl der Weißen der Krieg war. Wie ein luftreinigendes Gewitter nach langer, unerträglicher Schwüle wirkte der Ausbruch des Aufstandes, den jeder vorausgesehen hatte, erleichternd auf alle, und von allen Seiten eilten Freiwillige, Deutsche, Buren, Bastarde, ja sogar einige Engländer und Schweden, zu den deutschen Fahnen. Die Frechheit und der Übermut der Kaffern waren in den letzten Monaten geradezu unerträglich gewesen. Nun sollten sie büßen! — Hier erfuhr ich auch bereits Einzelheiten über das erste Gefecht. Hauptmann v. Estorff, der mit 50 Reitern und einem Geschütz die Station Gobabis verstärken sollte, hatte auf dem Wege dorthin zunächst Aais entsetzt, das bereits von den Khauas beschossen und des Viehs beraubt worden war. Dann war er weitermarschiert und am 5. April — eine halbe Stunde vor dem Ziel der Expedition — angegriffen worden. Noch am

Abend des 4. hatte Assessor v. Lindequist, der mit der Kolonne Estorff geritten war, unbehelligt Gobabis erreicht, und von dort war Lampe mit fünf Reitern zu Estorff geeilt; am 5. früh aber versuchten die vereinigten Aufständischen, das kleine Häuflein Deutscher zu erdrücken. Damit kamen sie jedoch an den rechten Mann! Der „alte Römer", so nannten unsere Leute Estorff allgemein, warf sich nach kurzer Defensive auf sie und zersprengte sie in alle Winde. Drei Attacken wurden von deutscher Seite geritten, wobei unsere braven Reiter mit aufgepflanztem Seitengewehr vom Pferde arbeiteten, und drei Stunden dauerte der erbitterte Kampf; dann flohen die Feinde, von Lindequist aus der Feste mit Geschützfeuer verfolgt. Wie sich die Unseren geschlagen haben, zeigen die Verluste: 11 Tote und Verwundete von 50 Mann! Und was war erreicht? Man kann sagen: „Alles", denn wäre dies erste Gefecht für uns unglücklich verlaufen, so hätten zum allermindesten die Hererostämme des Nordens und der Omaheke keinen Augenblick gezögert, sich gleichfalls zu erheben. Daß Witbooi treu geblieben wäre, glaube ich, aber die anderen Naman? Simon Kopper? Die Feldschuhträger? Und die Westherero?

Ich zweifle nicht, daß wir fast das ganze Land gegen uns in Aufruhr gesehen hätten, wenn nicht die Kunde von Estorffs glänzendem Sieg wie eine Windsbraut das Schutzgebiet durcheilt hätte —, Furcht und Schrecken unter den offenen und geheimen Feinden der deutschen Sache verbreitend.

Während der 1½ tägigen Rast, die ich in Otjimbingwe unserer Pferde wegen machen mußte, kamen neue Nachrichten aus Windhuk und Omaruru.

Die neue Feste in Gobabis.

Erstere besagten, daß alle vorhandenen Streitkräfte unter Major Leutwein und Leutnant Helm nach Osten abgerückt seien, und sich in Windhuk aus Beamten, Kaufleuten, Farmern und Ansiedlern ein Freikorps gebildet habe; letztere, daß der Häuptling Manasse und sein Stamm nicht sicher schienen und auch die Zwartbooi sich regten. An Volkmann, der sich in Omaruru mit einer geringen Besatzung und unzureichender Munition in ziemlich übler Lage zu befinden schien, konnten leider weder Heldt noch ich einen Mann oder eine Patrone schicken.

So ritt ich am 21. abends aus Otjimbingwe ab, in Ungewißheit, wie ich die Verhältnisse in Okahandja, dem am weitesten nach dem Kriegsschauplatz vorgeschobenen Hauptort der Herero, antreffen würde, denn mir war wohl bekannt, daß ein großer Teil der Herero Okahandjas stets deutschfeindlich gewesen war. Außerdem kam hinzu, daß einer der Rebellenhäuptlinge, Nikodemus, ein Kind Okahandjas war, und daß sein Vater, der alte „Feldhauptmann der Herero" Riarua, und die Anhänger seines Stiefbruders Asser Riarua, die unter den Kaffern den größten Einfluß hatten, in Okahandja wohnten. Furchtbarer Haß gegen den Oberhäuptling Samuel Maharo, der, unter seinen Stammesgenossen ohne Ansehen und Anhang, sich ganz zu der deutschen Regierung hielt, beseelte die Riaruapartei, zu der auch viele in und bei Okahandja wohnende Ovambandjeru zählten. Schon im Jahre 1895 wäre es beinahe zwischen diesen rivalisierenden Gegnern zum Kampfe gekommen. Damals war Samuel nach Windhuk geflohen, und erst auf Zureden Major Leutweins wurde die Ruhe wiederhergestellt, aber die Wut gegen den Oberhäuptling, den weder Riarua noch Manasse von Omaruru im Herzen anerkannten, blieb bestehen. Samuel sagte mir selbst einmal: „Ich werde von der Hand eines Herero sterben, wenn nicht durch eine Kugel, so durch Gift!"

Das eine aber war mir vollständig klar: Ein Mißerfolg der deutschen Waffen mußte zu allererst in Okahandja den Aufstand in hellen Flammen auflodern lassen, und nichts als die blasse Furcht konnte die Riaruapartei abhalten, sich der Bewegung bei Gobabis anzuschließen! Mit diesen Gedanken beschäftigt, zog ich am 23. frühmorgens in Okahandja ein. Daß mein Erscheinen unter den Kaffern Freude erregt hätte, wage ich nicht zu behaupten. Ohne zu grüßen standen sie finster blickend am Wege, und nur ab und zu hörte ich den Ausruf: „Ah, omuhóna Otjimbingwe!" („Der Herr von Otjimbingwe!")

Sofort nach meinem Eintreffen besuchte ich den würdigen Missionar Viehe und den einzigen Kaufmann am Platze, Albert Voigts, um mich über die Verhältnisse zu unterrichten. Hier erfuhr ich, daß mir ein anderer bereits gut vorgearbeitet hatte. Eines Morgens nämlich war im Auftrage Major Leutweins der Premierleutnant v. Perbandt mit wenigen Begleitern in Otahandja erschienen und hatte eine Versammlung aller Großleute an= beraumt. In seiner Weise hatte er dann in kurzen, aber sehr deutlichen Worten offene Erklärung für oder wider die Deutschen gefordert, tatkräftige Hilfe oder Krieg! — „Wer nicht für mich ist, ist gegen mich!" hatte er er= klärt, und dieses energische und stolze Auftreten hatte die Kaffern so ein= geschüchtert, daß sofort Hilfstruppen gestellt wurden. Mit diesen und einer kleinen Schar Reiter und Freiwilliger rückte Perbandt am 16. April nach Gobabis ab. Samuel Maharo begleitete ihn.

Nachdem ich nun noch den alten Riarua, der mich vor seinem ge= räumigen Hause sitzend und von Bewaffneten umgeben empfing, kurz be= grüßt hatte, musterte ich meine Streitkräfte. Auf der Station fand ich den Sergeanten Siewelies, einen Gefreiten und sechs Reiter vor, dazu kamen meine vier Begleiter, so daß wir im ganzen, meinen Hererobastard=Diener und mich eingerechnet, 14 Gewehre stark waren. Das hätte genügt, wenn die Feste fertiggestellt gewesen wäre, aber zu meiner unliebsamen Über= raschung fand ich, daß von dem geplanten Gebäudeviereck erst eine Seite mit zwei Türmen vollendet war. Von irgend welcher Sturmfreiheit konnte somit keine Rede sein. Die einzelnen Zimmer, die nach dem Store „Voigts" zu nur Schießscharten, nach innen aber, nach dem geplanten geschlossenen Hofe der Feste zu, große Fenster und Türen zeigten, konnten von hinten vollständig bestrichen werden. Da die Öffnungen außerdem nur durch leichte Holztüren verschließbar waren, und sogar eine Pforte nach außen führte, war es undenkbar, im Falle eines Aufstandes und Angriffs das ganze Ge= bäude zu halten. Die ersten Stockwerke der Türme allein konnten verteidigt werden. Ich beschloß zunächst, sofort ein starkes Drahthindernis vor der hinteren, offenen Seite des Gebäudes zu ziehen, um vor allem einem nächt= lichen Überfall die größtmöglichen Schwierigkeiten zu bereiten. Am nächsten Morgen begann die Arbeit; eine wochenlange Zeit der Arbeit, die keiner der Beteiligten vergessen wird. In der Kammer der Station fand ich glück= licherweise einige Rollen Stacheldraht und im Store genügend von den Sorten, welche die Feldherero zur Verfertigung von Schmucksachen kaufen. Des Ernstes der Lage eingedenk arbeiteten Unteroffiziere und Mannschaften von Sonnenaufgang bis zum Abend, ohne daß ich ein Wort zu verlieren brauchte. Löcher wurden gegraben, Bäume gefällt, herangeschleppt, ein=

gerammt und durch Drähte verbunden, eiserne Krampen und Nägel ge-
schmiedet und die nach außen führende Tür vernagelt und durch vorgelegte
Balken gestützt. Daneben strichen andere Ziegel und vermauerten die für
unsere kleine Schar viel zu zahlreichen Schießscharten; dann wurden neue
und höherliegende durchgeschlagen, Wasser, Proviant und Munition auf die
Türme geschleppt, und ein starkes, eisenbeschlagenes Holztor für die Öffnung
zwischen Drahthindernis und Gebäude gezimmert. Am 29. war das Drahthindernis so weit fertig, daß wir in einiger Sicherheit waren und ich den
Leuten, deren Dienst, da allnächtlich 6 Mann auf Wache ziehen mußten,
überaus anstrengend war, am Tage etwas mehr Ruhe lassen konnte.

Inzwischen hatte ich auch bereits Verbindungen im Orte selbst angeknüpft. Durch Voigts Vermittlung war es mir gelungen, zwei Spione
zu dingen, die mich stets auf dem laufenden erhielten und mir vorzügliche,
zuverlässige Nachrichten über alle Vorgänge im Dorfe und der näheren Umgebung brachten. Ich hatte ihnen dafür versprochen, sie im Falle eines Aufstandes in die Feste aufzunehmen, und belohnte sie außerdem reichlich. Es
waren zwei vollkommen sichere Leute von der kleinen Partei des Oberhäuptlings, Gerhardt und Eduard Tjamoha. Meist kamen sie mitten in der
Nacht, oder ich traf mit ihnen in einem abgelegenen Zimmer des Store-
gebäudes zusammen. Dieses lag ungefähr 350 m von der Feste entfernt
nach dem Flusse zu und bildete ein geschlossenes, ziemlich festes Viereck,
dessen Dach von wenigen Leuten leicht verteidigt werden konnte. Zwei
meiner Leute wurden dazu bestimmt, nachdem ich mich mit Voigts ver-
ständigt hatte, dessen tapfere junge Frau bei Ausbruch des Krieges nicht
nach Windhuk gegangen war, sondern mit ihrem kleinen Kinde bei ihrem
Manne ausharrte. Auch mit dem Missionar Irle in Otjosafu verkehrte ich
brieflich, und mit Volkmann in Omaruru wurde ein regelmäßiger, ununterbrochener Nachrichtendienst eingerichtet. Sichere Bergdamara beförderten
die Briefe, und es ist keiner verloren gegangen. In Omaruru gestalteten
sich die Verhältnisse übrigens immer schwieriger, und der ehrlose Häuptling
Manasse, der von den Deutschen nur Gutes genossen hatte, trat täglich frecher
auf. Auch gebrach es Volkmann, wie bereits erwähnte, an genügender
Munition, deren Ersatz vorläufig unmöglich war.

Durch Leutnant Dr. Hartmann, der am 28. Otahandja auf der Reise
nach Grootfontein passierte, erfuhren wir, daß Major Mueller in Windhuk
mit der Bildung einer neuen Feldtruppenabteilung beschäftigt sei, und daß
sich viele junge Bastarde zum Dienste in der Truppe gemeldet hätten. Daß

14*

An den Quellen des Waterbergs.

auch die bei Grootfontein angesiedelten Buren, zu denen Hartmann reiten
wollte, nicht untätig waren, erfah ich aus mehreren an mich gerichteten
Briefen des Häuptlings Kambazembi aus Waterberg. Der früher so stolze
Herero war ganz kleinlaut geworden. So schrieb er u. a.: „Komm doch
rasch zu mir und hilf! — Die Buren rüsten sich mit Macht zum Kriege,
und ihrer sind viele wohlbewaffnete und berittene Leute. Auch einen Haufen
Bergdamara und Buschleute haben sie zusammengebracht. Komm und hilf,
Herr, sonst fallen sie über mich her, und ich habe mit dem Kriege nichts zu
tun!" — Ich beruhigte den alten Gauner, dessen Leute noch kurz zuvor den
Buren Vieh gestohlen hatten, und schrieb ihm, ich könne nicht kommen, da
ich seiner aufständischen Stammesgenossen wegen in Okahandja bleiben
müsse, aber die Buren würden ihn nicht angreifen, wenn er und seine Leute
sich ruhig verhielten. Ferner teilte ich ihm mit, daß die Burenkomman=
danten Lombard und Joubert uns angezeigt hätten, daß sie von Norden
aus mit einem starken Kommando dem Major Leutwein zu Hilfe eilen
wollten. Innerlich freute ich mich natürlich ungeheuer über die Angst der
Herero und die Tätigkeit der Buren, denn wenn es auch infolge des
schnellen Niederwerfens des Aufstandes nicht mehr zu einem Eingreifen der

Buren kam, so nutzten sie uns doch viel durch ihre kriegerische Haltung, welche die Herero des Nordostens in Schrecken versetzte.

In den ersten Tagen des Mai trafen jedoch noch andere erfreuliche Nachrichten ein, die unsere Stimmung bedeutend hoben, die der Riarua-partei aber sichtlich verschlechterten.

Am 1. Mai war in Gobabis der Leutnant v. Burgsdorff mit Hendrik Witbooi, 22 deutschen und 200 Namareitern zur Feldtruppe gestoßen, und in Swakopmund war der als Ersatz für die zur Entlassung kommenden Reservisten entsandte Truppentransport in Stärke von 2 Offizieren, 1 Sani-tätsoffizier und 158 Mann gelandet. Von Windhuk aus hatte Major Mueller den Obergrenzkontrolleur und Premierleutnant d. Res. Schmidt, der sich gleich fast allen Reserve- und Landwehroffizieren zur Verfügung gestellt hatte, den anmarschierenden Truppen entgegengeschickt. Auch der Vertreter der Siedlungsgesellschaft, Leutnant d. Res. Weiß, war auf den Kriegsschauplatz geeilt. Endlich aber waren aus dem Osten neue Sieges-

Lt. v. Zietzen. Major Pr. Lt. Lt. Schmidt Oberst. Becker.
Leutwein. v. Berhardt. (gefallen am
9. Mai
bei Onunda).

Im Feldlager vor Otyunda.

nachrichten eingetroffen. Am 11. April war Major Leutwein mit 45 Reitern und einem Geschütz in Gobabis eingetroffen, und vom 13. bis 20. April hatte Hauptmann v. Estorff mit 90 Reitern und 2 Geschützen eine gewaltsame Erkundung von Gobabis aus nach Osten zu unternommen und die Besatzung der von allem Verkehr abgeschnittenen östlichsten Station Olifantskluft an sich gezogen. Von Rooigravwater aus war Leutnant Helm mit 23 Reitern nach Osten vorgestoßen und hatte den tapferen Unteroffizier Ficke, den Stationschef von Olifantskluft, und seine Leute aus banger Ungewißheit erlöst. Dann hatte die Kolonne Estorff am 18. die Spur des Feindes gefunden und war ihr querfeldein in anstrengenden Eilmärschen gefolgt. Am Abend kam es bei Siegfeld zum Kampf. Ungestüm drangen die Deutschen vor. Zuerst zu Fuß der Zug des erprobten Feldwebels Froede, während Estorff mit zwei Zügen die feindliche Werft umging. Zweimal warf sich nun Helm auf die Khauas und Herero und durchbrach in wildem Galopp ihre Schützenlinien, dann kam es zum Handgemenge, und hier gab Estorff dem letzten Zuge, v. Lindequist, den Befehl zum Angriff. Dieser stürzte sich links von Helm ins Gefecht und „machte", wie der dienstliche Befehl sagt, „die Flüchtlinge nieder, die jenen entronnen waren."

Der Verfolgung des Gegners durch die Kompagnie machte die hereinbrechende Dunkelheit ein Ende, doch wurden noch einige Gefangene eingebracht. Am folgenden Tage begann der Kampf von neuem, und der Feind wurde vollständig zersprengt, besonders als Premierleutnant v. Lindequist ihm in die linke Flanke fiel. Nun trat die Kompagnie, deren Pferdematerial vollständig erschöpft war, den Rückmarsch auf Gobabis an, traf jedoch nochmals am folgenden Tage auf feindliche Abteilungen, die Lindequist mit der Vorhut nach kurzem Gefecht verjagte. Die Aufgabe war erfüllt, die Fluchtrichtung des Gegners festgestellt.

Infolge dieser und der von der Küste her anlangenden Nachrichten, daß S. M. S. „Seeadler" vor Swakopmund erschienen sei und Leutnant z. S. v. Schwartz mit einem Detachement den Ort besetzt habe, machte sich unter der Riaruapartei große Niedergeschlagenheit, aber auch eine gewisse fieberhafte Geschäftigkeit geltend. Fast täglich kam einer der Spione zu mir und berichtete von nächtlichen Zusammenkünften im Hause des alten Riarua, von reitenden Boten, die von Osten kamen, und von anderen, die bei Nacht und Nebel das Dorf verließen. Daß zwischen den im Felde stehenden Rebellen und ihren Freunden in Okahandja ein lebhafter, geheimer Verkehr bestand, war mir unzweifelhaft, aber ich hatte nicht die Macht, ihn zu hindern.

Übrigens kamen auch öfter Briefe von Samuel an seinen Vertrauensmann Gerhardt, der mir dieselben stets zeigte. Eins dieser Schreiben schloß mit den bezeichnenden Worten: „Habt auf den alten Schakal (Riarua) acht! Habt die Augen offen und schlaft nicht!"

Die gegen den Kriegsschauplatz vorgeschobene Lage Okahandjas brachte es mit sich, daß wir die meisten Nachrichten aus dem Felde früher erhielten als die Landeshauptmannschaft in Windhuk, deren Geschäfte während des Krieges der Intendant der Schutztruppe, Herr Waßmannsdorff, führte. Ehe wir Bestimmtes erfuhren, merkten wir oft an dem Benehmen der Herero, daß etwas Neues vorgefallen sein mußte, von dem sie schon durch Eilboten Kenntnis hatten, während wir noch ohne Nachrichten waren. Diese Tage der Ungewißheit waren dann wenig angenehm.

In meinem Tagebuch finde ich über diese Zeit folgende Aufzeichnungen: „8. Mai. Frühmorgens reite ich mit Voigts, Badke und Rothe nach Groß-Barmen. Die Herero scheinen hier ruhiger; ich ermahne sie, nichts Un= überlegtes zu unternehmen.

9. Mai. Zurück aus Barmen. Eilbriefe kommen aus dem Felde. Schicke Talaska mit ihnen nach Windhuk zu Waßmannsdorff; Brief von Gustav Voigts, der die Herero-Hilfstruppen führt, kommt: Truppe ist auf der Spur Kahimemuas, Nikodemus soll sich vom Kriegsschauplatz zurückziehen.

10. Mai. Von 9 bis ¦12½ Uhr geheime Unterredung mit Voigts, Gerhardt, Eduard. Berittene Herero aus dem Osten sind gekommen. Die Herero auf dem Platze sind unruhig: Es soll eine große Schlacht ge= schlagen, viele Rebellen, aber auch viele Deutsche, auch Offiziere, gefallen sein.

11. Mai. Nachricht kommt, daß Nikodemus im Anzuge auf Okahandja sei, angeblich in friedlicher Absicht, um sich vor den Deutschen auf dem Grabe seines Onkels (des alten Maharo) zu verantworten". (?)

12. Mai. Abends 7 Uhr treffen zwei Herero zu Pferde mit Briefen Major Leutweins vom Osten ein. Sie melden mir, daß Nikodemus, den sie erst gestern verließen, mit seiner Werft im Anzuge sei. Der Major habe ihn durch seinen Stiefbruder Asser Riarua zur Unterwerfung auffordern lassen. Er komme, um dies zu tun. Öffne das Briefpaket bei Voigts: ›Am 6. Werft Kahimemuas erstürmt. Tot: Leut. Schmidt (ehem. Distrikts= chef von Okahandja), Untffz. Staginus, die Reiter Gräber und Lungers= hausen. Schwer verwundet: die Leuts. Eggers und Helm, Untffz. Kaschub, die Reiter Honscha und Düßler. Leicht verwundet: die Untffze. Macz=

kewicz und Deubel, Reiter Kühnel. Eingeborene: Tot: Bastardpolizist Flors Smith, Herero-Reiter Ruben. Verwundet: 5 Herero.«"

Das sind schwere Verluste! Samuel schreibt, daß Eggers sehr schwer verwundet sei. Über den Distriktschefs von Okahandja scheint ein Unstern zu schweben: Lampe, Schmidt und nun auch noch Eggers! — Aber doch

Die Militärstation in Groß-Barmen.

wieder ein glänzender Sieg der deutschen Waffen. Viele, sehr viele der Feinde seien gefallen, berichten die Boten; die Erde sei weithin rot vom Blute gewesen, und die »Weißen« hätten mit dem »kleinen Messer« (Seiten-gewehr) und kleinen Gewehr (Revolver) angegriffen und die starken Dorn-verhaue zerrissen und übersprungen. Der »weiße Kapitän aus dem Nama-lande« (Hermann) aber hätte furchtbar — »wie Donner« — aus den großen Rohren« (Geschützen) geschossen, und Hendrik Witbooi und der Kapitän aus Gibeon« (Burgsdorff) seien den Fliehenden weit gefolgt und hätten noch viele niedergemacht. Endlich sei des Majors weißes Pferd ihm

unter dem Leibe erschossen worden, und ungeheuere Viehherden seien in die
Hände der Sieger gefallen. Kahimemua selbst sei geflohen, werde aber verfolgt. — Das scheint das Ende des Aufstandes zu sein!"

So weit mein Tagebuch. Am 13. früh ritt auf meine Bitte Voigts
mit zwei Soldaten nach Barmen, da ich Major Mueller dort vermutete.
Er war jedoch noch nicht eingetroffen, und Voigts schickte infolgedessen die
Kriegsberichte und einen Brief von mir, in dem ich den Anmarsch des
Nikodemus meldete und Verstärkung erbat, um ihn verhaften zu können,
durch Eilboten nach Windhuk. Der Ansiedler und frühere Reiter Bönsch
erbot sich, mit den Briefen zu reiten, und bereits abends um 7 Uhr waren diese in
Windhuk. Eine Patrouille, die Voigts in der Richtung auf Otjimbingwe
ritt, um nach der anmarschierenden Truppe zu sehen, verlief ergebnislos, aber
am 14. früh bereits traf Major Mueller, der die ganze Nacht hindurch geritten war, in Barmen ein. An demselben Abend kehrte Voigts nach Otahandja zurück. Am 16. noch vor Sonnenaufgang erschien plötzlich Gerhardt
Tjamoha bei dem Posten am Tor der Feste und verlangte, sofort zu mir
geführt zu werden. Die fünf Worte, die er mir zuflüsterte, waren inhalt-
schwer. Sie lauteten: „Nikodemus ist heute nacht gekommen!"

Nun hieß es handeln! Nach einer Stunde schon ritten Boten mit der
Nachricht nach allen Himmelsrichtungen ab; nach Osten querfeldein zu Major
Leutwein; nach Windhuk zu Waßmannsdorff und nach Omaruru zu Volkmann.

Ich stand jetzt vor der Frage, ob ich versuchen solle, Nikodemus sofort
zu verhaften, oder ob es ratsamer sei, die Ankunft der erbetenen Verstärkung
abzuwarten. Ich entschied mich für das letztere, besonders im Hinblick darauf,
daß mir zu der Gefangennahme des Häuptlings, da ich die Feste besetzt
halten mußte, höchstens sechs Gewehre zur Verfügung standen, und der Platz
seit dem Morgen von bewaffneten fremden Herero wimmelte. Wäre nun
der Versuch, den Häuptling zu verhaften, bei seinen Leuten auf Widerstand
gestoßen, so konnte ich mit meinen sechs Mann der bedeutenden Übermacht
gegenüber nichts ausrichten; es konnte sogar alles verdorben werden, wenn
dann Nikodemus, in Angst versetzt, den Platz verließ und flüchtete. So beschloß ich denn nach reiflicher Überlegung, mich so zu stellen, als ob ich an
seine Unschuld glaube, um ihn in Sicherheit zu wiegen. In Gegenwart des
Missionars Viehe, des Herrn Voigts, des alten Niarua, Assers und einer
großen Anzahl bewaffneter Herero begrüßte ich den Häuptling, der einen
sehr gedrückten Eindruck machte und sich sofort in Unschuldsbeteuerungen er-
schöpfte. Er sagte, er sei gekommen, um sich vor dem deutschen Gericht „in

der Stadt seiner Väter" zu verantworten, da er wisse, daß er an dem Blut=
vergießen unschuldig sei. Ich antwortete ungefähr folgendes: „Ich freue mich,
Nikodemus, daß Du gekommen bist, und hoffe, daß sich Deine Unschuld er=
weisen wird. Bleibe vorläufig im Hause Deines Vaters!" Dann verbürgte
sich der Stiefbruder des Häuptlings, Asser, mit „Leib und Leben" dafür, daß
Nikodemus den Platz nicht verlassen werde, bis Major Leutwein komme. So
schieden wir, und eine halbe Stunde später ritt ich eiligst mit zwei Reitern
nach Barmen zum Major Mueller. Dort wurde beschlossen, unmittelbar nach
dem Eintreffen der neuen Truppe zur Verhaftung des Nikodemus zu schreiten.

Wir berieten noch, als von den Posten „Reiter von Westen her" ge=
meldet wurden. Es war eine Patrouille der neuen Truppe. Einer der
Leute übergab mir einen Brief. Zu meinem größten Erstaunen und meiner
nicht minder großen Freude ersah ich aus der Unterschrift: „v. Sack, Haupt=
mann", die der Inhalt, ein Vormarschbefehl für die heranziehende Ver=
stärkung, trug, daß der tapfere Offizier, den ich längst auf der Reise nach
Deutschland vermutete, wieder im Lande war. Auf die Kunde von dem
Ausbruch des Aufstandes hatte er sofort von Kapstadt aus die Rückreise
nach dem Schutzgebiet angetreten.

Am 17. war ich wieder in Okahandja, wo ich alles unverändert fand,
und am 19. abends ritten unter dem Jubel meiner Leute Major Mueller
und Hauptmann v. Sack mit den Unteroffizieren Miethke und Lange in das
Dorf ein. Am nächsten Morgen meldete der Posten: „Staubwolken aus
der Richtung von Barmen!" Ich schwang mich auf eins der stets bereit=
stehenden Pferde, ritt der Abteilung Graf Kageneck entgegen und führte sie
durch das Dorf zur Feste. Nun trafen täglich weitere Abteilungen ein.
Am 22. Obergrenzkontrolleur Schmidt, Stabsarzt Sobotta und Kriegs=
freiwilliger Leutnant a. D. v. Lewinski, am 24. Leutnant v. Zülow mit dem
Hauptteil der neuen Truppe und der Wagenkolonne. Auch Roßarzt Rick=
mann langte mit vielen frischen Pferden, die Major Mueller in der Zwischen=
zeit in Windhuk hatte zureiten lassen, in Osona, etwa 20 Minuten südlich
von Okahandja, an. Dort an dem wundervollen, schattigen Flußtal hatte
ich auf Befehl des Majors alle Vorbereitungen für das Lager der Truppe
treffen lassen. Große Dornkräle für Pferde und Schlachtvieh waren fertig=
gestellt, Wasserlöcher ausgehoben und Brennholz herangefahren worden. Sack
und Lewinski hatten uns bereits am 23. wieder verlassen und waren mit nur
wenigen Begleitern nach dem Kriegsschauplatze abgeritten. In und um Oka=
handja entwickelte sich nun ein lustiges Lagerleben.

Am 26. wurde Nikodemus verhaftet, denn obwohl er sich bis dahin ruhig verhalten hatte, fürchtete doch sowohl Major Mueller wie ich, daß er noch im letzten Augenblick seine freiwillige Gestellung bereuen und entfliehen könne. Es war nämlich inzwischen die Nachricht eingetroffen, daß Kahi menua mit dem Rest der Khanashottentotten gefangen worden sei und Major Leutwein auf Otahandja marschiere. Am 26. früh versteckte ich, um auf alle Eventualitäten vorbereitet zu sein, eine Anzahl Bewaffneter im Voigtsschen Store und ließ 25 Reiter bei gesattelten Pferden im Hofe der Feste warten. Dann wurde Nikodemus in Gegenwart einer großen Anzahl angesehener Herero, sämtlicher Offiziere, des Missionars und Voigts von Major Mueller für verhaftet erklärt und mir übergeben. Er fand sich schwer in sein Schicksal und wollte durchaus nichts von der Gefangensetzung wissen, aber es half ihm nichts. Als er in den Hof der Feste trat und die gefechtsbereite Abteilung sah, erbleichte er. Ich sperrte ihn in das Erd-geschoß des Hauptturmes.

Inzwischen waren die letzten Wagen mit dem Sattelzeug für die Kompagnien eingetroffen, und Major Mueller rüstete sich zum Vormarsch nach Nordosten, auf Okandjose, des Häuptlings Tjetjoo Werft.

Am 27. abends zog das Detachement Mueller durch das Dorf, etwa 100 Reiter, 20 Fußgänger, 7 Wagen und 1 Geschütz stark.

Nun wurde es wieder stiller im Ort und in der Feste, in der fast alle Offiziere zeitweise gewohnt hatten. 50 Reiter waren als Besatzung zurück-geblieben, so daß wir sorglos leben konnten. Die Feste, der Store und zwei naheliegende, leerstehende Hererohäuser wurden besetzt. Nachts mußte wie bisher scharf gewacht werden, aber schon am 30. traf eine Patrouille von Major Leutwein ein, die den Einzug der Truppen in drei bis vier Tagen in Aussicht stellte. Auch Major Mueller sollte zurückkehren. Am Abend desselben Tages kamen die in dem Briefe Major Leutweins erwähnten Großleute des Nikodemus aus Eluya an, die ich verhaftete und in der Feste internierte, und in der Nacht vom 2. zum 3. Juni weckte uns das Pferdegetrappel und Räderrollen der zurückkehrenden Kolonne Mueller. So brach der Tag des Einzuges der siegreichen Truppen an; ich lasse nun wieder mein Tagebuch reden:

„3. Juni. Wir ritten heute schon früh hinaus auf dem Wege nach Otjosasu und begrüßten die Heimkehrenden. Dann eilten wir zurück und stellten uns am Missionshause in Parade auf, rechts die beiden Kompagnien des Detachements Mueller, auf dem linken Flügel ich mit der Stations-besatzung. Es ist Festtagsstimmung. Von allen Häusern wehen die Fahnen;

die Glocken läuten. Jetzt naht sich die Spitze des Reiterzuges: Major Leutwein mit dem Stabe. Major Mueller galoppiert entgegen und meldet. Brausender Jubel und endloses Hurragefchrei bricht los. Wir präsentieren. Nun blitzen wieder Waffen aus der ungeheueren Staubwolke, die hoch zum Himmel aufwirbelt: Unter Trompetengeschmetter reiten die ruhmgekrönten Kompagnien heran, staubbedeckt, von der Sonne verbrannt, kriegerisch und wild aussehend, an der Spitze die Führer Estorff, Lindequist, Sack, Per-bandt, Ziethen; dann blinken weiße Hüte über gelben Gesichtern, voraus reiten auf flinken Pferden Hendrik Witbooi, Burgsdorff, Lewinski, Samuel Isaak, und nun erscheinen rotumwundene Hüte und dunkelbraune Gesichter: die verbündeten Herero unter Gustav Voigts, alle ziert die schwarz-weiß-rote Feldbinde. — Ein neues Bild: Simon Kopper und eine Abteilung seiner Leute, gelbe Tücher um die Hüte, dann die Artillerie, die Geschütze bekränzt, an ihrer Spitze der graubärtige Hermann. Immer wieder erneuert sich der Jubel, dann bringt Major Leutwein im Viereck der Truppen ein begeistertes Hoch auf den Kaiser aus; Hurragefchrei mischt sich mit den Klängen des »Heil dir im Siegerkranz«, Mützen und Hüte fliegen in die Luft, man sieht geschwungene Waffen und steigende Pferde. Auf den grünen Rasenflächen am Missionshaus wird das Lager aufgeschlagen, das Chaos von Menschen, Pferden, Geschützen und Wagen entwirrt sich, die ersten Kochfeuer flammen auf.

4. Juni. Lindequist beginnt die Verhöre. Fortgesetzt werden Gefangene in die Feste gebracht, Patrouillen kommen und gehen, Viehherden werden durchgetrieben, und der Platz wimmelt von Bewaffneten. Über 700 Reiter sind außer den Herero in und um Otahandja versammelt. Mittags zieht die erste gemischte Wache, 24 Reiter und Witbooi, in der Feste auf.

5. Juni. Abends rückt die 5. Feldkompagnie (v. Zülow) als Wach-kompagnie nach Windhuk ab.

6. bis 8. Juni. Die Verhöre dauern fort. Lindequist hat von früh bis abends zu tun. Kahimemua gesteht alles ein, Nikodemus leugnet in frecher Weise, obgleich alle gegen ihn aussagen und seine Schuld klar erwiesen ist. Wenn ich nicht bei den Verhören zu tun habe, bin ich meist im Lager. Auch aus Windhuk treffen Besucher ein. Richter ist mit den Verwundeten auf dem direkten Wege schon lange dort eingetroffen. — Abends spielt die Musik im Lager, das, wenn die Hunderte von Feuern das Laub der mächtigen Bäume hell bestrahlen, einen entzückenden Anblick gewährt — besonders wenn beim Zapfenstreich die Klänge des Gebetes feierlich durch die Nacht

schallen und die dunklen Massen der Kompagnien und Detachements schweigend den Klängen lauschen. —

9. Juni. Major Leutwein sagt mir, daß die Bastarde sich vorzüglich bewährt hätten, und daß ich noch einmal vor meinem Urlaub die Ausbildung leiten und einen der neuen Offiziere anlernen solle.

Heute kommt die Nachricht, daß 15 Offiziere, 2 Sanitätsoffiziere und 407 Mann als Verstärkung der Schutztruppe aus Deutschland abgefahren sind. Großer Jubel im Lager! — Das verdanken wir wohl der Tätigkeit unseres Generalkonsuls v. Schuckmann in Kapstadt, der sich auf dem Wege über Britisch-Betschuanaland ausgezeichnete Meldungen über die Lage im Schutzgebiet verschafft haben soll. Wenn die 400 auch jetzt zu spät kommen, gebrauchen können wir sie immer.

10. Juni. Kriegsgericht über Nikodemus und Kahimemna von 9 bis 3 Uhr.

11. Juni. In meiner Gegenwart publiziert Lindequist den Rebellen-häuptlingen das einstimmig über sie gefällte und vom Landeshauptmann be-stätigte Todesurteil. Kahimemna nimmt es gefaßt auf; Nikodemus, ein Feigling, bricht in Verwünschungen gegen seine Leute und Kahimemna aus,

Simon Kopper.   Korl. d. Maj. Witt.   Hendrik Witbooi.   Samuel Isaak.

Die Häuptlinge der Nama-Bundesgenossen und ihre Unterführer.

auf die er die Schuld abzuschieben sucht. Nachmittags Kriegsgericht über die anderen Gefangenen; wie ich höre, sind Zuchthausstrafen von 2 bis zu 15 Jahren verhängt worden. Abends erscheint Missionar Viehe, um Nikodemus zum Tode vorzubereiten; Kahimemua ist Heide. —

12. Juni. Um 10 Uhr rückt die erste Feldkompagnie unter Estorff an, um die Verurteilten, denen ich auf ihre Bitte Wein geben lasse, zu holen. Dann werden sie gebunden auf eine Ochsenkarre gehoben, und der Zug setzt sich in Bewegung. Berittene Polizisten eröffnen ihn; dann folgen Estorff und ich zu Pferde, eine halbe Kompagnie unter Kageneck zu Fuß, die Karre von Berittenen umgeben — und den Schluß bildet Ziethen mit der anderen Hälfte der Kompagnie zu Fuß. Wir müssen das ganze Dorf durchziehen — kein männlicher Herero ist zu sehen, aber die Weiber wälzen sich am Boden und streuen sich Staub und Erde auf die Köpfe. Aus jedem Hause, jeder Hütte, jedem Garten schallt das langgezogene, schauerliche Klagegeheul, die berühmten Häuptlinge auf ihrem letzten Gange begleitend. Schweigend, im großen Viereck, die Geschütze abgeprotzt auf den Flügeln, empfangen uns die Truppen, dann ziehen wir durch den tiefen Sand des Flußbettes zur Richtstätte. Kommandos Witbooischer und Simon Kopperscher Hottentotten sperren den Platz ab. — Halt!« — Die Verurteilten werden von der Karre gehoben. Stolz und erhobenen Hauptes schreitet Kahimemua zu dem Baum, an den er gefesselt wird; Nikodemus, vor Angst schon halbtot, muß von vier Leuten getragen werden. Jetzt werden beiden die Augen verbunden, und die zur Vollstreckung kommandierten Sektionen unter dem Kommando der Leutnants v. Ziethen und Graf Kageneck treten an ihre Plätze.« Hauptmann v. Estorff winkt; kurze Kommandoworte — »Legt an — Feuer!« Donnernd rollen die Salven in den nahen Bergen, und zwei Verräter haben aufgehört zu leben. Die Körper werden abgeschnitten, mit Zweigen bedeckt und den Verwandten zur Bestattung überlassen.

Am Nachmittag rückt die Truppe nach Windhuk ab, Kajaëta mit seinen Leuten nach Seeis; Sack reitet nach Walfischbai, um nach Deutschland zu reisen. — Die zur Entlassung kommenden Mannschaften sind schon früher unter Hannemanns Kommando nach der Küste aufgebrochen. Ich traf sie, als ich mit Rickmann von einem Ritt zu unseren bei Osona weidenden Pferden zurückkehrte. Händeschütteln und Hurrarufen — dann zogen die Braven weiter nach Westen, und wir ritten nach Okahandja zurück. Es war ein wehmütiger Augenblick, dieses Scheiden, das uns allen sehr nahe ging, denn über drei Jahre hatten wir Schulter an Schulter gefochten, in Sturm und Sonnenschein.

Hptm. v. Bach.   Nikodemus.   Leut. Schwabe.   Leut. Graf Rogowski.

Häuptling Nikodemus als Gefangener im Hofe der Feste in Otahandja.

15. Juni. Es ist still und tot auf dem Platze; der Dienst geht wieder im alten Geleise. Die Niarnas halten sich ruhig, man sieht sie selten. Hoffentlich beherzigen sie das, was der bei Otjunda gefangen genommene alte Unterkapitän des Kahimemua, Kahikaëta, eines Morgens den anderen Gefangenen in der Feste sagte: ›Laßt Euch nicht mit den Deutschen ein, das ist vergeblich! Einen Schuß könnt ihr zielen, den zweiten noch in aller Hast abgeben, aber vor dem dritten habt ihr schon das Messer im Leibe!‹ —

Die Patrouillen haben noch viel Vieh, Gewehre und Gefangene mitgebracht. Major Mueller marschiert mit einem starken Detachement über Seeis nach Osten, um die mehrere tausend Rinder betragende Kriegsentschädigung einzutreiben.‹ —

Ich habe bisher nur wenige Worte über die Lage des Dorfes Otahandja gesagt und will dies jetzt nachholen.

An anderer Stelle erwähnte ich bereits, daß von den Vorbergen des Auasgebirges sich ein herrliches Waldtal über Brackwater, Okaputa, Otjihavera und Osona bis nach Otahandja erstreckt. Zahlreiche Flüsse und Flüßchen durchziehen dieses schöne Stück Erde; steile Spitzkuppen steigen aus der Ebene auf, und Grasflächen wechseln mit dichten Waldstreifen ab. Den nördlichen Abschluß des Tals bilden die Berge bei Okahandja, das ungefähr drei Reitstunden nordöstlich von Groß-Barmen liegt. Von Osten kommend umfaßt das dicht umwaldete Bett des Swakopflusses den Ort, der, eingeschlossen von sanften Hängen im Westen und Norden und großartigen Felsbergen im Osten, mit seinen weißen Häusern und der imponierenden Feste einen überaus freundlichen und stattlichen Eindruck macht. Ein üppiger Teppich frischgrünen Queckgrases breitet sich weithin an den Ufern des Flusses aus, und schöne, große und wohlbestellte Gärten deuten auf Grundwasser in nur mäßiger Tiefe. Der Bestand an wundervollen, alten, schattenspendenden Bäumen in und um Okahandja ist ein außergewöhnlich großer, und an mehreren Stellen, so auf dem Wege nach Windhuk bei Osona und auf dem Wege nach Groß-Barmen, kann man von dichtem Wald reden. Köstlich ist es, in der Morgenfrische hier hinauszutraben und sich an dem Erwachen der Natur zu erfreuen, und dies Vergnügen wird von den weißen Einwohnern reichlich genossen.

Okahandja, eine der ältesten Stationen der Rheinischen Missionsgesellschaft im Hererolande, hat eine bewegte, zum Teil blutige Geschichte. In seiner unmittelbarsten Nähe ist oft heiß zwischen Herero und Hottentotten gestritten worden, denn der Ort war der Hauptwaffenplatz der ersteren und die Residenz des Oberhäuptlings der Herero.

Bald darauf langte Leutnant v. Zülow in Okahandja an, dem ich die Geschäfte des Distriktes übergab. Dann ritt ich nach Windhuk.

Dank der vorzüglichen Pflege von seiten Richters traf ich hier die Verwundeten durchweg auf dem Wege zur Besserung an, was besonders bei Eggers und Helm, die sehr schwere Schüsse erhalten hatten, viel sagen wollte. Wie im Fluge vergingen die Tage. Schon waren Offiziere des letzten am 24. Juni in Swakopmund gelandeten Verstärkungstransportes, die Leutnants v. Heydebreck, Ziegler, Kepler und Schulz, in Windhuk eingetroffen, und ein reges militärisches Leben entwickelte sich auf dem Platze.

12. Kapitel.

Das Schutzgebiet in den Jahren 1897 bis 1903.

Die Rinderpest und ihre Folgen. — Die Eisenbahn Swakopmund - Windhuk und der
Molenbau. — Die Aufstände der Afrikaner und der Zwartbooi. — Erneute Unruhen im
Groß-Nama- und Hererolande. — Die politischen Verhältnisse im Jahre 1903 und der
Aufstand der Bondelzwart.

Das schwerwiegendste Ereignis für das Schutzgebiet nach dem Aufstande
im Jahre 1896 war das Vordringen der Rinderpest. Von den
kapländischen Behörden war bereits in demselben Jahre Geheimrat
Koch nach Kapstadt berufen worden, um mit Unterstützung des Staates den Kampf
gegen die Seuche im Britischen Südafrika aufzunehmen, und an den Erfolgen,
die hier von dem berühmten deutschen Gelehrten erreicht wurden, nahmen
auch die übrigen Staaten Südafrikas, Transvaal und der Oranje-Freistaat,
vollen Anteil. In Südwestafrika hatte Gouverneur Leutwein eine vollständige Absperrung der Grenzen angeordnet und die Durchführung und
Überwachung dieser Maßregel dem Regierungsrat v. Lindequist übertragen.
Unter überaus großen Anstrengungen der zu diesem Zweck kommandierten
Ärzte, Offiziere und Mannschaften wurde besonders an den östlichen und
nördlichen Grenzen des Hererolandes, dem an Rindern reichsten Gebiete,
ein etwa 20 km breiter viehfreier Gürtel geschaffen und hierdurch alles getan,
um der Seuche ein Vordringen in das Schutzgebiet zu erschweren. Daß
diese mit aller Energie durchgeführten Maßnahmen nicht einen vollen Erfolg
mit sich brachten, lag einmal daran, daß die Überwachung des weitaus-
gedehnten Landgebiets trotz aller Anstrengungen eine vollkommene naturgemäß nicht sein konnte, zum andern aber an dem Umstande, daß die Seuche
auch auf das Großwild übertragen und von diesem weiter verbreitet wurde.

Inzwischen hatte der im Juni 1897 im Schutzgebiet eingetroffene
Stabsarzt Dr. Kohlstock, der Assistent des Geheimrats Koch in Südafrika
gewesen war, im Verein mit dem Roßarzt Rickmann und dem Assistenzarzt

Dr. Kuhn die Bekämpfung der Pest im Schutzgebiet selbst durch Impfung der Rinder nach dem Kochschen Verfahren begonnen. Der anfangs bedeutende Widerstand der Herero, die sich an vielen Orten den Maßregeln der Regierung voll Mißtrauen offen widersetzten, wurde durch die hingebende Zusammenarbeit aller Beteiligten überwunden, und es gelang, von den Herden, die im Hererolande weideten, doch noch etwa 50 v. H. des Bestandes zu retten, während bei den Weißen und den Bastarden von Rehoboth der Prozentsatz ein noch weit höherer war. Da die Ärzte allein zur Bekämpfung der Seuche nicht ausreichten, wurden außerdem zahlreiche Offiziere, Soldaten, Beamte und Angehörige der Ansiedlerbevölkerung im Impfen ausgebildet.

Das Groß-Namaland blieb mehr verschont, weil es überhaupt weniger Rinder aufwies, und diese noch dazu meist auf weit voneinander getrennten Weideplätzen gehalten wurden.

Wenn durch die Seuche einerseits dem Schutzgebiet ein ungeheuerer Schaden erwuchs, so hatte sie anderseits das Gute, daß sie ein grelles Licht auf die mangelhaften Verkehrsverhältnisse des Landes warf. Es zeigte sich, daß vor allem für das mittlere, am dichtesten besiedelte Schutzgebiet der durch die Wüste zur Küste führende Baiweg ein gänzlich unzulässiges Verkehrsmittel darstellte. Man mußte bei längerem Anhalten der Seuche oder bei ähnlichen Vorkommnissen in der Zukunft gewärtig sein, daß die Ochsenwagentransporte auf diesem Wege so versagten, daß eine Katastrophe für die im Innern befindlichen Truppen und die weiße Ansiedlerbevölkerung jederzeit eintreten konnte. Man sagte sich daher damals bereits im Schutzgebiet selbst, daß es nur eine Maßregel weiser Sparsamkeit wäre, diesen Weg durch Anlage einer Eisenbahn zu verbessern und gegenüber allen Zufällen in der Zukunft dauernd gangbar zu erhalten. Aber die maßgebenden Kreise in der Heimat brachten diesen Wünschen und Hoffnungen der Regierung und der weißen Bevölkerung des Landes zunächst ein nur geringes Verständnis entgegen. Auch waren große Schwierigkeiten in rechtlicher Hinsicht zu überwinden, die darin gipfelten, daß in der sogenannten Damaralandkonzession der South-West-Africa-Kompagnie das alleinige Recht verliehen worden war, im Damaralande Eisenbahnen mit Lokomotivbetrieb zu bauen und zu unterhalten.

Als ich im Januar 1897 in Deutschland anlangte, richtete sich mein ganzes Streben sofort darauf, die Eisenbahnfrage in Fluß zu bringen. Auf meinen vielfachen Reisen zur Küste, besonders in den Jahren 1894 und 1895, hatte ich das Land nördlich und südlich des Baiweges bereits gründlich auf

die Möglichkeit eines Eisenbahnbaus hin erkundet. Unüberwindliche
Schwierigkeiten konnten in den Geländeverhältnissen keineswegs gefunden
werden, im Gegenteil: die Namibflächen boten auf weite Strecken hin die
Möglichkeit eines nicht eben schwierigen Baues, und zunächst handelte es
sich auch nur darum, die Eisenbahn durch den Wüstengürtel bis in die Höhe
des beginnenden Graswuchses hindurchzuführen, also etwa um den Bau
einer Strecke Swakopmund—Jakalsfontein. In Berlin wurde damals
unter dem Vorsitz meines Vaters, des Geheimen Regierungs- und Baurats
Schwabe, ein Syndikat gebildet, dem außer mir selbst noch die Herren
Oberleutnant Troost und Regierungs-Assessor Dr. Leist angehörten. In
überaus angestrengter Tätigkeit gelang es, die zum Teil sehr schwierigen
Fragen und Vorarbeiten so weit zu fördern, daß die Erteilung der dem
Syndikat regierungsseitig bereits fest in Aussicht gestellten Konzession für
den Bahnbau dicht bevorstand, als sich die Regierung in letzter Stunde
entschloß, den Bau aus Reichsmitteln durchzuführen, und zwar unter
Ausschaltung der Rechte der South-West-Africa-Kompagnie, die vollständig untätig blieb. Das Material wurde zum größten Teil den Kriegs-
beständen der Eisenbahntruppen entnommen, nach Südwestafrika ver-
frachtet, und der Bau zunächst unter Leitung zweier Offiziere der
Eisenbahnbrigade, der Oberleutnants Kecker und Schulze, begonnen. Es ist
ein besonderes Verdienst des damaligen Direktors der Kolonialabteilung im
Auswärtigen Amt, des Freiherrn v. Richthofen, hier in energischer Weise
vorgegangen zu sein. Noch im Herbst des Jahres 1897 wurde der Bau
von Swakopmund aus in Angriff genommen; und nachdem späterhin das
Einverständnis des Reichstages für die Weiterführung der Bahn über den
Wüstengürtel hinaus bis nach Windhuk herbeigeführt worden war, wurde
die Gesamtstrecke bis zur Landeshauptstadt um die Mitte des Jahres 1902 eröffnet. Die Bahn zeigt eine Spurweite von 60 cm, die für die Inanspruchnahme der ersten Jahre als vollständig ausreichend erkannt worden war, jedoch hat sich mit der Zeit herausgestellt, daß das Schienenprofil ein zu
leichtes ist. Man wird daher aller Wahrscheinlichkeit nach demnächst mit
dem Ersatz desselben durch ein stärkeres vorgehen. Wenn es sich ferner im
Lauf der Jahre gezeigt hat, daß eine mehr nördlich liegende Trasse der
Eisenbahn ungleich günstiger gewesen wäre, und daß die Linienführung hier
und dort wohl hätte eine bessere sein können, so darf man hierbei nicht vergessen, daß die Bahn unter außerordentlich schwierigen Verhältnissen und
besonders in ihrem ersten Teil in Zeiten der bittersten Not und unter größt-

15*

möglichster Beschleunigung gebaut worden ist. Die Hauptschwierigkeiten
lagen in der Durchquerung des Wüstengürtels, in der Wasserarmut dieser
Gegend, den außerordentlich starken Steigungsverhältnissen und endlich in
der Überwindung von bald tief eingeschnittenen, felsstarrenden, bald breiten,
tiefsandigen Flußtälern, von denen einzelne heute von bedeutenden Brücken
in Eisenkonstruktion überspannt werden. Mit dem Weiterbau der Bahn
über den Wüstengürtel hinaus wurden Oberstleutnant Gerding und Major
Pophal von der Eisenbahnbrigade betraut. Die Gesamtkosten der Bahn
haben rund 14 900 000 Mark betragen.

Zugleich mit dem Bau der Eisenbahn wurde der des Telegraphen von
Swakopmund aus begonnen; bereits im Jahre 1901 erreichte der Draht
Windhuk. Auch der Anschluß des Schutzgebiets an das Kabel England—
Kapstadt wurde in diesem Jahre durchgeführt und damit eine direkte telegraphische Verbindung des Schutzgebiets mit dem Heimatlande erreicht,
während bisher die Depeschen von Swakopmund oder Lüderitzbucht aus mit
dem Dampfer nach Kapstadt befördert und dort erst dem Telegraphen übergeben worden waren. Gleichzeitig mit diesen Arbeiten wurden auch die
dringend notwendigen Verbesserungen der Reede von Swakopmund gegen
Ende des Jahres 1898 in Angriff genommen. Nach umfangreichen Vorarbeiten durch den Regierungsbaumeister Ortlof wurde im September 1899
der Bau einer steinernen Mole begonnen. Dieser geplante Wellenbrecher
sollte über die Brandung hinausreichend die Unsicherheit und die Gefahren
der bisherigen Art der Entlöschung der Schiffe in offenen Brandungsbooten
beseitigen und zugleich einen kleinen Boots- und Leichterhafen schaffen. Bei
der unwiderstehlichen Kraft der Brandung, die im Verein mit dem Ben-
guelastrom erst jetzt ihre ganze vernichtende Stärke zeigte, waren die Arbeiten
bei dem Bau der Mole überaus schwierig und zeitraubend. Öfter wurden
eben erst vollendete Strecken von der Brandung wieder vernichtet und zersprengt und schwere Betonblöcke in das Meer gerissen. Aber nach unermüdlicher Arbeit konnte doch im Februar 1903 die ganze 375 m lange
Mole dem Verkehr übergeben werden, so daß nun der Regierungsschlepp-
dampfer „Pionier" und die Barkassen der Wörmanndampfer die Leichterboote
bis an die Mole schleppen und im ruhigen Wasser entlöschen konnten. Indessen sollte die Freude und Sicherheit, die die Bevölkerung Südwestafrikas
durch den Bau der Mole empfand, nicht allzu lange eine ungetrübte sein.

An anderer Stelle ist bereits auf die schwierigen Stromverhältnisse an
der südwestafrikanischen Küste hingewiesen worden, und wir haben gesehen,

Bahnstrecke im Rhonrivier.

daß unter dem Einflusse der Brandung und des Benguelastromes die Gestade des Schutzgebiets unaufhörlichen Veränderungen ausgesetzt sind. Die ungeheuren Sandmassen, die teils von den Flüssen dem Meere zugeführt, teils von den Auftriebwassern und dem Strom an der Küste bewegt werden, lagern sich vorzugsweise an solchen Stellen des Gestades ab, die dicht nördlich größerer Flußmündungen in das Meer vorspringen. Das Verschwinden des Ogdenhafens und das binnen weniger Jahre erfolgte Versanden des Sandwichhafens zeigen deutlich, daß die an der Küste arbeitenden Naturkräfte sich in kein System bringen lassen und daß sie jeder Berechnung spotten. Die Versandung eines steinernen Wellenbrechers war daher meiner Ansicht nach, die ich schon im Jahre 1897 geäußert habe, mit aller Wahrscheinlichkeit vorauszusehen. Und sie ist denn auch später, zunächst allmählich, dann immer stärker und mit so elementarer Gewalt eingetreten, daß — unglücklicherweise gerade in den Kriegsjahren 1904 bis 1906 — der Gebrauch der Mole vollständig lahmgelegt wurde. Trotz der Arbeit zweier aus Deutschland nach dem Schutzgebiet gesandter Hochseebagger war es nicht möglich, die ungeheueren an der Molenspitze angehäuften und den Hafeneingang sperrenden Triebsandmassen zu bewältigen. Mehr und mehr bekehrten sich daher im Laufe der Jahre die beteiligten Kreise zu der Ansicht, daß der Molenbau ein verfehltes Unternehmen gewesen sei. Und nach und nach kam man zu dem richtigen Schluß, daß hier, ebenso wie auch an zahlreichen Hafenplätzen der Westküste Amerikas, das Heil allein in der Aufführung eines aus Eisenkonstruktion hergestellten, über die Brandung hinausreichenden Piers zu suchen sei, dessen schmale Eisenteile den Sandmassen keine Gelegenheit bieten, sich festzusetzen.

Immer wieder ist den Schwierigkeiten des Ausbaus der Reede von Swakopmund gegenüber der Gedanke aufgetaucht, den Erwerb der englischen Walfischbai zu betreiben, und doch muß eine derartige Absicht als eine vollkommen verfehlte bezeichnet werden. Denn abgesehen davon, daß es noch unerwiesen ist, ob nicht auch die Walfischbai einer, wenn auch langsamen Versandung entgegengeht, treten hier noch andere erschwerende Umstände auf. In erster Linie muß die niedrige Lage des an die Bai anschließenden Landes erwähnt werden. Sie bringt es mit sich, daß, wenn nördliche Winde das Meer in die Bai treiben und die Wasser anstauen, die Landstriche weit landeinwärts bis zum Beginn der Dünen überflutet werden, so daß allein die auf einer Unterlage von Sandsäcken erbauten Häuser aus dem Wasser hervorsehen. Zur Anlage einer größeren Niederlassung eignet sich schon aus diesem Grunde die Wal-

fischbai nicht. Weiterhin aber treten hinzu die überaus schlechten Wasser=
verhältnisse an der Bai, die, wenn die Wasserschätze des nur selten das Meer
erreichenden Kuisebflusses erschöpft sind, dazu zwingen, das Wasser von
anderen Orten herbeizuschaffen. Jahre hindurch ist so in der Tat infolge
Versagens des Kuiseb das Trinkwasser für die Einwohner der Walfischbai=
niederlassung mit den regelmäßig verkehrenden Küstendampfern aus Kapstadt
herantransportiert worden. Es verbietet sich daher auch aus Gesundheits=

Die Einweihung der Mole in Swakopmund.

rücksichten eine Anhäufung von Europäern an der Walfischbai. Wollte man
trotz dieser mannigfachen Schwierigkeiten gleichwohl die Walfischbai erwerben,
so bliebe nur eine Zweiteilung übrig, dahin, daß zwar die Güter in der
Walfischbai gelandet und nach Weiterbau der dort bereits bestehenden kurzen
Eisenbahn mit dieser bis zu einem Anschlußpunkt an die Bahn Swakop=
mund–Windhuk befördert würden, daß aber die großen Geschäftshäuser und
die Regierung ihren Sitz in Swakopmund behielten. Diesen Plan führe
ich indessen nur an, weil er bereits mehrfach in der Öffentlichkeit aufgetaucht
ist, es dürfte aber einleuchten, daß sein gekünstelter Aufbau eine Durchführung
vollkommen ausgeschlossen erscheinen läßt. Nicht zum wenigsten auch aus dem

Grunde, weil die in den letzten Kriegsjahren von den Eisenbahntruppen erbaute
hölzerne Landungsbrücke, die allmählich verstärkt und durch Eisenteile ersetzt wird,
den Anforderungen des Schutzgebiets vorläufig genügt. Im Bedarfsfalle wird
ein zweiter eiserner Pier erhöhten Ansprüchen am besten gerecht werden. —

Da die politischen Verhältnisse im Hererolande nach der Niederwerfung
des Aufstandes von 1896 einer dauernden Beaufsichtigung und Überwachung
bedurften, unternahm Major Leutwein vom August bis zum November des=

Verhandlung mit Herero auf der Nordreise.

selben Jahres eine größere Reise durch das Land, auf der ihn der Ober=
häuptling Samuel Maharo und zahlreiche andere vornehme Herero be=
gleiteten. Die mannigfachen Erfolge dieser Expedition, die zur Beruhigung
des Hererovolkes wesentlich beitrug, gipfelten in der Gründung des so=
genannten Norddistrikts mit der Hauptstation Outjo, die als Sitz des
Bezirkshauptmanns dem Hauptmann Kaiser unterstellt wurde, und mit den
Nebenstationen Grootfontein=Nord, Otavifontein, Naidaus und Franzfontein.
Im Verlaufe dieser Expedition trat die deutsche Regierung zum erstenmal in
direkten Verkehr mit den Swartbooi von Franzfontein, deren Streitigkeiten
mit den Herero geschlichtet wurden.

Während der folgenden Jahre ging die Entwicklung des Schutzgebiets rüstig vorwärts. Die Besiedlung, die in dem mittleren, unter dem direkten Einfluß der deutschen Regierung stehenden Damaralande und an den Grenzen des Hererogebiets stetig zunahm, griff auch, zum ersten Mal seit Aufrichtung der deutschen Herrschaft in Südwestafrika, in stärkerem Maßstabe auf das Groß=Namaland über. Die weiten, in wirtschaftlicher Hinsicht starke Verschiedenheiten aufweisenden Landgebiete, die sich von den Südgrenzen des Bastardlandes bis zum Oranjefluß hinziehen, waren bisher im großen und ganzen von den deutschen Ansiedlern gemieden worden.

Die ersten Weißen, die wohl 50 und mehr Jahre vor der Errichtung der deutschen Herrschaft in das Groß=Namaland gezogen waren, hatten dieses Gebiet von Süden her, über den Oranjefluß vordringend, betreten. Es waren englische Händler, die, ursprünglich zu beiden Seiten des Oranje sitzend, schon zu den Zeiten mit den Hottentotten in lebhaftem Handelsverkehr standen, als sich im Hererolande nur vereinzelte Europäer als Missionare oder Reisende gezeigt hatten. Diese englischen Händler lieferten den Hottentotten die Gewehre, die Munition, die Pferde, Sättel und anderes mehr, dessen sie in ihren ununterbrochenen Kriegen gegen die Herero so dringend bedurften. Und da die Gewinne enorme waren, und die Hottentotten die ihnen unentbehrlichen Geschäftsfreunde auf das Beste behandelten, verlegten diese ihren Wohnsitz bald weiter in das Land hinein, und so entstanden hier, unter dem Schutze der Eingeborenen, die ersten ständigen Niederlassungen Weißer im Schutzgebiet. Daß diese Verbreitung englischen Einflusses im Namalande in späteren Jahren der deutschen Herrschaft recht erhebliche Schwierigkeiten bereiten mußte, liegt auf der Hand.

Seit der Beendigung des ersten Krieges gegen Hendrik Witbooi hatte Jahre hindurch Friede im Groß=Namaland geherrscht, bis um die Mitte des Jahres 1897 die Reste des einst so mächtigen Afrikanerstammes, die in der Südostecke des Schutzgebiets ein kümmerliches Leben fristeten, aufsässig wurden und die deutsche Regierung zum Einschreiten zwangen. Zwar hatte in den Grenzgebieten, im Süden und Südosten des Namalandes, unter den dort ansässigen und das Land durchschweifenden Hottentotten stets eine gewisse Unruhe geherrscht, die sich in mannigfachen Räubereien und Übergriffen kund tat, aber diese Zustände nahmen plötzlich einen so bedrohlichen Charakter an, daß der Distriktschef von Warmbad, Oberleutnant v. Bunsen, unverzüglich scharfe Abwehrmaßregeln ergreifen mußte. Nachdem zunächst die schwachen deutschen Kräfte durch die übermächtigen Eingeborenen zum Zurück=

weichen gezwungen worden waren, gelang es später dem Leutnant Helm im Verein mit dem Bezirkshauptmann und mit Unterstützung der Bondelzwart und der Feldschutzträger die Ruhe wiederherzustellen. Auch der Bezirks- hauptmann von Gibeon, v. Burgsdorff, war mit einem Teil seiner Distrikts- truppen und mit einem Kommando witbooischer Reiter auf dem Kriegs- schauplatz erschienen. Die Rebellen wurden am 2. August im Gefecht in der Gamsipschlucht unter schweren Verlusten zersprengt. Die Überlebenden flüchteten auf englisches Gebiet, wurden aber später dem Bezirkshauptmann Dr. Gollinelli ausgeliefert und sämtlich erschossen.

Während so der Aufstand im Süden des Schutzgebiets durch das energische Eingreifen der Deutschen ein schnelles Ende fand, gärte es hoch oben im Kaokofeld unter den Swartbooi, die dort Jahre hindurch ein un- stetes, wildes Jäger- und Räuberleben geführt hatten und sich in dauernder Fehde sowohl mit den Herero, als mit den Ovambo befanden. Vor Jahr- zehnten waren sie, aus dem Süden des Schutzgebiets durch das Bastardland nach Norden ziehend, bereits in das Kaokofeld gelangt und hatten sich dort vielfach mit Teilen eines anderen Hottentottenstammes, den Topnaars, vermischt und vereinigt. Es waren Streitigkeiten um die Nachfolge in der Häuptlingschaft, die den Aufstand hervorriefen, da eine starke Partei des Stammes den von der deutschen Regierung eingesetzten Kapitän Lazarus Swartbooi dauernd offen und insgeheim befehdete. Der inzwischen zum Bezirkshauptmann von Outjo ernannte Hauptman v. Estorff wurde zweimal zu energischen Maßregeln gegen die Unruhestifter gezwungen. Ein echt hottentottischer Treubruch rief dann den offenen Krieg hervor. Während nämlich im September 1897 der Hauptmann v. Estorff in Ver- handlungen mit den Führern der Aufständischen stand, nahmen die Swart- booi in verräterischer Weise die bei Franzfontein weidenden Pferde der Kompagnie weg. Die Deutschen antworteten mit dem Überfall auf die feindliche Stellung bei Chobib, und nun entbrannte ein Guerillakrieg, der durch die Größe der zurückzulegenden Entfernungen, durch den Mangel an Weide, die weit voneinander entfernt und versteckt liegenden Wasserstellen und endlich durch die Unwegsamkeit des wildzerklüfteten, bergigen Geländes an die deutschen Truppen übergroße Anforderungen stellte. Von allen Seiten eilten aus den dem Kriegsschauplatz näher liegenden Stationsorten deutsche Verstärkungen herbei. Einen bedeutenden Erfolg gegen die Auf- ständischen errang zunächst der Distriktschef von Omaruru, Leutnant Bensen, bei Amabis, und nachdem im Dezember weitere Kräfte unter dem Assistenz-

arzt Dr. Kuhn von Grootfontein-Nord her eingetroffen waren, wurde der
Gegner von neuem bei Tsaub geschlagen. Aber den deutschen Kräften, die
nunmehr erst etwa 110, und noch dazu schlecht berittene Mannschaften stark
waren, standen auf gegnerischer Seite rund 400 vorzüglich bewaffnete und
berittene Hottentotten gegenüber. Die Verhältnisse nahmen immer bedroh=
lichere Formen an, da sich bereits Teile der Topnaar und der Westherero
den Rebellen anzuschließen begannen. In Windhuk hatte man inzwischen
die Gefahr der Lage erkannt. Unter dem Kommando des stellvertretenden
Truppenkommandeurs, des Majors Mueller, rückten eine Feldkompagnie,
eine Batterie und ein Kommando von Bastardhilfstruppen nach dem Norden
ab, und nachdem die vereinigten deutschen Streitkräfte am 26. Februar 1898
die Swartbooi am Grootberg angegriffen und zersprengt hatten, ergaben sich
die Reste des Stammes im März dem Major Mueller. Sie wurden nach
Windhuk überführt, dort festgesetzt und bei öffentlichen Arbeiten verwandt.
Die bei dem Aufstand beteiligten Topnaar und Herero entzogen sich der
ihnen drohenden Strafe durch die Flucht in das nördliche Kaokofeld und in
das Amboland, in Gebiete, die zu jener Zeit dem deutschen Einfluß noch
unzugänglich waren.

Auch im Namalande entstanden im Jahre 1898 neue Unruhen unter
dem Stamm der Bondelzwart im Bezirk Keetmanshoop und unter den
Bethaniern, die sich der inzwischen gesetzlich angeordneten Kontrolle und
Stempelung ihrer Gewehre widersetzten. Zweifellos hätte auch diese Be=
wegung einen größeren Umfang angenommen, wenn nicht Hendrik Witbooi
durch seine anstandslose Einwilligung in die Stempelung der Gewehre seiner
Leute den Kapitänen des Namalandes gezeigt hätte, daß er an seinem
Bündnisvertrage mit den Deutschen festhalte. Gouverneur Leutwein, der
während des Swartbooiaufstandes auf Urlaub in Deutschland geweilt hatte,
eilte persönlich an der Spitze der in Windhuk stehenden Truppen nach dem
Süden, und dies Erscheinen einer starken deutschen Macht im Groß-Nama=
lande führte dazu, daß die Unruhen unblutig verliefen und die beiden schul=
digen Kapitäne, Paul Frederiks von Bethanien und der Bondelzwart
Wilhelm Christian, die Berechtigung der ihnen auferlegten Strafe willig an=
erkannten. Regierungsrat v. Lindequist und die vier unbeteiligten Kapitäne von
Gibeon, Gochas, Koes und Berseba saßen zu Gericht über die Schuldigen, die
der Verletzung der Schutzverträge für überführt befunden wurden. Die Strafe be=
stand darin, daß beide Kapitäne zu Landabtretungen verurteilt wurden, deren wert=
vollste die Übergabe des Platzes Keetmanshoop an die deutsche Regierung war.

Eine erneute Expedition in das Hereroland wurde im Jahre 1899 notwendig, da sich der im Osten sitzende Stamm des Häuptlings Tjetjoo gleichfalls der Gewehrstempelung widersetzte. Die Expedition verlief ebenfalls
unblutig. Das folgende Jahr brachte wiederum eine größere Nordexpedition
des Gouverneurs vom Oktober bis Ende Dezember, die über Otahandja,
Waterberg, Otavi and Outjo bis an die Südwestspitze der Etosapfanne und
dann über Etaneno, Omaruru und Karibib zurück nach Windhuk führte.
Ein wichtiges Ergebnis dieser Expedition war die Errichtung einer Station
bei den Topnaars in Zesfontein.

Im Jahre 1901 war ein Aufstandsversuch der Bastarde von Grootfontein-
Süd zu verzeichnen, den aber der Distriktschef, Leutnant v. Lekow, energisch
niederschlug, ehe noch die von Windhuk und Gibeon herbeigerufenen Verstärkungen eingetroffen waren. —

Diese Ereignisse in den Jahren 1897 bis 1901 zeigen deutlich, daß sich
trotz der im allgemeinen friedlichen Entwicklung des Schutzgebiets, trotz des
ungehemmten Fortschreitens der Besiedlung und trotz der Ausbreitung der
deutschen Verwaltung eine Menge von Zündstoff unter den Eingeborenen
des Schutzgebiets angesammelt hatte. Und wenn auch inzwischen, im Jahre
1897, die Stärke der Truppen von etwa 500 Mann auf rund 700 gestiegen
war, so war doch selbst die in vier Kompagnien und eine Batterie ein-
geteilte Feldtruppe nicht imstande, ohne weiteres an allen Orten des ungeheueren Gebiets die Ruhe und Ordnung aufrecht zu erhalten. Neben
dieser Feldtruppe bestanden die sogenannten Distriktstruppen, die auf Haupt-
und Unteroffizierstationen verteilt den Bezirkshauptleuten und Distriktschefs
zu Polizeidiensten zur Verfügung standen.

Wie bereits in den ersten Jahren der deutschen Herrschaft, so übten
auch jetzt noch einzelne der zuerst erlassenen, für eine friedvolle Entwicklung
des Schutzgebiets so durchaus notwendigen Gesetze und Verordnungen eine
aufreizende und dauernd beunruhigende Wirkung auf die Eingeborenen des
Schutzgebiets aus. Zu dem mit Energie durchgeführten Verbot der Einfuhr
von Waffen und Munition, das hier wie stets an erster Stelle zu nennen
ist, waren, wie bereits erwähnt, weiterhin die Bestimmungen über die Kontrolle und Stempelung der Gewehre der Eingeborenen getreten. Diese waren
es vor allem, die die mißtranischen Herero und Hottentotten erregt und
immer wieder zum Widerstande aufgestachelt haben. Neben diesen
Einwirkungen gaben die Rinderpest und die schnell anwachsende Einwanderung den Aufstandsgelüsten der Eingeborenen stets neue Nahrung.

Insbesondere waren es die Herero, die — vor allem vor Ausbruch der großen Viehseuche — in wachsender Unruhe auf die ihre südlichen Grenzen umklammernde, fortschreitende Besiedlung sahen, denn sie gebrauchten für das Gedeihen ihrer großen Rinderherden ein ungeheures Landgebiet. Diese Schwierigkeiten der Lage konnten nicht aus der Welt geschafft werden — es sei denn, daß man von deutscher Seite überhaupt auf eine Besiedlung des Landes verzichtet hätte.

Aber es lagen auch noch andere Beweggründe für die dauernd verstärkte Mißstimmung unter den Eingeborenen vor — Beweggründe, die aus der grundsätzlichen Verschiedenheit der Lebensauffassung der Rassen hervorgingen.

Von den verschiedenen Eingeborenenstämmen des Schutzgebiets hatten seit Errichtung der deutschen Herrschaft bereits zahlreiche gegen die neuen Herren in Waffen gestanden. Es mußte auch nach Lage der

Graf. Fritsch phot.
Junger Bastard.

Dinge so sein, und insbesondere durch die immer mehr wachsende deutsche Macht, durch die Ausbreitung europäischer Kultur mit ihren Gesetzen von Recht, Moral und Sitte, die den Eingeborenen zum großen Teil unverständlich, unbequem und verhaßt waren, ergab es sich, daß die deutsche Sache unter den Eingeborenen nur sehr wenige Freunde haben konnte. Die aber,

die sich selbst als Freunde der Deutschen bezeichneten, taten dies in den meisten Fällen lediglich unter äußerem Druck, dann, wenn sie nicht anders konnten, oder dann, wenn sie aus dieser Erklärung augenblickliche Vorteile für sich zu schlagen hofften. In einer wahren, festbegründeten Interessengemeinschaft mit den Deutschen hat keins dieser Völker gestanden, ausgenommen die Bastarde von Rehoboth, die schon durch das Überwiegen europäischen Blutes in ihren Adern sich mehr zu den Weißen als zu den Eingeborenen rechneten und den letzteren immer fremd gegenübergestanden hatten.

Die Rheinische Missionsgesellschaft, die selbst in den schwersten Kriegsjahren mit unermüdlicher Hingebung ihrer Arbeit oblag, hatte zwar reiche Erfolge erzielt, aber es ist bemerkenswert, daß ihr Einfluß gegenüber schwerwiegenden politischen Fragen fast stets versagte.

So hat, wenn auch seit den ersten Tagen scharfen Eingreifens der Deutschen das politische Bild Südwestafrikas ruhigere und friedlichere Formen annahm, nur allein die blaße Furcht vor der Macht, vor der überlegenen Kriegskunst und den besseren Waffen der Deutschen die verschiedenen Eingeborenenstämme bestimmt, sich zurückzuhalten.

Von neuem hat sich hier gezeigt, daß in allen Gebieten der Welt Kolonisieren eine Machtfrage ist, und daß endlich das Schwert entscheiden muß, was in Güte nicht zu erreichen ist.

Das hatten weite Kreise, man kann sagen: die Mehrzahl der weißen Bevölkerung des Schutzgebietes, im Laufe vieler für die wirtschaftliche Entwicklung fast ungetrübt verlaufener Jahre vergessen, und ein merkwürdiger Wandel war in den Ansichten der weißen Bevölkerung vor sich gegangen. Während noch in den Jahren 1895 bis 1897 jeder Deutsche im Schutzgebiet eine blutige Abrechnung mit den Eingeborenen, vor allen aber mit den Herero, für ein unausbleibliches und in naher Zukunft drohendes Ereignis hielt, hatte man sich mit der Zeit daran gewöhnt, diesem Gedanken mehr und mehr zu entsagen. Die Politik der Regierung, die auf einen Ausgleich der zahlreichen bestehenden Gegensätze hinarbeitete, schien in der Tat gewinnen zu wollen; aber man hatte übersehen, daß diese Gegensätze in der Tat unüberbrückbar waren, und eines Tages doch so oder so eine Entscheidung herbeigeführt werden mußte. Denn wenn schon die Geschichte der Handels- und der tropischen Plantagenkolonien, in denen im allgemeinen die Geringfügigkeit der Einwanderung des weißen Elementes nur unbedeutende Veränderungen in den Besitzverhältnissen der Eingeborenen hervorruft, erfüllt ist von zahlreichen Beispielen energischen, ja wütenden Widerstands der mißtrauischen Eingeborenen — um wieviel mehr wird man diesen Widerstand bei der Entwicklung einer Siedlungskolonie voraussetzen müssen! Selbst wenn, wie in Südwestafrika, zunächst nur die herrenlosen, von den Eingeborenen nicht besetzten Gebiete in den Besitz der einwandernden Weißen übergingen.

In Südafrika brauchte man aber nicht weit zu suchen, um lehrreiche Beispiele zu finden: die mit Blut geschriebene Geschichte der Burenstaaten, die der Kapkolonie, des Sululandes, des portugiesischen Südostafrika und endlich der furchtbare Matabeleaufstand im Jahre 1896 gaben deren genug. In Südwestafrika lagen die Verhältnisse noch besonders schwierig. Denn die durch die Eigenart des Landes bedingte Lebensweise seiner ursprünglichen Bewohner und deren Charakter mußten mit einer stärkeren Einwanderung logischerweise in Widerstreit geraten; und dieser Zeitpunkt der großen und endgültigen Abrechnung stand am Ende des Jahres 1903 dicht bevor. Wenn man auf deutscher Seite gehofft hatte, daß die dauernde Stärkung des weißen Elementes eine Einschüchterung der herrschenden Eingeborenenstämme mit sich bringen werde, so hatte man sich hierin gründlich getäuscht. Das gegenteilige Resultat trat vielmehr ein: In diesen starken, selbstbewußten, kriegerischen Völkern keimte ein furchtbarer, aber Jahre hindurch mit bewundernswürdiger Überlegung versteckt gehaltener Haß auf, der nur ganz gelegentlich hier und dort aufflammte und dessen furchtbare Tragweite von den Deutschen nicht erkannt wurde. Und wenn dieser wütende, mit den Jahren immer mehr und mehr wachsende Haß sich, wie bereits erwähnt, bei den Herero vor allem in dem krassen Rassengegensatz zwischen dem schwarzen und weißen Mann erklärt und ferner in der immer deutlicher und deutlicher sichtbaren Bedrohung ihrer wirtschaftlichen Existenz, so traten bei den Hottentotten neben diesen Motiven noch andere hervor. Das waren vor allem ihr ungezügelter Freiheitsdrang, ihr Hang zu einem ungebundenen, ruhelosen, wilden und beutereichen Kriegsleben, eine an Wahnsinn grenzende Eitelkeit und Überhebung, die Freude an gefahrvollen Abenteuern und ihre Abneigung gegen alle und jede Ordnung und Obrigkeit.

Diese tiefe und wilde Wut fast aller Eingeborenen des Schutzgebiets richtete sich ebenso gegen die deutschen Einwanderer bürgerlichen Berufes, die Kaufleute, Farmer, Ansiedler und Beamten, als wie besonders gegen die Beschützerin derselben, die Schutztruppe, deren Etatstärke sich seit 1897 nicht verändert hatte. Die Schwäche der vorzüglich ausgebildeten und berittenen Truppen bestand gegenüber einem größeren Eingeborenenaufstand vor allem darin, daß die Kompagnien und Batterien, weit voneinander entfernt, von den südlichen Grenzen des Ambolandes bis hinunter zum Oranje verteilt waren. Eine gegenseitige Unterstützung und das Zusammenziehen einer größeren Truppenabteilung an einem bedrohten Orte war nur nach wochenlangen Märschen zu erreichen. Zudem stand für die Verproviantierung der Truppe und für die Herbeischaffung des gesamten Kriegsmaterials nur die eine Eisenbahnlinie Swakopmund—Windhuk zur Verfügung, so daß die Truppen im Groß-Namalande sowohl wie im nördlichen Hererolande lediglich auf Ochsenwagentransporte angewiesen waren. Die Masse der Truppen befand sich damals im Hererolande, und zwar die erste Kompagnie und die Feldbatterie in Windhuk, die zweite Kompagnie in Omaruru, die vierte in Outjo und die Gebirgsbatterie in Otjahandja. Im ganzen Groß-Namalande stand dagegen nur eine Kompagnie: die dritte in Keetmanshoop.

Die Kriegsbereitschaft der Schutztruppe war eine gute. Ihre einzelnen Teile lagen fast ausnahmslos in Stationen, die aus festen, steinernen, mit Mauern umschlossenen und von Türmen flankierten Gebäuden bestanden. Sämtliche Stationen sollten stets auf 12 Monate hinaus mit Proviant versehen sein, und in den größeren von ihnen waren Depots angelegt worden, die für die im Laufe der Jahre stark angewachsene Zahl von Mannschaften des Beurlaubtenstandes Gewehre und Munition enthielten.

Die mannigfachen Kriegszüge der letzten Jahre hatten die Kriegstüchtigkeit und die Erfahrung der Truppen in jeder Hinsicht gefördert. Aber trotz der hervorragenden soldatischen Eigenschaften des einzelnen Mannes war die Truppe ihrer geringen Zahl wegen nicht fähig, den Anforderungen zu genügen, die ein großer allgemeiner Eingeborenenaufstand an sie stellen mußte.

Vor allem waren die Kolonnen zu schwerfällig, die damals noch lediglich aus Ochsenwagen bestanden und naturgemäß mit den berittenen Truppen nicht Schritt halten konnten.

Die Kriegstüchtigkeit der Schutztruppe sollte gegen Ende des Jahres 1903 auf eine erneute harte Probe gestellt werden.

Wilhelm Christian, der Kapitän der Bondelzwart, hatte aus der Lehre, die ihm wegen seiner Widersetzlichkeit im Jahre 1898 erteilt worden war, keinen Nutzen gezogen. Im Laufe des Jahres 1903 ließen er und seine Leute sich wiederholt grobe Widersetzlichkeiten gegen den Stationschef, Leutnant Jobst, zuschulden kommen. Als dieser am 25. Oktober den Häuptling persönlich zur Rechenschaft ziehen wollte, kam es zum offenen Kampfe, in dem Leutnant Jobst und zwei weitere Deutsche fielen. Das war das Signal zu einer allgemeinen Erhebung der Bondelzwart von den Ufern des Oranje bis zu den Karasbergen. Die in Warmbad lebenden Weißen wurden in der Militärstation eingeschlossen und nur dadurch gerettet, daß es dem Diener des gefallenen Offiziers, einem jungen verwegenen Herero, gelang, sich nachts durch die Linien des Gegners hindurchzuschleichen und die Schreckensnachricht nach dem 287 km entfernten Keetmanshoop zu bringen. Von dort aus wurde die Kunde heliographisch nach Windhuk weitergegeben. Unverzüglich brach nun der in Keetmanshoop befehligende Hauptmann v. Koppy am 29. Oktober nach Warmbad auf und erreichte es in Eilmärschen bereits am 1. November abends. Ihm folgte der Leutnant der Reserve Dr. Merensky mit allen verfügbaren Truppen, 80 Reitern, einem Geschütz und einem Maschinengewehr. Die Rebellen warteten jedoch das Eintreffen der Entsatz-

truppen nicht ab, sondern zogen sich auf Sandfontein zurück. Unmittelbar
darauf trafen auch witbooische Hilfstruppen unter dem Oberleutnant Grafen
v. Kageneck vor Warmbad ein. Vereint rückten nun die deutschen Kräfte
gegen die Aufständischen vor, die man am 20. stark verschanzt auf Sandfontein antraf. Nachdem in der Nacht zum 21. nach wütendem Gefecht die
Sandfonteinkuppe im Sturm genommen war, gab der Gegner fliehend seine
Stellungen preis und ließ sein gesamtes Lager mit allen Kriegsvorräten in
den Händen der deutschen Truppen. Bereits am Tage des Angriffs trafen
weitere Verstärkungen in Keetmanshoop ein, die den 565 km weiten Weg
von Windhuk aus in 19 Tagen zurückgelegt hatten. Es waren dies die
erste Feldkompagnie unter Oberleutnant Graf Stillfried, die Gebirgsbatterie
unter Hauptmann v. Heydebreck und die Bastardhilfstruppen unter Oberleutnant Böttlin. Den Oberbefehl im Bondelzwartgebiet übernahm der
stellvertretende Kommandeur der Schutztruppe, Hauptmann v. Fiedler. Zu
gleicher Zeit waren gegen die Großen Karasberge, in denen sich gleichfalls
Rebellen sammelten, weitere Truppen aus dem Distrikt Gibeon unter dem
Bezirkshauptmann v. Burgsdorff vorgegangen. Auch Oberst Leutwein begab
sich nach dem Süden. Er erkannte die große Bedrohlichkeit der Lage voll
und befahl, da bereits Teile der Feldschutzträger und der Bethanier Miene
machten, sich den Aufständischen anzuschließen, die sofortige Heranziehung der
zweiten Feldkompagnie, die unter Hauptmann Franke in Omaruru stand.
Inzwischen waren die Bondelzwart, die sich am Oranje bei Ubabis und
Hartebeestmund gesammelt hatten, nicht untätig geblieben. Sie brandschatzten
und beraubten die auf deutschem Gebiet sitzenden Farmer, überfielen die
Zollstation Ubabis, wobei zwei deutsche Reiter fielen, und drängten den
Oberleutnant Böttlin, der mit einer stärkeren Bastardabteilung ihre Stellung
bei Hartebeestmund erkunden wollte, nach schwerer Verwundung des deutschen
Führers über den Oranje auf englisches Gebiet. Kurz darauf rückte der
Hauptmann v. Koppy, der erfahren hatte, daß die feindlichen Abteilungen
von Ubabis und Hartebeestmund sich vereinigen wollten, gegen den Oranje
vor, den er bei Homsdrift erreichte. Er verhinderte durch dieses Eingreifen
nicht nur die Sammlung der Aufständischen, sondern zwang auch die von
Ubabis her anrückende Abteilung des Gegners, auf britisches Gebiet über-
zutreten, wo sie entwaffnet wurde. Diese Ereignisse brachen den Mut der
Hottentotten, deren Lage bei Hartebeestmund nunmehr eine höchst unsichere
war. Sie leiteten Friedensverhandlungen ein, und am 27. Januar 1904
wurde nach vorhergegangenem Waffenstillstand der Vertrag von Kalkfontein

abgeschlossen, in dem sich die Rebellen von neuem unter schweren ihnen auferlegten Bedingungen der deutschen Herrschaft unterwarfen. Sie verpflichteten sich zur Abgabe aller Gewehre und Munition, sowie sämtlicher geraubter Güter. Ferner zur Abtretung eines Teils ihres Stammesgebiets und zur Auslieferung aller Personen, die verdächtig waren, weiße Farmer ermordet oder beraubt zu haben. Mit den in den Karasbergen stehenden Teilen der Aufständischen verhandelte der Gouverneur persönlich. Die vornehmsten Rädelsführer und Anstifter des Aufstandes, vor allem ein gewisser Morenga und die Brüder Jakob und Eduard Morris, flohen auf englisches Gebiet. Sie wurden für vogelfrei erklärt und Preise auf ihre Köpfe gesetzt.

Übrigens zeigte es sich bereits kurze Zeit nach dem Abschluß des Vertrages von Kalkfontein, daß die Bondelzwart nicht daran dachten, ihre Versprechungen ehrlich zu halten, und in der Tat haben sie sich in den folgenden Kriegsjahren als die Treulosesten der Treulosen erwiesen.

Bemerkenswert ist, daß im Laufe des Aufstandes von den Namastämmen nach und nach Hilfstruppen in Stärke von etwa 300 Mann gestellt wurden, so daß Krieger aus Gibeon, Berseba, Bethanien, Koes und Gochas auf seiten der Deutschen gegen die Rebellen fochten.

Zweifellos wäre ein allgemeiner Angriff der Deutschen auf die bei Hartebeestmund stehenden Bondelzwart von Erfolg gewesen und hätte der Lage im Süden des Schutzgebiets eine glücklichere Wendung gegeben. Aber der endgültige Friedensschluß mit den Aufständischen wurde zur Notwendigkeit durch die furchtbaren Nachrichten, die in der zweiten Hälfte des Januar aus dem Hererolande im Süden eintrafen, und die es erforderten, alle nur verfügbaren Kräfte sofort gegen die seit Mitte Januar sich im vollen Aufstande befindlichen Herero zu senden.

Nur geringe Teile der Truppen blieben unter dem Kommando des inzwischen zum Distriktschef von Warmbad ernannten Grafen v. Kageneck im Süden zurück.

Ein Teil der in das Bondelzwartgebiet beorderten Truppen hatte übrigens auf die Nachricht von dem Ausbruch des Hereroaufstandes hin den südlichen Kriegsschauplatz nicht mehr erreicht. So hatte die zweite Feldkompagnie unter Hauptmann Franke, die auf dem Vormarsch nach Keetmanshoop in Gibeon angelangt war, dort Kehrt gemacht und war in Eilmärschen nach Norden zurückgeritten.

16*

13. Kapitel.

Der Ausbruch des Hereroaufstandes und die Ereignisse bis zum April 1904.

Die ersten Schreckenstage. – Otahandja, Swakopmund und Windhuk. Der Zug des Oberleutnants v. Zülow. – Eintreffen des Kanonenboots „Habicht". – Die 2. Feldkompagnie. Die ersten Verstärkungen. – Gefechte im Swakoptal. – Die Ostabteilung: Ovikorero und Okaharui. – Die Westabteilung: Otjihinamaparero.

Die Lage im Hererolande gab zu Ende Dezember 1903, ja noch im Anfang 1904 keinen Anlaß zu besonderer Beunruhigung. Zwar waren gerade in den letzten Monaten des Jahres 1903 verschiedene Übergriffe und Widersetzlichkeiten von seiten der Herero vorgekommen, aber man war nachgerade daran gewöhnt, sich mit diesen, allerdings höchst unangenehmen Charaktereigenschaften des Volkes abzufinden. Auch lag ein äußerer, bemerkbarer Anlaß zu irgendwelcher Mißstimmung unter den Herero keineswegs vor. So kam es, daß die gesamte weiße Bevölkerung des Damaralandes sich in einem Gefühl der Ruhe und Sicherheit befand, das nach dem Ausbruch des furchtbaren Aufstandes allen Beteiligten unfaßlich erschien.

Nachdem die im Hererolande stationierten Truppenteile nach dem Süden abgerückt waren, hatten die Behörden zudem, um keine Sicherheitsmaßregel außer acht zu lassen, in den Bezirken Omaruru, Karibib, Otahandja, Windhuk, Gobabis und Rehoboth die Mannschaften der Reserve und der Landwehr ersten Aufgebots zu den Fahnen einberufen. Aus ihnen wurden zwei, allerdings schwache, Ersatzkompagnien, je eine in Windhuk und Omaruru, gebildet und außerdem die Polizeimannschaften verstärkt. Von aktiven Truppen standen im Hererolande nur in Ontjo die 4. Feldkompagnie und in Grootfontein-Nord die Distriktstruppen unter Oberleutnant Volkmann.

Die ersten auffälligen Nachrichten trafen im Januar von der Station Waterberg ein, von wo der Stationschef über eine starke Unruhe unter den

Herero auf dem Plate felbft und in der Umgebung berichtete, die ihm zu nächst unerklärlich, dabei aber doch bemerkenswert genug war. Die Herero, fo führte der Bericht aus, umlagerten in großen Trupps die Kaufhäufer des Ortes und kauften in finnlofer Weife alles ein, was ihnen nur von den Händlern gegen Kredit gegeben wurde, nicht allein Sättel, Zaumzeuge und Proviant, fondern auch Decken, teure Kleider fowie alle möglichen Gegen ftände, nach denen fie früher niemals verlangt hatten. Immerhin wurde man daher im Anfang des Januar bereits aufmertfam auf das eigentüm- liche Gebahren der Herero, das fich übrigens auch, wie fich fpäter heraus- ftellte, an anderen Orten gezeigt hatte. Aber wohl kein Weißer dachte an einen fo nahe bevorftehenden, allgemeinen Aufftand.

Die erfte Zeitungsnachricht, die fich mit der bedrohlichen Haltung der Eingeborenen befchäftigte, enthielt die 2. Januarnummer der Deutfch-Süd- weftafrikanifchen Zeitung, die meldete: „11. Januar. Aus Otahandja erfährt man: Geftern nacht bewegten fich 200 bis 300 bewaffnete Herero, teils zu Pferde, teils zu Fuß, in verdächtiger Weife um den Plat. Sämtliche Weiße in Otahandja find bewaffnet worden. Bezüglich der Vorgänge in Otahandja wird weiter gemeldet: Bei Ofona ftehen ungefähr 300 bewaff- nete und berittene Herero. Die Hererokapitäne in Otahandja haben fämtlich den Plat verlaffen. Schon während der vergangenen Woche hat man ein Kommen und Gehen und Beratfchlagen der in und um Otahandja wohnenden Kapitäne und Großleute bemerkt. Infolgedeffen werden a) die noch nicht eingezogenen Refervisten und Landwehrleute erften Aufgebots, fowie die in- folge von Retlamation einftweilen zurückgeftellten Refervisten, b) die Land- wehrleute zweiten Aufgebots, c) die Erfatzreferviften zur Verftärkung der Schutztruppe zum Dienft eingezogen. Die Windhuter haben fich fofort, die Auswärtigen fpäteftens binnen drei Tagen zu melden. Sämtliche bisher als unabtömmlich bezeichnete Gouvernementsangehörige, mit Ausnahme der bei der Eifenbahn befchäftigten, find eingezogen worden."

In Windhut liefen in der Nacht vom 10. zum 11. Januar und am 11. vormittags ununterbrochen Meldungen aus Otahandja und aus anderen Stationen ein. Der Draht arbeitete Tag und Nacht. Am 11. früh begab fich der am längften im Schutzgebiet befindliche Beamte, der Bergrat Duft, zugleich ein vorzüglicher Kenner der Herero, von Windhut nach Otahandja, um von Samuel Maharo Aufklärung über die Vorgänge zu erlangen. Der Oberhäuptling war jedoch vom Plate verfchwunden, und dies erfchien be- fonders verdächtig. Noch an demfelben Tage wurden 40 Mann Ver-

stärkung von Windhuk nach Okahandja gesandt, und die Ansiedler an allen
irgend erreichbaren Orten gewarnt und aufgefordert, sich in den festen Plätzen
zu sammeln. Nach Kapstadt wurde gekabelt und die Hilfe des Kanonenboots „Habicht" erbeten. Noch am Nachmittage des 11. wurde die erste
deutsche Patrouille in der Nähe von Okahandja vernichtet.

Am 12. morgens brach dann der Aufstand in Okahandja offen aus.
Verschiedene Weiße, die sich unvorsichtigerweise aus der Feste herausgewagt
hatten, wurden in ihren Häusern erschossen und kurz darauf die Umlagerung
der deutschen Militärstation begonnen.

Auch in Swakopmund wurde bereits am 11. das Bedrohliche der Lage
durch Depeschen aus Okahandja bekannt, und ungesäumt und mit aller
Energie wurden Maßregeln zur Entsendung von Hilfstruppen in das Innere
ergriffen. Schon am 13. ging der Oberleutnant v. Zülow mit etwa 50 Mann,
die zumeist aus Reservisten und Landwehrleuten bestanden, mit der Bahn
in der Richtung nach Okahandja ab. Wenige Tage später liefen bereits,
trotzdem die telegraphische und telephonische Verbindung mit dem Okahandja-
und Windhukgebiet schon seit dem 11., anscheinend bei Waldau, gestört war,
Schreckensnachrichten aus allen Teilen des Hererolandes in Swakopmund ein.

Inzwischen war der Oberleutnant v. Zülow über Karibib hinaus auf
einem dort zusammengestellten und armierten Panzerzuge bis nach Waldau
vorgestoßen, wo er bereits am 13. abends eintraf. Hier fand der erste leichte

Die Feste in Okahandja.

Zusammenstoß mit dem Gegner statt, der die nach Okahandja zu vorliegenden
Höhen besetzt hatte, und mit dem Schüsse aus weiterer Entfernung die ganze
Nacht hindurch gewechselt wurden.

Aus den vorhandenen und den stündlich neu eintreffenden Nachrichten
aus allen Himmelsrichtungen konnte man sich in den an der Eisenbahn
liegenden größeren Ortschaften nun bereits ein Bild der Lage machen: Fast
zu derselben Stunde war an allen Orten des Hererolandes bis hinauf nach
Outjo und bis an die Südgrenzen des Grootfonteindistritts der Aufstand
ausgebrochen. Wo sich nur Deutsche befanden, hatten sich bewaffnete Herero-
horden auf die Ahnungslosen gestürzt, und wo es diesen nicht gelang, sich
rechtzeitig durch die Flucht zu retten, waren sie, oft in bestialischer Weise,
hingemordet worden. Selbst Frauen und Kinder wurden nicht geschont, die
Farmhäuser gingen in Flammen auf, die Gärten und anderen Anlagen
wurden verwüstet und zerstört. Die Kerntruppen der Herero aber sammelten sich um Okahandja und Windhuk, anscheinend in der Absicht, zunächst
Okahandja zu nehmen und dann zum Angriff gegen Windhuk zu schreiten.

Von Windhuk aus, wo die durch die Ansiedler der nächsten Umgebung
verstärkte Garnison eine fieberhafte Tätigkeit entwickelte, wurde am 12. der
Versuch gemacht, die Verbindung mit Okahandja herzustellen. Der Leutnant d. R. Bohsen wurde mit einer Abteilung von etwa 40 Mann mit
einem Maschinengewehr auf einem gepanzerten Eisenbahnzuge zu diesem
Zwecke ausgesandt. Am 13. früh erreichte diese Abteilung in der Tat die
ersten Häuser Okahandjas bei Osona, wurde dann aber nach wütendem
Gefecht, von allen Seiten angegriffen, zurückgeworfen. Mehrfach war der
ganze Zug in Gefahr, zu entgleisen, und einmal waren die Herero, die unter
wildem Kriegsgeschrei gegen die Deutschen vordrangen, als im feindlichen
Feuer Geleise ausgebessert werden mußten, schon ganz dicht an der Maschine,
deren Führer erschossen war. Aber es gelang noch in letzter Minute, den
Zug nach rückwärts aus den Feinden herauszubringen. In dem Gefecht
fielen Leutnant Bohsen und sechs Mann. Ein Teil der 71 Mann starken
Besatzung Okahandjas beteiligte sich unter dem Kommandanten der Feste,
Oberleutnant d. R. Zürn, durch einen Ausfall an dem Entsatzversuch der
Abteilung Bohsen, wurde aber gleichfalls von den Herero zurückgeworfen.

In Windhuk hatte unterdessen der Hauptmann v. François das Kommando übernommen, der aus dem aktiven Dienst geschieden war und als
Farmer im Schutzgebiet lebte, und dem es mit Mühe gelungen war, sich
und die Seinen nach der Hauptstadt zu retten. Die Besatzung bestand aus

Swakopmund.

etwa 230 Mann mit zwei Maschinengewehren und einem Gebirgsgeschütz. Weit um den ausgedehnten Ort herum wurden befestigte Posten errichtet und eine große Zahl von Patrouillen nach allen Seiten ausgesandt, die Verbindung mit den kleineren Stationen suchen und die Farmer der Umgebung nach Windhuk geleiten sollten. Durch die ununterbrochene, energische Tätigkeit des Hauptmanns v. François, durch die Wachsamkeit der Garnison und durch die zahlreichen kühnen Vorstöße in die weitere Umgebung Windhuks, bei denen es öfter zu heftigen Gefechten kam, wurde den Herero die Lust genommen, sich dem Platze zu nähern. Sie beschränkten sich seit dem 16. Januar lediglich auf die Beobachtung aus größerer Entfernung.

Aber an vielen anderen Orten hatten die Herero starke Vorteile errungen. Sie hatten Farmen geplündert, Eisenbahnstationen zerstört und vor allem in den Kasernen der nach dem Süden abgerückten Gebirgsbatterie in Okahandja Uniformen, Waffen und Munition erbeutet. Im Bezirke Gobabis mußte die katholische Missionsstation Epukiro geräumt werden, und die dort versammelten 18 Weißen, unter denen sich 5 Angehörige der Mission befanden, zogen mit 90 Betschuanen, 20 treu gebliebenen Herero und großen Viehherden nach Gobabis, nachdem sie kurz vor diesem Orte ein ernstes Gefecht zu bestehen gehabt hatten. In diesem Bezirk wurden die Stationen Witvley und Das überfallen und Gobabis selbst eingeschlossen.

Bereits in den ersten Tagen des Aufstandes waren 126 Weiße, fast ausschließlich Deutsche, ermordet worden. In Waterberg wurden am 14. Januar sämtliche Deutschen, 2 Unteroffiziere, 3 Reiter und 7 Zivilpersonen erschlagen; dem Missionar Eich, der verschont blieb, gelang es wenigstens, die Frauen und Kinder zu retten.

In Okatjongeama, Otahandja, Omarasa, in Palafontein, Savannes, Kassaneirob und Spitzkoppje, bei Omburo, Okombahe, in Otjosasu, Otjiseva, Klein-Barmen, Frauenstein, Oviombo, in Habis, Okanatjekume, in Kersomorob und Okajatpia, Otjimbingve, Otjituesu, Otjosongati und Hamakari, am Nosob und am Sneyrivier, bei Okasise, Etiro, Omaruru und an zahlreichen anderen Orten, deren Namen unbekannt geblieben sind, forderte die Mordlust der Herero ihre Opfer.

Der erste größere Schlag, den sie erlitten, war der Durchbruch der Truppen unter Zülow nach Otahandja. Bis zum 22. Januar fehlte in Swakopmund jede Nachricht von dieser Abteilung, die bereits am 15. sich nach schwerem Gefecht den Eingang in Otahandja erzwungen hatte. Am Vormittage dieses Tages fuhr der Panzerzug, von dem die deutsche Flagge flatterte, unter dem brausenden Jubel der Besatzung in den Ort ein. In den folgenden Tagen, die unter dauernden Gefechten mit den, den Platz noch immer umschlossen haltenden Herero vergingen, wurde an der Wiederherstellung der Eisenbahn und der Verstärkung der Feste gearbeitet, und der Feind durch tägliche Vorstöße mehr und mehr aus dem Orte und der näheren Umgebung desselben vertrieben. Ein am 20. unternommener Versuch, die gestörte Verbindung mit Karibib durch das Entsenden einer 70 Mann starken Abteilung auf dem Panzerzuge wiederherzustellen, mißlang, da die große Eisenbahnbrücke westlich von Waldau zerstört war.

Inzwischen war am 18. Januar das Kanonenboot „Habicht" von Kapstadt her vor Swakopmund eingetroffen. Unverzüglich wurde mit der Ausschiffung eines Landungskorps begonnen, dessen Aufgabe im wesentlichen in der Wiederherstellung der hinter der Abteilung Zülow von neuem zerstörten Bahn, in der Sicherung des Ortes Karibib und in der Verstärkung der Zülowschen Abteilung bestehen sollte. Der Patrouillendienst längs der Eisenbahn und in der Umgegend zu beiden Seiten der Strecke und die gründliche Wiederherstellung der Bahn stellten die höchsten Anforderungen an die Offiziere und Mannschaften des Landungskorps, die durch alle verfügbaren Kräfte der Besatzungen von Swakopmund und Karibib unterstützt und verstärkt wurden. Dazu kam noch, daß gewaltige Gewitterregen den Eisenbahndamm auf weite Strecken hin zerstört und die Gleise weggespült hatten. An anderen Stellen hatten die Herero oft auf hunderte von Metern die Schienen entfernt, weggeschleppt und vergraben. Auch die telegraphische und tele= phonische Verbindung mußte so schnell wie möglich wiederhergestellt werden. Alle Herero, die man in dieser Zeit in der Nähe der Eisenbahn und der Ortschaften antraf, wurden erschossen.

Das Kommando in Swakopmund hatte der Korvettenkapitän Gudewill übernommen, der von hier aus die gesamten Wiederherstellungsarbeiten und den Dienst im Küstendistrikt leitete. In den Maschinen= und Reparatur= werkstätten in Swakopmund und Karibib wurde das technische Personal des Kanonenboots verwendet, und ein Teil der Heizer tat Dienst als Führer der Lokomotiven. Ferner schuf die Leitung ein Nachrichtenbureau in Swakop= mund, in dem die Meldungen der weit in das Land vorgeschobenen Pa= trouillen und der eingeborenen Spione zusammenliefen. Nachdem die Lage um Okahandja sich geklärt hatte, wurde von der zuerst in Aussicht genom= menen größeren Expedition gegen diesen Ort und Windhuk abgesehen und mit äußerster Anspannung aller Kräfte darauf hingearbeitet, die Verkehrs= mittel so instandzusetzen, daß sie der starken Inanspruchnahme durch die aus Deutschland erwarteten Verstärkungen genügen konnten. Es waren dies ein regelmäßiger Ablösungstransport der Schutztruppe, der bereits am 26. Januar Hamburg verlassen hatte, und ein Marine=Infanterie=Bataillon, dessen Ab= sendung bereits bei Ausbruch des Aufstandes in Berlin erbeten worden war. —

Nachzuholen bleiben noch die Ereignisse in Omaruru, im nördlichen Hererolande und in Otjimbingwe:

In Omaruru und in der Umgebung dieses Platzes, in der, vor allem in Okombahe, zahlreiche Deutsche sich niedergelassen hatten, herrschte einige Tage nach dem Ausbruch des allgemeinen Aufstandes noch Ruhe — die Ruhe vor dem Sturm. Infolgedessen gelang es dem Führer der Truppen, dem Stabsarzt Dr. Kuhn, noch eine Reihe wichtiger und umfassender Maß= nahmen zur Sicherung des Platzes zu treffen. Die Farmer wurden zu= sammengerufen, Proviant herangeschafft, das Vieh der Schutztruppe und der Weißen des Platzes zum größten Teil in unmittelbarer Nähe der Feste in Sicherheit gebracht, und die letztere mit allen Kräften in guten Verteidigungs= zustand gesetzt. Auch gelang es noch, die im Norden von Omaruru liegenden

Heliographenstationen Okawakatjiwi und Etaneno aufzuheben und die dort stationierten Mannschaften heranzuziehen. Sämtliche Weißen mit Frauen und Kindern wurden in den drei dicht nebeneinander liegenden Kasernen der nach dem Süden abgerückten 2. Feldkompagnie geborgen. Die Besatzung bestand aus 39 gedienten Mannschaften und einigen Freiwilligen. Auch konnte noch vor dem Ausbruch der Feindseligkeiten eine stärkere Patrouille nach Okombahe geworfen werden, um die dort wohnenden Weißen und die deutschfreundlichen Bergdamara unter ihrem Kapitän Cornelius gegen eine Überwältigung durch die Herero zu sichern. Am 16. und 17. Januar umschlossen dann aber starke Heerhaufen der Rebellen den Platz Omaruru, und am 17. begann auch dort der Kampf. Er brach aus, als am Nachmittage dieses Tages auf dem Wege von Etiro her sich eine Karre näherte, auf der sich die Frau des ermordeten Farmers Joost mit zwei Kindern unter der Bedeckung meines alten Burschen, des Unteroffiziers d. Res. Schneidewind, befand. Als man von der Feste aus das Herannahen der Karre bemerkte, schickte Stabsarzt Kuhn den Ankommenden zwei Patrouillen entgegen, auf die der Gegner plötzlich aus dem Hinterhalt das Feuer eröffnete. Zugleich wurde die Karre angegriffen, und Unteroffizier Schneidewind, der schon in den ersten Kriegen dem Tode so oft ins Auge gesehen hatte, fiel nach tapferster Gegenwehr. Ehre seinem Andenken! — Frau Joost und die Kinder wurden verschont und dem Missionar Dannert übergeben. Diesen Ereignissen folgte ein allgemeiner Angriff der Herero auf die Feste, der aber ebenso wie ein zweiter Angriff am 18. und weitere in den folgenden Tagen von der Besatzung blutig abgewiesen wurde. Diese blieb auch späterhin in unausgesetzter Tätigkeit, so daß die Herero, die besonders bei der Plünderung der Kaufhäuser des Ortes starke Verluste erlitten hatten, sich allmählich in der Nähe der Feste nicht mehr zu zeigen wagten. Am 27. Januar fand der letzte allgemeine Sturmversuch auf die Feste statt, nachdem die Besatzung einen Ausfall gemacht und den völlig überraschten Herero außerordentlich starke Verluste zugefügt hatte. Trotz dieser erfolgreichen Tätigkeit der Deutschen blieb aber die Lage um Omaruru eine höchst gefahrvolle.

Im nördlichen Hererolande, in den Bezirken Outjo und Grootfontein, hatte die Anwesenheit der 4. Feldkompagnie und der Truppen des Nordbezirks die Herero von vornherein mehr in Schach gehalten als in den südlichen Landesteilen.

Schon als die ersten Schreckensnachrichten von Okahandja und Karibib her in Outjo eintrafen, war der tapfere Führer der dortigen Truppen, der Hauptmann Kliefoth, ungesäumt zur Offensive übergegangen. Bereits am

12. Januar brach er mit 3 Offizieren, 47 Reitern und einem Geschütz auf und marschierte in der Richtung auf Waterberg vor. Am 16. traf er bei Okanjande auf eine Rebellenabteilung, die er vollständig zersprengte, mußte dann aber auf die Nachricht von der Bedrohung Outjos nach dort zurück= kehren. In der Folgezeit wurden die Farmer des Distrikts, die rechtzeitig gewarnt worden waren und sich bei Otjikondo und Kauas verschanzt hatten, von Outjo aus verstärkt und mit Munition und Proviant versehen. Starke Patrouillen säuberten die Umgegend des Hauptplatzes, wobei sie den Herero mehrfach große Verluste beibrachten. Am 27. brach der Hauptmann mit 4 Offizieren, 60 Mann und 2 Geschützen von neuem in der Richtung gegen Omaruru auf und stieß am 29. am Etanenoberge auf einen starken Gegner. Ungesäumt wurde zum Angriff geschritten und nach stundenlangem, heftigen Kampfe, in dem die Herero durch das Artilleriefeuer besonders schwere Ver= luste erlitten, wurden die Aufständischen aus ihren Stellungen geworfen und verjagt. Hauptmann Kliefoth erhielt einen Schuß in die Schulter, gab aber erst nach dem Gefecht das Kommando ab.

Auf erneute beunruhigende Nachrichten aus Outjo kehrte die Truppe wieder dorthin zurück und beschränkte sich von nun an, da sie zu selbständigen Unternehmungen gegen den übermächtigen Gegner viel zu schwach war, auf die Säuberung des Bezirkes Outjo und die Beobachtung der Hottentotten von Franzfontein und Zesfontein und der Ovambo, die sich nach eingelaufenen Nachrichten ebenfalls in starker Gärung befanden.

Im Bezirk Grootfontein, wo sich zum Schutz der Burenniederlassungen Oberleutnant Volkmann mit 20 Reitern befand, gelang es gleichfalls, die Mehrzahl der Ansiedler zu retten; sie wurden in Grootfontein gesammelt. Oberleutnant Volkmann, dessen umsichtigen und energischen Maßnahmen die Rettung der Farmer in erster Linie zu danken ist, rückte mehrfach mit seiner kleinen, durch Buren verstärkten Truppe aus, um den Zusammenzug der Ansiedler zu decken. Am 18. Januar stieß er hierbei nahe der Farm Littomst auf die erste stärkere Abteilung der zur Belagerung von Grootfontein heran= ziehenden Herero. Trotz ihrer mehr als zehnfachen Übermacht wurden die Rebellen von Volkmann durch mehrere wütende Attacken zersprengt, und dieses energische Vorgehen benahm ihnen für die Folgezeit die Lust, sich der Station Grootfontein zu nähern. In dem Gefecht fielen der Häuptling Batona, 7 Unterhäuptlinge und viele der besten Krieger.

Der einzige Vorteil, den die Herero im Grootfonteingebiet errangen, war die Überrumpelung der Station Otjituo, deren Besatzung, 1 Unter=

264

offizier und 3 Reiter, nach tapferster Gegenwehr fiel. Grootfontein selbst war nicht unmittelbar gefährdet, denn hier hatten sich nach und nach über 250 Weiße gesammelt, starke Befestigungen wurden aufgeworfen, und an Proviant war kein Mangel. Trotzdem aber blieb die Lage dieses am weitesten nach Norden vorgeschobenen Postens eine unsichere. Nicht allein durch die sich in immer größerer Zahl um den Waterberg ansammelnden Herero, sondern auch vor allem in Anbetracht der Haltung der Ovambo.

Ein unausgesetzter Kundschafterdienst, der durch Patrouillen der Truppe,

Das Haus des Farmers Joost in Ettro.

der Buren und durch Buschmannspione aufrecht erhalten wurde, hielt die in Grootfontein von allem Verkehr mit dem Süden sowohl wie mit dem Westen und Norden Abgeschnittenen über die Vorgänge in diesen Gebieten auf dem laufenden. Trotzdem aber gelang es dem Rechalestamm der Ovambo, einen überraschenden Angriff auf die kleine deutsche Station Na= mutoni am Ostende der Etosa=Salzpfanne zu machen, der allerdings unter schweren Verlusten der Angreifenden zurückgeschlagen wurde: Am 2. Februar hatte gerade die Besatzung Namutonis den Befehl erhalten, die Station zu verlassen und sich auf Grootfontein zurückzuziehen, als plötzlich der Anmarsch einer großen Horde stark bewaffneter Ovambo gemeldet wurde. Die nur aus 5 Mann bestehende Besatzung hatte kaum Zeit, sich auf den Turm der Feste zurückzuziehen, als bereits über 600 Ovambo, die von dem Kapitän Nechale selbst geführt wurden, die Station von allen Seiten umschlossen und sofort zu wilden Sturmangriffen schritten. Obwohl es ihnen glückte, in die Feste einzudringen, konnten sie doch den Turm nicht nehmen, und nachdem weit über 100 Ovambo gefallen waren, zogen die übrigen vollständig entmutigt gegen Abend ab. So gelang es der Besatzung, den „5 Eisernen von Namutoni", wie sie genannt wurden, nachdem sie sich bereits fast ganz verschossen hatten, sich nach Grootfontein zu retten. Ihrer und der Tätigkeit des Oberleutnants Volkmann ist es vor allem zu danken, daß im weiteren Verlauf des Aufstandes nicht auch ein allgemeiner Angriff der Ovambo auf die Deutschen erfolgte. —

In Otjimbingwe, wo der Aufstand am spätesten ausbrach, verschanzten sich 35 Deutsche unter dem Kommando des Leutnants a. D. v. Frankenberg in dem Gehöft der Familie Hälbich. Ein energischer Angriff der Herero auf diese Besatzung fand nicht statt, sie beschränkten sich vielmehr darauf, Schüsse mit den Posten zu wechseln, wichen aber vor den Ausfällen der kleinen Schar stets zurück. Dagegen wurden die Farmen in der Umgegend ausgeplündert und das Vieh fortgetrieben. —

Hereropontok in Ojona.

Wie bereits oben erwähnt, war die 2. Feldkompagnie mit 137 Mann, einem Feld- und einem Gebirgsgeschütz auf dem Marsche gegen die Bondelzwart in Gibeon angekommen, als sie die Nachricht von dem Ausbruch des Hereroaufstandes traf. Hauptmann Franke entschloß sich, sofort umzukehren, und legte den über 300 km langen Marsch von Gibeon nach Windhuk in 4½ Tagen zurück. Am 20. Januar erschien die Kompagnie vor Windhuk, in dessen unmittelbarer Nähe sie keinen Feind mehr antraf. Nach Ergänzung der

Munition, der Bekleidung und des Materials, und nachdem die Kompagnie durch Mannschaften der Besatzung von Windhuk verstärkt worden war, setzte sie am 21. bereits ihren Marsch auf Okahandja fort. Am 22. traf man zwischen Teufelsbrücke und Osona auf eine Hereromasse, die links seitwärts der Straße im Hinterhalt lag, aber von den Kundschaftern so rechtzeitig erkannt wurde, daß man zum regelrechten Angriff auf sie schreiten konnte. Nach hartem Gefecht, in dem 42 gesattelte und gezäumte Pferde erbeutet wurden, wurde der Gegner zurückgeworfen, und die Kompagnie setzte ihren Vormarsch fort. Kurz vor Okahandja, bei Osona, wurde sie jedoch, da die Brücke über den Okahandjafluß von den Herero zerstört war, durch die reißenden, stark angeschwollenen Fluten aufgehalten. Nach mehrfachen Versuchen, den Fluß zu Pferde zu überschreiten, wobei Hauptmann Franke beinahe ertrunken wäre, gelang es erst am 27., den Übergang zu bewerkstelligen. Als die Kompagnie in Okahandja eintrat, eröffneten die Herero unverzüglich das Feuer von den östlichen Höhen, wurden aber durch die Artillerie bald von dort vertrieben und zogen nach Nordosten, anscheinend auf Otjosasu, ab. Der vollständige Entsatz des Platzes war hiermit durchgeführt. Als am 28. Hauptmann Franke dem Gegner in der Richtung auf Otjosasu folgen wollte, ergab sich jedoch, daß der dicht nordöstlich von Okahandja gelegene Kaiser Wilhelm-Berg noch stark besetzt war. Hauptmann Franke ging sofort zum Angriff vor und nahm nach sechsstündigem Gefecht den Gipfel des Berges in Sturm. Am 29. bereits war die Eisenbahn nach Windhuk wiederhergestellt, und ein Zug beförderte die schwer Verwundeten dorthin. Am 30. wurde zur Verfolgung der Herero nach Otjosasu aufgebrochen. Da man jedoch den Gegner nicht mehr antraf, wurde nur der Ort niedergebrannt und der Marsch nach Karibib fortgesetzt, das die Kompagnie am 3. Februar erreichte.

Am Tage vorher war in Swakopmund der sehnlichst erwartete Ablösungstransport der Schutztruppe, 3 Offiziere und 219 Mann, eingetroffen, und da es — eine staunenswerte Leistung — unter unermüdlicher Hingabe aller Beteiligten gelungen war, die Bahn Swakopmund—Windhuk in ihrer gesamten Ausdehnung schon am 4. Februar wieder befahrbar zu machen, konnten die neu eingetroffenen Truppen unter Oberleutnant v. Winkler sofort mit der Eisenbahn nach Windhuk in Marsch gesetzt werden. Hier trafen sie am 5. Februar ein.

Am gleichen Tage erschien Hauptmann Franke vor Omaruru. Das heftige, 8 Stunden dauernde Gefecht endete unter der Unterstützung der

Garnison, die in mehrfachen Ausfällen den Herero in den Rücken fiel, mit einem glänzenden Siege. Die Aufständischen leisteten heftigen Widerstand, wurden aber von Stellung zu Stellung geworfen, vollständig geschlagen und verloren über 100 ihrer besten Leute. Deutscherseits fielen 2 Offiziere, 3 Unteroffiziere und 3 Mann; 1 Offizier, 3 Unteroffiziere und 5 Mann wurden verwundet.

Mit dem glänzenden Zuge der Kompagnie Franke, der den Entsatz von Otjihandja und Omaruru herbeiführte, mit der Wiederherstellung der Eisenbahn, dem Eintreffen des „Habicht" und des Schutztruppentransports unter Oberleutnant v. Winkler in Swakopmund waren die ersten und ge= fährlichsten Wochen des Aufstandes überwunden, die Wochen, in denen es sich um das Sein oder Nichtsein aller im Schutzgebiet befindlichen Deutschen handelte. Hätten die Herero in den ersten Tagen des Aufstandes den gleichen todesverachtenden Geist der Offensive bewiesen wie in den späteren Kämpfen, so hätten sie hier Erfolge erringen können, die der Vernichtung der deutschen Macht im Hererolande gleichkommen konnten!

Inzwischen hatte man in Deutschland umfassende Maßnahmen zur Verstärkung der Machtmittel im Schutzgebiet getroffen. Am 17. Januar wurde auf Befehl S. M. des Kaisers ein Marine-Expeditionskorps ge= bildet. Die Vorbereitungen zur Ausreise wurden so beschleunigt, daß die= selbe bereits am 21. Januar von Wilhelmshaven aus angetreten werden konnte. Der Kern des Expeditionskorps bestand aus einem Marine-Infanterie= Bataillon in der Stärke von 24 Offizieren, 4 Sanitätsoffizieren und 639 Mann. Diesen angeschlossen waren eine Maschinenkanonenabteilung, 2 Offiziere und 69 Mann Eisenbahntruppen, und an Ersatz für das Lan= dungskorps 4 Offiziere und 69 Mann. Zugleich wurden umfangreiche Pferdekäufe in Argentinien und der Kapkolonie eingeleitet. Insgesamt wurden in den nächsten Wochen etwa 2000 Pferde und Maultiere nach dem Schutzgebiet transportiert. Am 9. Februar bereits traf das Marine= Expeditionskorps in Swakopmund ein. Das Kommando über dasselbe hatte bis zum Eintreffen des später ausreisenden Obersten Dürr der Major v. Glasenapp, der Kommandeur des Seebataillons, übernommen, ein schon vielfach im Auslandsdienste bewährter Offizier. Auch der aus den früheren Kämpfen wohlbekannte Major v. Estorff trat mit dem Marine-Expeditions= korps die Ausreise in das Schutzgebiet an.

Unmittelbar darauf wurde in Deutschland die Aufstellung von weiteren, aus Freiwilligen der Armee bestehenden Transporten durchgeführt. Diese

Truppen verließen unter Befehl der Hauptleute Puder und v. Bagenski am 30. Januar und 2. Februar Hamburg; 6 Feldgeschütze, 4 Schnellfeuergeschütze, 1 Maschinenkanone und 6 Maschinengewehre waren ihnen beigegeben.

Die Schwierigkeiten, die sich den im Schutzgebiet neu eintreffenden Verstärkungen entgegenstellten, waren trotz der unermüdlichen vorbereitenden Tätigkeit der Marine außerordentlich große. Zwar hatte der Korvettenkapitän Gudewill alles getan, was sich nur für den Empfang und die Unterbringung größerer Truppenmassen in Swakopmund erreichen ließ, aber den in der Folgezeit ununterbrochen eintreffenden Verstärkungen gegenüber war das für die Vorbereitungen zur Verfügung stehende Material gänzlich unzureichend. Insbesondere trat in den nächsten Monaten die Unzulänglichkeit der Landungsverhältnisse in Swakopmund äußerst erschwerend hervor. Diese brachte es mit sich, daß zunächst nur immer ein Dampfer entlöscht werden konnte, so daß andere oft Tage und Wochen wartend auf der Reede lagen. Ferner machte sich die geringe Leistungsfähigkeit der Eisenbahn sehr schwer bemerkbar, deren rollendes Material sich durch die unausgesetzte, schonungslose Inanspruchnahme in den ersten Wochen des Aufstandes in fast unbrauchbarem, verwahrlosten Zustand befand.

Große Schwierigkeiten bereiteten ferner die Zusammenstellung und Ausrüstung der Verstärkungen. Die neu eintreffenden Truppen mußten sich zunächst an das Klima gewöhnen, sie mußten über die besonderen Verhältnisse der Kolonie, über die Eigenart und Fechtweise ihrer Gegner, mit einem Wort: über tausend Dinge belehrt werden, die ihnen bis dahin fremd und ungewohnt gewesen waren. Auch die Pferde und Maultiere, die aus Argentinien herbeigeschafft worden waren, mußten an das Klima und an das veränderte Futter gewöhnt werden. Sie waren zum größten Teil ganz roh, und es bedurfte der größten Anstrengung, um sie in kurzer Zeit zu einigermaßen brauchbaren Reittieren zu machen.

Bis zum Eintreffen des Majors v. Glasenapp war zudem eine einheitliche Leitung nicht vorhanden gewesen. Der rangälteste Offizier, der Korvettenkapitän Gudewill, hatte wohl nominell das Oberkommando übernommen, da aber in den ersten Wochen des Aufstandes die Verhältnisse auf allen Teilen des Kriegsschauplatzes durchaus verworrene waren, konnte schon aus diesem Grunde von einer einheitlichen Leitung der Operationen keine Rede sein — besonders auch, weil Oberst Leutwein ja noch im Süden, im Bondelzwartgebiet, weilte und erst am 12. Februar auf dem Seewege in Swakopmund wieder eintraf.

Als der Major v. Glasenapp in Swakopmund landete, fand er eine
Kriegslage vor, die sich wesentlich von der unterschied, auf Grund deren er
seine Instruktionen in Deutschland erhalten hatte. Ursprünglich sollte das
Marine-Expeditionskorps dazu verwendet werden, die Verbindung Windhuks
mit der Küste wiederherzustellen und die Hauptstadt zu besetzen. Nun aber
war der größte Teil dieser Aufgaben bereits erfüllt, und Major v. Glasenapp
beschloß daher, unverzüglich die Operationen gegen die Herero zu eröffnen.
Allgemein tauchte damals bereits die Nachricht auf, daß diese beabsichtigten,
sich im Osten zu sammeln und mit dem eigenen und dem geraubten Vieh
durch Überschreitung der englischen Grenze in Sicherheit zu bringen. Demzufolge rückten die Oberleutnants v. Winkler und Eggers mit 200 Mann
ungesäumt gegen Gobabis vor, um diesen Platz zu entsetzen und die allgemeine
Lage im Osten zu klären. Der Versammlungsort der Herero im Osten sollte
sich bei Kehoro befinden.

Ferner wurde ein sofortiges Vorgehen sowohl nach Norden, um die
Verbindung mit Outjo und Grootfontein herzustellen, als auch gegen Otjimbingwe beschlossen. Von dort war die Nachricht eingetroffen, daß sich starke
feindliche Kräfte im Swakoptal und im Komashochland in der Sammlung
befänden. Gegen diese mußte sofort vorgegangen werden, da sie eine stete
Bedrohung der Eisenbahn darstellten.

Am 11. Februar trat Major v. Estorff mit der 3. Kompagnie des
Seebataillons und 2 Maschinengeschützen den Marsch auf Omaruru an.
Als ihm aber am 12. Major v. Glasenapp mit 2 weiteren Kompagnien
folgen wollte, trafen Depeschen des soeben in Swakopmund eingetroffenen
Obersten Leutwein ein, welche die Operationen vorläufig aufhielten. Nach
den nunmehr ausgegebenen neuen Befehlen des Gouverneurs, der den Oberbefehl übernahm, wurde Major v. Estorff angewiesen, seinen Marsch fort-
zusetzen, dem Oberleutnant v. Winkler wurde eine Marine-Infanterie-Kompagnie
in der Richtung auf Gobabis nachgesandt, und 2 Kompagnien blieben zur
Verfügung des Gouverneurs. Diese trafen am 13. früh mit der Maschinengewehr-Abteilung in Okahandja ein. Die Unternehmung in das Swakoptal
bei Otjimbingwe wurde dem Landungskorps des „Habicht" und einer Abteilung
Eisenbahntruppen übertragen.

Der Kapitänleutnant Gygas, der das Kommando über diese etwa
100 Mann betragende Truppe erhielt, worunter sich jedoch nur wenige
Berittene befanden, trat mit einem Feldgeschütz und einem Maschinengewehr
ungesäumt von Karibib aus den Vormarsch an und traf am 16. jenseit von

Otjimbingwe am Lievenberg auf einen starken Gegner, der 7 Stunden hin=
durch den heftigsten Widerstand leistete und erst nach einer glücklich durch=
geführten Umgehung und dem allgemeinen Sturm auf seine Stellung diese
räumte und in der Richtung auf Okahandja zurückwich. Am 19. wurden
die nachfolgenden Deutschen bei Groß=Barmen überraschend angegriffen, es
gelang jedoch nach scharfem Gefecht, den Gegner von neuem zu werfen. Die
Herero zogen sich, als nun auch von Okahandja her einige Abteilungen der
Truppe gegen sie vorgingen, in das Komashochland zurück, so daß bereits
im März eine neue Unternehmung gegen sie notwendig wurde, die dem eben
im Schutzgebiet eingetroffenen Hauptmann Puder übertragen wurde. An
ihr nahmen die neugebildete 5. Feldkompagnie und 2 Kompagnien des See=
bataillons, das Landungskorps des „Habicht" und 30 Berittene teil. Von
Okahandja aus wurde am 4. März Klein=Barmen erreicht, wo es zu einem
heftigen, 6 Stunden dauernden Gefecht kam, in dem die Herero von neuem
starke Verluste erlitten. Bei einer in den nächsten Tagen gegen das
Komashochland vorgenommenen Erkundung wurden hier aber so bedeutende
feindliche Kräfte festgestellt, daß die Abteilung Puder, da sie zu einem
weiteren Eingreifen viel zu schwach und erschöpft war, gezwungen wurde,
nach Okahandja zurückzukehren. Man beschränkte sich nunmehr auf eine
scharfe Beobachtung des Komashochlandes durch Patrouillen und Spione.

Am 1. März traf Oberst Dürr mit weiteren Verstärkungen in Swa=
kopmund ein, und wenige Tage später aus dem Groß=Namalande die 1. Feld=

Aus: Semmerin, Elf Jahre Gouverneur in Deutsch=Südwestafrika.

Station Outjo.

kompagnie und die Gebirgsbatterie. Gegen Ende desselben Monats überschritt plötzlich ein großer Teil der Herero, die bisher im Komashochland
gesessen hatten, die Eisenbahn südlich von Okahandja und zog, von Bastard-
hilfstruppen verfolgt, in östlicher Richtung ab.

Inzwischen war die nach dem Befehl des Gouverneurs neu gebildete
Ostabteilung gegen Gobabis vorgerückt, das Oberleutnant v. Winkler am
18. Februar erreicht hatte. 2 Tage vorher gaben die Herero die Ein-
schließung dieses Ortes auf. Der Kompagnie Winkler folgte die 1. des
Seebataillons mit einigen Maschinengewehren und später, als dritte Staffel,
Major v. Glasenapp mit der 4. Marine-Infanterie-Kompagnie. Nachdem
sich die 2. und 3. Staffel bei Otjihaenena vereinigt hatten, wurde gegen Ende
Februar gemeinsam mit dem Oberleutnant v. Winkler der Vormarsch auf
Kehoro angetreten, wo der Häuptling Tjetjo mit starken Kräften stehen sollte.
In Gewaltmärschen wurde diese Wasserstelle erreicht, aber verlassen gefunden.

Nachdem den erschöpften Truppen kurze Zeit der Ruhe gegönnt worden
war, und nachdem weit ausgreifende Erkundungen durch die Berittenen stattgefunden hatten, durchzog nun die Ostabteilung in zwei Kolonnen das östliche
Hererogebiet nach Westen zu. Am 15. März sollte die Linie Okatjeru—
Erindi—Komahoa—Ekuja erreicht werden, um hier in einer Bereitschaftsstellung das Vorgehen der Hauptabteilung abzuwarten, die sich in Okahandja
sammelte und gegen Ende März operationsbereit sein konnte. Die rechte
Kolonne der Ostabteilung folgte dem Laufe des Epukiroflusses, die linke dem
des Nosob. Am 6. März wurde der Vormarsch angetreten. Major
v. Glasenapp selbst befand sich bei der rechten Kolonne und stand am
12. März bei Oujatu, wo auch in 4 bis 5 Tagen die linke Kolonne eintreffen
sollte; die Zwischenzeit wurde zu einem Erkundungsritte benutzt. Am
13. März brach der Major mit fast allen Berittenen, 11 Offizieren, 35 Reitern und einem mit Pferden bespannten Maschinengewehr in der Richtung
auf die bekannte große Wasserstelle Ovikorero auf. Hauptmann v. François
und Oberleutnant Eggers, zwei der bewährtesten Landeskenner, befanden
sich bei der Abteilung. Eine mit Ochsen bespannte Karre, die Munition und Proviant geladen hatte, folgte unter Bedeckung eines Sanitäts-
unteroffiziers und von sieben Seesoldaten nach. Am Nachmittage stieß man
plötzlich auf eine Rinderherde, die zusammengetrieben wurde; es war nun
klar, daß man die Herero unmittelbar vor sich haben mußte. Da aber eine
gefangene Hererofrau aussagte, daß sich nur noch wenige Herero von der
Nachhut Tjetjos vor der Abteilung befänden, wurde weiter vorgegangen.

In Schützenlinie durchritten die Deutschen den dichten und unübersichtlichen
Busch. Kurz vor 5 Uhr erhielt die Abteilung plötzlich Feuer, das aber nur
schwach war; sofort wurde das Maschinengewehr vorgezogen, um den Gegner
zu verjagen. Kaum aber hatte dasselbe das Feuer eröffnet, als schon die
ersten Verluste eintraten, da sich die Herero auf beiden Flügeln dauernd
verstärkten. Bald lag die kleine deutsche Truppe im heftigsten Feuergefecht
mit dem weit überlegenen Gegner. Da die Aufgabe des Erkundungsritts,
die Feststellung des Gegners, nunmehr erfüllt war und ein weiterer Kampf
zwecklos erschien, gab der Major den Befehl zum Rückzug, der vorsichtig
und in bester Ordnung angetreten wurde. Jetzt aber drängten die Herero,
die ununterbrochen Verstärkungen erhielten, auf das heftigste nach, und nun
traten außerordentlich schwere Verluste ein. Hauptmann v. François und
Oberleutnant Eggers fanden hier den Heldentod. Fast sämtliche Pferde
waren bereits getötet oder durch schwere Verwundungen unbrauchbar geworden.
Um das Maschinengewehr häuften sich die Toten, dreimal war bereits die
Bedienungsmannschaft gefallen. Da alle Versuche, das Gewehr aus der
Feuerlinie zu bringen, scheiterten, mußte es schließlich stehen bleiben, nachdem
der Obermatrose Ehlers, der hierbei fiel, es unbrauchbar gemacht hatte.
Nach 5 Uhr erschien die Karre auf dem Gefechtsfelde, deren Führer, Ser-
geant Witt, direkt auf den Schall des heftigen Kampfes zugeeilt war. Das
Schnellfeuer der wenigen Seesoldaten hielt den Gegner eine Zeit hindurch
auf, so daß es gelang, die Verwundeten zur Karre zurückzubringen. Die
Verluste waren sehr schwere, 7 Offiziere und 19 Mann waren gefallen, von
ersteren neben den bereits genannten: Oberleutnant zur See Stempel, Leutnant
Dziobeck, die Leutnants d. R. Thiesmeyer und Bendix und der Marine-
Oberassistenzarzt Dr. Velten. Verwundet wurden 3 Offiziere und 2 Mann.
Mit Mühe gelang der Rückmarsch auf Onjatu.

Hier wurde nun zunächst die Ankunft der linken Kolonne abgewartet
und die Zwischenzeit dazu benutzt, das Lager, das sich auf einer Hochfläche
befand, einzurichten und zu befestigen. Ersatz an Offizieren und Mannschaften für die Verluste von Ovitolorero, Pferde, Proviant, Arzneien und
anderes Material traf von Okahandja her in Onjatu ein, ohne daß der
Gegner sich gezeigt hätte. Zugleich traf ein Befehl des Obersten Leutwein
ein, durch den die Ostabteilung auf die Defensive verwiesen wurde, da die
Hauptabteilung vor dem 1. April nicht marschbereit sein könne.

Inzwischen hatte nämlich der Zusammenschluß der Herero zu großen
Kriegshaufen weitere Fortschritte gemacht, und vor allem in den Onjati-

bergen waren feindliche Kräfte in der Stärke von etwa 4000 Mann festgestellt worden. Diese sollten zunächst angegriffen werden. Die Ostabteilung
erhielt den Auftrag, mit einzugreifen, indem sie dem Gegner einen Abzug in
nordöstlicher Richtung verwehrte.

Am 28. März rückte Major v. Glasenapp auf Ovikokorero vor, das
schon seit dem 21. von einer berittenen Abteilung besetzt war, und am
1. April wurde bei Otjikuoko eine Bereitschaftsstellung eingenommen. Hier
beabsichtigte der Major die Ergebnisse des Vorgehens der Hauptabteilung
abzuwarten. Diese war jedoch am 1. April noch nicht marschbereit, der
Vormarsch war vielmehr auf den 6. verschoben worden. Aber der Hauptmann Fromm, der die Nachricht von dieser Verzögerung dem Major
v. Glasenapp überbringen sollte, hatte diesen in Onjatu nicht mehr angetroffen. Bei dem Ausbleiben aller Nachrichten von seiten des Truppenkommandos nahm nunmehr Major v. Glasenapp an, daß der Vormarsch
der Hauptabteilung am 1. April nicht stattgefunden habe, und rückte
unverzüglich in seine frühere Stellung bei Onjatu zurück. Auf diesem
Marsche, der durch den dichtesten Busch erfolgen mußte, wurde die Kolonne
plötzlich bei der Wasserstelle Okaharui von sehr starken feindlichen Kräften
angegriffen, die zu gleicher Zeit auf die Vor- und Nachspitze das Feuer eröffneten. Die Lage der Truppen war eine höchst schwierige, weil man bei
der dichten Bewachsung des Geländes oft nur wenige Meter weit sehen konnte.
Nach allen Seiten mußte Front gemacht werden, da der Gegner bald von
dieser, bald von jener Seite her sich in wilden Sturmangriffen und in dichten
Massen auf die Deutschen stürzte. Bei der Avantgarde der Kolonne, in der
Mitte, an der Nachhut und bei der Wagenkolonne entwickelte sich an verschiedenen Lichtungen des dichten Dornbuschwaldes, an denen die Truppen
gesammelt wurden, eine Reihe schwerer Einzelgefechte. Aber trotz ihrer
wilden und todesverachtenden Tapferkeit gelang es den Herero nicht, einen
dieser Teile zu überwältigen.

Die Stärke der beteiligten 3 Kompagnien betrug etwa 230 Gewehre,
während der Gegner über etwa 1000 Berittene verfügte. Die Verluste auf
deutscher Seite waren allerdings große. Gefallen waren 1 Offizier und
31 Mann, verwundet 2 Offiziere und 15 Mann. Die schwersten Verluste
hatte die 1. Kompagnie des Seebataillons unter Hauptmann Fischel gehabt,
die den ersten Anprall des Gegners auszuhalten hatte. Etwa 150 gefallene
Aufständische wurden bei oberflächlicher Absuchung des Gefechtsfeldes dicht
vor den deutschen Schützenlinien gefunden.

Major v. Glasenapp blieb nun in Onjatu, da er inzwischen den Befehl erhalten hatte, nicht eher vorzugehen, als bis er von dem bevorstehenden
Angriff der Hauptabteilung Kenntnis erhalten habe. Die Oftabteilung war
in der folgenden Zeit vollständig von der Verbindung mit Okahandja abgeschnitten, da von dort weitere Nachrichten nicht eintrafen. Auch der unausgesetzte, nach allen Seiten auf das schärfste betriebene Patrouillendienst
brachte keine Klarheit über den Gegner. Die Herero schienen diese Gegenden
verlassen zu haben. Erst am 20. April, nach den schweren Gefechten der
Hauptabteilung, trafen wieder Nachrichten vom Truppenkommando ein, aus
denen hervorging, daß ein weiterer Vormarsch gegen die Herero aufgegeben
worden war. Es sollten vielmehr weitere Verstärkungen abgewartet werden,
und während dieser Zeit mußte die Oftabteilung sich abwartend verhalten.
Major v. Glasenapp beschloß nunmehr, nach Otjihaenena abzumarschieren,
um den Truppen vor allem die ihnen so notwendige Ruhe zu geben. Der
ununterbrochene schwere Dienst, die mangelhafte Unterkunft und Ernährung,
das schlechte Wasser und das wochenlange Umherziehen hatten Offiziere und
Mannschaften auf das äußerste erschöpft. Zudem war auch der Typhus
ausgebrochen; um die Mitte des April zählte die Oftabteilung bereits
66 Typhuskranke, und täglich kamen neue hinzu. Von Otjihaenena, wo in
der Missionsstation ein Lazarett errichtet wurde, wollte Major v. Glasenapp
nach Ergänzung der Pferde und der Ausrüstung nach Otjihangwe vorrücken;
aber dazu sollte es nicht kommen. Am 3. Mai wurde vielmehr infolge der
sich immer mehr und mehr ausbreitenden Typhusepidemie die Oftabteilung
in Quarantäne gelegt, und nur die berittene Abteilung, die mehr verschont
geblieben war, ging nach Gobabis, um dort bei der Sperrung der Grenze
verwendet zu werden. 2 Offiziere und 118 Mann, gesunde und Rekonva-
leszenten, wurden dann im Juni der Feldtruppe zugeteilt. Der Stab begab
sich um Mitte Mai nach Windhuk. - -

Im Jahre 1904 schrieb ich in den „Vierteljahrsheften für Truppen-
führung und Heereskunde":

„Ohne zu übertreiben, darf man sagen, daß die Anstrengungen, die Gefahren, die Mühen und Entbehrungen, welche die Kolonne v. Glasenapp
zu überwinden hatte, übergroße waren. Sie hat die ihr zugefallene Aufgabe glänzend gelöst, denn der für die zukünftige Kriegführung so wünschens-
werte Zusammenschluß der Hererobanden ist für den östlichen Kriegsschauplatz ihr Werk. In monatelangen, ununterbrochenen Märschen, bald im
Dunkel der Nacht, bald unter der glühenden Tageshitze der Omaheke, hat

das Detachement 700 km zu Fuß zurückgelegt und Landſchaften von 200 km Breite mit wenigen Berittenen erkundet. Dabei iſt zu bemerken, daß, wenn man der Frage näher tritt, ob die für das Detachement Glaſenapp ſich er= gebende Aufgabe im Verhältnis zu ſeiner Stärke, ſeiner Gefechtskraft und Zuſammenſetzung ſtand, nur geantwortet werden kann, daß ſie dieſe überſtieg. Der Mangel an Pferden und, wie Major v. Glaſenapp ſelbſt hervorhebt, an zuverläſſigen, berittenen eingeborenen Spähern trat überall hemmend her= vor. Das Gelände ferner war das ſchwierigſte, das ſich im Schutzgebiet be= findet: das Sandfeld, die Omaheke, meilenweit bedeckt mit den undurch= dringlichen Dornbuſchwäldern, dem »Niederwald«, in dem jede Auf= klärung, jedes Eindringen Berittener zur Unmöglichkeit wird. Wenn ich weiter hervorhebe, daß die Mannſchaften der Marineinfanterie zum Teil Rekruten waren, ſo iſt das Gefecht bei Otaharui nur noch höher einzu= ſchätzen."

Nach dem Entſatz von Omaruru hatten die Herero die Umgegend des Platzes geräumt, und die Erkundungen des Hauptmanns Franke erbrachten den Beweis, daß der Gegner in öſtlicher Richtung abgezogen war.

Die unter dem Befehl des Majors v. Eſtorff neugebildete Weſt= abteilung (2. Feldkompagnie [Franke] und 3. Kompagnie des Seebataillons [Hauptmann Haering], 1 Feld= und 1 Gebirgsgeſchütz ſowie 2 Maſchinen= kanonen) traf am 14. Februar in Omaruru ein, und am 21. wurde die Ver= einigung mit der 4. Feldkompagnie (mit 2 Feldgeſchützen) herbeigeführt, die nach der Verwundung des Hauptmanns Kliefoth dem Oberleutnant Frhrn. v. Schönau-Wehr unterſtellt worden war. Inzwiſchen hatten erneute Rekognoſzierungen in nördlicher Richtung ergeben, daß dieſe Gegend vom Feinde frei ſei; Major v. Eſtorff beſchloß daher, gegen die große, allgemein bekannte Waſſerſtelle Otjihinamaparero vorzugehen, an der man die Oma= ruruherero vermuten konnte. Am 24. wurde der Vormarſch angetreten, an dem 12 Offiziere, 3 Sanitätsoffiziere und 164 berittene Mannſchaften mit 5 Geſchützen teilnahmen. Je mehr man ſich der Waſſerſtelle näherte, deſto mehr wuchs die Gewißheit, daß ſie von ſehr ſtarken Hererobanden mit vielem Vieh und mit den geſamten Werften beſetzt ſein werde. Schon früh erkannten die eingeborenen Späher den Rauch zahlreicher Feuer und den von den Herden aufgewirbelten Staub.

Das Gelände war für den Angreifer außerordentlich ſchwierig, die Stellung des Gegners eine wohlüberlegte und durch Befeſtigungen verſtärkte. Der Angreifer mußte zunächſt ungedeckt einen mit Gras und niedrigen

Werft christlicher Herero.

Büschen bewachsenen Hang durchschreiten, der sanft nach dem breiten und sandigen Bett des Omaruruflusses abfällt, während sich hinter dem Rivier langgestreckte Höhenzüge erheben, deren linker Flügel von dem schroffen Otjihinamapareroberg geschützt wird. Ein Angriff auf die starke, rund 4000 m lange Front der feindlichen Stellung, die von etwa 1500 mit Gewehren bewaffneten Herero besetzt war, hinter denen man noch zurückgehaltene Abteilungen vermuten konnte, schien dem Major v. Estorff von vornherein ausgeschlossen. Es wurde daher zunächst die Avantgardenkompagnie Franke auf den linken Flügel der gegnerischen Stellung angesetzt. Die Aufständischen eröffneten bereits auf 1000 m das Feuer, doch gelang es der Kompagnie, rasch bis auf 600 m heranzukommen. Von hier aus aber mußte im heftigsten Feuer sprungweise vorgegangen werden. Nachdem eine unweit vor der Hererostellung liegende Linie von Felsen erreicht und von hier aus der weitere Angriff durch Infanteriefeuer vorbereitet war, gelang es der 2. Kompagnie, die feindliche Stellung im Anlauf zu nehmen. Der Gegner floh unter starken Verlusten in eine weiter zurückliegende zweite, ebenfalls stark befestigte Höhenstellung. Ein weiteres Vordringen war an dieser Stelle zunächst ausgeschlossen; die Kompagnie blieb bis nach 1 Uhr mittags im Feuergefecht liegen. Inzwischen war die Kompagnie Schönau gegen den rechten Flügel der Herero vorgegangen, mit der Zeit aber durch eine Umgehung ihres linken Flügels in eine mißliche Lage gekommen, so daß zwei Züge der Kompagnie Franke zur Hilfeleistung herangezogen werden mußten. Sie wurden aus dem Gefecht gezogen, saßen auf und galoppierten nach dem linken Flügel der deutschen Stellung. Hier trafen sie eben noch rechtzeitig genug ein, um einem heftigen Angriff der Herero, die in großen Massen schon etwa bis auf 100 m an die deutsche Stellung heran vor= gedrungen waren, durch einen energischen Gegenangriff zu begegnen. Die Rebellen wurden über das Flußbett zurückgeworfen; dann stand auch hier das Gefecht. Von der Artillerie hatte besonders das Gebirgsgeschütz, das stets in der Schützenlinie mit vorging, guten Erfolg. Nachdem man 10 Stunden hindurch im Feuergefecht gelegen hatte, wurden gegen Abend alle verfügbaren Kräfte in der Mitte der Stellung zusammengezogen und ein allgemeiner Sturmangriff auf die Wasserstelle selbst unternommen, der einen vollen Erfolg brachte. Die bereits erschütterten Herero hielten dem Bajonettangriff nicht stand. Sie wandten sich zu wilder Flucht und ließen etwa 2000 Stück Vieh in den Händen der Sieger zurück.

Das Gefecht bei Otjihinamaparero ist eines der schwersten des Feld= zuges gewesen. Zwar waren auf deutscher Seite die Verluste — 1 Offizier und 1 Mann tot, 3 Offiziere und 5 Mann verwundet – nicht eben groß, aber der Gegner hatte in der Auswahl seiner Stellung, in der Verstärkung derselben und in seinen taktischen Maßnahmen während des Gefechtes, die in den geschickt angesetzten und mit Energie unternommenen Umgehungen gipfelten, gezeigt, daß er zu nachhaltigem Widerstande entschlossen und fähig war. Man hatte bei Otjihinamaparero erfahren, daß man in Zukunft einen fast gleichwertigen Gegner gegenüber haben werde, und daß dieser soldatisches Verständnis genug besaß, um einen jeden Fehler für sich ausnützen zu können. Von den Herero wurden etwa 60 Tote in den Stellungen ge= funden, doch ist erwiesen, daß viele Tote und Verwundete vor der Be= endigung des Kampfes fortgeschafft wurden.

Das Detachement blieb zunächst an der Wasserstelle versammelt. Am 7. März erhielt Major v. Estorff neue Befehle von der Oberleitung, die ihm vorschrieben, den Gegner, der in nordöstlicher Richtung vermutet wurde, zu verdrängen und im weiteren Vormarsch Okahandja zu erreichen. Durch Nachschub auf eine Stärke von 18 Offizieren und 298 Mann mit 388 Reit= und Zugtieren gebracht, brach die Kolonne am 14. März gegen Konjati auf. Am 16. traf der Major am Omatakoberge von neuem auf den Gegner, der die Avantgarde in einen Hinterhalt zu locken versuchte. Es bedurfte energischer Angriffe sämtlicher Kompagnien und der Artillerie, die vielfach gezwungen war, auf die nächsten Entfernungen mit Schrapnells zu feuern, um den Gegner zu werfen. Dieser floh in nördlicher Richtung und wurde energisch verfolgt. Nunmehr wandte sich die Kolonne nach Süden und erreichte in anstrengenden Märschen, auf denen noch eine große Zahl Vieh — etwa 1000 Stück — erbeutet und eine große Hererowerft überfallen wurde, am 24. Okahandja, um hier zur Hauptabteilung zu treten.

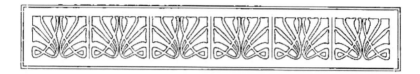

14. Kapitel.

Der Untergang des Hererovolkes.

Die Hauptabteilung: Onganjira und Oviumbo. Generalleutnant v. Trotha. — Der Vormarsch gegen den Waterberg. Die Schlacht am Waterberg und der Untergang des Hererovolkes in der Omaheke.

Während der Zeit der Kämpfe der Ost- und Westabteilung wurde in Otahandja unausgesetzt an der Zusammenstellung der Hauptabteilung gearbeitet, die dazu bestimmt war, den am nächsten stehenden und zugleich stärksten Gegner zu schlagen. Es waren dies die Hererohaufen, die in der Zahl von etwa 4000 Bewaffneten am Westabfall des Onjatigebirges versammelt waren. Von dieser Stellung aus, die, von Windhuk und Otahandja etwa gleichweit entfernt, beide Orte und die Eisenbahn auf das stärkste bedrohte, zogen sich die Werfte der Herero in ununterbrochener Reihe nach Norden hin. Und wenn man zunächst vermutet hatte, daß die Herden des Gegners bereits nach Nordosten abgezogen oder doch im Abzug nach dort begriffen seien, so stellten nunmehr die durch Patronillen und Spione eingebrachten Nachrichten mit vollkommener Klarheit fest, daß nicht nur die Krieger, sondern auch die Werfte und das Vieh eines großen Teiles des Hererovolkes in den Onjatibergen versammelt waren. Das ließ vollkommen erkennen, daß die Herero entschlossen waren, hier den stärksten Widerstand zu leisten, und daß sie sich kräftig genug fühlten, den deutschen Truppen, über deren Stärke sie genau unterrichtet waren, im offenen Kampfe entgegenzutreten. In Berücksichtigung dieser Lage beantragte Oberst Leutwein im März eine weitere Verstärkung der Schutztruppe um 800 Reiter, 2 Batterien und die entsprechende Anzahl von Pferden. Zugleich entschloß er sich jedoch, die Ankunft dieser Verstärkungen nicht abzuwarten, da er wohl erkannte, daß ein monatelanges Aufschieben des Angriffs entweder den Mut der Herero erhöhen und sie — vielleicht nach Heranziehen der Stämme des Nordens —

zu einem allgemeinen Angriff ermuntern könne, oder daß sie hierdurch Zeit gewönnen, die Gedanken an einen Abmarsch nach Norden oder Osten — über die englische Grenze — wieder aufleben zu lassen. Auch mußte eine Verzögerung des Vorgehens den schlechtesten Eindruck auf die unruhigen und unsicheren Ovambostämme und ebenso auf die Hottentotten im Groß-Namalande machen. Hier war die Lage nach der Entblößung des Landes von den deutschen Truppen zudem eine höchst zweifelhafte geworden, besonders im Bondelzwartgebiet.

Oberst Leutwein verfügte über die 1., 2., 4., 5. und 6. Feldkompagnie, von denen die beiden letzten aus den Verstärkungstransporten Puder und Bagenski gebildet worden waren, über die 1. und 3. Batterie, 1 Gebirgsbatterie und 1 Maschinengewehr-Abteilung; außerdem hatten die Bastarde und Hendrik Witbooi je 50 Reiter gestellt. Mit diesen Streitkräften wurde am 7. April von Okahandja aus der Vormarsch angetreten. Am folgenden Tage abends stand das Detachement versammelt bei Otjosafu. Hier wurde durch eine Erkundung der Witbooiabteilung festgestellt, daß die etwa 500 km südöstlich liegenden Höhen vom Gegner schwach besetzt seien. Nach weiteren Meldungen waren Verstärkungen für die Herero aus der Waterberggegend im Anmarsch, auch Otatumba und Oviumbo sollten besetzt sein. Wollte der Oberst daher angreifen, so durfte keine Minute verloren werden, um den Gegner möglichst vor Eintreffen der Verstärkungen zu schlagen.

Bei Sonnenaufgang am 9. April wurde der Vormarsch direkt auf die

Weiber der Feldherero.
(Im Hintergrunde ein Termitenhügel.)

vom Gegner besetzt gemeldeten Höhen angetreten. Gegen Okatumba und
Otjituoto, wo man die Ostabteilung vermutete (die aber, wie erwähnt, bereits
wieder bei Onjatu stand), wurde die Bastardabteilung vorgeschoben. Die
Avantgarde unter Hauptmann v. Heydebreck bestand aus der 1. und 6. Feld=
kompagnie, der Gebirgsbatterie und den Witbooi, das Gros unter Oberst
Leutwein und Major v. Estorff aus der 2., 4. und 5. Kompagnie, der 1. und
3. Feldbatterie und der Maschinengewehr-Abteilung. Die Kolonnen blieben
in Otjosasu stehen, unter Bedeckung einer Kompagnie des Seebataillons,
eines Artilleriezuges und von 2 Maschinengewehren, da eine Unternehmung
gegen diesen Ort im Rücken der vormarschierenden Truppen keineswegs
ausgeschlossen erschien.

Die Avantgarde traf die vorliegenden Höhen vom Feinde frei, so daß
sie mit einem Lichtsignalposten besetzt werden konnten, der unverzüglich die
Verbindung mit Okahandja aufnahm. Von der Höhe aus sah man in einem
weiten Tale, das halbkreisförmig von Bergen umgeben war, die Wasserstelle
von Onganjira liegen. Hier wurde von der Straße, die direkt auf die Wasser=
stelle zuführt, nach Süden abgebogen, und während das Gros am Fuße der
südlichen Höhen marschierte, gingen starke Teile der Avantgarde auf dem
Kamme vor. Kurz darauf wurde die Besetzung eines vorliegenden Berges
erkannt, der jedoch nach Entwicklung der Avantgarde vom Gegner
geräumt wurde, so daß der Vormarsch weiter fortgesetzt werden konnte. Die
Stellungen der Herero zogen sich zu beiden Seiten der Wasserstelle hin und
umschlossen diese hufeisenförmig; südlich des Riviers bildete die steile Spitz=
kuppe des Onganjiraberges den Schlüsselpunkt der feindlichen Stellung.
Gegen diese Kuppe richtete sich um ungefähr 1 Uhr mittags der erste Angriff
der 1. Feldkompagnie unter Oberleutnant Reiß. Als deren Spitze noch
etwa 200 m vom Berge entfernt war, eröffneten die Herero aus zahlreichen
am Fuß der Kuppe liegenden und den Weg sperrenden Dornbuschverhauen
und Schützengräben ein heftiges Feuer und gingen zugleich gegen die Front
und linke Flanke der sich entwickelnden Kompagnie zum Angriff über. Das
Gelände war stark durchschnitten, teilweise von dichtem Busch bedeckt und
besonders in der linken Flanke der sich nun entwickelnden deutschen Truppen
ganz unübersichtlich. In kurzer Zeit hatte die vorderste Kompagnie zahlreiche
Verwundete. Inzwischen war die gesamte Artillerie aufgefahren und nahm
die feindlichen Stellungen unter heftiges Feuer. Links von der 1. Kompagnie
gingen die 2. Kompagnie und die Gebirgsbatterie, im Karriere vorpreschend,
in Stellung. Auch die linke Flanke der 2. Kompagnie, die nunmehr den

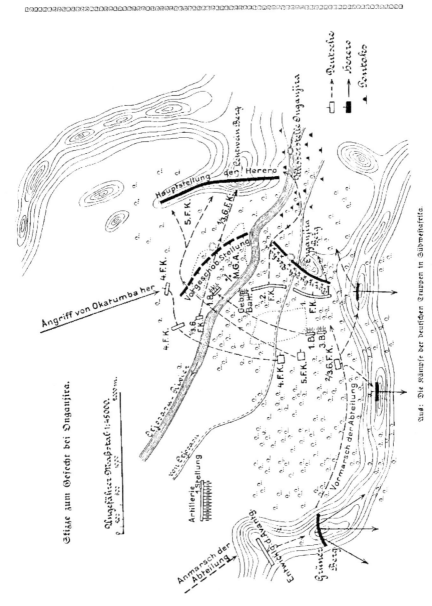

Skizze zum Gefecht bei Onganjira.

Ungefährer Maßstab 1:45000.

Aus: Die Kämpfe der deutschen Truppen in Südwestafrika.

linken Flügel bildete, war unausgesetzten und heftigen Angriffen weit über-
legener Heeromassen ausgesetzt, und zu gleicher Zeit nisteten sich in der
rechten Flanke der 1. Kompagnie auf den dort liegenden Höhen feindliche
Schützen ein, die durch Flanken- und Rückenfeuer auf den rechten Flügel
der 1. Kompagnie wirkten, aber von zwei unberittenen Zügen der 6. Kompagnie bald vertrieben wurden. Als auf dem linken Flügel der deutschen
Stellung sich die Lage durch die umfassenden Angriffe der Herero zu einer
äußerst kritischen gestaltete und die Gebirgsbatterie sich der anstürmenden
Gegner nur noch mit Mühe durch Kartätschfeuer erwehrte, warf Oberst
Leutwein den berittenen Zug der 6. Kompagnie und die Maschinengewehr-
Abteilung an dieser Stelle ins Feuer. Dieser Stoß, der die gegen Flanke
und Rücken der 2. Kompagnie vorgehenden Herero völlig unerwartet traf,
stellte das Gefecht wieder her. Unter dem rasenden Schnellfeuer der
Maschinengewehre stürzten die Herero in wilder Flucht und unter den
größten Verlusten in ihre Stellungen zurück.

Zu dieser Zeit standen noch zwei Kompagnien, die 4. und 5., als
Reserve links rückwärts der Artillerie, und Oberst Leutwein befahl nunmehr
dem Major v. Estorff, mit der 4. Kompagnie vorzugehen und, die Truppen
des linken deutschen Flügels mitreißend, einen umfassenden Sturmangriff auf
den feindlichen rechten Flügel zu unternehmen. Als die 4. Kompagnie in
Zugkolonne im Galopp vorging, traf sie im dichten Dornbusch auf einen
erneuten, gegen den linken Flügel der deutschen Stellung gerichteten Gegenangriff des Feindes. Die Kompagnie saß ab und warf sich mit dem Seitengewehr auf den Gegner, der diesem wilden Angriff nicht standhielt und sich
unter Zurücklassung zahlreicher Toter zur Flucht wandte. Hier fielen Oberleutnant v. Estorff, ein Bruder des Majors, und Leutnant der Reserve
Freiherr v. Erffa an der Spitze ihrer Züge. Die 4. Kompagnie war nun
in die Höhe der anderen Truppen gelangt und hatte mit diesen vereint drei
weitere Sturmangriffe der Herero zu bestehen, die mit todesverachtender
Tapferkeit bis auf wenige Meter an die deutschen Schützenlinien heran vordrangen. Aber unter dem ruhigen, überlegten Feuer der Deutschen und
unter dem vernichtenden, große Lücken in die Reihen der Angreifenden
reißenden Schnellfeuer der Maschinengewehre und der 1. Batterie, die ebenfalls vorgegangen und zwischen den Maschinengewehren und der 4. Kompagnie
in Stellung gebracht worden war, brachen die Angriffe der Herero zusammen.
Als sie sich zum drittenmal zur Flucht wandten, erhob sich die ganze deutsche
Linie wie ein Mann, folgte dem Gegner unter wilden Hurrarufen und blieb

ihm so auf den Fersen, daß sie mit ihm zugleich in die nächste vorgeschobene Stellung der Herero eindrang, die nun in ihrer vollen Ausdehnung genommen war. Kolben und Seitengewehr taten hier ihre Schuldigkeit — unter lautem Schreckensgeschrei stürzten die Herero in regellosen Haufen auf ihre Hauptstellung zurück. In diesem Augenblick traf die Meldung der Bastardabteilung ein, daß von Okatumba, von der linken Flanke der Deutschen her 300 berittene und über 1000 unberittene Herero in eiligstem Anmarsch seien. Ihnen schickte Oberst Leutwein den Major v. Estorff mit der 4. und 5. Kompagnie entgegen, während er sich im übrigen in seinem Entschluß, die Hauptstellung des Gegners unverzüglich zu nehmen, nicht beirren ließ. Der Angriff auf diese ging denn auch weiter fort, während es dem Major v. Estorff gelang, allein mit der 4. Kompagnie den Angriff der Okatumba-Herero von einer schnell besetzten Höhenstellung aus abzuweisen. Inzwischen schossen sich die unaufhaltsam gegen die Hauptstellung vordringenden Kompagnien bis auf wenige hundert Meter an den Feind heran, wobei 2 Gebirgsgeschütze besonders erfolgreich mitwirkten, die man unter großen Anstrengungen auf den Onganjiraberg gebracht hatte. Aber der Abend nahte, das Gefecht stand, und die Entscheidung mußte herbeigeführt werden. Sie fiel zu gleicher Zeit an zwei Punkten, auf beiden Flügeln der feindlichen Stellung, die beinahe in der gleichen Minute von der 2. und 5. Kompagnie umfaßt wurden. Dies brach den Widerstand der Herero vollkommen. Fast in demselben Augenblick verließ der Gegner seine sämtlichen Stellungen und wandte sich zu regelloser Flucht nach Nordosten und Osten. Eine Verfolgung war wegen der hereinbrechenden Dunkelheit, der Unübersichtlichkeit des Geländes und der Erschöpfung der deutschen Truppen unmöglich. Auch kannte man die Stärke der bei Okatumba--Oviumbo stehenden Herero nicht. Auf deutscher Seite waren 2 Offiziere und 2 Reiter gefallen, 1 Offizier und 6 Reiter verwundet worden.

Das Gefecht bei Onganjira war eine der schwersten und zugleich schönsten Siegestaten der deutschen Truppen in den gesamten Kriegsjahren. Die geschickte Führung des Obersten Leutwein, das Vertrauen, das er bei den Truppen genoß, und die über alles Lob erhabene Hingabe und Tapferkeit der letzteren haben sich in den schweren Stunden von Onganjira im glänzendsten Lichte gezeigt.

Die Hauptabteilung marschierte nun zunächst nach Otjosazu zurück, ergänzte hier ihre Vorräte und wandte sich dann unverzüglich gegen die Herero bei Okatumba. Am 13. April wurde der Vormarsch angetreten. Die Avantgarde (2. und 5. Kompagnie, berittene Bastarde und 4 Maschinen-

gewehre) kommandierte Hauptmann Puder; das Gros bestand aus der 1.
und 4. Kompagnie der Schutztruppe, der halben 2. Kompagnie des See=
bataillons und der 1., 2. und 3. Batterie. Die in Otjosafu zum Teil in
Marschbereitschaft zurückbleibenden Kolonnen wurden von der anderen halben
Kompagnie der Marineinfanterie gedeckt.

Bald schloß dichter Dornbusch die vormarschierenden Truppen ein, so
daß die Aufklärung nach vorn durch die Bastarde und nach der rechten
Flanke durch die Witbooi mit den größten Schwierigkeiten verknüpft war.
Die Werfte in Okatumba wurden verlassen vorgefunden und der Marsch auf
Ovinimbo fortgesetzt. Als kurz hinter Okatumba von den Witbooi gemeldet
wurde, daß auch die Werfte bei Ovinimbo vom Feinde frei seien, beschloß
um 10 Uhr vormittags Oberst Leutwein zu halten und die Pferde tränken
zu lassen. Spitze und Vortrupp der 1. Kompagnie tränkten als die vordersten
zunächst ihre Tiere, aber als sie hiermit beschäftigt waren, wurden plötzlich
flußabwärts von den Spähern Eingeborene gemeldet, die gleichfalls ihre
Pferde tränkten. Da diese Eingeborenen weiße Überzüge auf ihren Hüten
hatten, hielt man sie zunächst für Witbooi, bis plötzlich die Pferde der
1. Kompagnie ein lebhaftes Feuer aus dieser Richtung erhielten. Jetzt erst
wurde klar, daß man Herero vor sich hatte, die zur Täuschung der Truppen
ihre Hüte weiß bespannt hatten. Der Führer der 1. Kompagnie, Ober=
leutnant Reiß, stürmte sofort mit etwa 20 Mann am Flußufer vor und ver=
folgte die sich nunmehr zurückziehenden Herero; er geriet aber hierbei in ein
überraschendes, schweres Kreuzfeuer des Gegners, in dem er selbst und drei
Reiter fielen. Die übrigen nahm die im Galopp vorgehende 1. Kompagnie
auf. Die zwei zunächst stehenden Kompagnien entwickelten sich nun, die
Gebirgsbatterie wurde in die Feuerlinie gezogen und die 1. Feldbatterie
auf dem linken Flügel eingesetzt. Hinter ihr stand zu ihrem Schutze die
Marineinfanterie. Nur der Schnelligkeit, mit der die deutschen Truppen sich
entwickelten und ihre Stellungen einnahmen, hatten sie es zu danken, daß es
gelang, den nun erfolgenden ersten allgemeinen, schweren Sturmangriff der
Herero zurückzuschlagen.

Alle diese Ereignisse auf dem Nordufer des Flusses hatten sich in
wenigen Minuten abgespielt. Auf dem Südufer war inzwischen die Avant=
garde in eine halbkreisförmige Stellung gegangen, die ebenfalls von den
Herero mehrfach mit wilder Tapferkeit angegriffen wurde. Ununterbrochen
erhielten während des schweren und von beiden Seiten mit äußerster Erbitte=
rung geführten Gefechts die Herero Verstärkungen, so daß eine vollständige

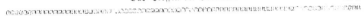

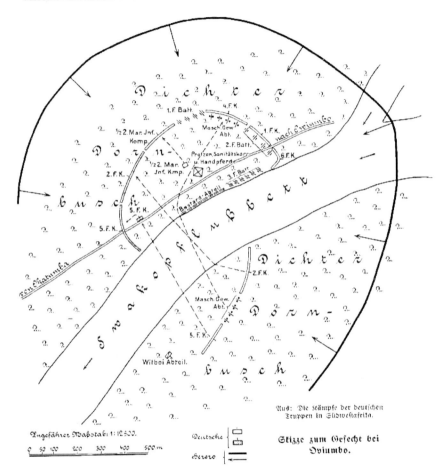

Aus: Die Kämpfe der deutschen Truppen in Südwestafrika.

Ungefährer Maßstab: 1:12500.

0 50 100   200   300   400   500 m

Deutsche

Herero

Skizze zum Gefecht bei Oviumbo.

Anschließung der deutschen Truppen drohte. Oberst Leutwein zog daher auch die Avantgarde auf das Nordufer herüber, so daß die Truppen nun mit der Front nach drei Seiten aufgestellt waren. In der rechten Flanke lag der hier fast 300 Schritt breite Swakopfluß, dessen sandiges Bett freies Schuß-feld gewährte. Das Zurückziehen der Avantgarde über den Fluß wurde so

18*

schnell und geschickt ausgeführt, daß trotz der Gefährlichkeit dieses Manövers Verluste nicht eintraten.

Es war mittlerweile 1/26 Uhr abends geworden. In der Zwischenzeit hatten die Truppen dauernd im Gefecht gestanden, und dauernd und mit nie ermüdender Energie verteilen sich über diesen ganzen Zeitraum immer wieder erneute Versuche der Herero, die deutschen Linien im Sturmangriff zu über= rennen. Während von den mit dichtem Busch bedeckten Höhen unaufhörlich das Feuer rollte, versuchten bald hier, bald dort vorbrechende feindliche Abteilungen den Angriff, und unaufhörlich arbeiteten dagegen Geschütze und Maschinengewehre.

Gegen Abend machte Oberst Leutwein sich durch einen energischen Vorstoß gegen den Gegner Luft. Sämtliche Truppen setzten sich im Karree gegen den Feind in Bewegung und gewannen, nach allen Seiten feuernd, etwa 1000 Schritt Raum. Da es nunmehr bereits dunkelte und Munitions= mangel bei der Infanterie und Artillerie eintrat, zugleich aber die Meldung kam, daß die Kolonnen nicht vorwärts gebracht werden könnten, da sich Hereroabteilungen auf dem Wege nach Otjosasu gezeigt hätten, faßte Oberst Leutwein den Entschluß, den Rückmarsch anzutreten. Artillerie, Sanitätsdetachement und Wagen in der Mitte wurde abmarschiert und der Rückzug in solcher Ruhe und Ordnung durchgeführt, daß der durch den letzten Vorstoß in größere Entfernung zurückgetriebene Gegner auch dann noch ein heftiges Feuer auf die letzte Stellung der deutschen Truppen unter= hielt, als diese dieselbe schon längst verlassen hatten.

Sobald die Herero aber ihren Irrtum bemerkten, stießen sie, augen= scheinlich in der Absicht, die Nachhut unter Major v. Estorff abzuschneiden, nochmals energisch vor, wurden aber zurückgewiesen. Am Morgen des 14. erreichte die Hauptkolonne wieder Otjosasu. Gefallen waren noch Hauptmann v. Bagenski und 8 Reiter, verwundet 1 Offizier und 9 Reiter.

Bezeichnend ist, was Oberst Leutwein am Tage nach dem Gefechte über die Lage schrieb: „Die öffentliche Meinung in Deutschland, einschließ= lich zahlreicher Afrikakenner, hat die Herero weit unterschätzt. Auch wir hier haben einen solchen Widerstand nicht erwartet. Die Herero sagen sich an= scheinend, daß sie doch keine Gnade zu erwarten hätten, und sind zum äußersten entschlossen. Sie lassen sich mit Gleichmut totschießen, wo auch das Schicksal es mit sich bringt. Der Krieg wird daher erst aufhören, wenn der Feind seine letzte Patrone verschossen hat. Das Gefecht von Oviumbo hat klar bewiesen, daß die Truppe in ihrer gegenwärtigen Stärke in der Tat nicht ausreicht, um den Aufstand niederzuwerfen."

Troß dieser die Lage sehr klar kennzeichnenden Äußerung des Obersten waren aber die Gefechte von Onganjira und Oviumbo schwere Niederlagen der Herero, die für die nächste Zeit ihren Mut und ihre Unternehmungslust merklich zurückschraubten. Sie hatten bei ihrer vorzüglichen Bewaffnung und bei ihrer numerischen Überlegenheit gehofft, den Deutschen einige energische Schläge beizubringen, ja vielleicht sogar, sie vernichten zu können, und mußten nun sehen, daß ihre in der Tat hervorragende Tapferkeit und ihr wilder Mut an der selbst in den schwierigsten Lagen unerschütterlichen Ruhe der deutschen Führer und ihrer Truppen scheiterten.

Unmittelbar nach dem Gefecht von Oviumbo zogen die Herero in nord-östlicher Richtung ab, und in der folgenden Zeit machte die Versammlung des ganzen Volkes im Waterbergbezirk weitere entscheidende Fortschritte. Oberst Leutwein beantragte nunmehr erneut Verstärkungen in Deutschland, und die Zeit bis zum Eintreffen derselben wurde benußt, um unter An-spannung aller Kräfte die Vorbereitungen für die Aufnahme einer so be-deutenden Truppenmasse und für deren Weitermarsch ins Innere zu treffen. Die Verstärkung der Anlagen in Swakopmund, die Ausgestaltung der Etappenlinien, die Vorbereitungen für die Ausstattung der neu eintreffenden Truppenteile mit Fahrzeugen, das Bereitlegen von Proviant, Munition, Sanitätsmaterial und Feldgerät wurde eifrig betrieben. Daneben mußten weit ausgreifende Offizierpatrouillen vorgeschoben werden und dauernd am Feinde bleiben, um gegen jede Überraschung von dieser Seite gesichert zu sein. Auch der Ausgestaltung des Nachrichten- und Feldsignaldienstes wurde hohe Aufmerksamkeit zugewandt und allmählich eine Feldtelegraphenleitung von Otahandja nach Otjosaju und später nach Oviokorero gelegt. In wohl-überlegter Weise erfolgte ferner eine eingehende Erkundung der nach dem Feinde zu liegenden Hauptstraßen. Etappenfuhrparks wurden aufgestellt, Wagensammelstellen, Werkstätten, Bekleidungs-, Ausrüstungs-, Munitions-und Sanitätsreservedepots geschaffen, Sammelstellen für die Reit- und Zugtiere errichtet, und so die Ausstattung der Etappenlinien vorbereitet, die von den vormarschierenden Truppen benußt werden mußten.

Im April trafen die ersten Verstärkungen in Swakopmund ein, vier Transporte unter den Majoren v. der Heyde und v. Mühlenfels, den Haupt-leuten Rembe und Stahl, die zum ersten Male deutsche Pferde, ostpreußische Klepper, in großer Zahl in das Schußgebiet brachten. Von diesen 1200 Pferden, die sich im Schußgebiet vorzüglich bewährt haben, waren auf der Reise nur 10 an Lungenentzündung eingegangen. Die Leitung der gesamten vorberei-

tenden Geschäfte hatte das inzwischen neu gebildete, unter dem Befehl des
Majors Quade vom Großen Generalstab stehende Hauptquartier übernommen,
dem ferner die Generalstabshauptleute Salzer und Bayer, Oberleutnant
v. Bosse, Marine=Oberstabsarzt Dr. Metzke und der Feldintendant v. La-
giewski zugeteilt waren.

Nach der Landung der Verstärkungen wurde ungesäumt mit der den
besonderen Landesverhältnissen angepaßten Ausbildung begonnen, die bei den
Infanteristen vor allem im Reiten und in der Pferdepflege, bei den Kavalle-
risten im Schießen und im Gefechtsdienst zu Fuß bestand. Fast täglich
fanden Felddienstübungen im Buschfelde statt.

Als im Anfang Mai sich eine erneute Bewegung nach Norden unter
den noch weit südlich des Waterberges, im Okahandjadistrikt, sitzenden Herero
geltend machte, tauchte von neuem die Frage über die weiteren Absichten des
Feindes auf. Die Meinungen waren geteilt. Und wenn man hier und da
auch annahm, daß das Hererovolk sich entschlossen haben könne, seine Heimat
zu verlassen, um vielleicht entweder mit den Ovambo vereint im äußersten
Norden Widerstand zu leisten oder auf einem nördlichen oder nordöstlichen
Wege längs des Omuramba-u-Omatako portugiesisches oder britisches Gebiet
zu gewinnen, so hielt doch Oberst Leutwein bereits damals an der Ansicht
fest, daß die Herero entschlossen seien, einen entscheidenden Kampf am Waterberg anzunehmen. Er befahl daher eine Verstärkung der Truppen im Norden
und Osten. In den Grootfonteinbezirk, in dem Oberleutnant Volkmann mit
35 Reitern die wichtige Wasserstelle Koblenz am Omuramba besetzt hielt,
zog über Omaruru—Outjo die neu gebildete 8. Feldkompagnie (167 Mann,
2 Geschütze, 2 Maschinengewehre) unter Oberleutnant v. Zülow, und an der
Ostgrenze wurden die ganz ungenügenden Besatzungen von Gobabis und
Rietfontein=Nord verstärkt. Gleichfalls im Mai säuberte Hauptmann Franke
mit der 12. Kompagnie die Distrikte Omaruru und Outjo von umherschweifenden Hererobanden.

Der gesamte Etappendienst wurde dem Major v. Glasenapp unterstellt.

Während dieser Zeit betrieb Oberst Leutwein die Vorbereitungen für
die Zusammenstellung einer neuen Hauptabteilung, mit der er unverzüglich
den Vormarsch gegen den Waterberg antreten wollte. Zugleich wurde, um
die Fühlung mit dem Gegner aufrecht zu erhalten, ein aus 4 berittenen
Kompagnien, 2 Batterien, 4 Maschinengewehren und der Bastardabteilung
bestehendes Detachement unter Major v. Estorff gebildet, rund 706 Mann
stark, das über Otjosasu, Okaharui und Onjatu gegen Ende Mai auf

Okamatangara vorging, um hier das Eintreffen der Hauptabteilung abzuwarten. Der Major v. Estorff hatte festgestellt, daß die Herero aus ihren
letzten Stellungen in der Linie Ovikokorero—Otjikuara in zahlreichen Horden
nach Norden und Nordosten weiterzogen. Hierbei geriet die vorgeschobene
Abteilung mehrfach in Berührung mit dem Feinde, wobei viel Vieh erbeutet
und dem Gegner Verluste zugefügt wurden.

Die Hauptabteilung — 5., 7., 9., 10., 11. Feldkompagnie, 4., 5.,
6. Feldbatterie, 1 Maschinengewehr-Abteilung, 1 Funkentelegraphen-Abteilung
und Witbooi-Hilfstruppen — rückte nach Beendigung ihrer Zusammenstellung
nach Norden vor und stand am 18. Juni bei Ovikokorero.

Inzwischen war, in Anbetracht der Stärke der nach Südwestafrika entsandten Streitkräfte, der Generalleutnant v. Trotha zum Oberbefehlshaber
ernannt worden, ein Offizier, der sich schon mehrfach, so in Ostafrika und
Ostasien, im Auslande in leitender Stellung bewährt hatte. Ein Ersatz des
Obersten Leutwein in der Stellung des Truppenkommandeurs war auch deshalb notwendig geworden, weil die während der letzten Monate notgedrungen
vernachlässigten Gouvernementsgeschäfte nunmehr dringend eine energische und
kundige Hand erheischten.

Am Tage seiner Ankunft in Swakopmund, am 11. Juni, übernahm
der Generalleutnant den Oberbefehl.

Im 2. Heft seiner Geschichte des Hereroaufstandes würdigt der Große
Generalstab die Verdienste des Obersten Leutwein, indem er bemerkt, daß,
wenn es dem Obersten auch nicht gelang, während seiner Kommandoführung
den erhofften, entscheidenden Schlag gegen die Herero zu führen, dies an
einer Reihe widriger Umstände lag, welche die Leitung nicht voraussehen
konnte. Die Unzulänglichkeit der deutschen Machtmittel, der nicht vorauszusehende Zusammenschluß aller Herero und deren zähe Willenskraft und
kriegerische Tüchtigkeit müssen hier an erster Stelle genannt werden. Gleichwohl hat Oberst Leutwein dem weit überlegenen Gegner die starken Schläge
bei Onganjira und Ovinumbo beigebracht. Der Generalstab schließt seine
Ausführungen mit folgenden Worten: „Immerhin hat die Kommandoführung
des Obersten Leutwein das wichtige Ergebnis gehabt, daß er die Lage sehr
viel gewisser und geklärter seinem Nachfolger hinterließ, als er sie seinerzeit
vorgefunden hatte. Hierdurch, sowie durch seine weitreichende und umsichtige
Organisationstätigkeit bei der Mobilmachung der neu eintreffenden Verstärkungen hat er die Wege für den späteren Erfolg in der glücklichsten
Weise geebnet. Oberst Leutwein schied aus seiner Stellung als Truppen-

befehlshaber mit dem ungeschwächten Vertrauen aller derer, die unter seinem
Kommando im Felde gestanden hatten."

In der Zwischenzeit waren in der Heimat die umfassendsten Vorbereitungen für die Zusammenstellung des großen Expeditionskorps getroffen
worden, das sich unter dem Oberbefehl des Generalleutnants v. Trotha im
Mai und Juni in Südwestafrika versammelte. Die Truppen wurden nunmehr nicht wie bisher in einzelnen Transporten, die erst in Südwestafrika in
die Schutztruppe eingegliedert wurden, entsandt, sondern bereits in Deutschland in zwei Feldregimenter, Bataillone und Kompagnien eingeteilt. Im
ganzen trafen bis zum Juni im Schutzgebiet ein: 214 Offiziere, 52 Sanitätsoffiziere, 64 Militärbeamte, 5039 Mann, darunter Eisenbahn- und Telegraphen-
truppen, 5277 Pferde, 950 Maultiere, 41 Geschütze und 13 Maschinengewehre.

Der erste Befehl, den der neue Oberbefehlshaber erließ, war der an
die im Feld stehende Abteilung von Estorff in Okosondusu und an die
Hauptabteilung in Ovikokorero, über die Major v. Glasenapp den Befehl
übernommen hatte, daß jedes ernstere Gefecht mit dem Gegner zu vermeiden
sei, falls es sich nicht darum handle, einen Abzugsversuch der Herero nach
irgend einer Richtung hin zu verhindern. Der General war nämlich auf
Grund der über die Herero eingelaufenen neueren Nachrichten, nach denen
sich der Zusammenzug um den Waterberg immer mehr vollendete, zu der
Ansicht gekommen, daß er mit den ihm zur Verfügung stehenden Truppen
der beiden am Feinde befindlichen Abteilungen (8 Kompagnien und 5 Batterien)
einen entscheidenden Erfolg nicht herbeiführen könne. Die Mindestzahl der
um den Waterberg versammelten, mit Gewehren bewaffneten feindlichen
Krieger wurde damals auf 6000 geschätzt. Der Oberbefehlshaber beschloß
deshalb, das Eintreffen der Verstärkungen abzuwarten und dann die am
Waterberg stehende Masse des Gegners vorsichtig zu umstellen. Die hierzu
verwendeten Truppenkörper mußten aber so stark sein, daß jeder von ihnen
einen Durchbruchsversuch des Gegners zu verhindern vermochte. Die größte
Aufmerksamkeit mußte zugleich auf eine Versperrung der Rückzugslinien der
Herero nach Norden und Nordwesten gerichtet werden. Günstig war es, daß,
wie die Abteilungen v. Winkler und Volkmann festgestellt hatten, im Nordosten, in der Omahete, wenig Regen gefallen war, so daß ein Abzug des
Hererovolkes mit den Werften und Herden durch das Sandfeld nach Osten
oder Nordosten fast ausgeschlossen erschien. War die Umschließung der
Herero am Waterberg beendet, so sollte dann der Entscheidungskampf herbeigeführt werden.

Absturz des Waterberges mit Blick in die Ebene nach Osten.

Im Juni fand demgemäß eine Neueinteilung der im Felde stehenden Truppen statt, und zwar standen 1., die Abteilung Estorff (3 Kompagnien, 1 Batterie, 1 Maschinengewehr-Abteilung und Bastard-Hilfstruppen) bei Osondema mit dem Befehl, einen Abmarsch des Gegners nach Nordosten zu verhindern; 2., Abteilung Volkmann (1 Kompagnie, 1 Maschinengewehr-Sektion und 1 Halbbatterie) bei Otavi mit dem Auftrag, von dort aus gegen den Waterberg aufzuklären; 3., die Abteilung des Majors v. der Heyde (3 Kompagnien und 2 Batterien) bei Okosondusu als Rückhalt für die Abteilung von Estorff; 4., die Hauptabteilung, v. Glasenapp (3 Kompagnien, 2 Batterien, 1 Maschinengewehr-Abteilung und Witbooi-Hilfstruppen) in Ovikororero mit dem Befehl, über Otjire auf den Omuramba vorzugehen, so daß, unter Aufrechterhaltung der Verbindung mit der Abteilung v. der Heyde, die nach dem Süden führenden Wege gesperrt seien; 5., Abteilung Franke im Bezirk Omaruru, Sicherung der Straßen und Aufklärung gegen den Waterberg, und 6., Abteilung v. Winkler im Bezirk Gobabis, Beobachtung der Grenzen.

In den folgenden Wochen vollzogen sich unter dem alarmierenden Gerücht, daß die Herero ihren Abmarsch nach Norden begännen, noch einmal einige Verschiebungen bei den in vorderster Linie stehenden Truppenteilen, und Generalleutnant v. Trotha eilte zur Hauptabteilung, aber es stellte sich glücklicherweise kurz darauf heraus, daß die Herero nach wie vor am Waterberg standen, entschlossen, den Entscheidungskampf anzunehmen.

Zahlreiche weitausgreifende Offizierpatrouillen schoben sich von allen Seiten vor, zum Teil bis in die Stellungen der Herero, und während diese im großen und ganzen untätig blieben und nur einige Stellungswechsel am Waterberg vornahmen, erfolgte von Swakopmund her der Vormarsch der nach und nach eintreffenden deutschen Verstärkungen. Außerordentlich erschwerend erwiesen sich wiederum die schlechten Landungsverhältnisse. Die Mole versandete immer mehr, und eine Besserung der Lage trat erst ein, als Eisenbahntruppen und Pioniere eine hölzerne Landungsbrücke erbaut hatten. Die Leistungen dieser Truppen bei den ihnen zunächst ja ganz ungewohnten Arbeiten an einer durch schwere Brandung gefährdeten Küste sind über jedes Lob erhaben.

Inzwischen hatte auch die Ausgestaltung der Etappenlinien weitere Fortschritte gemacht, so daß die Versorgung der gelandeten Truppen mit Munition, Proviant, Kolonnen und Feldgerät sich zwar unter großen Schwierigkeiten, aber doch glatt vollziehen konnte. 6 Etappenkommandanturen, in Swakopmund, Karibib, Outjo, Okahandja, Windhuk und Otjosondo, waren errichtet worden. Ihnen waren unterstellt: die Bahnhofskommandanturen, Etappenmagazine mit Bäckerei und Schlächterei, die Bekleidungs-, Materialien- und Artilleriedepots, die Lazarett-Reservedepots, die Pferde- und Viehdepots, ein Teil der Feldlazarette und die Eisenbahnbetriebswerkstätten, daneben zahlreiche Unterstationen, die ihrerseits wieder Bahnhofskommandanturen und Zweigmagazine enthielten. Auch in der Kapkolonie wurden zu dieser Zeit bedeutende Ankäufe von Pferden und Maultieren — insgesamt etwa 3500 Tiere — gemacht. In Deutschland beantragte Generalleutnant v. Trotha die weitere Entsendung von 4 Ersatzkompagnien und 2 Ersatzbatterien, um die im Felde zu erwartenden Verluste auszugleichen. Zugleich wurde in Deutschland die Aufstellung einer Feldtelegraphen-Abteilung und einer Feldhaubitz-Batterie durchgeführt.

Immer enger schloß sich nun der Ring um die Herero. Am 6. August traf die Truppe, deren Erkundungen gegen den Feind bisher glücklich verlaufen waren, ein herber Verlust durch die Vernichtung der Patrouille des Leutnants Freiherrn v. Bodenhausen. Sie wurde, 1 Offizier und 10 Reiter stark, am Osondjacheberg von über 300 Herero angegriffen und bis auf 2 Reiter, die schwer verwundet entkamen, niedergemacht.

Am 4. August ergingen an sämtliche Truppenteile von Erindi—Ongoahere aus die Befehle für den Angriff auf die Herero:

„1. Der Feind steht heute mit seinen vorgeschobenen Postierungen in der Linie Westrand des Sandsteinplateaus nordwestlich Omuweroumue — längs des Hamatariviers von Omuweroumue bis Hamatari—Okambutonde und bei Station Waterberg; er hat sich im dichten Dornbusch verschanzt. Seine Hauptkräfte sollen bei Hamatari versammelt sein. — Es ist keineswegs ausgeschlossen, daß der Feind jeden Augenblick seine Aufstellung ändert oder Durchbruchsversuche macht; aufmerksamste, dauernde Beobachtung des Feindes durch alle am Feind befindlichen Abteilungen, rege Verbindung der Abteilungen untereinander und sofortige Meldung an mich vorkommendenfalls ist daher geboten.

2. Ich werde den Feind, sobald die Abteilung Deimling versammelt ist, gleichzeitig mit allen Abteilungen angreifen, um ihn zu vernichten. Den Tag des Angriffs selbst werde ich noch durch Funken oder Blitzen bestimmen.

3. Am Nachmittag des Tages vor dem Angriff haben alle Abteilungen bis auf einen kurzen Marsch an die feindliche Stellung heranzurücken, vor-

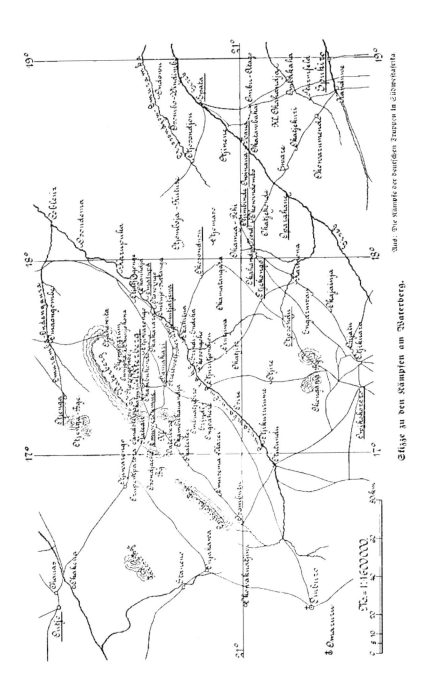

Skizze zu den Kämpfen am Waterberg.

Anl. Die Kämpfe der deutschen Truppen in Südwestafrika.

sichtig vortastend und ohne Beunruhigung des Feindes unter sorgsamster Sicherung gegen den Feind und unter fortgesetzter Erkundung seiner Stellung. Feuer anmachen ist untersagt. Jede Abteilung sorgt für engste Verbindung mit der Nachbarabteilung und meldet ihre Aufstellung durch Blitz- oder Funkentelegraph oder Nachrichtenoffizier sofort an das Hauptquartier.

4. Am Tage des Angriffs marschieren sämtliche Abteilungen nachstehenden Angriffszielen entsprechend so vor, daß um 6 Uhr morgens der Angriff beginnen kann, und zwar, wo angängig, zunächst mit der Artillerie.

5. Es greifen an:

Abteilung v. Estorff: Station Waterberg unter starker Sicherung gegen Okambukonde. Sie hat danach zu streben, nach Inbesitznahme von Station Waterberg baldmöglichst in Richtung auf Okambukonde—Hamakari — je nach Umständen — gegen Flanke und Rücken des Feindes vorzugehen. Station Waterberg muß besetzt bleiben.

Abteilung v. der Heyde: Hamakari, nördlich des Streitwolffschen Weges bleibend.

Abteilung Mueller: Hamakari, mit dem rechten Flügel den Anschluß an Abteilung v. der Heyde suchend.

Abteilung Deimling: Omuveroumue im Streben, in das dortige Taldefilee einzudringen und, wenn die Umstände dies irgend gestatten, den Angriff auf Hamakari zu unterstützen.

Oberst Deimling verwendet Abteilung v. Fiedler nach eigenem Ermessen zum Angriff auf den Westrand des Sandsteinplateaus und zur Verhinderung eines Ausbrechens der Herero nach Nordwesten, in enger Verbindung mit der Abteilung Volkmann.

Abteilung Volkmann sperrt am Tage des Angriffs die Straßen von Waterberg und Omuveroumue auf Omanongombe und Otjenga und verhindert ein Ausweichen der Herero nach Norden.

6. Alle Abteilungen haben die Wege der ihnen aufgegebenen Vormarschrichtungen und das zu durchschreitende Gelände aufs sorgsamste auch fernerhin zu erkunden, die Wegelängen genau festzulegen, zur Verwendung der Artillerie geeignete Stellungen auszusuchen und durch Entsendung von Nachrichtenoffizieren für dauernde Verbindung mit den Nachbarabteilungen zu sorgen.

Ganz besondere Aufmerksamkeit ist der dauernden Sicherung der Flanken und des Rückens während des Gefechts zu widmen. Hierbei werden die

Witbooi und Bastarde zweckmäßig Verwendung finden, aber nur unter unbedingter Zugabe zuverlässiger Unteroffiziere und Reiter der Schutztruppe; in vorderster Linie, in der Front, sind dieselben nicht zu verwenden.

7. Enges Zusammenhalten aller Abteilungen in sich ist dauernd geboten, vor allem Wahrung des zusammenhängenden, ununterbrochenen Vorgehens und Verhütung gegenseitigen Beschießens. An die Erbeutung von Vieh darf während des Gefechts nicht gedacht werden; alle Kräfte sind zur Vernichtung des kämpfenden Feindes einzusetzen.

8. bis 14. . . . . .

15. Jeder Mann der diesseitigen Abteilungen ist darauf hinzuweisen, daß er bei nicht sofortigem Zuerkennengeben des Losungswortes „Viktoria“ rücksichtslos niedergeschossen wird.

16. Ich werde meinen Standort durch den Ballon der Funkenabteilung mit der Kommandoflagge besonders kenntlich machen und begleite zunächst beim Vormarsch die Abteilung Mueller.   gez. Trotha.

Am 7. August wurde dann befohlen, daß das Vorrücken aller Abteilungen an die feindlichen Stellungen am 10. August, der allgemeine Angriff am folgenden Tage morgens 6 Uhr erfolgen solle. Am 10. befanden sich die Truppen (16 Kompagnien, 30 Geschütze, 12 Maschinengewehre, rund 1500 Streiter) in folgenden Stellungen:

Abteilung v. Estorff bei Otomiparum (3 Kompagnien, 4 Geschütze, 4 Maschinengewehre, Funkenstation).

Abteilung v. der Heyde 15 km nordöstlich Hamakari (3 Kompagnien und 8 Geschütze, Funkenstation).

Abteilung Mueller und Hauptquartier bei Ombuatjipiro (3 Kompagnien, 8 Geschütze, 6 Maschinengewehre und die Witbooi, Funkenstation).

Abteilung Deimling bei Otateitei (4 Kompagnien, 6 Geschütze und Bethanierhilfstruppen).

Abteilung v. Fiedler am Osondjacheberg (2 Kompagnien und 2 Geschütze).

Abteilung Voltmann bei Otjenga (1 Kompagnie, 2 Geschütze, 2 Maschinengewehre).

In der Nacht zum 11. August erfolgte der Aufbruch aller Abteilungen. In tiefer Dunkelheit zogen die Kolonnen von allen Seiten durch den dichten Dornbusch dem Feinde entgegen, und bald entwickelte sich die Reihe schwerer Einzelkämpfe, die der Schlacht am Waterberge ihr eigentümliches Gepräge gibt. Wohl konnten die Funkenstationen während eines großen Teils der

In den Felshängen des Waterbergs.

Schlacht die einzelnen Abteilungen in Verbindung halten, aber der überaus dichte Dornbusch, das ganz durchschnittene, unübersichtliche Gelände, häufige Stellungswechsel unter den Herero, die sie im dichten Dornbusch ungesehen ausführen konnten, und endlich die Ungewißheit, wohin der Feind sich wenden und wo er seine stärksten Kräfte einsetzen werde, machten den Angriff der deutschen Truppen zu einem ganz besonders schwierigen und gefahrvollen Zufällen ausgesetzten Unternehmen. Die Herero zeigten während des gesamten Kampfes eine jedes vorauszusehende Maß übersteigende wilde Offensivkraft, so daß auf einzelnen Teilen des Kampffeldes die Ruhe und Widerstandskraft der Truppen auf die härteste Probe gestellt wurden.

Die Abteilung Volkmann griff von Norden aus ein und war am 11. August früh von Otjenga her am Waterberg angelangt. Sie sperrte mit zwei Abteilungen die nach Norden über den Berg führenden Pässe und trat hier bald in Verbindung mit einer Kompagnie der Abteilung v. Fiedler, die von Westen, vom Osondjacheberg her, vormarschiert war. Bereits am 10. abends hatte der Leutnant v. Auer von der Abteilung Volkmann mit 30 Reitern und einer Heliographen-Lampenausrüstung einen kühnen Zug unternommen, indem er von Norden her den Waterberg erstieg und am 10. abends hoch auf dem Berge über der Station Waterberg anlangte. Mehrfach von überlegenen Kräften angegriffen, hat die Blitzlichtstation dieses tapferen Offiziers selbst im schweren feindlichen Feuer ununterbrochen den anmarschierenden Abteilungen und später auch während des Gefechtes die wertvollsten Nachrichten gegeben.

Die Abteilung v. Estorff, die von Osten her, von Otomiparum, vormarschierte, rückte noch in der Dunkelheit bis Ounjoka und dann längs des Südostabfalls des Berges auf Otjosongombe vor. Noch vor Sonnenaufgang kam es hier zum Gefecht, und schwere Angriffe der Herero mußten unter Einsetzung fast der gesamten Kräfte zurückgewiesen werden, ehe es kurz nach 9 Uhr morgens gelang, aus der Verteidigung zum Angriff überzugehen. Erneute Gegenangriffe des Feindes erfolgten, als die Deutschen sich seiner Hauptstellung am Otjosongombebach näherten, aber gegen 12 Uhr überschritten nach heftigem Gefecht die Truppen den Bach. Als hier die Artillerie nachgezogen werden sollte, führten die Herero einen geschickten, wilden Angriff gegen die linke Flanke und den Rücken der Abteilung aus. Aber unter dem Feuer der Maschinengewehre, die hier besonders erfolgreich wirkten, und dem der Infanterie brach kurz nach 1 Uhr der Widerstand der Herero zusammen, und sie traten einen fluchtartigen Rückzug auf die Station Waterberg an. Als eben zur Verfolgung angetreten werden sollte, traf der Befehl des Oberkommandos ein, daß der Angriff auf die Station erst am 12. erfolgen solle. Major v. Estorff blieb daher am 11. auf dem Gefechtsfelde von Otjosongombe stehen. Die Verluste betrugen: 1 Offizier tot, 1 Offizier und 11 Mann verwundet.

Die Abteilung Deimling war von Südwesten, von Okateitei her, auf Omuverumue marschiert und hatte am 11. morgens diesen Platz genommen. Hier vereinigte sich die Abteilung Fiedler, die auf Befehl des Oberbefehlshabers dem Kommando des Obersten Deimling unterstellt worden war, mit den Truppen desselben. Die Herero, die bei Omuverumue gestanden hatten,

301

waren eilends in der Richtung auf Waterberg zurückgegangen und wurden, zunächst von der bestberittenen Kompagnie, scharf verfolgt. Diese stieß zwar zuerst auf hartnäckigen Widerstand, der aber gebrochen wurde, als gegen 3 Uhr nachmittags die gesamte Abteilung Deimling in das Gefecht eingriff. Der Rückzug der Herero fand, durch dichten Busch gedeckt, anscheinend in der Richtung auf Hamakari, nach Südosten, statt. Der Oberst beschloß daher, besonders da die Truppen stark erschöpft waren und nachmittags die Blitzstation Auer auf dem Waterberg meldete, daß die Abteilung Mueller Hamakari genommen habe, den Truppen zunächst auf dem Gefechtsfelde Ruhe zu gönnen und erst am 12. früh den Vormarsch wieder aufzunehmen. Bemerkt muß hier werden, daß die Meldung Auers den Ereignissen vorgriff, denn um diese Zeit befand sich die Abteilung Mueller (v. Mühlenfels) noch im schwersten Kampfe um die Wasserstellen von Hamakari.

Die Erfolge, die zum Teil bereits am Vormittage des 11. am Südrande des Waterberges gegen die Herero errungen worden waren, bewirkten, daß die ganze Masse der feindlichen Krieger sich nach Süden und Südosten wandte, und daß hierdurch die Abteilungen Mueller (v. Mühlenfels) und v. der Heyde, durch weit überlegene Kräfte angegriffen, mehrfach in die schwerste Bedrängnis kamen.

Die Abteilung Mueller mit dem Hauptquartier rückte noch nachts von Süden her, von Ombuatjipiro, auf Hamakari vor. Auf diesem Marsche stürzte der Führer, Oberstleutnant Mueller, so schwer mit dem Pferde, daß er besinnungslos liegen blieb und Major v. Mühlenfels das Kommando übernehmen mußte. Nachdem man schon längst von der Abteilung v. Estorff Kanonendonner hatte herüberschallen hören, wurde gegen 8½ Uhr von der Wasserstelle Hamakari her starkes Viehgebrüll vernehmbar, auf das die Abteilung nun losmarschierte. Kaum eine Viertelstunde später erhielten die in der Avantgarde befindlichen Witbooi heftiges Feuer, so daß sofort 2 Kompagnien und 2 Maschinengewehre in das sich entwickelnde Gefecht eingreifen mußten. Um 9½ Uhr nahm die 11. Kompagnie die vordersten Wasserlöcher im Sturm, verlor aber dabei ihre sämtlichen Offiziere. Bald war nun der Kampf auf der ganzen Linie im vollen Gange, wiederholte Flankenangriffe und Sturmversuche der Herero mußten auf die nächsten Entfernungen zurückgewiesen werden. Als hierbei ein Maschinengewehr versagte, ließ der Führer desselben, Unteroffizier Januschewski, im schwersten feindlichen Feuer in einer halben Minute einen neuen Lauf einziehen.

Das Gefecht stand nun eine Zeit lang, aber der Oberbefehlshaber wollte zunächst das Eingreifen der Kolonne v. der Heyde abwarten, von der alle Nachrichten fehlten. Während die Blitzstation Auer über das Vordringen der Abteilungen v. Estorff und Deimling günstige Nachrichten gab, konnte auch sie keine Auskunft über den Verbleib der Abteilung v. der Heyde bringen. Gegen 1½ Uhr wurden plötzlich aus dem dichten Buschfelde heraus das Hauptquartier und die Abteilung v. Mühlenfels vom Rücken und von der rechten Flanke her angegriffen. Unter lauten Hurrarufen stürmten die Herero hier vor, so daß die letzten Kräfte, sogar die Offiziere und Mannschaften des Hauptquartiers, die Fahrer der Artillerie und die Bedeckung der Wagen, in das Gefecht eingreifen mußten. Nachdem dieser Angriff abgeschlagen worden war, gelang endlich die Verbindung mit der Abteilung v. der Heyde, die ihre Ankunft südwestlich von Otjiwarongo meldete und den Befehl erhielt, auf Hamakari vorzugehen. Es erwies sich nunmehr, daß die Abteilung v. Mühlenfels auf eine Unterstützung an diesem Tage nicht mehr rechnen konnte, und es wurde daher der Sturm auf die Wasserstellen befohlen. Gegen 4 Uhr nachmittags wurde unter Einsetzung sämtlicher Gewehre, aller Geschütze und Maschinengewehre der Angriff vorbereitet und kurz darauf ausgeführt. Hierbei mußten erneute Vorstöße des Gegners gegen die linke Flanke abgewiesen werden, ja einzelne Angriffe erfolgten noch bis zur Dunkelheit, als die Truppen sich schon in dem gesicherten Besitz der Wasserstellen befanden. Die Abteilung verlor: 2 Offiziere und 10 Mann tot, 3 Offiziere und 30 Mann verwundet.

Da die nach der Einnahme von Otjosongombe und Omuveroume durch die Abteilungen v. Estorff und Deimling einlaufenden Nachrichten scheinbar erkennen ließen, daß die Herero entschlossen waren, sich um die Station Waterberg enger zusammenzuziehen, gab das Oberkommando am Nachmittag folgenden Befehl durch Funkspruch:

„Abteilung Mühlenfels verbleibt heute an der Wasserstelle Hamakari, wohin Abteilung Heyde gleichfalls herangezogen werden wird. Dortseits beabsichtigter Angriff auf Waterberg heute nicht mehr vorzunehmen. Für morgen gemeinsames Vorgehen aller Abteilungen auf Waterberg beabsichtigt; Befehl hierüber folgt."

Später war dann jedoch von dem zur Verbindung mit der Abteilung v. der Heyde ausgesandten Hauptmann Salzer der Funkspruch eingetroffen, daß diese Abteilung auf ihrem Vormarsch von weit überlegenen feindlichen Kräften angegriffen und schwer bedrängt sei. Trotzdem wolle Major

19*

v. der Heyde versuchen, wenigstens mit einem Teil seiner Infanterie noch
abends Hamakari zu erreichen.

Aber dieser Vormarsch gelang nicht, denn gegen Mitternacht meldete
ein erneuter Funkspruch des Majors v. der Heyde, daß er auf dem beab=
sichtigten Vormarsch von neuem heftig angegriffen worden sei, daß er
habe zurückgehen müssen, und daß es ihm unmöglich sei, am 12. morgens
bei Hamakari einzutreffen. Das waren schlimme Nachrichten, und die
Schwierigkeit der Lage und ihre Ungewißheit wurden erst tief in der Nacht
durch einen Funkspruch der Station Auer gemildert, der meldete, daß die
Abteilung Deimling (der die Weisung, erst am 12. morgens anzugreifen,
nicht rechtzeitig übermittelt werden konnte) doch noch die Station Waterberg
genommen habe und am 12. morgens auf Hamakari vormarschieren werde.
Aber trotzdem mußte die Lage eine unsichere und gefahrvolle bleiben, ehe
man nicht über den Versammlungsort der Hauptmasse der feindlichen Streit=
kräfte unterrichtet war. In dieser Ungewißheit verging die Nacht vom 11.
zum 12. August. —

Die Abteilung v. der Heyde sollte auf ihrem Vormarsch, der von Ost=
südost her gegen Hamakari vorgeschrieben war, zunächst nördlich des so=
genannten Streitwolffschen Weges bleiben und dann nach Südwesten auf
Hamakari abbiegen. Sie brach schon am 9. abends von Onutjatjewa auf;
das Gelände zeigte sich aber trotz sorgfältigster Erkundung durch Patrouillen
für eine in der Dunkelheit marschierende größere Truppenmasse so schwierig,
daß die Abteilung mit einer Verspätung von etwa einem halben Tage die
erste vor ihr liegende Wasserstelle erreichte. Am 10. abends wurde weiter=
marschiert, da aber die Spitze sich in der dunklen Nacht verirrte, trat eine
weitere Verzögerung ein, und die Truppen mußten ihre ganzen Kräfte ein=
setzen, um das hier Verlorene wieder einzuholen. Am 11. früh traf man zum
ersten Male auf den Feind, der nach kurzem Feuergefecht und nachdem die
Artillerie eingegriffen hatte, in zwei verschiedenen Richtungen, auf Hamakari
und Waterberg, abzog. Alle Versuche der Funkenstation, Verbindung mit
den Nebenabteilungen herzustellen, mißlangen; die Abteilung stand zu dieser
Zeit etwa 15 km nordöstlich von Hamakari. Aber da von dort her Gefechts=
lärm nicht hörbar war, dagegen aus der Richtung von Otjosongombe un=
unterbrochen Kanonendonner herüberschallte, beschloß Major v. der Heyde,
der anscheinend schwer bedrängten Abteilung v. Estorff zur Hilfe zu eilen.
Nachdem man jedoch kurze Zeit hindurch in nördlicher Richtung marschiert
war, verstummte hier der Kanonendonner ganz, während nunmehr von Ha=

Landschaft am Waterberg.

maraki her der Lärm eines heftigen Gefechts herüberdrang. Zu dieser Zeit war die Abteilung bereits mehr als 40 Stunden auf dem Marsche, die Kräfte der Truppen und der Reit- und Zugtiere waren auf das äußerste erschöpft, man bedurfte dringend der Ruhe. Gegen 12 Uhr vormittags befahl deshalb Major v. der Heyde einen Halt an einer Wasserstelle, die etwa 5 km südwestlich von Otjivarongo liegt. Es wurde abgekocht und getränkt, aber die Ruhe sollte nur von kurzer Dauer sein, denn um 1 Uhr ging ein Funkspruch des Hauptquartiers ein, der ungesäumtes Vorgehen auf Hamakari zum Anschluß an die Abteilung Mueller befahl. Um ½2 wurde daher wieder aufgebrochen. An der Wasserstelle blieben die Wagenstaffeln und die halbe 4. Batterie, die bewegungsunfähig war, unter Bedeckung von 21 Mann zurück. Die 5., 6. und 7. Kompagnie, die 2. und die andere Hälfte der 4. Batterie traten nunmehr an. Die Stärke der drei Kompagnien betrug im ganzen nur noch 136 Gewehre. Im Trabe wurde vorgegangen, als kurz nach 2 Uhr sich der von Hamakari herüberschallende Gefechtslärm erheblich verstärkte. Kaum 20 Minuten später erhielten die Truppen starkes Feuer. Den ungestüm vordringenden Herero gelang es, sich zwischen die Spitze und die nachfolgende 5. Kompagnie zu schieben; neben der 5. entwickelte sich die 7. Kompagnie, die im Karree, nach allen Seiten feuernd, sich der Angriffe der andringenden feindlichen Massen mit Mühe erwehrte. Der etwa 50 m vor der Front liegenden 16 Mann starken Spitze, die die Herero abzuschneiden versuchten, wurde der Befehl erteilt, sich auf das Karree zurückzuziehen. Unter Verlusten gelang ihr dies auch, nachdem es zum Kampfe Mann gegen Mann mit Kolben und Seitengewehr gekommen war. Aber bei dem schärferen Vorgehen der 5. und 7. Kompagnie hatte sich auch zwischen ihnen und der Artillerie, die, von der 6. Kompagnie gedeckt, nur im Schritt folgen konnte, ein Zwischenraum von etwa 600 m gebildet. Die Hälfte der 6. Kompagnie griff noch neben der 5. in das Gefecht ein, während der Rest bei den Geschützen blieb, die nun ebenfalls auf das heftigste angegriffen wurden. Ein kritischer Moment trat ein, als der Kommandeur der Artillerie, Major Osterhaus, sich entschloß, eine etwas zurückliegende günstige Stellung einzunehmen und die Geschütze auf dem schmalen Wege Kehrt machen ließ. In diesem Augenblick erfolgte ein schwerer Angriff der Herero, der nur mit Mühe von der Infanterie und den Bedienungsmannschaften abgewiesen wurde. Kurz darauf erhielt die Artillerie den Befehl, die Geschütze zur Unterstützung der im Feuer liegenden Kompagnien in die vorderste Linie zu bringen, aber der Versuch hierzu scheiterte an erneuten

Angriffen. Inzwischen hatte das Karree Stunden hindurch im schwersten Kampfe gelegen, ununterbrochen sich der Angriffe des übermächtigen Gegners erwehrend, der oft bis auf wenige Schritt an die feuernden deutschen Linien vordrang.

Gegen Abend, als die Angriffskraft des Gegners zu erlahmen begann, ging das Karree etwa 50 Schritt zurück in eine günstig liegende Stellung, wurde aber auch hier noch angegriffen. Erst bei voller Dunkelheit konnten die Kompagnien den Rückmarsch auf die Wasserstelle antreten, an der sich die 8 Geschütze bereits wieder vereinigt hatten, als die Infanterie gegen 9½ Uhr abends eintraf. Die Abteilung hatte 3 Offiziere und 20 Mann an Toten und Verwundeten verloren. Sie verblieb die Nacht hindurch an der Wasserstelle.

Die Abteilung v. der Heyde hatte fast Übermenschliches geleistet und, wie sich später herausstellte, durch ihr mannhaftes Ausharren wesentlich dazu beigetragen, den nun erfolgenden Rückzug der Herero zu beschleunigen. — Der Morgen des 12. August brachte endlich Klarheit über die Lage. Aus den von allen Seiten bei dem Hauptquartier einlaufenden Nachrichten ging hervor, daß die ganze Masse des Hererovolkes in wilder Flucht nach Südost begriffen war. Am Vormittag dieses Tages vereinigten sich die Abteilungen Deimling und Mühlenfels bei Hamakari, um 5 Uhr nachmittags Estorff und Heyde bei Otjiwarongo. Der Rest des Tages wurde dazu benutzt, starke Erkundungsabteilungen gegen den Feind vorzutreiben, die Gefechtsfelder abzusuchen, die Kolonnen heranzuziehen und die Lazarette einzurichten. Viele Tausende von Rindern wurden erbeutet und zusammengetrieben. Wagen und Karren des Feindes waren an den Werften und auf den Wegen stehen geblieben.

Der weitere Vormarsch zur Verfolgung wurde für den 13. morgens festgesetzt, da man dem Gegner Zeit lassen wollte und hoffte, daß er sich bei nicht allzu starkem Nachdrängen am Omurambo-u-Omatako von neuem zum Kampfe stellen werde. Die Verluste am 11. August betrugen insgesamt 5 Offiziere, 6 Unteroffiziere und 18 Mann tot, 7 Offiziere, 10 Unteroffiziere und 41 Mann verwundet.

Der Erfolg der Kämpfe am Waterberge war ein voller. Der weit übermächtige Gegner hatte seine Widerstandskraft eingebüßt, er war unter großen Verlusten aus seinen zum Teil stark befestigten Stellungen geworfen worden und nun in voller Flucht nach Osten hin in das wasserarme Sandfeld.

Auf die Meldung des Oberbefehlshabers über die Schlacht am Water=
berg ging folgendes Telegramm Sr. Majestät des Kaisers ein:

„Wilhelmshöhe, 16. August 1904. — Mit Dank gegen Gott und hoher
Freude habe Ich Ihre Meldung aus Hamakari über den erfolgreichen An=
griff am 11. August auf die Hauptmacht der Herero empfangen. Wenn bei
dem zähen Widerstand des Feindes auch schmerzliche Verluste zu beklagen
sind, so hat die höchste Bravour, welche die Truppen unter größten An=
strengungen und Entbehrungen nach Ihrem Zeugnis bewiesen, Mich mit
Stolz erfüllt und spreche Ich Ihnen, den Offizieren und Mannschaften
Meinen kaiserlichen Dank und Meine vollste Anerkennung aus.

                                                        Wilhelm.“

Bei der nunmehr beginnenden, energisch eingeleiteten Verfolgung der
Herero gelang es bereits am 15. den vereinigten Abteilungen Estorff und
Heyde, bei Omatupa sehr starken Teilen des Feindes, die anscheinend nach
Nordosten durchbrechen wollten, entgegenzutreten und sie mit schweren Ver=
lusten nach Südosten zurückzuwerfen, wobei die Herero ihr gesamtes Vieh
verloren.

Die Wege, denen die einzelnen Hererohaufen mit den Werften und
dem Vieh in der Omaheke folgen mußten, waren deshalb für sie besonders
verderbliche, weil im Sandfelde nur hier und da an weit auseinander=
liegenden Stellen Wasser zu erhalten ist; meist in sogenannten Kalkpfannen,
von denen jedoch nur wenige als bereits früher tief in den Kalkstein ein=
gesprengte Schöpfbrunnen die Entnahme von Wasser gestatteten. Im all=
gemeinen kann man überall dort auf Wasser rechnen, wo der Kalkstein aus den
ihn umschließenden Sandmassen zutage tritt. Aber die Aufschließungsarbeiten
derartiger Brunnen, die oft viele Meter tief eingesenkt werden müssen, ehe
wasserhaltige Schichten erschlossen werden, sind wohl in Friedenszeiten durch=
zuführen, nicht aber von Verfolgten, denen der Feind auf den Fersen ist.
Vleyen, Teiche und Quellen sind zudem im Sandfelde nur selten zu finden,
und auch von wasserhaltigen Rivieren durchziehen nur sehr wenige das Land.
Durch diese Umstände ist es zu erklären, daß die Herero auf ihrem monate=
langen Rückzuge, der oft in einem ziellosen Hin= und Herziehen bestand, so=
wohl an Menschen wie an Vieh enorme Verluste erlitten. Hunderte und
Tausende von Männern, Weibern und Kindern fanden hier ihren Tod durch
Durst und Hunger, und oft trafen die Verfolger die meist versteckt und tief=
liegenden Wasserstellen angefüllt mit Tierkadavern, die das Wasser ver=

pesteten. In den nächsten Wochen war für die Truppen ein weites Aus-
holen nach Norden und Süden geboten, um ein Durchbrechen der Herero
nach diesen Richtungen zu verhindern und ihre Hauptmasse in der Omahefe
zu halten.

Gegen Anfang September trafen Meldungen ein, die eine Versammlung
des Gegners bei Okowindombo und Otjimbingwe (im Sandfeld) feststellten.
Daraufhin wurden die Truppen folgendermaßen verteilt:

1. Die Abteilung Fiedler blieb am Waterberge.

2. Die Abteilung Estorff mit der Abteilung Volkmann trat den Vormarsch über Okosondusu, Otjomaso, Okamea-Pehi auf Okowindombo an, um
den Gegner von Osten zu umfassen. Zugleich sandte diese Abteilung eine
Kolonne über Otjosondju auf Epata am Eisebflusse.

3. Die Abteilung Mühlenfels ging über Okosongoho, Orutjiva auf
Okahandja am Eiseb vor.

4. Die Abteilung Deimling wurde in zwei Kolonnen von Ovikokorero
aus in Marsch gesetzt, und zwar mit der Kolonne des Majors Meister über
Otjosondu auf Okatjekombe und mit der Kolonne des Majors v. Wahlen
über Otjikuara, Karibona auf Oparakane.

5. Die Abteilung v. Heydebreck (neu gebildet) auf Epukiro.

Die Herero hielten dem Vormarsch dieser Abteilungen jedoch nicht
stand, sondern flohen eilends weiter nach Osten und Südosten. Nur den
Majoren v. Estorff und v. Wahlen gelang es noch, die Nachhut des Feindes
bei Ovinaua-Naua und bei Okowindombo zu stellen und zu schlagen.

Die Herero folgten nun auf ihrer weiteren Flucht dem Laufe der
großen Steppenflüsse, dem Epukiro und dem Eiseb.

Am 28. September erreichte der Oberbefehlshaber mit den Abteilungen
Mühlenfels, Estorff und Volkmann Epata am Eisebflusse, schlug den Gegner
bei Osombo-Windimbe und stieß dann weiter nach Osten vor. Immer mehr
ergab sich auf diesen Verfolgungszügen, daß die Widerstandskraft des
Gegners nunmehr vollkommen gebrochen war. Nicht allein ergriffene Gefangene in großer Zahl, zurückgelassene Weiber und Kinder, sondern auch
zahlreiche Herero, die sich freiwillig stellten, bestätigten das. Kleinere versprengte Abteilungen durchzogen in großer Zahl kreuz und quer das Land.
In der Folgezeit wurden daher sämtliche bedeutenderen Wasserstellen am
Epukirofluß, am Eiseb und am Omuramba bis nach Otjituo hinauf besetzt;
das Oberkommando ging nach Epukiro. Im Anfang Oktober drang der
Oberst Deimling, nachdem er unter übergroßen Strapazen die rund 90 km

lange Durststrecke Kalkfontein (östlich der Station Epukiro) am Epukiroflusse—
Otjimanangombe überwunden hatte, bis zu dem letztgenannten Ort (dicht an
der Ostgrenze) vor und zersprengte noch weitere 45 km östlich starke Hererobanden. Durch weit ausgreifende Offizierpatrouillen wurde die Gegend längs
der Grenze nach Norden und Süden aufgeklärt.

In diese Zeit fällt der durch seine energische Ausführung bemerkenswerte Zug des Hauptmanns Klein, der unter furchtbaren Strapazen die
wasserlosen Durststrecken bis zur Ostgrenze überwand und bei Orlogsende
eine starke Hereroabteilung schlug.

Im Oktober berichtete der Oberbefehlshaber: „Alle Zusammenstöße mit
dem Feinde seit dem Gefecht am Waterberg haben gezeigt, daß den Herero
jede Willenskraft, jede Einheit der Führung und der letzte Rest von Widerstandsfähigkeit abhanden gekommen ist. Diese halb verhungerte und ver-
durstete Bande, die ich noch bei Osombo-Windimbe im Sandfelde traf, und
mit denen Oberst Deimling östlich Ganas zu tun hatte, sind die letzten
Trümmer einer Nation, die aufgehört hat, auf eine Rettung und Wiederherstellung zu hoffen." – –

Inzwischen mußten weitere Operationen im Sandfelde bis zum Einsetzen der Regenzeit verschoben werden, da der Wassermangel sich immer
mehr fühlbar machte; es wurde daher eine völlige Absperrung dieser östlichen
Landschaften durchgeführt, an der die Abteilungen Estorff, Mühlenfels,
Fiedler, Volkmann und Humbracht teilnahmen. Sämtliche im Hererolande
entbehrlichen Truppen aber wurden auf die Nachricht von der Erhebung
Hendrik Witboois hin, die damals das Schutzgebiet wie ein Blitz aus
heiterem Himmel traf, nach dem Süden in Marsch gesetzt. Das Hauptquartier ging zunächst nach Windhuk.

Wenn es späterhin auch im Februar und März 1905 so schien, als
ob der Widerstand der Herero noch einmal aufflammen wollte, so genügten
doch die Vorstöße einzelner Abteilungen, um die Ansammlungen zu zer-
sprengen. Fliegende Kolonnen und Patrouillen durchzogen in den folgenden
Monaten unausgesetzt das Hereroland bis zu seinen äußersten Grenzen und
über diese hinaus in das Kaukaufeld und die anliegenden Landschaften. Die
wichtigsten Punkte wurden durch die Einrichtung von Stationen gesichert und
an der Eisenbahn Gefangenenlager angelegt, in denen auch diejenigen Herero
gesammelt wurden, die sich freiwillig den deutschen Truppen stellten. Gegen
Ende des Jahres 1905 konnte der für den erkrankten Obersten Leutwein zum
Gouverneur ernannte bisherige Generalkonsul in Kapstadt, v. Lindequist,

melden, daß der Widerstand der Herero gänzlich gebrochen sei, so daß er die Einstellung der militärischen Operationen im Hererolande angeordnet und eine Proklamation erlassen habe, in der die Herero aufgefordert wurden, sich endgültig zu unterwerfen.

General v. Trotha hatte im Hererolande 10 Kompagnien, $2\frac{1}{2}$ Batterien und 2 Maschinengewehre zurückgelassen; alle übrigen Truppen waren nach dem Süden geworfen worden.

15. Kapitel.

Die Kämpfe im Groß-Namalande bis zum Ende des Jahres 1905.

Die allgemeine Lage im Jahre 1904. – Morenga. – Der Abfall Hendrik Witbooi und der Aufstand der Hottentotten. – Die ersten Kämpfe. – Deimling, Meister und Ritter im Auobtal. — Oberst Deimling schlägt Morenga in den Karasbergen. Cornelius Frederiks. – Morenga an der Ostgrenze. – Die letzten Kämpfe gegen die Witbooi. – Der Tod Hendriks bei Fahlgras und seine Folgen. – Simon Kopper und Manasse Noreseb. – General v. Trotha verläßt das Schutzgebiet. – Die Verfolgung des Cornelius und seine Unterwerfung. – Erneute Kämpfe gegen Morenga, Morris und Johannes Christian. – Das Gefecht bei Hartebeestmund.

Im Groß-Namalande hatten sich seit Ausbruch des Hereroaufstandes die politischen Verhältnisse dauernd verschlimmert. Zwar fochten die Witbooi und Bethanier noch Schulter an Schulter mit den deutschen Truppen — das hinderte aber ihre Stammesgenossen nicht, zu gleicher Zeit ebenso wie alle anderen Namastämme und vor allem die Bondelzwart so aufrührerische Gelüste zu zeigen, daß eine allgemeine Unsicherheit für Person und Eigentum in vielen Gebieten des Namalandes die deutschen Farmer zwang, ihren Besitz zu verlassen und sich in die befestigten Plätze zu flüchten. Die deutschen Machtmittel bestanden nur aus der 3. Feldkompagnie unter Hauptmann v. Koppy und wenigen Polizeimannschaften. Bald erschienen auch die Bandenführer Morenga und Morris, die nach dem Frieden von Kalkfontein im Januar 1904 auf englisches Gebiet geflohen waren, wieder nördlich des Oranje, und der erstere schlug sein Hauptquartier in den Karasbergen auf, wo er bald eine große Bande räuberischer Hottentotten aller Stämme um sich versammelte.

Im Juli 1904 trafen aus Deutschland die ersten für den Süden bestimmten Verstärkungen, 1 Kompagnie und 1 Batterie unter Major v. Lengerke, in Lüderitzbucht ein und vereinigten sich bald darauf mit den Truppen Koppys in Keetmanshoop.

Dicht an der Ostgrenze kam es Ende August zum ersten Zusammenstoß mit Morenga, wobei der tapfere Führer einer kleineren deutschen Abteilung, der Oberleutnant Baron v. Stempel, seinen Tod fand. Noch im August war auf Befehl des Obersten Leutwein, der im Groß-Namalande kommandierte, in zwei Abteilungen von Keetmanshoop aus der Vormarsch gegen Morenga und in die Gegend um Warmbad, die ebenfalls von aufrührerischen Hottentotten unsicher gemacht wurde, angetreten worden. Am 21. September schlug der Hauptmann a. D. Fromm Morenga bei Gais und warf ihn in die Karasberge zurück. Aber bereits am 5. Oktober überfiel der Bandenführer eine in Hurup stehende Kompagnie, die den Angriff zwar zurückwies, aber ihre sämtlichen Reittiere verlor. —

Waren die Verhältnisse im Groß-Namalande bis zu diesem Zeitpunkt auch schwierig und verwickelt, so beschränkten sie sich in ihrer beunruhigenden Wirkung doch auf gewisse Landesteile — im Oktober 1904 aber trat ganz unerwartet ein Ereignis ein, das die Lage zu einer äußerst bedrohlichen für die deutsche Herrschaft im Süden des Schutzgebietes machte: Am 17. d. Mts. meldete nämlich der Major v. Lengerke über Kapstadt: „Seit dem 5. Oktober ist der Witbooistamm im Aufruhr.... Ich stehe mit 150 Mann und 4 Geschützen in Warmbad und Sandfontein, in Keetmanshoop 130 Mann und 2 Geschütze. Die Verbindung mit dem Norden ist unterbrochen."

Ansammlungen von Hottentotten an der Grenze zwischen dem Gibeon- und Bersebagebiet hatten bereits darauf hingewiesen, daß eine neue, schwere Verwicklung sich vorbereite, aber niemand hatte an einen allgemeinen Abfall des Witbooistammes gedacht, und nun war dies Ereignis doch eingetreten.

In versteckter Form hatte Hendrik Witbooi durch Samuel Isaak, der am 3. Oktober bei dem Bezirkshauptmann v. Burgsdorff in Gibeon erschien, diesem altbewährten Offizier und Beamten seinen Abfall melden lassen. Trotz aller Warnungen eilte Burgsdorff sofort nach Mariental, dem Wohnsitz Hendriks, um die Lage zu klären und den Kapitän zu bewegen, an seinem Treueid festzuhalten. Aber Burgsdorff sollte von diesem Wege nicht zurückkehren. Er wurde kurz vor Mariental hinterrücks erschossen; ob auf direkten Befehl Hendriks, ist ungewiß. Mit furchtbarer Schnelligkeit breitete sich nun der Aufstand über das ganze Groß-Namaland aus. Simon Kopper von Gochas und die rote Nation schlossen sich den Rebellen zunächst an, nur wenig später die Bethanier, die Feldschuhträger und die Teile der Bondelzwart, die bisher noch ruhig geblieben waren. Treu blieben nur die

Bastarde von Rehoboth und der Kapitän von Berseba, Goliath, mit dem Hauptteil seiner Leute.

Ebenso wie beim Ausbruch des Hereroaufstandes wurden zahlreiche Weiße, die sich nicht rechtzeitig hatten in Sicherheit bringen können, von den Hottentotten ermordet, etwa 40 an der Zahl. Sämtliche Militärstationen wurden in Verteidigungszustand gesetzt und die zum großen Teil geringen Besatzungsmannschaften durch die Farmer und Ansiedler verstärkt. Die Kerntruppen der Aufständischen sammelten sich bei Rietmont, Mariental und Geitsabis in der Stärke von etwa 800 vorzüglich bewaffneten und berittenen Kriegern. Ihre Zahl wuchs durch Zuzug täglich an.

Alle, denen der Charakter der Hottentotten, ihre Widerstandsfähigkeit, ihre kriegerische Veranlagung, ihre Lust an einem wilden, ungebundenen Leben und endlich ihr Haß gegen die Deutschen bekannt war, wußten, daß nun auch im Groß-Namalande eine Zeit schwerster Kämpfe bevorstand, von Kämpfen, welche die im Hererolande noch weit übertreffen sollten. Als ein Glück im Unglück mußte man es bezeichnen, daß zu dieser Zeit der Widerstand der Herero bereits gebrochen war und somit ein Teil der Truppen sofort den Marsch in das Groß-Namaland antreten konnte.

Um die Mitte des Oktober marschierten zunächst 2 Kompagnien aus Gobabis und Windhuk ab, denen unmittelbar der Oberst Deimling mit 3 Kompagnien und 1½ Batterien folgte. Am 17. besetzte Oberst Leutwein mit einer Kompagnie Kub-Kuis, während eine andere Kompagnie auf Hoachanas vorrückte. Sowohl die deutschen Truppen wie die ihnen gegenüberstehenden Rebellen, bei denen sich Hendrik Witbooi selbst befand, entwickelten eine rege Tätigkeit, so daß bereits kurz nach Ausbruch des Aufstandes die ersten Zusammenstöße stattfanden.

Was den alten Häuptling Hendrik Witbooi dazu veranlaßt hat, seinen Eid zu brechen und von neuem den Kriegspfad zu betreten, wird wohl immer ungewiß bleiben. Wohl waren Sendboten der sogenannten „Äthiopischen" Kirche, die (in Pretoria gegründet) den Wahlspruch: „Afrika den eingeborenen Rassen!" auf ihre Fahnen geschrieben hat, in seiner Umgebung gesehen worden, aber eine Einwirkung derartiger bettlerhafter Wanderprediger auf den energischen, selbstbewußten und stolzen Charakter Hendriks halte ich für ausgeschlossen. Viel eher ist es möglich, daß er dem Drängen seiner kriegslustigen Leute nachgegeben hat, in der Furcht, daß er, wenn er sich weigere, seinen Einfluß auf sie verlieren werde.

Am 27. Oktober fanden südlich Kub und wenige Tage später bei Dirichas die ersten schärferen Zusammenstöße statt, und gegen Ende November griff Hendrik plötzlich mit 250 Mann die Station Kub an, wurde aber unter Verlusten zurückgeschlagen. Nicht besser erging es ihm am 29. bei Lidfontein. Die Truppen verloren in diesen Gefechten 2 Offiziere und 7 Mann tot, 2 Offiziere und 7 Mann verwundet.

Die Stärke der im Namalande befindlichen Truppen belief sich zu dieser Zeit nach dem Eintreffen weiterer Verstärkungen von Norden her auf 10 Kompagnien und 3 Batterien, eine völlig ungenügende Zahl für den riesigen Kriegsschauplatz, auf dem die Truppen folgendermaßen verteilt waren: 1 Kompagnie bei Packrim (südlich Kub); 1 Kompagnie in Hoachanas; 3 Kompagnien, 1½ Batterien und eine halbe Gebirgsbatterie bei Kub; 1 Kompagnie und 2 Geschütze in Keetmanshoop; 1 Kompagnie und 4 Geschütze in Warmbad und Sandfontein; 1 Kompagnie am Westabhang der Karasberge; 2 Kompagnien (1 Eisenbahnbau= und 1 Etappenkompagnie) in und bei Lüderitzbucht.

Von diesen Kräften kamen jedoch für die Verwendung im Felde, wenigstens auf dem nördlichen Teile des Kriegsschauplatzes, nur 3 Kompagnien und 2 Batterien in Betracht, mit denen Oberst Deimling am 1. Dezember von Kub aus gegen Hendrik marschierte. Zwei Aufklärungspatrouillen, die unter den Leutnants v. der Marwitz und Roßbach zunächst vorgingen, wurden bei Rietmont und Naris in schwere Gefechte verwickelt, wobei beide Offiziere und 9 Mann fielen, 1 Offizier und 3 Mann verwundet wurden. Am 4. Dezember traf Oberst Deimling auf die bei Naris stehenden 200 Witbooi und warf sie nach heftigem Gefecht, in dem 65 Aufständische fielen, zurück. Am folgenden Tage wurde Rietmont genommen. 15 000 Stück Vieh, viele beladene Wagen, Karren, Gewehre, Munition und die Briefschaften Hendrik Witboois wurden erbeutet; der Gegner floh in östlicher Richtung. Die weitere Verfolgung wurde dem Major Meister mit 3 Kompagnien und 1 Batterie übertragen; er schlug am 21. Dezember den Gegner bei Stamprietfontein.

An demselben Tage überfielen von Rietmont aus deutsche Truppen in Stärke von 1 Kompagnie und 1 Batterie eine etwa 200 Mann starke feindliche Abteilung am Huduprivier und zersprengten den Gegner völlig; auch hier wurde reiche Beute gemacht. —

Bereits vorher, um die Mitte des Dezember, war von Keetmanshoop aus der Major v. Lengerke mit einer Kompagnie und einer Batterie gegen die Feldschuhträger vorgegangen, die er am 15. Dezember bei Koes schlug; 45 Gewehre, 50 Pferde und über 3000 Stück Vieh wurden erbeutet.

So hatten, als das Jahr 1904 sich seinem Abschluß näherte, die deutschen Truppen im Groß-Namalande zwar unter unsäglichen Mühen und Schwierig= keiten eine Reihe bedeutender Erfolge errungen und die Aufständischen nach Norden hin keinen Fuß breit Landes gewonnen, aber die Lage blieb gleichwohl eine überaus gefahrvolle und bedrohliche.

Im Laufe des Dezember und im Januar 1905 trafen aber bereits die ersten, auf die Kunde von dem Abfall Hendrik Witboois in Deutschland aufgestellten Verstärkungen in Lüderitzbucht ein. Es waren dies 146 Offiziere und 3022 Mann mit 2300 Pferden.

Zu Beginn des Jahres 1905 standen die Hauptkräfte der Hottentotten unter Hendrik Witbooi und Manasse von Hoachanas im Auobtal, um sich dort mit Simon Kopper zu vereinigen — auch eine Hererobande unter Frederick, dem Sohne Samuel Maharos, war zu ihnen gestoßen. Die Auf= ständischen zählten insgesamt etwa 1600 Gewehre.

Der Standort, den sie sich hier ausgesucht hatten, war der denkbar günstigste. Den Rücken ihrer Stellung deckte die wasserarme Kalaharisteppe, die nur von Osten her auf sehr wenigen Wegen, und auf diesen noch dazu unter den größten Schwierigkeiten, zu passieren ist. Das Auobtal aber, das von Nordwesten her nach Südosten das weite Land durchziehend in den Molopo mündet, bildet mit seinen Wasserstellen selbst wieder eine Reihe von Oasen in dem Sandmeere dieser östlichen Landschaften. Nur von Westen, Süden oder Norden her konnte man sich den Stellungen der Hotten= totten nähern, aber auch aus diesen Richtungen war der Anmarsch von größeren Truppenabteilungen den größten Zufällen und Gefahren ausgesetzt.

Je mehr man sich über Hoachanas hinaus den östlichen Grenzen des Schutzgebiets nähert, umsomehr nimmt die Versandung des Landes zu, um so dürrer und spärlicher wird die Vegetation, um so seltener die Wasserstellen. Dazu kommt noch, daß sich hier der Binnenlanddünengürtel erhebt, dessen Sandwälle, von denen an einzelnen Stellen mehr als 100 hintereinander liegen, den Marsch von Wagen und Geschützen ins ungemessene erschweren. Auch die Flüsse, der Nosob und der Auob mit dem Elefantenfluß, die gegen Norden, gegen die Grenzen des Damaralandes hin noch ergiebige Wasser= stellen in reicher Zahl enthalten, nehmen, je weiter sie nach Süden vordringen, einen um so wüstenhafteren Charakter an. Auch waren die zum großen Teil versteckt liegenden Wasserstellen des Ostens und der Kalahari wohl den

Schwabe, Im deutschen Diamantenlande. 20

von jeher in diesen Gebieten hausenden Hottentotten bekannt, nicht aber der Schutztruppe.

Gleichwohl jedoch mußte der Feind hier aufgesucht werden, und Oberst Deimling beschloß, dies unverzüglich zu tun. In drei Kolonnen wurde der

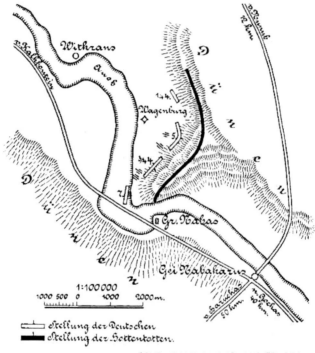

1:100000

1000 500 0 1000 2000m.

Stellung der Deutschen
Stellung der Hottentotten.

Aus: Die Kämpfe der deutschen Truppen in Südwestafrika.

Skizze zum Gefecht bei Groß-Nabas.

Vormarsch gegen die Hottentotten befohlen. Die Abteilung Meister (3 Kompagnien und 1 Batterie, etwa 190 Mann) ging Auob-abwärts vor, die Abteilung Ritter (1 Kompagnie und $1/_2$ Batterie, etwa 75 Gewehre) von Gibeon her, und die Abteilung v. Lengerke ($1^1/_2$ Kompagnien und $1^1/_2$ Batterien, etwa 300 Mann) aus der Richtung von Koes. Die letztere hatte den besonderen Auftrag, ein Ausweichen des Gegners nach Südosten und eine etwa von ihm geplante Vereinigung mit Morenga in den Karasbergen zu

verhindern. Über den Verbleib der Hauptstreitkräfte des Gegners war man
nicht unterrichtet. Kleinere Abteilungen waren bei Gochas, bei Stamprietfontein und bei Persip gemeldet worden.

Die schwersten Kämpfe hatte die Abteilung Meister zu bestehen. Nach
einem heftigen Gefecht bei Stamprietfontein stieß sie bereits am 2. Januar
bei Groß-Nabas auf den Gegner, der in einer starken Stellung längs des
Flußbettes stand. Schon am frühen Morgen, kurz nach der Einleitung
des Gefechts, mußten sämtliche Truppen eingesetzt werden, um zu verhindern,
daß die Vorhut von vornherein umzingelt wurde. Und bereits von dieser
Zeit an machte der Gegner, der mit seinen etwa 1100 Gewehren den
Deutschen fünf- bis sechsfach überlegen war, andauernd Versuche, beide Flügel
der Abteilung Meister zu umfassen. Einige Stunden nach der Einleitung
des Kampfes trat eine ernste Gefahr für die weiter rückwärts stehenden
Wagen ein, so daß befohlen wurde, sie näher heranzuziehen. Beim Heran-
fahren der Kolonne machten die Hottentotten, unter denen jetzt auch deutlich
Herero erkannt wurden, einen wütenden Angriff. Von den Dünen herunter
stürzten sie den heranfahrenden Wagen entgegen und glaubten sich schon
ihrer Beute sicher, als sich der die Kolonne befehligende Leutnant v. Peters-
dorf mit wenigen Bedeckungsmannschaften ihnen entgegenwarf. Dieser kühne
Gegenstoß rettete die Kolonne, die nun hinter den Schützenlinien zu einer
Wagenburg auffuhr, in deren Mitte der Verbandplatz angelegt wurde.

Inzwischen hatten sich die Verluste auf deutscher Seite erschreckend
gehäuft, besonders bei der Batterie, die neben einem Teil der Bedienungsmannschaften kurz hintereinander 4 Offiziere, den Major v. Nauendorf, die
Oberleutnants v. Neubronner und Lauteschläger und den Leutnant Oberbeck,
verlor; als letzter harrte der Leutnant d. R. Semper, obwohl bereits schwer
verwundet, bei den Geschützen aus.

Die Schwierigkeit der Lage wurde noch dadurch vermehrt, daß ein
glühend heißer Tag angebrochen war, und daß die Sonnenhitze sich für die
im Flußtal und in den Dünen in Schützenlinien liegenden Mannschaften
doppelt schwer bemerkbar machte. Trotzdem gelang es dem rechten Flügel
gegen Mittag, noch einige hundert Meter näher an den Feind heranzukommen;
hier mußte man jedoch liegen blieben, da jeder Mann, der sich zu erheben
versuchte, dies mit dem Tode zu büßen hatte. Gegen 5 Uhr nachmittags
war der letzte Rest des Wassers bei der gesamten Abteilung verbraucht, so
daß sie, da der Feind die vorliegende Wasserstelle besetzt hatte, nun auch
noch unter den Qualen des Durstes zu leiden hatte. Die Nacht verbrachten

20*

die Truppen in der Schützenlinie, und bei Sonnenaufgang begann das Ge=
fecht von neuem. Immer ernster wurde die Lage am Vormittage des zweiten
Tages, denn schon begann die Geschützmunition sich ihrem Ende zu nähern,
so daß auf das sparsamste gefeuert werden mußte. Außer den feindlichen
Geschossen lichteten nun auch Hitzschläge die deutschen Reihen, und gegen
Mittag erhoben sich einzelne Leute, die vor Durst wahnsinnig geworden
waren, in den Schützenlinien und stürzten laut schreiend gegen die Wasser=
stelle und die feindliche Stellung vor. Sie fielen unter den Kugeln des
Gegners; unter ihnen befand sich auch der Oberleutnant v. Bockelberg. In=
zwischen hatte der Major Meister einige Eingeborene zum Wassersuchen
ausgesandt, aber diese Versuche verliefen ergebnislos. Um 2 Uhr nachmittags
waren die Bedienungsmannschaften der Flügelgeschütze sowie die daneben
liegenden Schützen sämtlich gefallen oder schwer verwundet, und um dieselbe
Zeit machte der Feind einen energischen Sturmanlauf zur Wegnahme der
Geschütze, der nur unter äußerster Anstrengung der bereits zu Tode er=
schöpften Offiziere und Mannschaften zurückgewiesen werden konnte. Hier
wurde der bereits verwundete Leutnant Semper getötet. Am Nach=
mittage, als die deutsche Abteilung bereits der Auflösung nahe schien und
die Erschöpfung durch den Durst und die glühende Hitze des Tages so groß
war, daß Major Meister das Äußerste, die Vernichtung der gesamten Ab=
teilung, befürchten mußte, gelang es den von neuem auf Wassersuche be=
findlichen Eingeborenen, etwa 1 Stunde rückwärts der deutschen Stellung
etwas Wasser zu finden. Schnell wurde ein Wasserwagen gefüllt und vor=
geführt, so daß nun die erste Erquickung der in vorderster Linie fechtenden
Mannschaften eintreten konnte, die den Mut und die Kraft der Leute von
neuem hob. Aber gegen Abend traf eine Unglücksbotschaft ein, die den
Führer wiederum mit schwerer Sorge erfüllte: Er erhielt die Meldung, daß
250 Hottentotten im Rücken der Abteilung aufgetaucht seien.

Auf das äußerste gespannt hatte man während jeder Stunde des zwei=
tägigen Kampfes die Blicke nach Süden gerichtet, nach der ersehnten Hilfe
durch den Obersten Deimling. Alle Versuche, mit dem Heliographen eine
Verbindung mit der erwarteten Abteilung herzustellen, waren mißlungen,
und schon sank am zweiten Kampftage die Dämmerung herab, als man
plötzlich aus weiter Ferne starken Kanonendonner vernahm, der neue Hoff=
nung und neuen Mut brachte. Auch wurde in der Nacht noch ein mit Regen=
wasser gefülltes Felsbassin endeckt, so daß die Streiter nochmals erquickt
werden konnten. Als die Sonne aufging, wurde von neuem Kanonendonner

von Süden her vernehmbar, aber nun mußte auch so oder so eine Entscheidung herbeigeführt werden. Major Meister ließ daher die Offiziere zu sich
rufen: Oberleutnant Grüner mußte von zwei Mann herangetragen werden,
ein anderer Offizier war so erschöpft, daß er in eine schwere Ohnmacht fiel.
Der Verbandplatz in der Wagenburg war mit sterbenden, verwundeten und
vollständig erschöpften Leuten angefüllt; hier wie in den vordersten Linien
war der die Kolonne begleitende Feldprediger Schmid unausgesetzt in auf-
opferungsvollster Weise tätig.

Aber die Lage wurde unerträglich, die Zeit drängte. Gegen 11 Uhr
vormittags wurde der Angriff auf die feindliche Stellung befohlen — und
er gelang. Nachdem sämtliche Geschütze und die Infanterie die feindlichen
Linien unter Schnellfeuer genommen hatten, erhob sich auf das Signal zum
Angriff die schwache deutsche Schützenlinie wie ein Mann, um sich mit aufgepflanztem Seitengewehr auf den Feind zu stürzen. Fast schien es so, als
ob die Hottentotten, aus deren Reihen den Anstürmenden ein mörderisches
Feuer entgegenschlug, den Angriff annehmen wollten, aber als die Deutschen
sich mehr und mehr ihrer Stellung näherten, wandte sich der Gegner plötzlich
zur Flucht. Nach dreitägigem Kampfe war nunmehr die Wasserstelle
Groß-Nabas genommen. Mit einer letzten gewaltigen Anstrengung stürmten
die Truppen bis auf den Kamm der Höhen, um den im Flußbett abziehenden
Gegner noch einmal mit Feuer zu überschütten. Auch die zwei einzigen
noch verwendungsfähigen Geschütze verschossen hier ihre letzte Munition.
Die Verluste auf deutscher Seite betrugen 4 Offiziere, 24 Unteroffiziere und
Mannschaften tot, 5 Offiziere und 38 Unteroffiziere und Mannschaften verwundet; außerdem waren 148 Pferde getötet worden. Noch zwei Tage
verblieb die Abteilung Meister in Groß-Nabas und vereinigte sich dann am
10. Januar mit den anderen Abteilungen bei Stamprietfontein.

Die Abteilung Ritter war am 1. Januar von Gibeon auf Gochas
vorgerückt und bei Haruchas im Auobtal in ein schweres Gefecht verwickelt
worden. Sie blieb dann an dieser Wasserstelle stehen, da es dem Obersten
Deimling bei ihrer geringen Mannschaftszahl nicht ratsam erschien, sie weiter
gegen den stark überlegenen Gegner vorgehen zu lassen, ehe nicht die Abteilung v. Lengerke eingetroffen war.

Diese hatte am 2. Januar die 110 km lange, wasserlose Strecke Koes —
Persip überwunden und die bei dem letztgenannten Ort stehenden Hottentotten
nach leichtem Gefecht verjagt. Am Abend des 4. Januar vereinigte sie sich
mit der Abteilung Ritter. Als alle Nachrichten von der Abteilung Meister

ausblieben, rückte Oberst Deimling am 5. mit beiden Abteilungen gegen Gochas vor, das nach mehrstündigem Kampfe mit den Hottentotten, die den Deutschen den Weg verlegen wollten, am 6. besetzt wurde. In Gochas hoffte man, den Major Meister, der bereits am 3. an diesem Ort hatte eintreffen sollen, vorzufinden, aber als auch hier keine Nachricht von ihm eintraf, wurde der Marsch trotz glühender Hitze und großer Erschöpfung der Truppen unverzüglich weiter fortgesetzt. Am Nachmittage dieses Tages meldeten Patrouillen große sich nähernde Staubwolken. Man vermutete nun den Anmarsch der Abteilung Meister, aber am Abend stellte es sich heraus, daß starke Hottentottenbanden heranzogen, die dicht nördlich Swartfontein ein Lager aufschlugen. Ihnen gegenüber verbrachten die Deutschen die Nacht in Gefechtsbereitschaft.

Als sich bei Sonnenaufgang herausstellte, daß der Gegner verschwunden war, argwöhnte Oberst Deimling mit Recht einen ihm gelegten Hinterhalt und sandte, bevor er den Marsch fortsetzte, Patrouillen auf dem westlichen Talrand des Flusses vor, die auch, nachdem sie 5 bis 6 km vorgetrabt waren, heftiges Feuer aus einer seitwärts liegenden Stellung erhielten. Es entwickelte sich nun ein sehr schweres Gefecht, in dem die Deutschen dadurch von vornherein im Vorteil waren, daß sie auf die Flanke des Gegners vorstießen. Gegen Mittag war dieser erschüttert und räumte die Stellungen. Seine Wagenkolonne wurde von der Batterie Kirchner auf große Entfernung bemerkt, sofort unter Feuer genommen und fiel in die Hände der Deutschen. Es waren 22 beladene Ochsenwagen, auf denen sich Lebensmittel, Munition, Gewehre, Pulver, Dynamit und viel Wasser befand, das den Hottentotten den Marsch durch die Durststrecken der Kalahari ermöglichen sollte. Die Verluste der deutschen Truppen betrugen nur 1 Toten und 7 Verwundete. Noch am Abend wurde der Leutnant Fürbringer das Auobtal aufwärts nach Stamprietfontein gesandt und stellte hier endlich die Verbindung mit der Abteilung Meister her. Der Gegner zog nach Osten ab; über seinen Verbleib konnte zunächst Genaueres nicht festgestellt werden.

Kurz darauf trat eine Pause in den Unternehmungen im Groß-Namalande ein, die vor allem durch die Unmöglichkeit hervorgerufen wurde, genügende Mengen von Proviant von Windhuk her nach dem Süden zu bringen. Auch auf dem südlichen Bahnwege Lüderitzbucht—Kubub blieben die Verhältnisse so lange schwierig, bis man sich zum Bau der ersten Feldbahn durch den Wüstengürtel entschloß. Patrouillengefechte, Überfälle von Wagenkolonnen und Angriffe auf kleinere Stationen füllten die

folgenden Wochen aus. Um die Mitte des Januar marſchierte Oberſt
Deimling gegen Morenga, der noch in den Karasbergen ſaß. Die Witbooi
hatten ſich inzwiſchen wieder geſammelt und ſtanden am Noſob.

Zu dieſer Zeit erſchienen weitere Verſtärkungen von Norden her auf
dem Kriegsſchauplatz; es war dies Major v. Eſtorff mit 2 Kompagnien,
1 Batterie und 1 Maſchinengewehr-Abteilung, der von Gobabis aus längs
des Noſobfluſſes nach Süden vorrückte. Aber dieſe Verſtärkungen für den
Süden waren auch durchaus notwendig, denn in der Folgezeit geſtalteten
ſich die Verhältniſſe auf dem weiten Kriegsſchauplatz immer ſchwieriger.
Gegen vier verſchiedene, weit voneinander entfernte ſtarke Gegner mußte zu
gleicher Zeit vorgegangen werden: gegen Hendrik Witbooi und ſeine Verbündeten am Noſob, gegen Morenga und die Brüder Morris in den Karasbergen, gegen den Bethanier Cornelius Fredericks und gegen den Herero
Andreas, der ſich mit einer ſtarken Bande aus dem Komashochland in das
nordweſtliche Namaland gezogen hatte.

Nach den Kämpfen im Auobtal beabſichtigte Oberſt Deimling die
Einleitung einer größeren Unternehmung gegen Morenga, der immer noch
in den großen Karasbergen, und zwar dicht am Oſtrande derſelben, ſaß.
Beſtärkt wurde der Oberſt in ſeinem Entſchluß durch die zu dieſer Zeit
auftauchende Nachricht, daß die Witbooi beabſichtigten, nach Süden zu
ziehen, um ſich mit Morenga zu vereinigen. Dieſer hatte ſich in der letzten
Zeit ziemlich ſtill verhalten, nach einzelnen Nachrichten deshalb, weil ihm
ſeine Verſuche, auf britiſchem Gebiet neue Munition zu erhalten, fehl-
geſchlagen waren. Der Zeitpunkt zu einem Angriff auf ihn ſchien daher für
die Deutſchen beſonders günſtig.

Gegen Ende Januar traf Oberſt Deimling in Keetmanshoop ein, wo
er das 4. Bataillon des 2. Feldregiments und 3 Erſatzkompagnien vorfand.
Unter den mannigfachen Vorbereitungen, welche die Expedition beſonders in
bezug auf die Sicherſtellung der Verpflegung erforderte, vergingen die nächſten
Wochen, und am 1. März erließ der Oberſt den Befehl zum Angriff auf
Morenga und Morris, die bei Narudas ſaßen. Von Norden ſollte die
Kolonne Kirchner (eine ſchwache Kompagnie, 2 Geſchütze und 2 Maſchinengewehre) von Gründorn her über Gaudabis-Aros-Gaitſames-Gotſagaus;
von Weſten eine Kolonne unter dem Major v. Kampt (400 Gewehre,
4 Geſchütze und 4 Maſchinengewehre) über Waſſerfall, Kraitluft angreifen;
von Süden die Kolonne Koppy (300 Gewehre und 4 Geſchütze) über Dur-
drift, Ariams, Sandmund und Gotſagaus. Endlich ſollte die Kolonne

von Lengerke (170 Gewehre und 4 Geschütze) im Osten das Backrivier bei Kouchanas sperren. Die drei ersten Kolonnen sollten die Gegend von Narudas am 11. März erreichen. Der Oberst selbst begleitete die Kolonne von Kampß.

Die Gebiete, welche die deutschen Truppen auf ihrem Vormarsch zu durchschreiten hatten, gehörten damals zu den unbekanntesten des Schutz-gebiets. Wie gewaltige Festungen erheben sich die Massive der Großen und Kleinen Karasberge aus den südöstlichen Ebenen. Labyrinthische Gewirre von tief eingeschnittenen Rivieren und von wild zerrissenen, unzugänglichen Schluchten senken sich von den Bergen hernieder und durchschneiden das Land nach allen Richtungen. Aber auch die Hochflächen des Gebirges bieten marschierenden Truppen große Schwierigkeiten, sie sind mit Felsbrocken und Gesteinstrümmern übersät und werden auch ihrerseits wiederum durch schroffe, tief eingerissene Schluchten voneinander getrennt.

Wenn man zudem gehofft hatte, durch die Schnelligkeit des Vor-marsches den Gegner überraschen zu können, so hatte man sich hierin ge-täuscht. Morenga war durch seine Spione frühzeitig von allen Bewegungen der deutschen Truppen unterrichtet und traf seine Gegenmaßnahmen in höchst geschickter Weise. Er hatte beschlossen, sich zunächst mit allen Kräften auf die schwächste deutsche Abteilung, die Kolonne Kirchner, zu werfen und sie zu vernichten, ehe ihr von den anderen anmarschierenden Kolonnen Hilfe gebracht werden konnte. Die letzteren sollten durch schwache Abteilungen unter Morris und Stürmann bei Garup und Kraikluft aufgehalten werden.

Am 10. März stand Morenga seinem Plane gemäß mit starken Kräften bei der Wasserstelle Aob, in Erwartung des Anmarsches der Ko-lonne Kirchner, die am Nachmittag desselben Tages bei Aob anlangte und hier überraschend Feuer erhielt. Es mußten sofort alle Kräfte eingesetzt werden, und nachdem es den Schützenlinien gelungen war, einige hundert Meter Terrain zu gewinnen, gerieten sie in ein starkes Kreuzfeuer von feindlichen Abteilungen, die bis dahin versteckt gelegen hatten. Die Lage wurde schwierig, und die Verluste mehrten sich bereits, als Hauptmann Kirchner den Angriff beschloß. Kurz nach 4 Uhr nachmittags wurde die feindliche Stellung unter schweren eigenen Verlusten genommen. Hauptmann Kirchner, Leutnant Fürbringer und mehrere Reiter fielen während des Sturms. Der Gegner wich zurück, aber nur, um sich in eine zweite, nur wenige hundert Meter zurückliegende Stellung zu werfen und zugleich, seine Flügel verstärkend, die deutsche Abteilung in Flanke und Rücken zu bedrohen. Dieser Angriff war so heftig, daß ein Maschinengewehr Kehrt machen mußte, und die Führer der Handpferde und die Wagenbedeckung gezwungen waren, in das Gefecht einzugreifen. Erst in der Nacht fand der Kampf ein Ende. Die Abteilung hatte 11 Tote und 28 Verwundete verloren. Da zudem in der Nähe des Kampfplatzes kein Wasser gefunden wurde, war Oberleutnant Freiherr v. Grothe gezwungen, die Stellung zu räumen und nach Kosis zurückzugehen. Auch Morenga zog, wie sich bald herausstellte, in derselben Nacht ab, um sich der sich nähernden Abteilung Koppy entgegenzuwerfen. Diese traf am 10. bei Garup auf den Feind, schlug dort an demselben Tage die Brüder Morris und am folgenden Morenga selbst, der hier zu spät kam und durch die geschickten Maßnahmen des erfahrenen und gefürchteten deutschen Führers schwere Verluste erlitt. Nicht besser erging es Stürmann der Abteilung Kampp gegenüber, die seine Stellung umging und ihn zur Flucht in die Narudaschlucht zwang. Als spät am Nachmittag des 11. sich die Abteilung Kampp auf einer die Narudaschlacht beherrschenden Höhe sammelte, bemerkte Oberst Deimling zahlreiche flüchtende Hottentotten, die von Süden nach Nordosten hin Vieh abtrieben und zu entkommen suchten. Es war klar, daß dies nur der von der Abteilung Koppy zurückgeworfene Gegner sein konnte. Zwar hatte Morenga mit allen Kräften versucht, diese siegreich vordringende Abteilung aufzuhalten, um wenigstens sein Vieh zu retten, als aber Koppy trotzdem zum Sturm schritt, und zugleich Morenga die Nachricht von der Niederlage Stürmanns und von dem Vordringen der Abteilung Kampp in seinem Rücken erhielt, brach die Widerstandskraft der Hottentotten zusammen und die Krieger wandten sich zu wilder Flucht. Viele Weiber und Kinder, 50 Pferde, 700 Rinder und über 7000 Stück Kleinvieh fielen der Abteilung Koppy in die Hände. Morenga stieß auf seinem Rückzuge noch auf die vordringende Abteilung Lengerke und erlitt hier neue Verluste.

In der Folgezeit stellte es sich heraus, daß die Hottentotten nach allen Richtungen auseinandergeflohen waren und sich in kleinen Trupps an den Wasserstellen des östlichsten Grenzgebiets versteckt hielten. Da sie somit für eine größere Unternehmung kein Ziel mehr boten, teilte Oberst Deimling seine Kräfte, und während einige Kompagnien gegen die Nordbethanier, andere zur Verstärkung der den Witbooi gegenüberstehenden Truppen verwendet wurden, blieb der Hauptteil unter dem Befehl des Majors v. Lengerke im Südbezirk.

Als der Major v. Kampp mit 1 Kompagnie und 1 Batterie am 18. März den Marsch auf Keetmanshoop antrat, um das erbeutete Vieh dorthin zu überführen, wurde er aber bereits wieder von einigen Banden Morengas bei Garis und Uchanaris angegriffen. Es gelang jedoch beide Male, den weit überlegenen Gegner zurückzuschlagen.

Im April trat Oberst Deimling die Heimreise nach Deutschland an, da er infolge eines Sturzes sorgfältiger ärztlicher Behandlung bedurfte.

Morenga hatte zwar in den Karasbergen schwere Verluste erlitten, aber daß sein Mut nicht gebrochen war, und daß er noch immer bei den Hottentotten und vor allem bei den Bondelzwart das alte Ansehen besaß, sollte sich in kurzem zeigen. —

Im März 1905 begannen sich auch die Aufständischen im Nordbethanierlande, wo eine Zeit lang verhältnismäßige Ruhe geherrscht hatte, von neuem zu regen. Hier war es der Bethanierkapitän Cornelius Fredericks, der mit den Unterführern Gurub und Elias den bedeutendsten Einfluß hatte. Mannigfache Überfälle auf Patrouillen und die Pferdeposten einzelner Kompagnien leiteten die Offensive der Rebellen im Bethaniergebiet ein, so daß General v. Trotha, der sich im April nach dem Süden begeben hatte, den Major Taeubler mit der Einleitung größerer Operationen beauftragte. In rascher Folge fanden hier schwere Gefechte bei Huams (27. April) und am Ganachab (8. Mai) statt, ohne daß es gelungen wäre, den flüchtigen Gegner endgültig zu stellen. Dieser entzog sich vielmehr immer wieder und wieder den von allen Seiten zu seiner Einschließung hereneilenden deutschen Truppen, bald hier, bald dort auftauchend, um immer wieder durch die Maschen des Netzes, das ihn umschließen sollte, hindurchzuschlüpfen. Auf den Kreuz- und Quermärschen, die sich zunächst im Nord-, dann im Südbethanierland abspielten, um endlich, dem Laufe des Fischflusses nach Süden folgend, sich in die unwegsamsten Gegenden des Schutzgebiets auszudehnen, wurden die größten Anforderungen an die Truppen gestellt und ihre Kräfte auf das äußerste erschöpft.

Um Mitte Mai konnte der Verbleib des Cornelius zuverlässig nicht mehr festgestellt werden; Kundschaftermeldungen behaupteten, daß er nach Seeheim aufgebrochen sei, um von dort die Karasberge zu erreichen. Ihm dorthin zu folgen, hielt der Major Taeubler auf die Meldungen hin, deren Zuverlässigkeit er nicht feststellen konnte, nicht für geraten; er verblieb vielmehr im Fischflußgebiet, das nach allen Seiten durchstreift wurde. Hier gelang es endlich dem Leutnant d. Res. v. Trotha, den Feind bei Sonntagsbrunn, dicht westlich des Fischflusses, festzustellen. Die Verfolgung übernahm nunmehr Hauptmann v. Koppy, der inzwischen vom Süden her heraufmarschiert

Die Feste in Keetmanshoop.

war, und nach den ungeheueren Anstrengungen eines Marsches den Fischfluß abwärts gelang es ihm, Cornelius am 26. Mai bei Gaos zu überfallen. In der Nacht wurde der Angriff auf den im Flußbett ruhenden Gegner durchgeführt, der nach allen Seiten auseinanderfloh und fast seinen ganzen Besitz zurückließ. Tief im Süden, bei Kochas am Fischfluß, sammelte sich die zersprengte Bande wieder und vereinigte sich hier mit einem Trupp Bondelzwart und mit Leuten des Morris, die sich von Morenga getrennt hatten und aus den Karasbergen nach Westen herübergezogen waren.

In dieser Gegend suchte der Leutnant d. Res. v. Trotha den Cornelius auf. Er war vom Hauptquartier mit einem Briefe zu ihm gesandt worden, um ihn zur Unterwerfung aufzufordern. Unbewaffnet und nur von drei Eingeborenen begleitet erreichte er das Lager des Cornelius, den er aus dem Hererofeldzuge von zahlreichen gemeinsam gerittenen Patrouillen her sehr gut kannte. Er wurde freundlich aufgenommen, und die Verhandlungen, an denen auch Morris und Johannes Christian teilnahmen, schienen einen guten Fortgang zu nehmen, als plötzlich eine Kompagnie unter Oberleutnant v. Rosenthal, die ohne Nachricht von der Anwesenheit Trothas im feindlichen Lager war, dieses angriff. Infolge dieses unglücklichen Zusammentreffens wurde der tapfere Offizier, der schon so oft die wertvollsten Dienste geleistet hatte, hinterrücks im Lager der Hottentotten erschossen. Cornelius hat später über seinen Tod folgendes berichtet: „Als ich nach dem Gefecht fragte, ob Trotha von einer deutschen Kugel oder von uns erschossen sei, meldete sich der Bethanier Christoph Lambert und sagte, er habe den Leutnant erschossen. Er habe geglaubt, dieser sei nur gekommen, um uns in

Sicherheit zu wiegen und uns dann überfallen zu lassen. Die Leiche habe ich am anderen Morgen begraben lassen. Ich bin überzeugt, daß es ohne den Tod v. Trothas zum Frieden gekommen wäre, denn Johannes Christian hatte auch Vertrauen zu dem Leutnant."

Nachdem die 9. Kompagnie durch das Gefecht bei Kochas festgestellt hatte, daß Cornelius von neuem im Besitz stärkerer Kräfte und anscheinend zum Widerstande entschlossen sei, beauftragte General v. Trotha den Major Gräfer mit der Wiederaufnahme größerer Operationen auf diesem Teil des Kriegsschauplatzes. Der Major benutzte die Zeit bis zum Eintreffen weiterer Verstärkungen dazu, seinen Vormarsch durch die Anlage von Proviant=magazinen und durch die Vornahme zahlreicher Erkundungen zu sichern. Am 22. Juni verfügte er über 300 Gewehre, 5 Geschütze und 2 Maschinengewehre. Das Gelände, das Fischflußtal, bot den Operationen die größten Schwierig=keiten, denn die meist nicht mehr als 100 bis 150 m breite Talsohle wird hier von fast unersteiglichen, 200 bis 300 m hohen Felswänden eingeschlossen, während unwegsame Gebirge das Flußtal begleiten. In konzentrischem Vor=marsch wurden die Truppen angesetzt, sie fanden jedoch die letzte Stellung des Feindes bei Kanibes verlassen und diesen selbst bei Keidorus stehend. Hier entbrannte am 27. Juni in furchtbar unwegsamem und schwierigem Gelände ein scharfer Kampf der zum Detachement Gräfer gehörenden Ab=teilung des Hauptmanns Pichler, der nach dem Tode des Hauptmanns zu=nächst mit dem Rückzug der deutschen Abteilung endete. Als aber am fol=genden Tage die Abteilung Gräfer selbst auf dem Kampfplatz erschien und den Angriff erneuerte, gelang es, den Gegner zu werfen und ihm beträchtliche Verluste zuzufügen, da ihm durch die in seinem Rücken aufgestellte Abteilung des Leutnants v. Häseler der Rückzug abgeschnitten war. Nachdem man einen Tag geruht hatte, nahm Major Gräfer am 30. die Verfolgung auf und schlug den Gegner erneut am 3. Juli bei Aiais. Trotz der furchtbaren Schwierigkeiten des Geländes, das besonders dem Vordringen der Geschütze die größten Hindernisse entgegenstellte, wurde die Verfolgung flußabwärts so energisch fortgesetzt, daß die Patrouillen des Detachements bereits am 6. Juli den Oranje erreichten. Hier ging die Spur der Bethanier verloren, und da eine Verfolgung längs des Oranje bei der Nähe der britischen Grenze zweck=los gewesen wäre, ging Major Gräfer auf Aiais zurück und besetzte die nach Süden führenden Flußtäler und Schluchten mit stärkeren Posten. Von diesen Abteilungen wurden öfter die Versuche kleinerer Hottentottenbanden, wieder in das Fischflußtal einzudringen, erfolgreich zurückgewiesen. — Für den infolge der Anstrengungen erkrankten Major Gräser übernahm am 18. Juli Major Träger das Kommando.

Cornelius hatte sich inzwischen nach Osten gewandt, wohin ihm Major Träger Mitte August mit 3 Kompagnien und einigen Geschützen und Maschinengewehren folgte. Noch einmal kam es in dieser Gegend bei Karigaus am 19. August zum Gefecht, das mit dem Rückzuge der Hottentotten endete.

Cornelius aber, der inzwischen seine Werfte über den Oranje auf englisches Gebiet gebracht hatte, zog nach mehreren kleinen Überfällen und Patrouillengefechten, die ihm einige Vorteile brachten, nach den Karasbergen und vereinigte sich hier mit Morenga. Den Oberbefehl im Südbezirk übernahm im August der Oberstleutnant van Semmern, während dem Major Träger die Deckung der Etappenstraße Ramansdrift–Warmbad zufiel.

Inzwischen war es auch wieder zu bedeutenden Kämpfen mit Morenga gekommen, dessen Widerstandskraft, wie bereits bemerkt, durchaus nicht so geschwächt war, wie man es nach den für ihn unglücklichen Gefechten im März 1905 hoffen durfte. Bereits am 7. April griffen die Hottentotten die Pferdewache einer Ersatzkompagnie bei Nurudas an und raubten die Pferde, die allerdings 11 Tage später in einem Patrouillengefecht südlich von Hasuur zurückerobert wurden. Am 21. April kam es darauf zu einem viertägigen Waffenstillstand mit Morenga, der dem Pater Malinowski von der katholischen Missionsstation in Heirachabis seinen Entschluß kundgegeben hatte, mit den Deutschen in Verhandlungen zu treten. Mit der Durchführung derselben wurde von dem die Truppen gegen Morenga kommandierenden Major v. Kampt der Hauptmann v. Koppy beauftragt, der sich mit dem Pater in das Lager der Hottentotten begab. Die Verhandlungen verliefen aber ergebnislos, und am 25. April gelang es den Hottentotten, unentdeckt aus den Karasbergen zu entfliehen. Sie wurden an diesem Tage durch eine starke Patrouille unter Leutnant v. Detten etwa 20 km östlich der Karasberge angetroffen und am folgenden Tage von dem Hauptmann v. Winterfeld mit 2 Kompagnien, 4 Geschützen und 2 Maschinengewehren angegriffen und zersprengt. Der Hauptteil der Hottentotten scheint sich in der nun folgenden Zeit dicht an der englischen Grenze gehalten zu haben, um Munition und Proviant zu ergänzen.

Als im Mai bekannt wurde, daß Morenga in der Nähe der englischen Polizeistation Bissiport stehe, griff ihn Hauptmann Siebert mit 2 Kompagnien und 2 Geschützen an, fügte ihm bedeutende Verluste zu und jagte die Hottentotten über die Grenze. Aber schon gegen Ende Mai stellte

Hauptmann d'Arreſt in einem leichten Gefecht am Gamtoaprivier feſt, daß Morenga die Grenze wieder überſchritten habe, und am 6. und 14. Juni griff Hauptmann v. Erckert vereinzelte Werfte Morengas an demſelben Flußbett an. Am 17. Juni aber wurde Major v. Kamptz, von der Oſt= grenze kommend, in ein ſchweres Gefecht mit den Hauptkräften Morengas verwickelt. Die Hottentotten, die hier in großer Anzahl auftraten, hatten die Abteilung bereits in eine äußerſt ſchwierige Lage gebracht, als Haupt= mann v. Erckert in das Gefecht eingriff, die feindliche Stellung umfaßte und den Gegner zur Flucht zwang. Die ſchweren Verluſte der Deutſchen, 20 Mann tot, 3 Offiziere, 1 Sanitätsoffizier und 25 Unteroffiziere und Mannſchaften verwundet, zeugen für den hartnäckigen Widerſtand Morengas. Hauptmann Siebert, der für den verwundeten Major v. Kamptz das Kom= mando übernahm, verfolgte den Gegner energiſch auf Narus, von wo Mo= renga von neuem in die Karasberge floh und ſich bei Aob ſtark verſchanzte.

Ihn hier von neuem anzugreifen, ſchien mit den vorhandenen Kräften nicht rätlich.

Mitte Juli knüpfte Morenga von neuem Verhandlungen mit den Deutſchen an, ſo daß bis zum September auf dieſem Teil des Kriegsſchau= platzes Ruhe herrſchte. —

Über den Verbleib Hendrik Witbois und ſeiner Bundesgenoſſen waren die Nachrichten bis zum Juli 1905 äußerſt unſichere geblieben. Bald ſollte er mit zahlreichem Anhang nach Ergänzung ſeiner Waffen und Munition auf engliſchem Gebiet ſtehen, bald wieder hieß es, er ſei in mehreren Kolonnen auf dem Vormarſch in das weſtliche Namaland. Daß dies letztere zutreffend war, wurde erſt gegen Ende Juli durch den Überfall einer Wagenkolonne durch Witbooiſche bei Gibeon beſtätigt. Generalleutnant v. Trotha befahl infolgedeſſen das Zuſammenziehen ſtarker Kräfte, eine Maßregel, die bedeutende Zeit in Anſpruch nahm und erſt am 20. Auguſt beendet war. Zu dieſer Zeit ſtanden folgende Truppenabteilungen marſch= bereit:

Bei Maltahöhe Major Maercker mit 2 Kompagnien und 4 Geſchützen,

am unteren Hudup und in Gibeon Major Meiſter mit 3 Kompagnien, 4 Geſchützen und 2 Maſchinengewehren,

am unteren Leberfluß und bei Aſab Major v. Eſtorff mit 4 Kom= pagnien und 6 Geſchützen,

bei Hornkranz am Kanibeb Major v. Lengerke mit 2 Kompagnien und 4 Geſchützen und bei Chamis Hauptmann v. Koppy mit 1 Kompagnie und 2 Geschützen.

In weit ausholenden Zügen wurden nunmehr das Nanauib- und das Hanamiplateau und bald darauf auch das östliche Namaland gesäubert, sowie sämtliche gegen die westliche Wüste zu liegenden Wasserstellen von Zaris und Heitamas bis nach Blutpütz besetzt. Am 15. September schlugen die Majore Meister und Maercker starke Streitkräfte der Witbooi und der mit ihnen vereinigten Hererobande des Andreas bei Rubib. Der große und nachhaltige Erfolg, den dies Gefecht im schwierigsten Gelände mit sich brachte, war vor allem den tagelangen persönlichen Erkundungen des Majors Maercker zu verdanken. Der Gegner, der sich in seinem versteckten, stark befestigten Schlupfwinkel ganz sicher glaubte, wurde vollständig überrascht und ließ über 80 Tote auf dem Gefechtsfelde. Nach dieser Niederlage floh ein Teil der Herero des Andreas nach Walfischbai und wurde dort von den Engländern entwaffnet.

Auch in zahlreichen kleinen Patrouillengefechten am Kutip, bei Kowas, Kub, Hoachanas, Bethanien und am Tsub erwuchsen den Hottentotten mehrfach bedeutendere Verluste.

Hendrik Witbooi und mit ihm auch anscheinend Simon Kopper hatten inzwischen das westliche Namaland, in dem ihnen das Glück nicht günstig schien, wieder verlassen und waren nach Osten gezogen. Hier wurden sie im Anfang Oktober plötzlich östlich von Aubes am Auob gemeldet. Der Major v. Estorff, der bereits im September die Leitung der Operationen in dem Bezirk Ostnamaland übernommen hatte, zog auf die Nachricht von dem Wiederauftauchen Hendriks 6 Kompagnien und 1½ Batterien bei Persip, Almabab und Haruchas zusammen. Aber die Hottentotten, die anscheinend bereits damals durch das ununterbrochene Hin- und Herziehen stark erschüttert und erschöpft waren, wichen dem drohenden Angriff aus und irrten in der Folgezeit ziellos zwischen Koes, Geibis und Geiachab umher. Sie litten schwer unter Wassermangel, da die Kalkpfannen im östlichen Grenzgebiet, in denen sie im März und April noch genügend Wasser gefunden hatten, nunmehr am Ende der Trockenzeit erschöpft und leer waren. Zudem hatte der Major v. Estorff ihnen gegenüber sämtliche bekannten Wasserstellen des Ostnamalandes von Hasuur über Koes bis hinauf nach Gochas besetzen lassen, so Kiriis, Garinais, Fahlgras, Mukorop, Persip und andere.

Hier sollte sich das Geschick des Witbooivolkes erfüllen. Die ersten Anzeichen der beginnenden Auflösung waren Haufen von halb verhungerten

und halb verdursteten Weibern und Kindern, die sich bei den deutschen Besatzungen einfanden und um Wasser flehten. Auch Hendrik selbst sandte
damals einen Brief an den Major v. Lengerke, in dem er um Wasser für
seine Werfte bat. Der Major mußte dies Ansinnen selbstverständlich ab-
lehnen und forderte den Häuptling auf, sich in Koes zu stellen und weiterem
unnützen Blutvergießen ein Ende zu machen. Von allen Mitteln entblößt
und ohne jeden Besitz der bittersten Not preisgegeben, kam der Häuptling
gleichwohl dieser Aufforderung nicht nach, sondern griff am 24. Oktober die
Station Kiriis-Ost vergeblich an. Von hier ging er nach Garinais und auf
Daberas, so daß die Besatzungen verstärkt wurden. Am 29. Oktober
aber, als Hendrik dicht bei Fahlgras einen Überfall auf einen Wagen der
3. Batterie versuchte, wurden die Hottentotten von dem mit 55 Leuten aus
Fahlgras herbeieilenden Oberleutnant Stage heftig angegriffen und mehrere
Stunden lang verfolgt. Hier erhielt Hendrik einen so schweren Schuß in
den Oberschenkel, daß er nach kurzer Zeit infolge von Verblutung starb.
Seine letzten Worte waren nach den Mitteilungen Samuel Isaaks: „Es
ist jetzt genug; mit mir ist es aus. Meine Kinder sollen jetzt Ruhe haben."

So endete dieser berühmte Führer, der in einem Leben, das durch
Jahrzehnte von wilden Kriegstaten erfüllt war, die Völker Südwestafrikas
vom Oranje bis zum Kunene in Furcht und Schrecken versetzt und in Aufregung und Unruhe gehalten hatte. Mit ihm war der Führer der Hottentotten dahingegangen, dessen Ruhm von den ersten Kämpfen gegen die
Deutschen an immer wieder Krieger aller Stämme zu seinen Fahnen versammelt hatte.

Zwar wählten die noch im Felde stehenden Witbooi in der Gegend von
Daberas einen Sohn des gefallenen Häuptlings, Isaak Witbooi, zum
Kapitän, aber dieser besaß weder das Ansehen noch die persönlichen Fähig-
keiten, um die Krieger zu weiterem Widerstande zu begeistern.

Inzwischen war auch Hans Hendrik mit den Feldschuhträgern am
22. Oktober von dem Hauptmann Bech bei Aninus geschlagen worden und
trennte sich in der Folgezeit mit dem gleichfalls kriegsmüden Samuel Isaak
von den übrigen Witbooi. Als nun der Kapitän von Berseba, Christian
Goliath, auf Veranlassung des Leutnants v. Westernhagen Boten zu Samuel
Isaak und Hans Hendrik schickte, mit der Aufforderung, sich zu unterwerfen
und in Berseba zu stellen, traf Ende November ein Teil der Witbooi und
der Feldschuhträger, darunter 74 Krieger, in Berseba ein. Bis zum 1. Januar 1906 ergaben sich ferner im Gibeongebiet etwa 500 Hottentotten auf

die Kunde von dem Tode Hendriks und der Waffenstreckung Samuel Isaaks
hin. Auch Isaak Witbooi mit dem Rest des Stammes stellte sich am
3. Februar 1906 bei Nunub.

Die anderen Verbündeten der Witbooi, Simon Kopper und Manasse
Noreseb, waren inzwischen längs des Auob- und Elephantenflusses nach
Norden gezogen, wo es Ende Oktober zu Gefechten mit ihnen kam. Am
1. Dezember fiel Manasse im Gefecht bei Gubnoms, und bei Toasis schlug
Major v. der Heyde am 17. Dezember die Reste der Simon Kopperschen
und Manasseschen Krieger. In diesem Gefecht fiel Hauptmann Kliefoth.
Simon Kopper zog sich nun weiter in die östlichen Wüsten zurück. Von
seinen Leuten stellten sich 250 nach dem Gefecht bei Toasis den deutschen
Truppen.

Am Ende des Jahres 1905 war somit einer der gefährlichsten aus
der Zahl der Gegner unschädlich gemacht worden, aber noch stand Cornelius
Fredericks im Felde und im Süden Johannes Christian, Morenga und
Morris.

General v. Trotha hatte bereits früher das Groß-Namaland in vier
Bezirke geteilt, deren jedem eine bestimmte Anzahl von Truppen zugewiesen
worden war. Im Bezirk Nordbethanien und Berseba stand Major Meister
mit 5 Kompagnien und 1½ Batterien; im Bezirk Ostnamaland Major
v. Estorff mit 7 Kompagnien, 3½ Batterien und 4 Maschinengewehren;
im Südbezirk der Oberstleutnant van Semmern mit 7 Kompagnien, 3 Batterien
und 1 Maschinengewehr-Abteilung, und im Etappenbezirk, in der Linie
Lüderitzbucht Keetmanshoop, 4 Kompagnien. — Die Lage im Schutzgebiet
war nunmehr soweit geklärt, daß die Herero vollständig niedergeworfen und
auch auf dem südlichen Kriegsschauplatze so große Erfolge errungen worden
waren, daß an einer glücklichen Beendigung der Kämpfe gegen die noch im
Felde stehenden Aufständischen nicht mehr gezweifelt werden konnte. General
v. Trotha hielt daher seine Aufgabe in Südwestafrika für erfüllt; auf seinen
Antrag hin wurde seine Abberufung von S. M. dem Kaiser befohlen, und
am 19. November begab sich der verdiente General in Lüderitzbucht an Bord
des Dampfers, um die Heimreise anzutreten. Den Oberbefehl übernahm
der älteste im Schutzgebiet verbleibende Offizier, Oberst Dame.

Der General v. Trotha konnte mit voller Befriedigung auf das zurück-
blicken, was in den 17 Monaten seines Oberbefehls im Schutzgebiet erreicht
worden war. Der Generalstab sagt über seine Tätigkeit: „Noch im Kampfe
mit den Herero war dem deutschen Oberbefehlshaber durch die Erhebung der

Hottentotten unter Hendrik Witbooi eine neue, noch schwerere Aufgabe erwachsen. Mit unverminderter Spannkraft trat er auch an diese heran. Fast
unüberwindlich schienen die Schwierigkeiten, die der Hottentottenkrieg durch
die Wasserarmut, die gewaltige Ausdehnung des Kriegsschauplatzes, das
Fehlen jeglicher Verkehrsverbindungen und nicht zuletzt durch einen wohl-
bewaffneten, die Herero an Kriegsgewandheit und Beweglichkeit noch über-
treffenden Gegner der deutschen Kriegsführung entgegenstellte. Allein für
den General v. Trotha gab es keine Schwierigkeiten; sie waren für ihn nur
dazu da, um überwunden zu werden. Trotz aller Hemmnisse und Reibungen,
die sich ihm in den Weg stellten, und die seine wohlerwogenen Pläne und
Absichten nur zu oft über den Haufen warfen, ja häufig stärker als mensch-
liches Können erschienen, — trotz aller dieser Hemmnisse hielt er mit unbeug-
samer Energie und Zähigkeit unbeirrt an dem fest, was er sich zum Ziele
gesetzt hatte. Dem unerschütterlichen Willen einer starken Persönlichkeit an
der Spitze war es in erster Linie zu danken, wenn es auf einem Kriegsschauplatz von solch gewaltiger Ausdehnung überhaupt möglich wurde, in die
kriegerische Tätigkeit der zahlreichen, weit im Lande zerstreut stehenden
deutschen Abteilungen zielbewußtes, einheitliches und planmäßiges Handeln
zu bringen und die Macht des gefährlichsten Gegners der deutschen Herrschaft
endgültig zu brechen. Die hingebende und aufopferungsvolle Tätigkeit des
Generalleutnants v. Trotha im Dienste von Kaiser und Reich verdient den
warmen Dank des Vaterlandes." —

Inzwischen machte Cornelius Frederics von Bethanien, der sich wie bereits erwähnt, im September in den Großen Karasbergen mit Morenga
vereinigt hatte, von neuem von sich reden. Schon gegen Ende September
nämlich waren zwischen den beiden Führern Streitigkeiten ausgebrochen, infolge deren sich Cornelius von Morenga trennte und wieder nach Westen
zog — seiner alten Heimat, dem Bethanierlande, zustrebend. Mit dem Geschick und dem Führertalent, das er immer gezeigt hatte, verstand er es, dem
Zusammentreffen mit größeren Truppenabteilungen auszuweichen, aber an
jedem kleineren Wagentransport und an jeder Patrouille, die er auf seinen
Kreuz- und Querzügen durch das Land traf, versuchte er seine Kräfte. Voller
List und Verschlagenheit entzog er sich immer wieder seinen Verfolgern.
Bald hier, bald dort überraschend auftauchend, wußte er kleine Erfolge zu
erringen, die ihm bald ein paar Gewehre oder Pferde, bald einige Munition
und hier und dort auch Viehherden in die Hände spielten. Seine Unterführer,
unter denen Lambert und Fielding hervortraten, waren ebenso große Meister

Buschmannfamilie.

des Kleinkrieges wie er selbst. Stets waren die Bethanier von allen Truppenverschiebungen und von dem Anmarsch, der Stellung und Stärke ihrer Verfolger auf das genaueste unterrichtet, denn die zahllosen in den Bergwildnissen des weiten Bethanierlandes versprengt sitzenden und umherschweifenden Hottentotten und Buschmänner trugen ihren Stammesgenossen jede Nachricht zu, die ihnen von Vorteil sein konnte. Auch war die Haltung eines Teils des Versebastammes eine immerhin zweifelhafte, und wenn diese unruhigen Elemente auch nicht offen die Waffen gegen die Deutschen ergriffen haben, so waren sie ihnen doch übel gesinnt und unterstützten insgeheim die Aufständischen, wo sie nur konnten.

Cornelius war ungesehen dicht an Keetmanshoop vorbei nach Westen gezogen. Man hörte erst wieder von ihm, als er im Anfang Oktober einen allerdings erfolglosen Angriff auf die Station Uchanaris machte, die südöstlich von Keetmanshoop an den nordwestlichen Ausläufern der Großen Karasberge liegt. Am 4. Oktober nahm er dicht südlich von Keetmanshoop bei Gobas einige Wagen des Sanitätsfuhrparks, die unter Burenbedeckung auf dem Marsch waren, weg und verbrannte sie. Den Buren nahm er die Gewehre ab, ließ sie aber sonst unbehelligt ziehen. Es ist dies ein neues Beispiel für die nur gegen die deutsche Herrschaft gerichtete Tendenz des Aufstandes, die sich bereits deutlich in den ersten Monaten des Hererokrieges im Jahre 1904 zeigte, und die in mehreren Proklamationen sowohl Samuel Maharos wie auch einiger Hottentottenführer offen ausgesprochen wurde. Immer wieder hieß es hier: „Schont Engländer und Buren, aber vernichtet die Deutschen!" Diese Tendenz ist auch im allgemeinen befolgt worden, so daß z. B. Ermordungen von Engländern und Buren nur selten vorgekommen sind.

Von Gobas aus wandte sich Cornelius nach Nordwesten, der Gegend von Besondermaid zu. Die deutschen Truppen waren zu dieser Zeit im mittleren Namalande, bei Keetmanshoop und am Baiwege nur schwach. Aber der Hauptmann v. Lettow-Vorbeck hängte sich mit einer schnell zusammengestellten kleineren Abteilung, 2 Kompagnien und 2 Halbbatterien, doch sofort an die Fersen des flüchtigen Gegners, der nunmehr bei Chamasis, dicht westlich von Verseba, stehen sollte. Als aber Hauptmann v. Lettow nach äußerst anstrengenden Eilmärschen, auf denen er die Gegend zwischen Keetmanshoop und dem Baiwege kreuz und quer durchstreift hatte, am 19. Oktober bei Chamasis eintraf, war Cornelius schon wieder weiter gezogen und floh von Kamaams — das Schwarzrandgebirge und das Kon-

kiptal durchquerend über Gorabis auf Goperas, dicht südlich des Zaris=
gebirges. Hier wurde er von dem Leutnant v. Elpons mit der 4. Ersatz=
kompagnie angegriffen und nach Norden geworfen. Einem neuen Gefecht
wich er aber bei Blutpütz geschickt aus, und am 29. Oktober wurde er
weiter nördlich, bei Huams, östlich des Zarisgebirges, festgestellt. Hierhin
folgten ihm die vereinigten Abteilungen des Hauptmanns v. Lettow und
des Leutnants v. Elpons, aber auch hier entging ihnen der vielgewandte
Gegner, der am 1. November bereits wieder bei Ganikobis am Fischfluß
stand, am 2. am Libibrivier bei Büsteck einige Wagen überfiel und sich von
da aus wieder scharf nach Westen wandte. Vor den ihn nunmehr von
Nordosten her verfolgenden Abteilungen der Rittmeister Haegele und
v. Tresckow rettete sich Cornelius, indem er seine Bande in verschiedene
kleine Abteilungen teilte, die sich auf der unwegsamen Zwiebelhochebene ver=
steckt hielten. Hinter diesen her begann nun eine neue Jagd, aber Cornelius
hatte inzwischen seine Leute wieder gesammelt, war nach Süden, dem Bai=
wege zu, ausgebogen und überfiel bei Kanas am Wege Brackwasser—Reet=
manshoop am 21. November einen Wagen. In dieser Gegend wurde er
bei Garimarub von den ihn verfolgenden Patrouillen der Leutnants Graf
Hardenberg, Lübben und v. Hanneken gestellt und nach heftigem Gefecht ge=
worfen. Er floh nunmehr nach Südwesten und zog sich in die Vorberge
der Huibhochebene zurück. Am 29. November überfiel er hier die Farm
Harries, nachdem kurz zuvor Leutnant d. R. Dreyer auf einem Patrouillen=
ritt bei Aukam gefallen war.

Vom Baiwege gingen nunmehr sowohl von Kubub wie von Brack=
wasser Abteilungen unter Oberleutnant v. Dewitz und Rittmeister Ermekeil
nach Süden vor, während Hauptmann Wobring die Wasserstelle Willem
Chrikas mit 20 Gewehren besetzte und mit diesen in der Nacht zum 1. De=
zember einen Angriff der Hottentotten abwies.

Cornelius hielt jetzt diese Gegend für zu unsicher und wandte sich wieder
nach Nordosten. Am 8. Dezember griff er den Rittmeister Haegele bei Aub,
dicht östlich Bethanien, an, wurde aber zurückgewiesen und wandte sich nun
in eiligem Marsche, auf dem er Bethanien südlich liegen ließ, den Tirasbergen
zu. Hier wurde er durch Reste der Bande des Herero Andreas verstärkt, die
sich nach dem Gefecht bei Nubib, am 13. September 1905, hierher ge=
flüchtet hatten.

Aus den Tirasbergen heraus verübte er nun zahlreiche Anschläge nach
allen Richtungen, bei denen es ihm anscheinend hauptsächlich darauf ankam,

338

Vieh zu rauben, um den nötigen Lebensunterhalt für seine Leute zu ge
winnen. Am 13. Januar 1906 gelang ihm noch einmal ein Schlag gegen
den Viehposten Umub, dicht nördlich von Bethanien, aber die Lage wurde
für ihn jetzt doch immer gefahrvoller und unsicherer.

Während sich der Häuptling auf dem Zug gegen Umub befand, stieß
der Leutnant Freiherr v. Crailsheim mit 70 Mann vom Bahwege aus
gegen die Tirasberge vor und überfiel das Lager der Corneliusbande bei
Namtob. Der Überfall gelang, und die Werft wurde vollständig zersprengt.
Etwa zur gleichen Zeit gingen eine Kompagnie unter Oberleutnant v. Witten-
burg und eine weitere unter dem Leutnant Freiherrn v. Stein gegen die
Tirasberge vor. Am 18. Januar vereinigten sich diese mit der Abteilung
Crailsheim bei Nuzoas im Tirasgebirge. Hier standen sich die Gegner dicht
gegenüber, denn Cornelius wollte sich anscheinend auf seinen alten Werftplatz
Namtob zurückziehen. Bei Dochas wurde er von den vereinigten Abteilungen angegriffen und entscheidend geschlagen. Unter den Toten und Verwundeten befanden sich Hottentotten und Herero. Cornelius floh nach
Norden und wurde hierhin scharf verfolgt, aber seine Spur ging bald verloren, denn es war dem unermüdlichen Häuptling gelungen, auf weit aus-
holender Flucht über Blutpütz nochmals die Felsenwildnisse des Schwarz-
randes zu erreichen und sich dort versteckt zu halten. —

Wenn es bisher nicht möglich gewesen war, stärkere Abteilungen gegen
Cornelius anzusetzen, um ihn von allen Seiten einzukreisen, so lag dies in
erster Linie an den bereits früher erwähnten übergroßen Verpflegungsschwierigkeiten für die im Namalande operierenden Truppen. Zu der Unsicherheit der Etappenstraßen durch umherschweifende, versprengte Hottentottenbanden und zu dem Wassermangel, der infolge eines schlechten Regen-
jahrs in den meisten Distrikten eingetreten war, kam noch die immer mehr
um sich greifende Rinderpest. Besonders erschwerend trat der Umstand
hervor, daß die Tiere der Transportkolonnen durch die ununterbrochenen
weiten Märsche ausnahmslos stark erschöpft und geschwächt waren und so
der Seuche um so leichter zum Opfer fielen. Zwar hatte man einige Zeit
vorher bereits eine größere Zahl von Lastkamelen eingeführt, aber diese genügten bei dem immer mehr um sich greifenden Ausfall der anderen Kolonnen den Anforderungen in keiner Weise.

Wäre man den unausgesetzten Mahnungen des Generals v. Trotha
gefolgt, so hätte gegen Ende des Jahres 1905 bereits die Eisenbahn Lüderitzbucht—Kubub den Wüstengürtel durchquert haben können, und es kann keinem

Zweifel unterliegen, daß man dann neben der Ersparnis von vielen Millionen Mark auch des Cornelius weit eher Herr geworden wäre.

So aber war, nachdem unter den größten Anstrengungen das Zufuhrwesen im Süden neu geregelt worden war — besonders unter Inanspruchnahme der südlichen und östlichen Grenzen —, es erst im Januar 1906 möglich, stärkere Truppenkörper gegen die Bethanier in Marsch zu setzen. Bei Huams wurden unter Hauptmann Buchholz 3 Kompagnien bereitgestellt, um das Ausbrechen nach Norden zu verhindern, während die Ostseite in der Linie Gibeon--Arogoams von Hauptmann Brentano mit 2 Kompagnien und 1½ Batterien gedeckt wurde. Bei Kunjas, zwischen dem Tiras- und Schwarzrandgebirge, stand Hauptmann Volkmann mit 2 Kompagnien; 1 weitere Kompagnie bei Uibib, nordwestlich von Keetmanshoop, und endlich 1 Kompagnie und 1 Batterie am Bauwege.

Zahlreiche Erkundungsabteilungen wurden zunächst in das zwischen den Absperrungslinien liegende, außerordentlich schwierige Gebiet vorgetrieben. Bereits während dieser Tätigkeit errang man einige Erfolge, mehrfach gelang es, kleinere Abteilungen des Gegners aufzureiben und auch hin und wieder Gefangene zu machen. Im Anfang Februar wurde am Schwarzrand die Spur des Cornelius gefunden, und am 12. vereinigten sich die Abteilungen Volkmann und Buchholz bei Kofos, um die Verfolgung aufzunehmen. Diese wurde mit unerschütterlicher Energie Tag und Nacht hindurch fortgesetzt; die deutschen Führer waren fest entschlossen, nunmehr ein Ende zu machen, koste es, was es wolle. Beide Abteilungen blieben unausgesetzt auf der Spur des Feindes, wurden aber nach einigen Tagen gezwungen, sich zu trennen, da das vorgefundene Wasser nicht zum Tränken einer so großen Zahl von Pferden ausreichte. Man passierte Wasserstellen, an denen auch der fliehende Gegner bereits vergeblich nach Wasser gegraben hatte. Am 16. Februar stand Hauptmann Volkmann bei Chamasis, während Hauptmann Buchholz zunächst der Spur weiter gefolgt war, dann aber ebenfalls am 16. abends bei Chamasis eintraf. Cornelius sollte nicht weit entfernt am Aubrivier stehen.

Als Hauptmann Volkmann in Chamasis anlangte, erhielt er die überraschende Nachricht, daß auf Veranlassung des Kommandeurs von Berseba, des Leutnants v. Westernhagen, der Kapitän Christian Goliath und Boten Samuel Isaaks sich zu Cornelius begeben hätten, um ihm das Nutzlose weiteren Widerstandes vor Augen zu führen und ihn zur Unterwerfung aufzufordern. Auch Hauptmann Volkmann sandte ihm jetzt einen Brief, in dem ihm das Leben zugesichert und eine Frist zur Unterwerfung bis zum 18. gestellt wurde.

Es zeigte sich nun, wie schwer die Leute des Cornelius auf den monatelangen fluchtartigen Zügen durch das Land gelitten hatten, auch war die Lage der Hottentotten eine sehr schlechte, denn fast auf allen Seiten waren sie von den deutschen Truppen eingeschlossen. So geschah, was wenige Tage vorher noch niemand hatte voraussehen können: am Abend des 17. übergaben sich in Chamasis 160 Krieger des Cornelius, aber der Häuptling selbst, der sich diesen zuerst angeschlossen hatte, änderte seinen Entschluß noch während des Marsches auf Chamasis und zog mit etwa 100 Mann wieder nach Westen. Von neuem folgten ihm die Truppen hierhin. Am 24. vereinigte sich Hauptmann Volkmann bei Jakalswater, zwischen Bethanien und Besondermaid, mit der Abteilung Buchholz. Während die letztere nunmehr alle Wasserstellen von der Sinclairmine über das Tirasgebirge bis nach Bethanien sperrte, setzte Volkmann die Verfolgung des Cornelius fort, der inzwischen bereits wieder dem Baiwege einen Besuch abgestattet hatte. Dann war er nach Südosten weitergezogen und wurde am 27. Februar bei Kanis gemeldet. Hierhin folgte ihm Volkmann unverzüglich und traf am 2. März in Heikoms am Nordostabsturz der Huibhochebene ein. Als am 3. morgens von hier aus der Vormarsch gegen Kanis angetreten werden sollte, erschienen plötzlich Boten des Cornelius im deutschen Lager, durch die er seine bedingungslose Unterwerfung meldete. Seine Leute waren durch die ununterbrochene scharfe Verfolgung vollständig erschöpft und marschunfähig. Cornelius und die Bethanier wurden zunächst nach Lüderitzbucht gebracht und von dort aus in das Hereroland, nach Omaruru, in die Gefangenschaft geführt.

Die Niederwerfung des gefürchteten Führers hatte den weiteren Erfolg, daß sich zahlreiche kleinere Banden von Hottentotten, die noch im Bethanier und Versebagebiet standen, unterwarfen und ihre Gewehre abgaben.

Nur der Unterhäuptling Fielding setzte den Kampf fort und machte bei Keetmanshoop, am Löwenfluß und an den Karasbergen den deutschen Truppen noch viel zu schaffen. Am 14. März wurde er, nachdem er schon mehrfach Niederlagen erlitten hatte, von dem Hauptmann v. Bentivegni bei Anichib in den Großen Karasbergen vollständig geschlagen und seine Bande zersprengt. Ihm selbst gelang es jedoch, zu entkommen.

Bis zum September 1905 hatten sich die Verhandlungen mit Morenga hingezogen, und bis zu dieser Zeit hatte im Karasberggebiet Waffenruhe geherrscht. Zwar war im Laufe der Monate dem Oberkommando wahrscheinlich geworden, daß die Verhandlungen von Morenga nur zum Schein und hauptsächlich deshalb weitergeführt wurden, um seinen erschöpften Leuten Ruhe zu gönnen und Munition und Proviant zu ergänzen, aber

Hottentotten vor ihren Pontols.

auch für die Deutschen war es von dem größten Nutzen, auf diesem Teil des Kriegsschauplatzes einige Zeit Ruhe zu haben. Später stellte es sich heraus, daß die Einleitung von Verhandlungen von seiten Morengas nicht die Zustimmung des Bondelzwartkapitäns Johannes Christian gefunden hatte, der im August in den Karasbergen eintraf und selbst das Kommando übernahm.

Im Anfang September rührten sich daher die Aufständischen auch hier
von neuem. Sie benutzten die günstige Zeit, in der im Süden des Namalandes, vor allem im Warmbaddistrikt, nur wenig deutsche Truppen standen,
um aus den Karasbergen nach dem Oranje zu ziehen. Hier wollten sie
Weiber und Kinder auf englischem Gebiet in Sicherheit bringen, um selbst
beweglicher zu werden. Zunächst begleitete auch noch Cornelius die Bondelzwart, deren Weg nach dem Süden durch eine Reihe von Überfällen ge-
kennzeichnet war. Am 15. Dezember überraschten sie bei Nochas den
Pferdeposten einer dort stehenden Kompagnie und nahmen sämtliche Tiere
weg. Am 21. wurde bei Dewenischpüß von der deutschen Besatzung dieser
Signalstation ein Angriff der Hottentotten abgewiesen, aber am 23. gelang
es ihnen, die Signalstation Das zu überfallen und die Besatzung nieder-
zumachen. Endlich nahmen sie am 28. bei Heirachabis 10 Proviant-
wagen weg.

Daraufhin hatte der Kommandeur des Südbezirks, Oberstleutnant
van Semmern, energische Maßnahmen zum Vorgehen gegen die vereinigten
Hottentotten getroffen. Nachdem ihm vom Hauptquartier Verstärkungen
überwiesen worden waren, verfügte er, abgesehen von den Etappenbesatzungen,
über 7 Kompagnien, 2½ Batterien und 1 Maschinengewehrabteilung. Der
Mannschaftsbestand war allerdings bei den meisten Kompagnien nur recht
schwach. In 3 Kolonnen rückten die Truppen im Anfang Oktober gegen
Morenga vor, und zwar die Abteilung Koppy auf Heirachabis, die Abteilung d'Arrest auf Springpüß und die Abteilung Siebert auf Ulamas.

Inzwischen war es Morenga durch den Verrat eines farbigen Polizisten gelungen, am 7. Oktober die Station Jerusalem zu überfallen, wobei
Leutnant Surmann und 3 Reiter fielen. Die Spuren der Hottentotten
führten von hier aus nach Süden; anscheinend hatten sie sich in verschiedene
Abteilungen geteilt, um auf getrennten Wegen den Oranje zu erreichen und
ihre Werfte in Sicherheit zu bringen.

Um die Mitte des Oktober hatte Oberstleutnant van Semmern seine
Truppen neu eingeteilt und folgte dem Gegner in 2 Kolonnen nach Süden.
Die Abteilung v. Koppy (4 Kompagnien, 3 Gebirgsgeschütze und 2 Maschinengewehre) ging über Udabis auf Beenbreck, die Abteilung des Hauptmanns Siebert (3 Kompagnien, 2 Geschütze, 3 Gebirgsgeschütze und 2 Maschinengewehre) über Groendorn auf Kerlbartsdrift vor, trafen jedoch hier
den Gegner nicht an. Beide Abteilungen vereinigten sich nun zunächst in
Udabis, aber auf die Nachricht hin, daß der Gegner beabsichtige, das

wichtige Proviantmagazin in Ramansdrift, das sehr schwach besetzt war, wegzunehmen, wurde unverzüglich von neuem der Vormarsch angeordnet. Die Hottentotten wurden damals bei Hartebeestmund vermutet, und am 18. setzten sich die Abteilungen gegen diesen Ort in Marsch; die Abteilung Siebert über Velloor—Eendorn, die Abteilung Koppy über Velloordrift— Pelladrift.

Die größten Schwierigkeiten auf ihrem Vormarsch hatte die Abteilung Koppy zu überwinden, die gezwungen war, längs des Flusses auf schmalen Saumpfaden vorzugehen, so daß die Karren zurückgelassen, Munition und Proviant auf Tragetieren verladen werden mußten. In der Nacht zum 24. Oktober näherte sich die Abteilung Hartebeestmund, wo der Feind stehen sollte.

Die Hottentotten hatten sich dicht am Flußufer eine Stellung ausgesucht, wie sie günstiger nicht gedacht werden kann. Die Berge treten hier etwas zurück und lassen eine kleine Ebene frei, die man auf dem Weitermarsche durchschreiten mußte. Als die Spitze der Abteilung Koppy unter Leutnant v. Bojanowski an dieser Stelle angelangt war, wurde gehalten und die vorliegenden Berge mit dem Krimstecher abgesucht, da man hier auf Widerstand zu stoßen dachte. Aber es wurde nichts bemerkt, und auch die scharfen Augen der an der Spitze befindlichen Buren und Eingeborenen nahmen nichts Verdächtiges wahr. Der Marsch wurde nun fortgesetzt, und die Spitze sowie die ihr folgenden beiden Kompagnien stiegen in die Ebene herab, durchschritten sie und waren eben im Begriff, den jenseitigen Hang zu erklimmen, als plötzlich ein heftiges Schnellfeuer von den Höhen in die Truppen schlug. In einem Augenblick fielen die Führer und fast sämtliche Mannschaften der Spitze. Die Lage war eine überaus schwierige, die ganze Abteilung fast deckungslos im Kessel und, wie sich nun bald zeigte, von drei Seiten vom Feinde umgeben, der hinter den Klippen des Felsgeländes gedeckt regungslos auf der Lauer gelegen hatte. Die vordersten Kompagnien, die 2. und 9., lösten sich sofort in Schützenlinien auf und nahmen die Front nach Westen und Nordwesten. Die Schützen fanden einige Deckung an einem niedrigen Dünenhang, der gerade vor ihnen gelegen war; im Rücken hatten sie einige höhere Dünen und den Oranje. Die nächsten Kompagnien, die Ersatzkompagnie 3a und die 10. Kompagnie, entwickelten sich nach Norden, wo ein weit ausgreifender Felsriegel, der dicht vom Feinde besetzt war, in die Ebene vorsprang. Noch immer war nichts vom Gegner zu sehen, aber sein Feuer, das von den unsichtbaren Schützen anscheinend mit der größten

Ruhe abgegeben wurde, brachte schon erhebliche Verluste. Bei der Entwick=
lung der beiden hintersten Kompagnien war bereits der tapfere Hauptmann
d'Arrest gefallen. Der Gegner, der sich in weit übermächtiger Zahl auf dem
Kampfplatz befand, hatte die Höhen in mehreren Etagen besetzt und seine
durch die natürliche Anlage schon vorzügliche Stellung noch durch Schanzen
verstärkt. Im schweren feindlichen Feuer waren nun auch die Geschütze und
Maschinengewehre dicht hinter der Infanterie in Stellung gegangen. Der
Kampf wurde von beiden Seiten mit der größten Erbitterung geführt; aber
die deutschen Reiter befanden sich nicht allein durch die Ungunst ihrer
Stellungen, die von den Bergen aus voll bestrichen werden konnten und fast
keinen Schutz gewährten, sondern auch durch die glühende Sonnenhitze, der
sie preisgegeben waren, und durch den Umstand im Nachteil, daß sie fast die
ganze Nacht hindurch marschiert waren und bereits ermattet in den Kampf
traten. Der Führer, Oberstleutnant van Semmern, begab sich zur 2., der
linken Flügelkompagnie. Hier trat kurz darauf ein neuer, überraschender
Zwischenfall ein, der die Lage der deutschen Truppen noch bedeutend ver=
schlechterte. Plötzlich nämlich tauchten auf den im Oranjefluß liegenden be=
waldeten Inseln feindliche Schützen auf, die die linke Flanke und den Rücken
der deutschen Truppen unter heftiges Feuer nahmen. Leutnant Schaumburg,
der Führer der 9. Kompagnie, zog seine Leute sofort aus der Feuerlinie,
die fast direkt nach Norden gerichtet war, um dem neuen Gegner nunmehr
mit südlicher Front entgegenzutreten. Aber ehe diese Kompagnie die für
sie ausersehene günstige Stellung erreichen konnte, waren der Führer und fast
sämtliche Mannschaften verwundet. Nunmehr ließ Hauptmann v. Koppy,
der auf dem linken Flügel kommandierte, die Ersatzkompagnie 3a kehrt machen
und gegen den Oranje vorgehen. Auch eins der Maschinengewehre folgte
den Truppen, denen es in der Tat gelang, die Flußinseln vom Gegner zu
säubern, so daß man wenigstens der Weg zum Wasser und der Rücken frei
waren. Aber in der Front war die Gefechtslage noch immer so schwierig
wie in der ersten Stunde des Kampfes; jeder Versuch zu einem Stellungs=
wechsel wurde vom Gegner mit einem vernichtenden Schnellfeuer beantwortet;
ein Vorgehen in der Front war unmöglich. Die Gefechtsberichte erwähnen
auch vor allem die außerordentlichen Schwierigkeiten, mit denen das Ver=
binden der zahlreichen Verwundeten verknüpft war. Die Ärzte, Stabsarzt
Dr. Althans und Oberarzt Hannemann, die bald hierhin, bald dorthin ge=
rufen wurden, um Hilfe zu leisten, wurden bei jeder Bewegung mit einem
Hagel von Geschossen überschüttet. Als mitten im Gefecht wieder einmal,

wie schon so oft, gerufen wurde, der Stabsarzt Dr. Althans solle kommen, einen Schwerverwundeten verbinden, wurde geantwortet: „Hier liegt der Stabsarzt, er ist tot!" Oft wurden die Verwundeten noch während des Verbindens von neuem getroffen, und nach dem Tode des Stabsarztes Althans leistete Oberarzt Hannemann fast Übermenschliches; auch er wurde durch zwei Schüsse in den Unterschenkel verwundet. Inzwischen hatte man während jeder Stunde des aussichtslosen Kampfes auf das Herannahen der Abteilung Siebert gewartet, die schon am 22. bei Hartebeestmund hatte stehen sollen. Aber nichts deutete auf das Nahen der erwarteten Hilfe hin.

Gegen Abend machten die Hottentotten einen Versuch zum Angriff von den Bergen herunter, gaben ihn aber bei dem sich sofort verstärkenden Feuer der deutschen Truppen bald wieder auf. Als auch bei Sonnenuntergang noch kein Anzeichen auf den Anmarsch der Abteilung Siebert wies, beschloß Oberstleutnant van Semmern, da ein zweiter Gefechtstag in der bisherigen Stellung zweifellos die fast völlige Vernichtung der Truppen bringen mußte, sie unter dem Schutze der Dunkelheit auf die nach Osten zu hinter der gegenwärtigen Stellung liegenden Höhen zurückzuführen, von denen aus man am Morgen vor Anbruch des Gefechts in die Ebene hinuntergestiegen war. Unter dem deckenden Feuer der Maschinengewehre und des 1. Zuges der 2. Kompagnie wurde die neue Stellung in der Nacht eingenommen und sämtliche Verwundeten zurückgebracht. Ein Angriffsversuch des Gegners gegen Morgen wurde zurückgewiesen. Kurz darauf räumten die Hottentotten ihre Stellungen und zogen nach Westen ab. Die Verluste der Deutschen waren 2 Offiziere, 1 Sanitätsoffizier und 14 Mann tot, 3 Mann vermißt und 1 Offizier, 1 Sanitätsoffizier, 1 Veterinär und 30 Mann verwundet. Die Truppen hatten sich in diesem Gefecht, das eins der schwersten in den Kriegsjahren gewesen ist, mit der größten Bravour und unerschütterlicher Ruhe geschlagen. Eine weniger disziplinierte und zum Ausharren und ruhigen Feuern selbst in den schwersten Lagen erzogene Truppe hätte hier ihren Untergang gefunden.

Die Verfolgung des Gegners verbot sich durch die Erschöpfung der Truppen und durch den Mangel an Munition und Proviant. Oberstleutnant van Semmern beschloß daher, nachdem er in Kambreck die Verwundeten auf britisches Gebiet übergesetzt hatte, wo sie in der in der Nähe gelegenen Missionsstation Pella die beste Pflege fanden, nach Warmbad zu marschieren, um dort Munition und Proviant zu ergänzen. Hier erhielt der Führer durch einen Buren die erste Nachricht von der Abteilung Siebert.

Diese hatte nach mancherlei Kreuz- und Querzügen, durch die Mannschaften und Tiere in dem wilden, unwegsamen und wasserarmen Gelände
auf das äußerste erschöpft waren, infolge von Mangel an Führern, die den
Weg zum Oranje und nach Hartebeestmund kannten, den Rückmarsch antreten müssen. Sie erreichte in der Nacht vom 23. zum 24. Oktober Umeis,
und hier wurde am Morgen des 24. Kanonendonner in südlicher Richtung
vernommen. Wohl wurde nunmehr erneut der Vormarsch nach Süden versucht, aber nur ein Teil der Truppen konnte hierzu verwendet werden, und
auch bei diesen versagten schon nach kurzer Zeit die Tiere, vor allem die der
Artillerie, vollkommen. Der Führer dieser Abteilung, Oberleutnant Beyer,
versuchte nun zu Fuß quer über die Berge vorzudringen, mußte aber auch
diese Absicht noch am Vormittag aufgeben. Indem verstummte auch zu
dieser Zeit der von Süden her herüberdringende Gefechtslärm. Am 25.
rückte die Abteilung Siebert nach Warmbad, brach aber bereits am folgenden
Tage wieder auf, da die Nachricht eingetroffen war, daß die Abteilung
Koppy noch in schwerem Gefecht mit dem Gegner stehe. In Alurisfontein
ging dann die Nachricht aus Warmbad ein, daß der Kampf bei Hartebeestmund beendet sei und die Abteilung nach Warmbad zurückgehen solle. Hier
traf auch am 31. die Abteilung Koppy ein, nachdem sie noch 40 Stunden
lang ohne einen Tropfen Wasser hatte marschieren müssen. Über die Erfolge des Gefechts bei Hartebeestmund konnte man erst später Genaueres feststellen: Die Hottentotten hatten schwerer gelitten, als man auf deutscher
Seite annehmen konnte. Sie waren weiter nach Westen gezogen und hielten
sich hier in der Nähe des Homriviers verborgen. Der deutsche Führer
konnte sich daher in der nächsten Zeit auf die Sicherung der Etappenstraßen
beschränken. Einige Angriffe der Hottentotten auf diese im November
wurden zurückgewiesen.

Im Dezember übernahm für den erkrankten Oberstleutnant van Semmern
der Major v. Estorff das Kommando im Südbezirk. Ihm wurden an weiteren
Verstärkungen 5 Kompagnien, $\frac{1}{2}$ Batterie, 4 Funkenstationen und 11 Signal-
trupps zugewiesen.

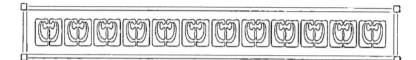

16. Kapitel.

Die weiteren kriegerischen Ereignisse in den Jahren 1906 bis 1908.

Die Kämpfe gegen die Bondelzwart bis zu ihrer Unterwerfung. — Die Niederwerfung Morengas durch Hauptmann Bech. — Erneute Kämpfe in den Karasbergen und im Fischflußtal. — Der Friedenschluß mit den Bondelzwart. — Aufhebung des Kriegs-zustandes am 31. März 1907. — Der Tod Morengas. — Die Kämpfe gegen Simon Kopper in der Kalahari; Tod des Hauptmanns v. Erckert am 16. März 1908.

Von einer sofortigen Aufnahme der Operationen nach dem Eintreffen der neuen Verstärkungen konnte aber vorläufig noch keine Rede sein. Die Verpflegungsschwierigkeiten, die bereits immer bestanden hatten, wurden durch Zwischenfälle an der deutsch-englischen Grenze stark gesteigert, so daß die Auffüllung der Magazine im Südbezirk, die bisher bei der Nähe der Kapkolonie noch mit am besten funktioniert hatte, jetzt plötzlich auszusetzen begann.

Die Bondelzwart saßen zu Beginn des Jahres 1906 in zwei Banden geteilt in der Nähe des Oranje, und zwar Morenga und Johannes Christian mit den Hauptkräften oberhalb von Hartebeestmund, während Morris in der Nähe von Violsdrift stand. Die wildzerklüfteten und ganz unbekannten Oranjegebirge boten, zumal bei der Nähe der englischen Grenze, so zahl-reiche Schlupfwinkel und Auswege, daß ein mit Erfolg begleitetes Vorgehen gegen die Gegner von langer Hand und mit äußerster Vorsicht vorbereitet werden mußte. Schon seit dem Dezember 1905 hatten sich übrigens Über-fälle und Angriffe auf Wagenkolonnen, kleinere Abteilungen und Stationen im Südbezirk wieder stark vermehrt. Weitere Truppennachschübe brachten die dem Major v. Estorff zur Verfügung stehenden Truppen im Februar 1906 auf die Zahl von 12 Kompagnien und 2½ Batterien. Inzwischen war eine Neueinteilung der Truppen erfolgt: Im Januar stand Haupt-mann v. Erckert (4 Kompagnien, 5 Geschütze und 2 Maschinengewehre) in

der Linie Norechab—Ramansdrift, Hauptmann Anders (später Hauptmann
v. Hornhardt, 3 Kompagnien, 2 Geschütze und 2 Maschinengewehre) bei
Warmbad und Alurisfontein, Hauptmann v. Lettow (4 Kompagnien, 4 Geschütze und 2 Maschinengewehre) an der Ostgrenze bei Ukamas, und Hauptmann Heuck (4 Kompagnien und 4 Geschütze) ebenfalls an der Ostgrenze
nördlich von Ukamas. Am 5. Januar gelang es dem Hauptmann v. Lettow,
eine Hottentottenbande bei Duurdrift anzugreifen. Das sehr heftige Gefecht
endete mit einer Niederlage des Gegners. Da Hauptmann v. Lettow verwundet war, übernahm Hauptmann Siebert das Kommando dieser Abteilung.
Im März stand er, nachdem seit dem Gefecht bei Duurdrift auf diesem
südöstlichsten Teile des Kriegsschauplatzes im allgemeinen Ruhe geherrscht
hatte, bei Udabis, Velloor, Nantsis und Keimas, die Abteilung Heuck in
Rooiberg, Eendorn und Arus. Beide Abteilungen unterstanden dem Major
Taeubler.

Nicht so ruhig wie hier war es im Januar und Februar an der
Etappenstraße Ramansdrift—Warmbad zugegangen. Wiederholte Überfälle
und Unternehmungen der Hottentotten hielten die hier stehende Abteilung
Erckert in Atem. Am 14. Februar kam es zu einem schweren Gefecht an
der Norechabschlucht, an dem sich mehrere, zum Teil zufällig eintreffende
Offizierpatrouillen beteiligten, und in dem die Hottentotten so schwere Verluste erlitten, daß sie von dieser Zeit an die Lust verloren, aus ihrem Schlupfwinkel in den Oranjebergen hervorzubrechen.

Im Anfang März wurde von dem Major v. Estorff eine Neueinteilung der Truppen vorgenommen. Diese war folgende:

Abteilung Erckert: 3 Kompagnien, 2 Geschütze, 3 Gebirgsgeschütze
und 2 Maschinengewehre,

Abteilung Hornhardt: 4 Kompagnien, 2 Gebirgsgeschütze und 2 Maschinengewehre,

Abteilung Taeubler; diese bestand aus der Abteilung Siebert (4 Kompagnien, 2 Geschütze, 2 Gebirgsgeschütze und 2 Maschinengewehre) und der
Abteilung Heuck (2 Kompagnien und 2 Gebirgsgeschütze).

Der Gegner war unter Morenga, Johannes Christian und Morris in
2 Abteilungen bei Kumkum, östlich von Hartebeestmund, gemeldet. Er wurde
von Patrouillen auf der deutschen Seite des Oranje und von Kundschaftern
von der englischen Seite her beobachtet.

Nach sorgfältigster Erkundung der Anmarschstraßen wurde der allgemeine Angriff auf den 12. März festgesetzt. Die Abteilungen sollten nach

folgender Anordnung vorgehen: Abteilung Erckert von Homsdrift nach Osten, Oranje aufwärts; Abteilung Hornhardt von Umais quer über die Berge auf Hartebeestmund; Abteilung Heuck ebenfalls von Norden, von Arus her auf Hartebeestmund, und Abteilung Siebert von Keimas aus nach Westen, flußabwärts, über Pelladrift auf Kunkum.

Daß das Unternehmen ein außerordentlich schwieriges sein werde, hatte bereits die Erkundung der Anmarschwege ergeben, die fast durchweg nur aus Saumpfaden oder den Betten und Schluchten der zum Oranje führenden Bergflüsse bestanden. Eine Mitführung von Wagen oder Karren war von vornherein ausgeschlossen; Proviant, Munition und Sanitätsmaterial mußte auf Tragetiere verladen werden.

Als sich die Maschen des die Hottentotten umgebenden Netzes immer enger zogen, hielt Morenga die Zeit zum Handeln für gekommen. Nach seiner alten Taktik in den Gefechten im Karasgebirge beschloß er zunächst, die ihn am meisten bedrohende Abteilung Siebert anzugreifen und ihre einzelnen Kolonnen, die sich dem Oranje auf verschiedenen Wegen nähern mußten, zu schlagen. Hier kam es am 8. März zu dem Gefecht bei Wasserfall, in dem Morenga die Kolonne Beyer der Abteilung Siebert angriff. Aber Oberleutnant Beyer ging nicht in die ihm von Morenga gestellte Falle, sondern führte mit großem Geschick ein hinhaltendes Gefecht, um das Eingreifen der anderen Kolonnen abzuwarten. Am 10. morgens war der Gegner verschwunden, und kurz darauf traf bereits eine zur Abteilung Heuck gehörige Kompagnie auf dem Kampfplatz ein. Auch einem zweiten Hinterhalt, den ihm Morenga auf dem weiteren Vormarsch gelegt hatte, entging Oberleutnant Beyer durch sorgfältige Erkundung des vor ihm liegenden Geländes, und am 12. März vereinigte er sich bei Pelladrift mit den übrigen Kolonnen der Abteilung Siebert. Diese war am 10. durch die Kambreckschlucht marschiert, ohne auf einen Feind getroffen zu sein. Mit der Abteilung Beyer hatte man Verbindung nicht herstellen können, bis am 11. Gewehrfeuer aus östlicher Richtung herübertönte, das allem Anschein nach von dieser Kolonne kam.

Am 11. stieß Major Taeubler, der selbst das Kommando übernommen hatte, bei Pelladrift auf den Feind, der sich in so guter Stellung befand, daß der Angriff auf den 12. morgens, wo er noch in der Dämmerung erfolgen sollte, verschoben wurde. Am Morgen des 12. war jedoch der Gegner verschwunden, dagegen sah man eine deutsche Abteilung flußabwärts marschieren. Es war dies die Kolonne Beyer, bei deren Herannahen die Hotten-

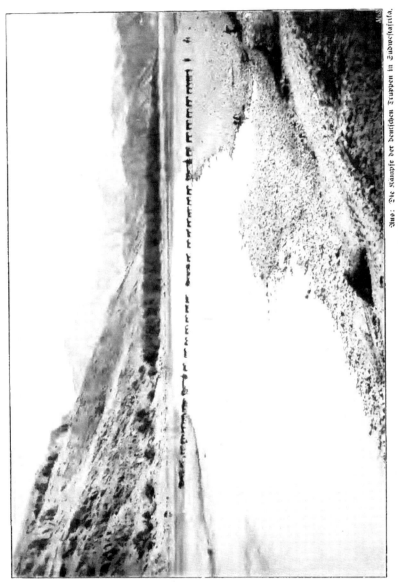

Aus: Die Kämpfe der deutschen Truppen in Südwestafrika.

Der Oranje bei Ramansdrift.

totten ihre Stellungen geräumt hatten. Gemeinschaftlich wurde nun sofort der Vormarsch auf Kunkum fortgesetzt, von wo bereits Kanonendonner herüberschallte.

Inzwischen hatten auch die anderen Abteilungen des Majors v. Estorff den Vormarsch gegen den Oranje angetreten. Die Abteilung Hornhardt erreichte von Umais aus am 11. März abends den Fluß zwischen Hartebeestmund und Kambreck, wo in der Nacht zum 12. auch die Abteilung Erckert eintraf. Diese setzte ihren Marsch unverzüglich auf Kambreck fort und geriet noch in der Nacht in ein äußerst schwieriges Gelände, eine von Bergen abgeschlossene Ebene, die an das Gefechtsfeld bei Hartebeestmund erinnerte. Hauptmann v. Erckert, der diesen Punkt für den gefährlichsten auf dem bisherigen Vormarsch hielt, leitete persönlich noch in der Nacht bei Mondlicht vorsichtige Erkundungen ein, die bald ergaben, daß die vorliegenden Berge stark vom Feinde besetzt seien. Am Morgen des 12. entbrannte hier bei Kunkum ein schweres Gefecht. In ganz ähnlicher Weise wie bei Hartebeestmund hatte der Gegner die nördlich und östlich der deutschen Anmarschrichtung liegenden Höhen stark besetzt. Und hier wie dort wurde plötzlich von den Oranje-Inseln aus Flanke und Rücken der deutschen Truppen unter Feuer genommen. Aber schon gegen 6 Uhr morgens erschien die Abteilung Hornhardt auf dem Gefechtsfelde, und nachdem eine Kompagnie dieser Abteilung unter geschicktester Ausnutzung des Geländes und ohne alle Verluste eine der von den Hottentotten besetzten, die deutschen Linien beherrschenden Höhen genommen hatte, räumten diese ihre Stellungen und liefen nach allen Seiten auseinander. Am 13. morgens wurde von den nunmehr wieder vereinigten Abteilungen der Vormarsch auf Kambreck angetreten, um den Gegner auf die sich nähernde Abteilung Siebert zu werfen. Zahlreiche Hottentotten waren auf die Oranje-Inseln und auf das englische Ufer geflohen, vor allem Weiber und Kinder, während Morenga, Johannes Christian und Morris mit den Kriegern teils nach Osten, teils auch nach Westen entkommen waren.

Der Major v. Estorff ordnete in der Folgezeit die Besetzung aller Wege zum Oranje an, um dem Gegner eine Sammlung im Flußgebiet unmöglich zu machen. Als gegen Ende März durch Kundschafternachrichten festgestellt worden war, daß die Hauptzahl der Spuren nach Osten, nach Stolzenfels am Oranje und nach Ukamas führte, ging Major v. Estorff mit vier neugebildeten Abteilungen dorthin vor. Die Gewißheit, daß der Hauptteil der Hottentotten sich hierher geflüchtet habe, wurde bestärkt durch

Aus: Die Kämpfe der deutschen Truppen in Südwestafrika.

Zu den Großen Karasbergen.

Überfälle, die gegen Ende März in dieser Gegend ausgeführt wurden. Eine 100 Mann starke Hottentottenbande, die am 26. März einen Wagentransport weggenommen hatte, wurde am 27. von dem Hauptmann v. Rappard bei Natab überfallen und zersprengt. Auf diese Nachricht hin folgte Major v. Estorff dem Gegner nach Nordosten auf Gamsibkluft zu und zwang Johannes Christian und Morris zu eiliger Flucht. Am 8. und 9. April wurden bei Fettkluft starke Hottentottenbanden von Teilen der Abteilung Heuck und Oberleutnant v. Baehr angegriffen und zurückgeworfen. Es war nun klar, daß ein Teil der Hottentotten unter Morris nach Nordosten entwichen war. Der Kommandeur des Südbezirks ordnete daher eine allgemeine Sperrung der Grenze durch die Besetzung der wichtigsten Wasserplätze an. Die unmittelbare Verfolgung des Gegners übernahm die Abteilung Heuck. Der Feind zog sich immer weiter nach Westen bis in die Großen Karasberge hinein, wo eine Wiedervereinigung mit Johannes Christian stattfand. Bei Wittmund am Westabhang der Großen Karasberge wurden die Hottentotten von der Abteilung Heuck erneut geschlagen. Sie flohen nach den Kleinen Karasbergen zu, wo sie sich mit einer dort stehenden Bande unter Fielding und Lambert vereinigten. Bald darauf zogen sie dann nach dem

unteren Löwenfluß, wo es am 5. Mai bei Gawachab zu einem heftigen
Gefecht kam, in dem der deutsche Führer, Oberleutnant Cruse, den Gegner
nach Süden zurückwarf.

Gegen Mitte April bereits war die Nachricht eingetroffen, daß Morenga
auf englischem Gebiet bei van Rooisvley säße. Ungesäumt rückte Haupt-
mann v. Rappard mit 1 Kompagnie und ½ Batterie gegen die Grenze vor,
an der es am 18. April bei Klippdamm zum Gefecht kam, das mit dem
Rückzug des Gegners auf englisches Gebiet endete. Für den verwundeten
Hauptmann v. Rappard übernahm nunmehr hier Hauptmann Bech das
Kommando und vereinigte gegen Ende April 2 Kompagnien und 1 Batterie
in der Gegend von Bisseport. Am 29. wurde bereits wieder der Übertritt
Morengas auf deutsches Gebiet gemeldet, und auf diese Nachricht hin der
Hauptmann Bech angewiesen, sich mit allen Kräften und äußerster Energie
an die Fersen Morengas zu heften, der ungefähr 50 berittene Krieger bei
sich haben sollte. In breiter Front ging Hauptmann Bech zur Absuchung
der Grenze vor, und am 1. Mai abends traf eine Patrouille unter dem
Oberleutnant v. Davidson, der sich schon mehrfach in den Kämpfen gegen
Morenga ausgezeichnet hatte, auf die Spur desselben. Obwohl das Gelände,
das von zahlreichen hohen Dünen durchsetzt war, die größten Schwierigkeiten
bot, so daß die Geschütze nicht mitgeführt werden konnten, trat Hauptmann
Bech am 2. Mai mit 83 Gewehren zur weiteren Verfolgung an. Unterwegs
schloß sich ihm Oberleutnant Beyer, der von Davignab mit der 3. Ersatzkompagnie herbeigeeilt war, an. Ununterbrochen, Tag und Nacht, wurde
den 2. und 3. Mai hindurch marschiert, wobei sich die Abteilung, die keine
Verpflegung mehr hatte, von wilden Wassermelonen ernährte. Am 4. Mai
kurz vor Sonnenaufgang wurde Morengas Bande ganz dicht an der englischen Grenze bei van Rooisvley sorglos lagernd überrascht. Während ein
Teil der Deutschen sofort das Feuer eröffnete, jagten die Oberleutnants
v. Davidson und Heublein mit ihren Zügen im Galopp um die Dünen
herum, um den Hottentotten den Weg nach der englischen Grenze, an der
eine Polizeistation liegt, zu verlegen. Schon bei dem ersten Angriff waren
zahlreiche Hottentotten gefallen, andere versuchten, eine hohe Düne zu besetzen,
auf der sich ungesehen von ihnen bereits ein Zug der Abteilung Bech ein-
genistet hatte. Dieser ließ die Hottentotten ganz dicht herankommen und eröffnete erst auf wenige Schritt das Feuer, wobei fast alle Hottentotten fielen.
Einige retteten sich in eine Gruppe von Pontoks, die zwischen den Dünen
stand, und wurden trotz heftigen Widerstandes hier von dem Zug des Leut-

nants Motschenbacher mit dem Seitengewehr niedergemacht. Um 9 Uhr morgens fiel der letzte Schuß von seiten der Hottentotten. Nur wenigen war es gelungen, zu entkommen, und diesen folgte nunmehr Hauptmann Bech mit zwei Zügen, während die übrige Abteilung das Gefechtsfeld absuchte. Als der Hauptmann eben zur Verfolgung ansetzte, trat ihm jedoch ein Korporal der englischen Kappolizei mit einer weißen Flagge entgegen und machte ihn darauf aufmerksam, daß er englisches Gebiet betreten habe. Die Verfolgung mußte infolgedessen abgebrochen werden. Wie sich später herausstellte, war Morenga, zweimal verwundet, mit nur sechs Mann entkommen. Er stellte sich am 7. Mai der englischen Polizei, wurde entwaffnet und unter Bedeckung nach Prieska gebracht.

Durch die rücksichtslose Energie, mit der Hauptmann Bech die Verfolgung aufgenommen und trotz aller sich auftürmenden Schwierigkeiten durchgeführt hatte, waren somit die deutschen Truppen von einem der gefährlichsten Widersacher, von einem tapferen, kühnen und nicht zu ermüdenden Gegner befreit worden. Daß Morenga einen so großen, langdauernden und auch eine Reihe von Niederlagen überlebenden Einfluß auf die Hottentotten ausgeübt hatte, ist um so bemerkenswerter, als er selbst ein Hererobastard war und somit den hottentottischen Stämmen an sich fremd gegenüberstand.

Nach der Niederwerfung Morengas waren Johannes Christian und Fielding nach dem unteren Fischfluß gezogen und hatten sich dort mit Morris vereinigt. Hierhin folgten ihnen Major v. Freyhold, Rittmeister Ermekeil und Hauptmann Wild, aber es gelang den Hottentotten von neuem, den Truppen auszuweichen. Von Patrouillen verfolgt zogen sie wieder nach Osten. Am 19. Mai wurde eine der Verfolgungspatrouillen unter Leutnant Engler, die den Hottentotten unentwegt gefolgt war, bei Gais am Südrande der Großen Karasberge von ihnen vernichtet. Hierher war ihnen auch der Major Rentel mit 1 Kompagnie und 2 Geschützen gefolgt. Bei de Villierspütz gerieten sie in einen Kampf mit der Funkenstation des Oberleutnants Milczewski, die aber entschlossenen Widerstand leistete, so daß die Hottentotten bei dem Herannahen der Abteilung Rentel nach Norden entwichen. Bei Dakeib wurden sie jedoch von Major Rentel eingeholt und nach erbittertem Gefecht nach Süden verdrängt. Nunmehr erschien auch, durch den Kanonendonner angelockt, der Major Siebert mit 1 Kompagnie und 2 Gebirgsgeschützen bei Groendorn, und die vereinigten deutschen Abteilungen folgten dem Gegner auf Tsamab. Hier hatten die Hottentotten einen unter

dem Leutnant Fürbringer arbeitenden, zwölf Mann starken Trupp der Feld-
signalabteilung überfallen und niedergemacht. Dann flohen sie das Hamrivier
abwärts dem Oranje zu, scharf verfolgt von den deutschen Abteilungen, von
denen sie in der Gegend von Nukais am 25. Mai eingeholt wurden. Hier
erlitten sie eine empfindliche Schlappe und wandten sich nunmehr nach einigen
Kreuz- und Querzügen nach Westen, wo sie am 28. den Weg Kalkfontein -
Warmbad überschritten. Da die Abteilungen Reutel und Siebert durch die
ununterbrochene scharfe Verfolgung erschöpft waren, wurde diese der Abteilung Freyhold übertragen. Von Zwarthut, südwestlich von Warmbad,
folgte ihnen der Major mit 4 Kompagnien, 2 Geschützen, 2 Maschinengewehren, 1 Funkenstation und 1 Kamelreiterabteilung über Gaobis auf
Sperlingspüß, während der Hauptmann Anders mit 1 Kompagnie und
1 Geschütz den Oranje sperren sollte. In der Tat holte Major Freyhold
am 3. Juni bei Sperlingspüß den Gegner ein, der hier in einer vorzüglichen
Stellung starken Widerstand leistete. Den ganzen Tag hindurch dauerte der
Kampf. Am Morgen des 4. gelang es den Hottentotten, einer vorgeschobenen
kleinen Abteilung der Kompagnie Dannert empfindliche Verluste zuzufügen.
Oberleutnant Dannert, Leutnant v. Abendroth und mehrere Reiter fielen.
Erst am Nachmittag vermochte Major v. Freyhold die gegnerische Stellung
im Sturm zu nehmen. Der Kampf hatte den Deutschen schwere Verluste
gekostet; 2 Offiziere und 8 Reiter waren gefallen, 1 Offizier und 7 Reiter
verwundet worden.

Nochmals wich nun der Gegner nach Westen aus, von der durch eine
Kompagnie verstärkten Abteilung Freyhold verfolgt, während andere Truppen-
abteilungen unter Major Siebert, Rittmeister Ermeteil und Hauptmann
Wilck die Etappenstraßen sicherten und den Oranje sperrten. Um Mitte
Juni hatten sich die Bondelzwart wieder in verschiedene kleine Trupps ge-
teilt und machten die Gegend zwischen Auros, Haib und Warmbad unsicher.
Hier gelang es ihnen mehrfach, Pferde, Maultiere und Vieh wegzunehmen,
so am 20. bei Warmbad und am 21. bei Gabis. Die sofort eingeleitete
Verfolgung hatte keinen wesentlichen Erfolg. Zwar wurden hier und dort
einige Hottentotten abgeschossen, aber der großen Masse der Krieger gelang
es, in die unwegsamen Oranjeberge bei Außenkehr zu entkommen. Kleinere
Teile waren bei Violsdrift am Oranje auf englisches Gebiet übergetreten,
um dort geraubtes Vieh zu verkaufen, wurden aber bei dieser Gelegenheit
von der englischen Kappolizei festgenommen, entwaffnet und nach Süden
transportiert. Gegen Ende Juli war die Abteilung Freyhold dem Gegner

nach Westen gefolgt und hatte ihn bei Uhabis, südlich von Außenkehr, in ein Gefecht verwickelt, in dem Oberleutnant Barlach fiel.

Im Juli kehrte der bisherige Kommandeur der Schutztruppe, Oberst Dame, nach Deutschland zurück, und der wieder im Schutzgebiet eingetroffene Oberst v. Deimling übernahm das Kommando. Inzwischen war es auch wieder in den Karasbergen, wo noch kleinere Banden von Hottentotten ihr Wesen trieben, zu neuen Zusammenstößen gekommen, aber es gelang dem hier kommandierenden Hauptmann Wobring und dem Hauptmann v. Bentivegni doch mit der Zeit, das schwierige Gelände fast ganz vom Gegner zu säubern.

Zu größeren Kämpfen sollte es im Südbezirk des Schutzgebiets nicht mehr kommen. Aber doch war die Folgezeit für die hier operierenden Truppen eine außerordentlich schwere, anstrengende und mühevolle. Die Hottentotten hatten sich in eine große Anzahl kleiner Banden geteilt, die bald hier bald dort auftauchten, das ganze Land unsicher machten und vor allen Dingen die Etappenstraßen auf das schwerste gefährdeten. Ihnen gegenüber hatte Oberst v. Deimling eine Anzahl von wohlausgerüsteten und gut berittenen Verfolgungsabteilungen im Lande verteilt, die stets zum Ausrücken bereit sein mußten. Derartige fliegende Kolonnen standen in Warmbad, Ukamas, Uhabis sowie an den Großen und Kleinen Karasbergen bereit.

Am 6. August überfiel Johannes Christian einen Pferdeposten bei Alurisfontein, südlich von Warmbad, errang aber keinen Erfolg. Die Hottentotten flohen nach Umais und von dort dem Oranje zu, verfolgt von drei der fliegenden Kolonnen, die sich hierbei abwechselten und deren letzte, die Abteilung Bech (3 Kompagnien und 1 Batterie), den Gegner am 18. August bei Noibis, nordwestlich von Heirachabis, einholte und zersprengte. Die Hottentotten flohen nach Norden auf Aos am Backrivier, wo sie Hauptmann Bech von neuem einholte und gegen Westen zurückwarf. Quer durch die Großen Karasberge ging nun die wilde Jagd nach Westen, den Kleinen Karasbergen zu. Hier, am Nordostrande bei Arab, überraschte Hauptmann Wobring die Hottentotten, griff sie mit aufgepflanztem Seitengewehr an und nahm ihnen nach weiterer viertägiger Verfolgung ihre sämtlichen Pferde ab. Ungefähr zu derselben Zeit schlug Hauptmann Anders bei Ramansdrift eine Bande, die sich dort anscheinend erst kurze Zeit vorher gesammelt hatte, und am 20. August wurde vom Hauptmann v. Bentivegni zwischen Uhabis und Violsdrift eine feindliche Abteilung auf englisches Gebiet gedrängt. Das gleiche Schicksal hatte eine Bande, die am 12. Oktober vom Oberleutnant Müller v. Berneck in der Gegend von Sandpütz eingeholt und nach Osten über die Grenze gejagt wurde. Derselbe Offizier überfiel dann am 23. eine stärkere Hottentottenabteilung bei Narus, holte die Flüchtenden am Nachmittag desselben Tages nochmals ein und vernichtete sie fast vollständig.

Aus der Schilderung der letzten Zeit der Kämpfe im südlichen Namalande geht bereits hervor, daß die Hottentotten nach und nach erheblich in den Nachteil gekommen waren. Wohl gelang es ihnen zuweilen hier und dort noch, eine Patrouille zu überfallen oder Vieh zu stehlen, aber bei allen diesen Gelegenheiten wurden sie von den unablässig wachsamen deutschen Truppen bemerkt, fast stets eingeholt und unter erheblichen Verlusten auseinander gejagt. Ihre Widerstandskraft, darüber konnte jetzt kein Zweifel mehr sein, näherte sich ihrem Ende, und ihre Munition war erschöpft, die Reittiere abgetrieben und die Leute durch schlechte Ernährung und durch die Anstrengungen der ununterbrochenen Streifzüge heruntergekommen. Aber noch flackerte hier und da ihr alter Unternehmungsgeist wieder auf. So überfielen am 1. November noch Hottentotten die Station Uchanaris, wobei fünf Reiter fielen und drei verwundet wurden. Aber auch diese Bande ereilte ihr Schicksal, denn am 5. November holte sie Oberleutnant v. Fürsten-

Aus: Die Kämpfe der deutschen Truppen in Südwestafrika.

Narudas in den Großen Karasbergen.

berg in den Karasbergen ein und vernichtete einen großen Teil dieser aus Kriegern aller möglichen Stämme bestehenden Horde. Etwa um dieselbe Zeit tauchte auch Fielding wieder am unteren Fischfluß auf; er wurde von dem Oberleutnant Molière, dem Oberleutnant Rausch und dem Leutnant Gerlich verfolgt. Nachdem ihm seine, inzwischen durch Überfälle gewonnene Beute wieder abgejagt war, wurde er am 16. von 35 Reitern unter Oberleutnant Rausch überfallen und über den Oranje auf britisches Gebiet gejagt.

Im Südosten des Namalandes waren inzwischen auf Befehl des Oberst= leutnants v. Estorff die kriegerischen Operationen bereits seit dem 25. Ok= tober eingestellt worden, da der in der Gegend von Heirachabis sitzende Johannes Christian Friedensverhandlungen einleitete. Er hatte den Pater Malinowski um seine Dienste als Unterhändler gebeten und war am 24. Ok= tober unter freiem Geleit in Heirachabis eingetroffen. Aber die Verhand= lungen, mit deren Führung Oberstleutnant v. Estorff beauftragt worden war, zogen sich lange Zeit hindurch hin, was vor allem daran lag, daß die Bondel= zwart sich außerordentlich mißtrauisch zeigten. Der Oberst v. Deimling ließ von ihnen die unbedingte Abgabe von Waffen und Munition fordern, da= gegen wurde ihnen Leben und Freiheit zugesichert. Unter großen Schwierig= keiten wurden auf Wunsch Johannes Christians die verschiedenen Unterführer und Großleute aufgesucht, die hier und dort in den Oranjebergen versprengt saßen, ohne deren Zustimmung der Häuptling aber nicht verhandeln zu können glaubte. Endlich traf Johannes Christian am 21. Dezember in Ukamas ein, aber auch jetzt war das Mißtrauen der Bondelzwart noch nicht endgültig überwunden. Der Oberstleutnant v. Estorff und der Generalstabs= hauptmann v. Hagen, der sich schon vielfach im Süden ausgezeichnet hatte, hatten die größte Mühe, diesem ganz unberechtigten Mißtrauen der Hotten= totten zu begegnen. Nachdem am 22. von Johannes Christian endlich die Waffenabgabe zugestanden worden war, bildete noch ein Punkt ein schwieriges Hindernis: Die Bondelzwart sollten nämlich bei Keetmanshoop angesiedelt werden, waren aber nicht zu bewegen, dieser Absicht zuzustimmen. Sie würden, so sagten sie, ihr Stammes= und Heimatsgebiet keinesfalls verlassen. Da dieser Punkt jedoch gegenüber dem endlichen Abschluß des Friedens un= wesentlich erschien, beauftragte Oberst v. Deimling den Oberstleutnant v. Estorff, hier nachzugeben. Am 23. wurde nunmehr der Vertrag von den Bondelzwart angenommen und unterschrieben. Noch spät abends an dem= selben Tage streckten sie die Gewehre.

So konnte denn endlich am Weihnachtstage 1906 das Friedensfest ge=
feiert werden, das den dreijährigen, mit furchtbaren Opfern verbundenen
Feldzug in Südwestafrika beschloß. Insbesondere war es der aufreibende
Kleinkrieg im Namalande gewesen, der mehr noch als die Kämpfe im Herero=
lande die Kräfte aller beteiligten Truppen in Anspruch nahm und Verluste
herbeiführte, die alle Befürchtungen übertrafen. Im schwierigsten Gelände
der Welt, bald in der Wüste, im Gebiet der Dünen und des Flugsandes,
bald in wasserlosen Steppen, bald in wilden, unwegsamen, zerklüfteten Ge=
birgen und Flußtälern hatten die Truppen kämpfen müssen. Und sie hatten
hier eine Tapferkeit, eine Hingebung, Bedürfnislosigkeit und Entsagungs=
freudigkeit bewiesen, die sich weit über alles Lob erhebt.

Immer zahlreicher wurden in der Folgezeit die Hottentotten, die sich
freiwillig stellten und ihre Gewehre auf den deutschen Stationen oder bei
den Truppen abgaben, die noch wochenlang das Land durchstreiften. Im
April 1907 stellte sich auch Fielding mit seinen Leuten. Im Felde standen
nun nur noch Simon Kopper hoch im Norden, in der mittleren Kalahari,
und im Fischflußgebiet Lambert, der deutsche Truppen noch im April 1907
in verlustreiche Gefechte verwickelte. Allmählich kehrten nun auch die
Bondelzwart, die auf englisches Gebiet geflohen waren, in ihr Stammland
zurück. Sie hatten bis Ende März 1907 etwa 240 Gewehre abgegeben,
und die Zahl der wieder gesammelten Stammesangehörigen betrug im Juni
über 1200 Personen.

Am 31. März 1907 wurde von Seiner Majestät dem Kaiser der
Kriegszustand im Schutzgebiet aufgehoben.

Aber trotz dieser großen und der Masse der Eingeborenen gegenüber
wohl auch für die Zukunft nachhaltigen Erfolge der deutschen Waffen wird
man noch auf Jahre hinaus scharf auf der Hut sein müssen. Und es
zeigte sich auch bald, daß der tief eingewurzelte Hang zur Widersetzlichkeit
noch nicht bei allen Eingeborenen geschwunden war. Noch bis in die neueste
Zeit sind Viehdiebstähle, vereinzelte Angriffe auf kleinere Patrouillen und
Stationen, ja auch Ermordungen friedlicher deutscher Farmer vorgekommen,
und diese Ereignisse zeigen, daß die Schutztruppe und die Landespolizei nach
wie vor stets auf der Wacht sein müssen. Mögen diese Vorkommnisse
auch größtenteils von Räuberbanden ausgeführt worden sein, die sich in den
wildesten, unzugänglichsten und unbekanntesten Teilen des Schutzgebiets auf=
halten, so gefährden sie doch immer wieder die Ruhe und Sicherheit der
weißen Bevölkerung und die Wiederaufnahme der wirtschaftlichen Arbeit.

Bezeichnend ist auch, daß derartige Vorfälle sich stets dann häuften, wenn irgendwo an der Grenze einer der alten Widersacher der deutschen Herrschaft sich regte.

Als erster derselben zeigte sich plötzlich Morenga wieder, der nach der Aufhebung des Kriegszustandes von der englischen Regierung freigelassen worden war. Im August 1907 teilte der Hauptmann im Generalstabe der Schutztruppe, v. d. Hagen, der sich auf einer Reise im englischen Südafrika befand, dem deutschen Generalkonsul in Kapstadt mit, daß Morenga sich in der Nähe der deutschen Grenze aufhalte. Dort war seine Ankunft bereits

Kamele am Brunnen in Keetmanshoop.

bekannt geworden und hatte große Unruhe unter der deutschen Bevölkerung des platten Landes hervorgerufen. Der eben zum Unterstaatssekretär ernannte bisherige Gouverneur von Südwestafrika, v. Lindequist, ersuchte die englische Regierung der Kapkolonie, Morenga aus dem Grenzgebiet zu entfernen und überwachen zu lassen. Aber dies war nicht mehr möglich, denn die Kappolizei meldete damals, daß Morenga mit 400 rasch gesammelten Anhängern die deutsche Ostgrenze bereits überschritten hätte; weiterhin wurde gemeldet, daß er Boten an Simon Kopper und an Johannes Christian geschickt und diese aufgefordert habe, von neuem loszuschlagen. Auf diese Nachrichten hin wurden sofort die bereits im Gange befindlichen Heimtransporte der deutschen Truppen eingestellt. Der Oberstleutnant v. Estorff versammelte nach und nach im Süden 11 Kompagnien, 1 Batterie, 4 Züge Gebirgs=

artillerie und 3 Züge Maschinengewehre, und die Kapregierung verstärkte die
Polizei an der Westgrenze des Betschuanalandes, da auch sie nunmehr der
immer von neuem auftretenden Schwierigkeiten durch den Übertritt bewaffneter Banden auf englisches Gebiet müde war, und sie zudem der deutschen
Ansicht zustimmte, daß Morenga durch seine erneute bewaffnete Erhebung
das Asylrecht auf britischem Gebiet verloren habe. Gegen Ende August
wurde Morenga an der Gamsibtluft gemeldet. Von dort aus sollte er nach
südlicher Richtung abgezogen sein, wobei behauptet wurde, daß er von
englischen Händlern Vieh und Geld erhalten habe. Auch Morris sollte
mit 34 Mann zu ihm gestoßen sein. Inzwischen bereiteten sich die Operationen der deutschen und englischen Truppen, die zum gemeinsamen Vorgehen gegen den räuberischen Friedensstörer entschlossen waren, weiter vor.
Dem Kommandeur der englischen Streitkräfte wurde der Hauptmann v. d.
Hagen beigegeben.

Durch dieses gemeinsame Vorgehen, das Morenga bald bekannt wurde,
verlor er den größten Teil seiner Anhänger, die dem inzwischen im Schutzgebiet eingetroffenen neuen Gouverneur v. Schuckmann ihre Unterwerfung an-
boten. Auch Morenga knüpfte in der Folgezeit Verhandlungen an, mit denen
es ihm allerdings auch diesmal wieder nicht ernst gewesen zu sein scheint.
Er verließ vielmehr am 20. November die Gamsibschlucht, in der er wieder
gesessen hatte, und zog nach Norden in die Kalahari, wahrscheinlich in der
Absicht, zu Simon Kopper zu stoßen. Nun war seine Spur zu verfolgen,
und ihr folgte der englische Major Elliot, bei dem sich auch Hauptmann
v. d. Hagen befand. Morenga versuchte den Major zunächst dadurch hin-
zuhalten, daß er eine Besprechung mit ihm verabredete, zu dieser aber nicht
erschien. Nun nahm Major Elliot die Verfolgung energisch auf und erreichte Morenga bei Eenzamheid, ungefähr 100 km nördlich von Upington.
Es wurde sofort angegriffen, und ein 4 Stunden langes Feuergefecht entwickelte sich. Die Hottentotten wurden vollständig zersprengt; Morenga und
5 Mann fielen, 2 wurden gefangen genommen. Auf englischer Seite wurde
ein Korporal erschossen.

Nun stand nur noch Simon Kopper, zu dem auch noch einige Herero,
Witbooi und Hottentotten anderer Stämme geflohen waren, im Felde. Im
März 1907 war bereits eine Expedition gegen ihn unternommen worden, und es
gelang in der Tat, ihn und seine Werft in der Kalahari zu überraschen.
Gegen alles Erwarten bot der schlaue Hottentott dem deutschen Führer seine
bedingungslose Unterwerfung an. Verhandlungen wurden angeknüpft, aber

plötzlich gelang es während derselben den Hottentotten, zu fliehen und sich
auf englisches Gebiet zu retten. Hier sollten sie bei Gagamsuley dicht an
der Grenze stehen, und von hier aus machten sie sich durch räuberische Über=
fälle, durch die Plünderung von Farmen und durch feige Morde von neuem
bemerkbar. Auf deutscher Seite mußte man sich der ungünstigen Wasser=
verhältnisse wegen zunächst auf eine Beobachtung des Gegners beschränken.
Zugleich wurde aber unter der bewährten Führung des Hauptmanns
v. Erckert ein starkes Expeditionskorps zusammengestellt, das sich im Osten
an der Grenze der Wüste sammelte und lange Zeit hindurch in entbehrungs=
reichen Märschen und Patrouillen an die schwere Aufgabe gewöhnte, die
seiner in diesen entlegenen Landesteilen harrte. Ihm gegenüber stand Simon
Kopper mit 200 bis 300 Mann. Umfassende Vorbereitungen wurden für
den Vorstoß gegen ihn getroffen. 700 Kamele wurden zusammengebracht,
um die Durststrecken der Wüste überwinden zu können. Etappenlinien
wurden ausgebaut, Wasserversorgungsstationen angelegt und hierzu Bohr=
kolonnen herangezogen, und ferner wurden Magazine und Depots geschaffen
und mit Fuhrparks ausgestattet. Weiterhin wurde eine 200 km lange
Telegraphenlinie am Auob und Nosob gebaut und Versuche mit Brieftauben
angestellt, die allerdings infolge der zahlreichen Raubvögel in diesen Gegenden
wieder aufgegeben werden mußten. Daneben wurden die Reit= und Zugtiere
allmählich an die Fütterung mit Tschamas gewöhnt, den wilden Wasser=
melonen, die in diesen Gegenden eine Zeitlang den Aufenthalt auch ohne
Wasser möglich machen. In 2 Kolonnen brach das Expeditionskorps im
Anfang März 1908 von Gochas und von Arahoab aus auf und vereinigte
sich am 11. in der Stärke von 430 Mann mit 4 Maschinengewehren und
700 Kamelen bei Geinab. Am 15. wurde die Spur Simon Koppers ge=
funden und am 16. mit Sonnenaufgang in 2 Kolonnen unter den Haupt=
leuten Grüner und Wilck zum Angriff geschritten. Schon zu Beginn des
Gefechts fiel der tapfere, unermüdliche Hauptmann v. Erckert, für den Haupt=
mann Grüner das Kommando übernahm. Das Detachement umschloß den
Gegner, der den verzweifeltsten Widerstand leistete, in weitem Halbkreis.
Zwei Stunden hindurch wurde von den Deutschen auf der ganzen Linie un=
gestüm angegriffen und der Gegner von Stellung zu Stellung, von Düne zu
Düne zurückgeworfen, so daß er gegen 8 Uhr morgens seinen Widerstand
aufgab und sich zu wilder Flucht nach Süden und Südwesten wandte. Auf
dem Gefechtsfelde wurden 60 tote Hottentotten gefunden. Einige Männer
und Weiber wurden gefangen genommen, aber Simon Kopper selbst gelang

es zu entkommen. Das Expeditionskorps, das noch etwa 30 Gewehre, eine größere Menge Munition, eine Viehherde und einige Pferde erbeutete, mußte an den Nosob-Fluß zurückgehen, um zum Wasser zu gelangen. Die Verluste waren schwer; außer Hauptmann v. Erckert fielen Leutnant Ebinger und 12 Mann, 3 Offiziere und 14 Mann wurden verwundet.

Für Simon Kopper war dies Gefecht der schwerste Schlag, den er je erlitten hatte. Sein gesamter Besitz war ihm genommen worden, seine Werft zersprengt und seine Munition erschöpft. Aber solange der Kapitän nicht selbst in die Hände der Deutschen gefallen ist oder sich der englischen Polizei gestellt hat, muß eine dauernde scharfe Überwachung ihm gegenüber aufrecht erhalten werden. Der Hauptmann Grüner stand in der Folgezeit mit dem gesamten Expeditionskorps an den Wasserstellen um Arahoab.

365

17. Kapitel.

Die Folgen der Aufstände und die Wieder= aufnahme der wirtschaftlichen Arbeit. Tier= zucht und Ansiedlung.

Der durch die Aufstände entstandene Schaden. — Die Wiederaufnahme der Wirtschaft. — Tierzucht. Fischerei. Farmwirtschaft und Kleinsiedlung.

Schon während des Jahres 1904 ging man in den Teilen des Hererolandes, die sicher genug waren, um eine ungestörte Wieder= aufnahme der wirtschaftlichen Arbeit zu ermöglichen, daran, die durch den Aufstand geschlagenen schweren Schäden wieder gut zu machen. Schwer hatten vor allen Dingen gelitten die Farmgebiete im Osten und Süd= osten von Windhuk, um Gobabis und die Farmen westlich von Okahandja bis nach Karibib. Weniger geschädigt waren die Bezirke Outjo und Grootfontein, obwohl auch hier einzelne Betriebe vollständig ausgeraubt worden waren. Zur Entschädigung der betroffenen Farmer und Kaufleute, die nicht allein durch die Vernichtung ihres gesamten Viehbestandes schwer geschädigt worden waren, sondern auch noch auf die Gewinne von Jahren, die aus diesen Viehbeständen zu erzielen gewesen wären, verzichten mußten, wurden verschiedene Maßnahmen getroffen. Der Reichstag bewilligte zunächst einen Fonds von 2 Millionen Mark, der zu Darlehen an Geschädigte sowie zu Hilfeleistungen an Bedürftige aus Anlaß der Verluste verwendet werden sollte, und im Schutzgebiet wurde unter Vorsitz des Oberrichters Richter und des Ansiedlungskommissars Dr. Rohrbach eine Kommission ernannt, der die Bemessung der Darlehen und Hilfeleistungen oblag. Auf die Berichte dieser Kommission hin wurde später, nachdem weitere 5 Millionen Mark zu Ent= schädigungszwecken bewilligt worden waren, von den Hilfen in Gestalt von Darlehen abgesehen und, wenigstens zum größten Teil, der Schaden durch nicht rückzahlbare Beihilfen gemildert. Dreiviertel des gesamten Schadens entfiel in den meisten Bezirken auf die Verluste der Farmer. Waren auf

Auf Höpfners Heimstätte in Klein-Windhut, 1896.

23*

einer Farm keine oder doch nur wenig Verluste eingetreten, so konnte man mit Sicherheit annehmen, daß es sich um den Besitz eines Engländers, Buren oder sonstigen Nichtdeutschen handelte, der von den Herero absichtlich geschont worden war.

Als zuerst in Deutschland die Fragen der Hilfeleistung für die Geschädigten lässig und hinhaltend betrieben wurden, berichtete der Ansiedlungskommissar Dr. Rohrbach im Mai 1904 aus Swakopmund: „Man muß sich vorstellen, was es heißt, für einen Mann, der eine Reihe von Jahren in harter Arbeit auf alle Kulturgenüsse verzichtet hat, in der begründeten Hoffnung, nun bald am Ende der Entbehrungen zu stehen und ein »menschenwürdiges« Leben beginnen zu können — wenn mit einem Mal die ganze Frucht seiner Arbeit weggewischt ist, und er selbst nur mit knapper Not sein nacktes Leben rettet. Man erwäge weiter, daß die Betroffenen — und größtenteils sicher mit Recht · der Überzeugung sind, daß sie schuldlos von dem Unheil zerschmettert worden sind; daß sie im Vertrauen auf den unbedingten Schutz des Landfriedens durch die Regierung gekommen sind und zu arbeiten begonnen haben, und daß trotz alledem die Hoffnung auf Entschädigung und auf die Möglichkeit eines soliden und rationellen Wiederbeginns der Arbeit so gut wie vereitelt wird. Ein Verschulden einzelner Wanderhändler, ein Verschulden, das übrigens der größte Teil derselben jetzt mit einem grausamen Tode gebüßt hat, ist nicht zu leugnen, aber es darf darum nicht die Meinung aufkommen, daß jene an sich den Aufstand verschuldet haben, und vollends nicht, daß die Menge der Geschädigten für die Ausschreitungen jener mit verantwortlich zu machen ist. Wenn je von einem Koloniallande, so gilt es von Südwestafrika, daß hier in Wahrheit jeder verdiente Groschen ein Ergebnis schwerer und ehrlicher Arbeit gewesen ist, namentlich so weit die durch den Aufstand Geschädigten in Frage kommen. Weder der Handel noch der Farmbetrieb geben hier leichtes Brot. Wer nicht von früh bis spät arbeitet, der kommt zu nichts, und wer zu etwas gekommen ist und Vieh, Haus, Waren, Werkzeug, Geld oder sonstige Betriebsmittel besessen (und jetzt verloren) hat, von dem kann man mit verschwindenden Ausnahmefällen sicher sein, daß dieser Besitz auch eine sittlich äquivalente Arbeitsleistung darstellte. Hierin vor allen Dingen, daneben freilich auch in der regierungsseits oft und bestimmt kundgegebenen Auffassung, daß die Kolonie in den zur Besiedlung freigegebenen Teilen ein pazifiziertes Land sei, liegt der Kern des Anspruchs auf Entschädigung materiell begründet. Und wenn denen, die hier gearbeitet haben und der

Burenfarm Uitsap bei Grootfontein.

Frucht ihrer Arbeit wie der Möglichkeit zur Weiterarbeit durch den Aufstand
der Herero beraubt sind, eine Hilfe, die wirklich Hilfe ist, versagt wird, so
kann das von den Ansiedlern wie von den Kaufleuten hier im Lande (die
mit ihrer Existenz gegenseitig aufeinander angewiesen sind) nur als eine endgültige Bestätigung ihres wirtschaftlichen Ruins verstanden werden. Dazu
aber ist dieses Land, nach seiner wirtschaftlichen Zukunft, bei richtiger Wirt-
schaftsverwaltung zu gut."

Im August des Jahres 1904 hatte man einen allgemeinen Überblick
über die Höhe des entstandenen Schadens gewonnen, den Dr. Rohrbach in
einem weiteren Bericht an die Regierung auf rund 7 Millionen Mark angab.
Wenn auch die zur Entschädigung notwendigen Summen nach nicht unerheblichen Schwierigkeiten vom Reichstage bewilligt wurden, so war den
geschädigten Farmern doch immer nur zum Teil und höchst unvollkommen
geholfen. Es erklärt sich dies dadurch, daß das den Farmern geraubte
und zum größten Teil von den Herero geschlachtete Vieh dem eingeborenen
Vieh gegenüber eine bereits bedeutend hochwertigere und edlere Rasse, nämlich
entweder sogenanntes Afrikaner-(Bastard-)Vieh oder sogar solches darstellte,
das bereits durch Kreuzung mit europäischem Vieh gezogen worden war.
Selbst eine Entschädigung der Farmer durch Zuteilung des von den Herero
erbeuteten Viehs konnte daher den Schaden keineswegs voll decken, da das von
den Truppen zurückgewonnene Vieh ausnahmslos aus Hererorindern bestand.

In ähnlicher Weise wie im Hererolande wurde später auch die Unterstützung und Entschädigung der durch den Hottentottenaufstand betroffenen Farmer und Kaufleute durchgeführt.

Aber in den Jahren 1904 und 1905 konnte doch auch im Hererolande der Wirtschaftsbetrieb nur in engen Grenzen wieder aufgenommen werden, so in Teilen des Grootfontein- und Outjobezirkes und dicht um Windhuk und Okahandja. In den anderen Landesteilen war die Wiederaufnahme der Wirtschaft zunächst noch durch umherschweifende Hererobanden gefährdet, die sowohl das Leben der Farmer bedrohten als auch in mehreren Fällen das Vieh derjenigen Farmen raubten, die ihren Betrieb frühzeitig wieder aufgenommen hatten. Es begaben sich daher, besonders im Jahre 1904, zahlreiche Farmer nach Deutschland, um ihre Entschädigungsansprüche zu betreiben, und weil sie zudem in der Heimat billiger lebten, als zu jenen Zeiten im Schutzgebiet. Auch eine Farmerdeputation wurde nach Deutschland entsandt, die Seiner Majestät dem Kaiser, dem Reichskanzler und dem Reichstage die Bitten und Ansprüche der geschädigten Bevölkerung überbrachte. Aber es ist bezeichnend für die Anhänglichkeit der Farmer an ihre neue afrikanische Heimat und für den Wert, den sie dem vielverkannten Lande beimaßen, daß überall dort, wo es nur immer infolge der gebesserten Verhältnisse möglich war, der Betrieb wieder aufgenommen und die Farmen von neuem bezogen wurden. So haben einzelne Farmer, deren Besitz bereits früher — im Jahre 1896 in dem ersten Aufstande der Herero und der Khanashottentotten — schwer geschädigt worden war, in den Jahren 1904 und 1905 zum zweiten Mal den Wiederaufbau ihrer Farmen begonnen. Und es handelte sich hierbei nicht allein um die Wiederbestockung des Landes mit Groß- und Kleinvieh, sondern an vielen Orten waren auch die Häuser, Brunnen, Däume, Gärten und sonstigen Wirtschaftsanlagen in vandalischer Weise vernichtet worden. Aber mit ungeschwächtem Mut wurde die Arbeit wieder aufgenommen, trotzdem in jenen Jahren der Verwirrung außerdem noch alle die Schädigungen der Viehzucht, vor allem die schweren Viehseuchen, wieder auflebten, die man vorher in Jahren schwerer Arbeit und unter großen Kosten und Mühen eingedämmt hatte.

Es wird an dieser Stelle angezeigt sein, einen Überblick über die Entwicklung der Viehzucht in Südwestafrika zu geben:

Als die ersten Europäer vor nunmehr über 100 Jahren in das Land kamen, fanden sie sowohl Hottentotten wie Herero im Besitz von Rindern, Schafen und Ziegen. Insbesondere waren es die Herero, die im

Besitz von vielen Zehntausenden von Rindern das Gebiet zwischen Grootfontein im Norden, dem Atlantischen Ozean im Westen, dem Swakop im
Süden und den Grenzen der Kalahari im Osten mit ihren Herden besetzt
hatten. Ihre Rinder waren ihr ein und alles, sie waren derjenige Teil, oder
vielmehr der einzige Teil ihres Besitzes, um den sich das ganze Sein, all das
Tun und Treiben dieses reinen Hirtenvolkes drehte. Selbst zu den Zeiten,
in denen sie sich sonst maßvoll und friedfertig zeigten, wurden sie zu Bestien,
sobald dieser Besitz gefährdet war. Dabei sind jedoch die Herero niemals
rationelle Viehzüchter gewesen. Sie betrieben vielmehr die Zucht ihres breit-
gehörnten, hochbeinigen, leichten und halbwilden Steppenviehs nur als eine
Art von Sport; selten nur wurde ein Rind geschlachtet und wenn, dann
stets eins der schlechtesten und ältesten Tiere. Und nur dann zeigten sich
im allgemeinen die Herero gewillt, auch von den besseren Stücken eine größere
Anzahl abzugeben oder zu verkaufen, wenn es sich um den Erwerb von
Waffen, Munition oder Pferden handelte.

Im Besitze eines reichen Herero befanden sich oft viele Tausende von
Rindern, die allerdings niemals auf einem engeren Platze zusammengehalten
wurden, sondern unter der Aufsicht von vielen Hirten, sogenannten Posten-
haltern, in kleineren Trupps auf die verschiedenen Wasserstellen und Weideplätze
verteilt waren. Es geschah dies einerseits unter dem Zwange der oft wechselnden
Güte von Wasser und Weide, anderseits um bei den Raubzügen der Hottentotten und bei dem Ausbrechen von Viehseuchen nicht den ganzen Besitz auf
einmal zu gefährden. Der Anbau von Kraftfutter, auch etwa nur für junge
oder kranke Tiere, war den Herero gänzlich unbekannt, und es erhellt aus diesen
Verhältnissen, eines wie großen Landgebietes dieses Volk zur Unterhaltung
seiner großen Herden bedurfte. Diese Sachlage hat sich übrigens niemals
geändert, auch dann nicht, als die Herero nach der engeren Berührung mit
den weißen Farmern an ihren Grenzen einen Einblick in die rationelle Art
der Viehzucht gewonnen hatten. Neben den Rindern besaßen auch die Herero
Schafe und Ziegen, deren Zucht jedoch eine Bedeutung bei ihnen nicht erlangt
hat, ebensowenig wie die Pferdezucht, die ihnen doch in größeren Teilen des von
ihnen besetzten Gebiets möglich gewesen wäre.

Während der ersten Jahre der deutschen Besitzergreifung änderte sich
in diesen Verhältnissen wenig, denn die zu jenen Zeiten im Lande lebenden
Farmer, meist Engländer und Buren, betrieben die Viehhaltung ganz nach
Herero- und Hottentottenart. Ihre Tätigkeit bestand hauptsächlich darin, durch im
Lande herumziehende Händler möglichst viel Rinder von den Eingeborenen auf-

kaufen zu laſſen, um ſie dann über die öſtlichen oder ſüdlichen Grenzen aus=
zuführen und im engliſchen Gebiet zu verkaufen.

Der Verſuch einer deutſchen Geſellſchaft, in Sandwichhafen eine Export=

Karte der Wirtſchaftsformen des mittleren Schutzgebiets
nach Prof. Dr. Dove, Deutſch=Südweſtafrika. Gotha 1897. Juſtus Perthes.

ſchlächterei und Fleiſchkonſervenfabrik einzurichten, der ebenfalls in jene Jahre
fällt, mißglückte gänzlich. Erſt ganz allmählich in den Jahren nach 1894,
als deutſche Anſiedler und Farmer in das Land gekommen waren und ſich
beſonders in der Gegend um Windhuk und von dort nach Oſten bis nach
Gobabis niedergelaſſen hatten, trat ein Umſchwung ein, indem Regierung

und Private sich mit Eifer der Viehzucht und vor allem der Veredlung der Rassen durch Einführung europäischen Zuchtviehs zuwandten. Es stellte sich mit der Zeit heraus, daß das Steppenrind der Hererorasse sich vorzüglich zur Kreuzung mit gewissen europäischen Rassen eigne. Zum Fortbewegen der schweren Ochsenwagen allerdings greift man noch heute auf das Steppenrind zurück, das im Aushalten von Anstrengungen, im Ertragen von Durst und in der Gewöhnung an die mangelhafte und unregelmäßige Weide auf dem Marsch die Kreuzungsprodukte weit übertrifft. Für die Verwertung als Schlachtvieh aber und für die Milchgewinnung sind wiederum die Kreuzungsrassen den einheimischen weit überlegen. Eine Zwischenrasse zwischen dem Hererorind und dem bereits hochwertigen Afrikanerrind der Bastardrasse stellt das sogenannte Namarind dar, von dem es allerdings ungewiß erscheint, ob es ursprünglich eine eigene Gattung oder nicht bloß ein in den Besitz der Hottentotten übergegangenes und durch südafrikanisches Blut veredeltes Hererorind ist.

Die Rinder der Ovamborasse sind zwar von reinerer Rasse, dabei aber kleiner und schmächtiger gebaut als die der Herero, wie denn überhaupt im allgemeinen die Viehrassen vom Äquator nach Süden hin an Stärke und wirtschaftlicher Verwertbarkeit zunehmen.

Gleichwohl kann die Rindviehzucht in allen Teilen des südwestafrikanischen Schutzgebietes mit Vorteil betrieben werden, am vorteilhaftesten im Hererolande und in den Teilen des Schutzgebietes, in denen die Steppe die charakteristische Bewachsung mit dem Dornbusch zeigt. Es sind dieses die Teile des Landes, die mit Wollschafen und Angoraziegen nicht bestockt werden können, da die Dornbüsche der Güte der Wolle und des Mohairs erheblichen Abbruch tun.

Das Afrikanervieh ist, wie Veterinärrat Rickmann anführt, ein gutes, brauchbares, kaum der Aufbesserung bedürftiges Rind, dem lediglich gelegentliche Blutauffrischung nottut, und das in wirtschaftlicher Hinsicht alles leistet, was von einem südafrikanischen Steppenrinde gefordert werden kann. In ihm haben wir den stärksten Zugochsen, allerdings nicht für monatelange beschwerliche Reisen im gebirgigen Gelände, in dem das Hererorind Besseres leistet. Von den im Laufe langer Jahre von der Regierung und auch von einzelnen Privaten zu Zuchtzwecken eingeführten Rindern haben sich am besten die Simmentaler und Herefordrinder bewährt, wogegen die ebenfalls eingeführten Holländer, Vogelsberger und Pinsgauer Schläge zurückgetreten sind. Über die Forderungen der Züchtung sagt

Weidegebiet im Hererolande.

Veterinärrat Rickmann: „Jedes Land produziert den zu seinen klimatischen und Ernährungsverhältnissen passenden Tierschlag. Von diesem Grundsatz aus=gehend wäre eine Rassenverbesserung nicht nötig, wenn nicht zur Vermeidung der auf Grund dauernder Inzucht entstehenden Degeneration die Zufuhr frischen Blutes erforderlich wäre. Kann eine bessere Ernährung, als es bei der allgemein üblichen Steppenhaltung möglich ist, gegeben werden, so ist gegen die Einfuhr von Milchkühen z. B. nichts einzuwenden. Der Steppen=viehzüchter hüte sich jedoch vor zu großer Veredlung. Er schädigt sich schwer. Bei den Aufkreuzungen z. B. mit Simmentalern, Shorthorns usw. ist die Durchschlagskraft der importierten Vatertiere sehr stark, die allmählich edler werdenden Nachkommen verlieren an Widerstandsfähigkeit dem Klima und den Krankheiten gegenüber und ihre Vermehrungsfähigkeit läßt nach. Jeder Farmer muß, seinem Gebiet entsprechend, rechtzeitig mit der Veredlung auf=hören. Die Einfuhr von Muttertieren ist überhaupt nicht empfehlenswert. Der Anfänger begnüge sich mit afklimatisierten Halbbluttieren und überlasse einigen alten Großfarmern die Produktion derselben.“

Im allgemeinen ist seit der Beendigung der Aufstände und besonders in den letzten Jahren ein sehr bedeutender Fortschritt in der Rindviehzucht zu verzeichnen gewesen. Nach den Viehzählungslisten des Jahres 1907 be=trug die Zahl der Rinder des Schutzgebiets, mit Ausnahme des Ovambo=

landes, 52 531, und sie ist seitdem bis 1908 um 20 800 Rinder auf die Gesamtzahl von 73 331 gestiegen.

Die Vieheinfuhr zu Zuchtzwecken betrug im Jahre 1907/08:

Aus der Kapkolonie wurden eingeführt:

a. Auf dem Landwege:

19 Bullen,	6860 Afrikaner Schafe,
2104 Kühe und Färsen,	32 Ramme,
31 Kälber,	1108 Ziegen,
4870 Wollschafe II. Klasse,	13 Böcke,
52 Lämmer,	2 Perserramme,
18 Ramme,	10 Angoraböcke.

b. Auf dem Seewege:

1133 Wollschafe I. Klasse,	8 Angoraböcke,
28 Ramme,	243 Angoraziegen.

Aus Deutschland sind eingeführt:

47 verschiedene Bullen,	5 Saaner Ziegen,
8 Simmentaler Färsen,	10 Böcke,
2 Shropshiredown-Schafe,	12 Karakulschafe (aus Öster-
4 Shropshiredown-Böcke,	reich).

Zusammen:

66 Bullen,	80 Ramme,
2112 Kühe und Färsen,	6860 Fleischschafe,
31 Kälber,	1356 Ziegen,
6005 Wollschafe,	45 Böcke,
52 Lämmer.	12 Karakulschafe.

Auch in der Bekämpfung der Seuchen ist unter der Führung der Regierung und nach Einrichtung der bereits kurz vor dem Aufstand in Tätigkeit
getretenen bakteriologischen Institute ein erfolgreicher Fortschritt zu verzeichnen. Strenge Gesetze regeln die Maßnahmen zur Bekämpfung der
Rinderpest, des Texasfiebers, der Lungenseuche und anderer Tierkrankheiten,
und unter der Mitarbeit der gesamten weißen Bevölkerung des Landes geht
man auch hier hoffnungsvollen Zeiten entgegen.

Die Kleinviehzucht, die Zucht der Ziege und des Schafes, war von
jeher in Südafrika heimisch. In unserem Schutzgebiet, hauptsächlich im

Groß-Namalande, in dem beide Arten in hervorragenden Exemplaren gedeihen, ist dies vor allem auf das Vorhandensein gewisser Futterbüsche
zurückzuführen, welche die Grasweiden durchsetzen und in einer für die Entwicklung des Kleinviehs überaus günstigen Weise ergänzen. Das Ziegen-
und Schaffleisch bildete das hauptsächlichste Nahrungsmittel der Hottentotten,
die, im Gegensatz zu den Milch essenden Herero, den Fleischgenuß bevorzugen.

Von beiden Rassen ist es die Ziege, die das afrikanische Haustier
im besten Sinne des Wortes genannt werden kann; ihr Fleisch ist
wohlschmeckend und nicht mit dem strengen Geschmack behaftet, den das
Fleisch europäischer Ziegenarten aufweist. Dasselbe gilt auch von dem
Fleische des Afrikanerschafs, das ein Fettschwanzschaf ohne wollige Be-
haarung ist. Die auffallendste Bildung an dieser Rasse ist der oft zu fast
monströser Größe ausgebildete Schwanz, der vielfach bereits in seinem Ansatz
die volle Breite des Rückens zeigt und, an seinem Ende gebogen, in eine
dünnere Spitze ausläuft. Das Fett dieses Schwanzes, das einen zarten und
angenehmen Geschmack hat, der dem des Gänsefettes ähnelt, wird ausgebraten
und wird wohl von allen, die es genossen haben, als Delikatesse geschätzt.

Die Schafe und Ziegen des Namalandes bevorzugen die bergigen
Weiden und gedeihen auf diesen so gut, daß sie die Rassen des Hererolandes
an Größe und Schlachtgewicht weit übertreffen. Beide scheinen ursprünglich
aus der Kapkolonie zu stammen oder doch von dorther durch Kreuzung veredelt worden zu sein. Die Milchergiebigkeit der Ziegen ist bereits durch die
Einfuhr deutscher Ziegen stark gehoben worden.

In jüngerer Zeit erst hat die Zucht des Wollschafs und der Angora-
ziege eingesetzt, für die ebenfalls die Gebiete des Südens und dann die des
mittleren Schutzgebiets geeignet sind, und die hier bereits starke Erfolge
gezeitigt hat.

Zuerst war es der altbekannte Farmer Hermann in Kubub und Nomtsas,
der die Bedeutung und den Wert der weiten, mit Futterbüschen durchsetzten
Grasfluren des Südens für diese Zuchten erkannt hatte und der hier tätig
vorging. Ihm verdanken wir die ersten durchaus hoffnungsvollen Erfahrungen
auf diesem Gebiet. Ihm folgte dann neben Privaten die Südwestafrikanische
Schäferei-Gesellschaft, die auf zahlreichen Farmen, vor allem im Fischflußgebiet, in Orab, Dassifontein, Narris, Dabib, Nauchab und Gurus im
Bezirk Gibeon, Viehzucht, und zwar besonders Wollschaf- und Angorazucht,
betreibt. Die Herden der Gesellschaft, die im Hottentottenaufstande stark
gelitten hatten, haben seitdem wieder große Fortschritte gemacht. Weitere

Gesellschaften mit zum Teil sehr erheblichen Kapitalien sind in den letzten Jahren gegründet worden und noch in der Gründung begriffen. Die Zahl der Fleischschafe, die im Jahre 1907 98 069 betrug, ist 1908 um 94 951 auf insgesamt 193 020 Tiere gestiegen. Die Zahl der gewöhnlichen Ziegen betrug 1907 99 663, sie ist seitdem um 56 618 auf 156 281 gestiegen. Die Wollschafe sind von 3526 in 1907 um 8227 auf 11 753 in 1908 gestiegen und endlich die Angoraziegen von 3696 auf 3956.

Die Zucht des Kleinviehs erfordert im allgemeinen eine größere Aufmerksamkeit und Sorgfalt als die der Rinder, weil in der Regenzeit für die Lämmer, vor allen Dingen für die der veredelten Zuchten, Unterstände notwendig sind und auch den Krankheiten gegenüber, deren Gefährlichkeit mit der größeren Zahl der Tiere wächst, die höchste Sorgfalt geboten ist. Die hauptsächlichsten Krankheiten sind das Katarrhalfieber der Schafe, das Herzwasser der Schafe und Ziegen und die Räude. Daneben treten oft in großer Zahl, besonders in der Regenzeit und zuweilen auch bei Rindern, Vergiftungen durch den Genuß gewisser Pflanzen auf.

Auch die Zucht des Kleinviehs wurde nach dem Aufstande von alteingesessenen und neu hinzugekommenen Farmern mit großem Eifer aufgenommen und weitergeführt. Auch hier hat die Verbesserung der Zuchten entschiedene Fortschritte gemacht; am stärksten haben die Wollschafe im Bezirk Gibeon-Maltahöhe zugenommen. Die Ausfuhr von Wolle, die an sich noch unbedeutend ist, stieg gegen das Jahr 1907 um 1367 kg auf 4033 kg.

Ebenso hat die Pferdezucht in den letzten Jahren einen starken Aufschwung genommen, wenn sie auch der hohen Anlage- und Betriebskosten wegen nur von den bemittelteren Farmern durchgeführt werden kann.

Die Pferde wurden von den Hottentotten aus der Kapkolonie in das südwestliche Afrika eingeführt. In ihren ersten Kriegen gegen die Herero gab ihnen vor allem der Besitz von Pferden und die dadurch bedingte große Beweglichkeit ihrer Kriegshaufen von vornherein das Übergewicht über die damals noch zu Fuß fechtenden Kaffern. Nicht allzulange Zeit darauf erkannten diese jedoch den Wert des Pferdes und brachten sich durch Tausch oder Kauf von den Hottentotten in den Besitz der ersten Tiere. Dennoch sind sie, wie bereits bemerkt, niemals Pferdezüchter geworden, während die Hottentotten und Bastarde als Jägervölker dieser Zucht von jeher das regste Interesse entgegenbrachten. So konnte die erste deutsche Schutztruppe zunächst auf Afrikanerpferden beritten gemacht werden. Es ist dies ein kleiner, nicht gerade ansehnlicher, aber harter, genügsamer und gewandter

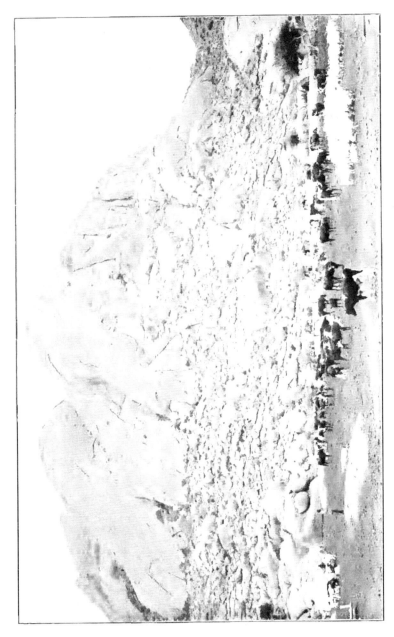

Auf Farm Epigtepje der Deutschen Kolonialgesellschaft für Südwestafrika.

Schlag, der mit seinem dicken Kopf und seinem im allgemeinen schwachen Rücken bei dem europäischen Reiter zunächst einen vertrauenerweckenden Eindruck nicht hervorzurufen vermag. Aber wer auf dem Rücken dieses Pferdes wochen- und monatelang die Grassteppen und die unwegsamen Gebirge des Schutzgebiets durchritten hat, der wird bald anderer Ansicht werden und dem an schmale Weide und schlechtes Wasser gewöhnten Afrikaner mit seinen drahtigen Beinen und stählernen Hufen das höchste Lob spenden. Schon als Fohlen gewöhnt, sich seine Nahrung an den steilen Berghängen und auf den Klippen und Kopjes zwischen den Steinen zusammenzusuchen, ist das Afrikanerpferd, dem Charakter seines Heimatlandes angepaßt, von einer wahrhaft verblüffenden Bedürfnislosigkeit. Die Hufe sind zierlich, wohlgebildet und im allgemeinen so hart, daß sie unter einem leichten Reiter des Beschlagens selbst im Gebirge nicht bedürftig sind, wenn auch die Hottentotten und vor allem die Witbooi in der Kunst des Beschlagens mit dünnen, fast ganz geschlossenen Eisen wohlerfahren waren und sie fast stets anwandten. Dafür forderten sie allerdings auch von ihren Pferden selbst in dem schwierigsten, klippenreichen Gelände rücksichtslos alle Gangarten.

Bessere und liebevollere Pferdezüchter als die Hottentotten sind die Bastarde, von denen es einzelne in der Ausübung einer wahrhaft rationellen und verständnisvollen Zucht zu außerordentlichen Erfolgen gebracht haben. Und endlich müssen hier auch die in das Schutzgebiet eingewanderten Buren genannt werden, die vielfach Tiere größerer Schläge aus dem Oranje-Freistaat und Transvaal mit sich führten und auch gelegentlich die über die Grenzen Südafrikas hinaus hochgeschätzten Basutos mit sich brachten. Aus Kreuzungen mit diesen war bereits vor Jahren an den Orten einiger Burenniederlassungen ein veredelter südafrikanischer Schlag entstanden. Mit großem Eifer nahm sich auch die deutsche Regierung der Zucht an. Bereits im Jahre 1895 wurde nach einigen vorbereitenden Versuchen in anderen Landesteilen das Gestüt in Nauchas begründet, das seitdem einen immer größeren Aufschwung und eine immer mehr wachsende Bedeutung für die Pferdezucht im Lande gewonnen hat.

Im Jahre 1898 begann die Regierung mit der Einführung von Trakehner Hengsten, und die Zufuhr frischen Blutes wurde seitdem öfter auch durch Einfuhr englischer Vollbluthengste und preußischer Halbbluts wiederholt. Seit Jahren bereits werden alljährlich Deckanzeigen erlassen und Zuchttiere und Nachzucht öffentlich versteigert. Bemerkenswert ist, daß Pferdezucht und Pferdehaltung im Laufe der Jahre immer mehr nach europäischem Vorbilde betrieben werden.

Auch bei der Pferdezucht muß übrigens, wie allgemein betont wird, vor einer zu hochgradigen Veredlung gewarnt werden. Als geeignetstes Stuten=material ist nach wie vor das südafrikanische zu bezeichnen, dessen oben be=zeichnete Vorzüge erhalten werden müssen, während die Fehler, vor allem fehlerhafte Beinstellung, schwache Brust und schwache Rippenwölbung, zu beseitigen sind. Die Hauptaufgabe des Kaiserlichen Gestüts in Nauchas ist die Erzeugung von brauchbaren Landbeschälern, die auf Anforderung bei den Privatzüchtern aufgestellt werden.

Neben dem Weidegang ist die Einführung der Körnerfütterung als Kraftfutter durchaus anzustreben; aber zunächst ist sie noch für die meisten privaten Besitzer zu teuer.

Im Jahre 1908 befanden sich im Gestüt Nauchas und auf dem zu ihm gehörigen Pferdedepot in Areb im ganzen 448 Pferde, darunter 3 Haupt=beschäler, 10 stationierte Landbeschäler und 128 Zuchtstuten.

Von privaten Pferdezüchtereien sind besonders zu bemerken die des Kaufmanns Albert Voigts in Ababis am Naukluftgebirge, auf der sich 250 Pferde, darunter 100 Stuten, befinden; die Farm Bleßkranz (Richard Voigts, 70 Pferde); Farm Claratal (A. Schmerenbeck, 118 Pferde, davon 48 Muttertiere, 2 Hengste); Farm Hohewarte (R. Schuster, 22 Pferde); Farm Harris (F. Erdmann, 65 Pferde, davon 30 Stuten, 1 Hengst); Farm Voigtland (Wecke und Voigts, 79 Pferde, davon 55 Stuten); Farm Nanas (J. Mall, 30 Pferde); Farm Safneck (W. Suntheim, 20 Pferde) und Farm Tsumis (G. Wahl, 40 Pferde, davon 18 Stuten).

Aus dieser Zusammenstellung geht hervor, daß sich der Hauptteil der Pferdezucht in den Distrikten Windhuk und Rehoboth zusammendrängt. Neben ihr wird vielfach auch die Zucht von Maultieren und Mauleseln, sowie von gewöhnlichen Eseln betrieben. Auch der Zähmung und wirtschaft=lichen Verwertung des Zebras schenkt man in letzter Zeit von neuem Beach=tung. Die Gesamtzahl der Pferde betrug im Jahre 1908 6533. Sie hatte sich gegen das Vorjahr um 3414 Tiere gehoben. Die Zahl der Maultiere betrug 5800 mit einer Vermehrung gegen das Jahr 1907 von 350 Stück. Die Gesamtzahl der gewöhnlichen Esel betrug 2298, mit einer Vermehrung von 1343 Stück gegen 1907.

Der größte und wegen der durch ihn häufig verursachten schweren Ver=luste gefährlichste Feind der Pferdezucht ist die sogenannte „Pferdesterbe", die durch blutsaugende Insekten übertragen in der Regenzeit (Dezember bis Anfang Mai) auftritt und im allgemeinen mit den ersten Nachtfrösten ver=

schwindet. Pferde und Maultiere werden von der Sterbe gleich schwer be-
fallen, die Esel leichter, während die Zebras ganz frei zu sein scheinen. Die
große Gefahr, die in der Krankheit liegt, besteht vor allem in der späten
Erkennungsmöglichkeit ihrer Symptome. Die Behandlung ist daher äußerst
schwierig, kann zum Teil nur zu spät einsetzen und ist meist aussichtslos.
Etwa 5 bis 6 Tage nach der Ansteckung treten fieberhafte Erscheinungen
auf, die aber meist äußerlich nicht erkennbar sind, trotz aufmerksamsten Beob-
achtens der Tiere, das in der Gefahrszeit von allen Reitern, vor allem aber von
der Schutztruppe auf das sorgfältigste durchgeführt wird. Wenn die ersten
Anzeichen der Krankheit - - leichte Ermüdung, Trübung und Tränen der
Augen, Anschwellen der Höhlen über den Augen und im Kehlgang, starke
Atmungsbeschwerden mit heftigem Flankenschlagen — eintreten, ist meist ein
starker und schneller Verfall des Tieres zu erwarten. Oft vergehen nur
wenige Stunden von dem Hervortreten der ersten Anzeichen bis zum Tode.
Fast stets wird die Sezierung des Tieres die Erkrankung aller inneren Or-
gane, vor allem des Herzens, der Lunge, der Nieren und der Leber, feststellen. Der Krankheit, die in zwei Arten, als Dick- oder Dünnkopfkrankheit,
vorkommt, läßt sich auf größeren Märschen militärischer Expeditionen durch
vorbeugende Mittel nicht entgegentreten. Im allgemeinen wird man, wenn
es angängig ist, Reisen in der Gefahrszeit vermeiden müssen, um sich vor
Verlusten zu schützen. In den letzten Jahren hat die Anwendung eines
Sterbeserums hier und da Hilfe gebracht, ohne als vollkommen einwandfrei
gelten zu können. Auf den Farmen und Stationen läßt man die Tiere, um
sie vor dem besonders gefährlichen Morgen- und Abendtau zu bewahren,
nur am Tage auf die Weide gehen und hält sie nachts in insektensicheren
Stallungen. Das Tiefland ist von der Seuche weit mehr bedroht als
die hochliegenden Landschaften, und besonders dort, wo reines Höhen- oder
Seeklima ihren Einfluß ausüben, tritt die Seuche nicht, oder doch nur ein-
geschleppt auf. Man bringt daher die Tiere ganz allgemein vor Eintreten
der Gefahrszeit, etwa Mitte Dezember, auf hochgelegene, klimatisch bevor-
zugte Örtlichkeiten, wo sie die Gefahrszeit hindurch verbleiben. Derartige
Örtlichkeiten und Landschaften, wie z. B. der ganze Nauchas-, Naukluft-
und Hornkranzdistrikt sowie Teile des Auasgebirges, werden als „Pferdesterbeplätze" bezeichnet.

Von den während der Jahre des Aufstandes von der Schutztruppe eingeführten vielen Tausenden von Pferden haben sich neben den aus der Kapkolonie und dem Oranjefreistaat stammenden Afrikanern die kleinen ost-

24*

preußischen Pferde, die man dort allgemein „Kunter“ oder „Klepper“ nennt, bewährt, weniger dagegen, wie dies auch früher bereits hervorgetreten war, die Argentinier, die sich durchgängig als zu weich und zu wenig widerstandsfähig erwiesen. —

Ein weiterer, in hohem Grade entwicklungsfähiger und zukunftsreicher Zuchtzweig ist die Straußenzucht, wobei besonders günstig ins Gewicht fällt, daß in zahlreichen Landschaften des Schutzgebiets noch heute in den wilden Straußen ein fast unbegrenztes Zuchtmaterial zur Verfügung steht. Vor allem sind es die großen Ebenen des Ostens, die sich längs der südlichen und mittleren Kalahari ausdehnen, also die Gebiete des Sandfeldes und die weiter südlich angrenzenden vom Auob und Nosob durchzogenen Länder bis herunter zum Oranje. Daneben aber auch der gesamte Westen vom Kaokofeld ebenfalls bis zum äußersten Süden der Kolonie, insbesondere die dicht an die Namib angrenzenden Landstriche.

Schon in den früheren Jahren vor 1900, zu Beginn des Ausbaus der deutschen Wirtschaft im Lande, wurde der Straußenzucht allseits großes Interesse entgegengebracht, und dies hat sich im Laufe der Jahre nur noch verstärkt. Wenn praktische Versuche in größtem Maßstabe bis heute noch nicht angestellt worden sind, so liegt dies vor allem daran, daß die Zucht sehr erhebliche Vor= und Fachkenntnisse erfordert, und daneben auch die Einzäunung der Farmen und der Anbau besonderer Futterarten, besonders der Luzerne, ein nicht geringes Anlagekapital notwendig macht. Zu wünschen wäre es, daß die Regierung ebenso, wie sie dies zum Beispiel auf dem Gebiet des Tabakbaues getan hat, einen besonderen Sachverständigen von den südafrikanischen Zuchten in der Kap= und Oranjefluß=Kolonie engagierte, um den südwestafrikanischen Farmern die dort erzielten Erfahrungen zur Verfügung zu stellen. Immerhin ist aus der Farmübersicht des Jahres 1908 zu ersehen, daß Anfänge mit der Straußenzucht gemacht werden. So findet sich im Distrikt Gobabis bei Farm Annasruh unter dem Viehbestand verzeichnet: „26 Strauße, für Farm Okatjero bestimmt.“ Die Gesamtzahl der im Jahre 1908 auf Farmen gehaltenen Strauße betrug 131, die sich auf die Bezirke Gobabis (60), Grootfontein und Maltahöhe (je 24), Windhuk (17), Rehoboth (4) und Okahandja (2) verteilen.

Auch die Schweinezucht, die vor kurzer Zeit noch recht geringfügig war, hat in den letzten Jahren einen erheblichen Aufschwung genommen. Während im Jahre 1907 die Gesamtstückzahl 1202 betrug, hatte sie sich 1908 auf 2258, also um 1056 gehoben.

Strauße.
(Farm Vogtland.)

Das gleiche kann von der Geflügel-, vor allem von der Hühnerzucht gelten, die überall im Schutzgebiet eifrig betrieben und durch Einfuhr von Rassehühnern veredelt wird.

Vermindert haben sich in ihrer Zahl die wohl ausnahmslos in den Kriegsjahren eingeführten Kamele. Der Grund für diese Verminderung ist zunächst nicht zu übersehen. Eine Kamelzucht in geringem Umfange hatte übrigens bereits in den Jahren 1892/93 bestanden. Die Tiere waren damals eingeführt worden, um ihre Verwendung für die Postbeförderung zwischen Windhuk und der Küste zu erproben. Da sie jedoch einem wenig widerstandsfähigen Schlage angehörten, wurden die Versuche bald eingestellt, und die Tiere gingen, ohne benutzt zu werden, bei Windhuk mit dem übrigen Vieh auf die Weide. Um 1897, in der Zeit der Rinderpest, wurde dann eine größere Anzahl von Kamelen von der Firma Seidel und Mühle eingeführt und zum Transport von Fracht auf dem südlichen Bauweg verwendet.

Es darf jedoch angenommen werden, daß die Schutztruppe für ihren großen Bedarf an diesen Tieren an den östlichen Grenzen der Kolonie sich eingehend mit der Zucht derselben beschäftigt. Die amtliche Viehzählungsliste des Jahres 1908 gibt die Zahl der Kamele auf 297 an; gegen 1907 ist eine Verringerung um 119 Tiere eingetreten. Augenscheinlich sind in dieser Zahl jedoch die im Besitz der Schutztruppe befindlichen Kamele nicht mit eingerechnet.

Ein bedeutendes Interesse hat sich auch in jüngster Zeit der Fischzucht zugewendet, deren Aufschwung in engstem Zusammenhange mit dem außerordentlich

Jäger auf dem Kunene.

erfreuliche Fortschritte machenden Bau von Staudämmen steht, und für deren Möglichkeit aus dem Kaplande bereits vollgültige Beweise vorliegen. Allerdings ist die Anzahl der Süßwasserfische, die hier in Betracht kommen können, eine nur geringe; einen Wink geben aber in dieser Beziehung die ständigen Bewohner des mit Ausnahme der Grenzströme einzigen fischeführenden Flusses, des Fischflusses: die Welse und Weißfische. Da für eine abwechslungsreiche Ernährung gerade diese Zucht von höchster Bedeutung ist, so hat ihr auch die Regierung volles Interesse entgegengebracht. Von den einzuführenden Fischen ist es vor allem der Karpfen, dessen schnelles Wachstum, dessen Vorliebe für stehende, warme Gewässer und dessen Bedürfnislosigkeit in bezug auf die Mannigfaltigkeit seiner Nahrung ihn als besonders geeignet erscheinen lassen. Die Regierung hat in verschiedenen neu erbauten Stauweihern, vor allem und zuerst in dem von Neudamm, Karpfen eingesetzt, und viele Private sind ihr gefolgt. Es hat sich hierbei gezeigt, daß im allgemeinen die Erfolge durchaus befriedigende waren. Neben den Fischen wurden auch Schildkröten in das Staudammwasser gebracht. Im Dezember 1906 wurde im Stauwasser von Neudamm ein Probefischzug gemacht, der aus den flachen Ausläufern des Teiches etwa 1000, durchschnittlich 20 cm lange Karpfen ans Tageslicht beförderte, außerdem etwa 1 Zentner Schildkröten. Man kann hiernach annehmen, daß der Teich etwa von 10 000 Karpfen einer Altersklasse besetzt ist, die sämtlich von 87 in den Jahren 1904 und 1905 eingesetzten Karpfen stammen. Die Fische wurden zum größten Teil wieder eingesetzt, da man für den Winter 1907 darauf rechnen konnte, daß die meisten Fische dieser Jahresklasse eine für den rentablen Verkauf genügende Größe erlangt haben würden. Auch Schleie wurden im Jahre 1906 in das Stauwasser von Neudamm gebracht.

An dieser Stelle sei auf einen weiteren Wirtschaftszweig hingewiesen, der sich erst in letzter Zeit der Beachtung erfreuen durfte, die ihm in wirtschaftlicher Hinsicht für das ganze Schutzgebiet und sogar für die angrenzenden fremden Kolonien zusteht. Es ist dies die Fischerei an der südwestafrikanischen Küste. Daß hier ein sehr reiches Fischleben herrschte, war allerdings schon seit Jahrzehnten bekannt, und in Walfischbai, Sandwichhafen, Lüderitzbucht und auf einigen der Küste vorgelagerten Inseln hatten sich bereits in früheren Jahren Fischer, meist englischer Nationalität, niedergelassen. Aber ein Fang im großen, d. h. mit vollkommenen, die Rentabilität begründenden Fanggerätschaften und Fangbooten hatte an keiner Stelle stattgefunden.

Der Fischerei an der südwestafrikanischen Küste hat Professor Dr. Leonhard Schultze (Jena) eine ausführliche Betrachtung im „Taschenbuch für Südwestafrika" (Jahrgang 1909) gewidmet. Er führt darin an, daß die Bedingung für die Entwicklung eines reichen Fischlebens in den östlichen Teilen des südlichen Atlantischen Ozeans an die Meeresströmungen gebunden ist, die vom Kap der guten Hoffnung aus die Westküste Südafrikas bis über Benguela hin bestreichen, um dann in den Äquatorialstrom umzubiegen. Neben der Temperatur, wird hier ausgeführt, spielt die Ruhe der Gewässer, wie sie in den Buchten der Küste verschiedenwertig gewährleistet und manchen Arten wohl eine Vorbedingung erfolgreichen Laichens ist, in den Daseinsbedingungen der Fische zuzeiten eine wichtige Rolle. Desgleichen die Scharen niedriger Krebschen, die als Hauptnahrung gesucht werden, und die ihrerseits wieder auf Milliarden mikroskopischer Tierchen und Pflänzchen angewiesen sind. Professor Schultze fordert dann eine eingehende Erkundung der südwestafrikanischen Küstengewässer, die etwa ein Jahr dauern und durch einen Dampfer mit ausgesucht erprobter Fischerbemannung durchgeführt werden müsse. Er führt an, daß über die Massenansammlungen der Fische jeder Kriegsschiffskommandant von neuem berichte, und daß die Postdampferkapitäne ihrer als einer altbekannten Erscheinung kaum noch Erwähnung täten. Allein die Millionen von Seevögeln, die die vorgelagerten Inseln bewohnen, und die Robben, die sich hier noch immer zu vielen Hunderten tummeln, bezeugten den unerschöpflich reichen Tisch, den hier die Natur gedeckt habe. Aus der Zahl der Arten, die als wohlschmeckende Speisefische in Betracht kommen, seien hier kurz erwähnt vier Vertreter der Meerbrassen, der Gallionfisch, der Stumpnos, der Steenbraß und der Hottentott; von den Meeräschen der Springer, Harder und Vokkoms; endlich in größerer Küstenferne eine Temnodonart, der allgemein bekannte Enuf, und aus der Familie der Heringe die Scharen des Sardinfisches. Dicht am Ufer wohnen die wohlschmeckenden Plattfische oder Seezungen, und zu den Welsen gehört der Catfisch. Die Ausnützung des Fischreichtums ist, wie bereits bemerkt, bisher eine ganz ungenügende und hat sich meistens auf eine Versorgung der Küsten und küstennahen Gebiete beschränkt. Auch die an der Küste wohnenden Eingeborenen liegen dem Fischfang teils mit Netzen, teils mit harpunenähnlichen Speeren (auf Seezungen) ob; aber sie sind merkwürdigerweise außerordentlich wählerisch in der Verwertung der Arten. So verachten sie die stets den größten Teil ihrer Fänge ausmachenden kleinen Katzen- oder Hundshaie und die Rochen, die z. B. von den Krujungen, die als Schiffsarbeiter der

Wörmannlinie an die südwestafrikanische Küste kommen, hoch geschätzt werden. Professor Schulze erwähnt zuletzt, daß der Bedarf unseres Schutzgebiets bei weitem von dem zur Zeit in der Kapkolonie bestehenden übertroffen wird, und daß der dortige Markt für jede Quantität gut gesalzener und getrockneter Fische aufnahmefähig sei, ferner aber noch bei einem weiteren Ausbau Natal und Mauritius. — Soviel über den Fischfang.

Ein weiterer Zuchtzweig, der im Schutzgebiet eine weit höhere Ausgestaltung erfahren könnte, ist die Bienenzucht.

Die Verwertung des Honigs ist den Eingeborenen von jeher bekannt. Allerdings haben sie ihn bisher meist nur benutzt, um aus ihm durch Gährung ein berauschendes Getränk, das sogenannte „Honigbier", zu bereiten. Im Finden der Wohnungen der wilden Bienen, die in Bäumen, ebenso häufig aber auch in der Erde, in Felsspalten und verlassenen Termitenhaufen sich befinden, haben es die Eingeborenen zu einer bemerkenswerten Fertigkeit gebracht; sie verfolgen den Flug der Bienen von den Wasserstellen aus und lassen sich so von ihnen ihre Wohnungen zeigen. Da die Entnahme des Honigs aber in allen Fällen in einer ganz rohen und unsachgemäßen Weise erfolgt, so geht meist die ganze Bienenwohnung und oft das Volk dabei zugrunde.

Gepflegt und sachgemäß betrieben wurde die Bienenzucht vor allem von den Missionaren, und unter ihnen in erster Linie von dem Missionar Judt in Hoachanas (Taschenbuch für Südwestafrika 1909). Auch die damalige Landeshauptmannschaft hatte bereits im Jahre 1893 in Windhuk eine Anzahl von Bienenstöcken, die guten Ertrag gaben, und in neuerer Zeit haben sich auch mehr wie bisher einzelne Farmer dieser durchaus lohnenden und bei sachgemäßem Betriebe guten Ertrag abwerfenden Zucht zugewandt. Zu bemerken ist, daß der südwestafrikanische Honig als reiner Steppenhonig einen außerordentlich angenehmen, aromatischen Geschmack besitzt und von Kennern höher bewertet wird als selbst der beste europäische Honig. —

Die Ausdehnung der Farmwirtschaft hat in den letzten Jahren in allen Landesteilen eine sehr bedeutende Ausdehnung genommen. Während die älteren Farmer vielfach ihre Betriebe durch Ankauf neuer oder durch Bewirtschaftung bisher brachliegender Farmen vergrößern konnten, hat sich die Farmerbevölkerung auch durch Zuzug neuer Elemente, vor allem aus Deutschland, erheblich verstärkt. Hand in Hand mit diesen Erfolgen ging das Fortschreiten der Wassererschließung, der Bau von Farmdämmen und von Wohnhäusern, die Ausbreitung des Gartenbaus und das Fortschreiten der

Vermessung der Farmen. Die Mehrzahl der neu in das Land kommenden Einwanderer wandte sich dem Norden und der Mitte des Schutzgebiets zu. Während im Jahre 1906 im ganzen nur 44 Farmen verkauft wurden, verkaufte die Regierung allein im Jahre 1907 aus dem Kronland 188, von denen die größte Zahl auf die Bezirke Omaruru (51), Gobabis (37), Grootfontein (31), Okahandja (24), Windhuk und Gibeon (je 14) und weitere auf die Bezirke Outjo, Keetmanshoop und Karibib entfielen. Bemerkenswert ist auch das Vordringen der Farmwirtschaft und des Gartenbaus nach Westen zu, so vor allem im Flußbett des Swakop bis Haigamkab und Nanikontes, also bis ganz dicht an die Küste heran. Im Süden des Schutzgebiets beeinflußten die unsicheren politischen Verhältnisse die Wiederaufnahme der Wirtschaft und den Verkauf von Farmen in ungünstiger Weise. Im ganzen waren am 1. April 1908 682 Farmen in Privatbesitz, von denen 172 nicht bewirtschaftet wurden, hiervon die größte Zahl (68) im Bezirk Keetmanshoop.

Mancherlei störende Einflüsse, wie das Auftreten großer Heuschreckenschwärme, vorzeitiger Frost und im Süden vor allen Dingen sehr ungünstige Niederschlagsverhältnisse, haben der Farmwirtschaft gerade in den letzten Jahren nicht unbedeutende Wunden geschlagen. Um so erfreulicher ist es aber, daß man von einem Sinken des Mutes der Betroffenen fast in keinem Fall hat reden können. Im Gegenteil: der Fortschritt auf allen Gebieten ist bedeutend gewesen, wofür als Beweis in erster Linie die bereits erwähnte sehr erhebliche Zunahme des Viehbestandes und auch die des Gartenbaues angeführt werden kann. Ein Auszug aus der „Nachweisung des in Privatbesitz befindlichen Landes" (1 Blatt aus dem Bezirk Grootfontein-Nord siehe Seite 380/81) gibt hiervon ein interessantes Bild.

Die Durchschnittsgröße der einzelnen Farm, die von der Güte des Grund und Bodens und damit der Weide, von der Gunst oder Ungunst der Regenverhältnisse und von den Möglichkeiten der Wassererschließung abhängig ist, wird demgemäß für die verschiedenen, in ihren wirtschaftlichen Bedingungen voneinander abweichenden Landesteile eine stark differierende sein. Naturgemäß sind auch die Landpreise in den dem Verkehr voll erschlossenen guten Weidegebieten höhere als in den mehr abgelegenen Landschaften, vor allem im äußersten Süden, Osten und Nordwesten des Schutzgebiets. Im allgemeinen kann die zur Rentabilität des Betriebes notwendige Durchschnittsgröße der südwestafrikanischen Farm im guten Weidegebiet auf mindestens 10 000 ha (40 000 preußische Morgen) bemessen

Auszug aus der Nachweisung des in Privat-

Name der Farm	Vor- und Zuname des Eigentümers	Vor- und Zuname des Pächters	a) Name des Verkäufers oder Verpächters. b) Name der Vorbesitzer, des Verkäufers oder Verpächters	Größe der Farm in ha	Staatsangehörigkeit des Eigentümers oder Pächters
					Bezirk
Kudusdamm . . .	Hendrik Niewenhuizen		Gouvernement	3 000	. . .
Otjemaware-Süd .	Adolf Sening		Gouvernement	3 000	Bayern
Ovisume-Nord . .	Theodor Schmink	—	Gouvernement	3 000	
Osondema I . . .	Arthur Maye	. . .	Gouvernement	5 000	Preußen
Osondema II . . .	August Rademacher		Gouvernement	5 000	Preußen
Duwib	Heinrich Friedrich		Gouvernement	5 000	Württembg.
Omambonde-Ost .	Karl Teßmer		Gouvernement	5 000	Preußen
Otatjiro . .	Julius Ackermann		Gouvernement	10 000	Sachsen
	August Deckert				Preußen
Guntsas	Forstmstr. v. Lindequist		Gouvernement	10 000	Preußen
Reibsaß u. Ondova	Dr. Kuhn		Gouvernement	20 000	
	Dr. Bail	—		10 000	
	Dr. Jock				
Sandhup . .	Franz Becker		Gouvernement	5 000	Preußen
Otjomaware . . .	Oskar Groß		Gouvernement	5 000	Sachsen
Otatjongeama I . .	Hermann Steinfurth		Gouvernement	5 000	Preußen
Halberstadts Farm	Wilhelm Halberstadt		Gouvernement	5 000	
Obochus	Oskar Berger		Gouvernement	5 000	Preußen
Nakusib	Karl Hartmann		Gouvernement	5 000	Preußen
Hoffnung	Kurt Woite		Gouvernement	5 000	Preußen
Otavifontein . . .	Otavi-Minen- und Eisenbahngesellschaft		a) S. W. A. Comp.		
Olifantfontein . .	Karl Schulz		S. W. A. Comp.	3 000	Preußen
Urupupa	Franz Sobolewski	.	S. W. A. Comp.	6 000	Preußen
Rietfontein .	S. W. A. Comp.		Besitz aus der Damaraland-konzession	3 000	
Abakobib	H. Pootmann		S. W. A. Comp.	3 000	England
Strytfontein .	J. M. Lombard		S. W. A. Comp.	3 000	
Nittomst .	Wilhelm Joubert		S. W. A. Comp.	3 000	Deutschland

besitz befindlichen Landes. Berichtsjahr 1907/08.

Familienstand des Eigentümers oder Pächters	a) Zahl der Kinder, b) darunter Schulpflichtige	Viehbestand Großvieh	Kleinvieh	Wieviel Land wurde im laufenden Jahre bebaut? ha	Wieviel und welche Acker- und Gartenprodukte wurden im laufenden Jahre erzeugt?	Bemerkungen
Grootfontein.						
verheir.	a) 3 b) 1					1 Schachtbrunnen. Noch nicht bezogen.
ledig	—	16	35	30	vertrocknet.	2 Schachtbr., 1 Pumpe.
ledig		17	52	2	1 Ztr. Bohnen, 4 Ztr. Mais.	3 Schachtbrunnen. Besitzer haben sich zusammengetan.
ledig		20		2	vertrocknet.	
ledig		50	23	15	ca. 15 Ztr. Kartoffeln, ca. 35 40 Ztr. Mais.	1 Vieh mit Grundwass., 1 Schachtbrunnen.
ledig	—	40	17	12	nur wenig Mais, Kartoffeln, Bohnen.	1 Schachtbrunnen mit Pumpe.
verheir.	a) 1	23	160	12	ganz wenig Mais und Kartoffeln	4 Schachtbr., 4 Pumpen.
ledig		35		22	ca. 20 Ztr. Mais, etwas Bohnen.	
		500	312			10 Pferde, 8 Esel; unter dem Kleinvieh 33 Karakul und 214 Halbblutschafe.
ledig		68	225			1 Schachtbr., 1 Pütze, 1 Abessinierpumpe.
ledig		14	33	20	vertrocknet.	2 Schachtbr., 1 Pumpe.
ledig		45	65	2	vertrocknet.	2 Brunnen. Auf der Farm steht ab u. zu d. Vieh v. Wilhelmsruh.
ledig		22	34	9	vertrocknet.	2 Schachtbr., 1 Becherp.
verheir.		18		8	10 Ztr. Kartoffeln, 5 Ztr. Gemüse.	2 Brunnen, 2 Pumpen.
ledig		5	9	3		4 Brunnen.
		230	753	45	ca. 1000 Ztr. Mais, 25 Ztr. Hafer, ca. 20 Ztr. Luzerne, ca. 1 kg Baumwolle.	7 fließende Quellen.
verheir.	a) 10 b) 3	112		60	ca. 600 Ztr. Mais, ca. 100 Ztr. Kartoffeln.	1 starke Quelle mit Stauung u. Abflußgr.
ledig		183		80	unbestimmt.	1 Brunnen m. Becherp., 1 Stauanl., 1 Windmotor.
				120	ca. 1500 Ztr. Mais, ca. 100 Ztr. Bohnen, Kartoffeln, Gerste, Luzerne	Fließende Quellen.
verheir.	a) 3 b) 1	107	85		vertrocknet.	2 Brunnen, 1 Becherpumpe, 1 Staudamm.
verheir.	a) 7 b) 2	60	222	40	150 Ztr. Mais, 60 Ztr. Tabat, 150 Ztr. Weiz.	4 fließende Quellen mit Staudamm und Bewässerungsgraben.
verheir.	a) 4	80	180	30	30 Ztr. Mais. Weizen u. Tabat unbestimmt.	1 Brunnen, 2 fließende Quellen.

werden. Erst diese Größe sichert im allgemeinen, besonders im Hinblick auf die starken Veränderungen ausgesetzten Niederschlagsverhältnisse, die Versorgung eines genügend großen Viehbestandes mit ausreichender Weide, doch sind in einzelnen bevorzugten Landesteilen Schwankungen nach unten hin immerhin möglich. Der Jahresbericht über die Entwicklung der Schutzgebiete im Jahre 1907/08 gibt folgende bemerkenswerte Zusammenstellung der sämtlichen bisher verkauften Farmen nach dem Stand vom 1. April 1908:

| Bezirk | Durchschnittliche Größe in ha | Zahl | Bewirtschaftet durch | | | Unbewirtschaftet | Gartenbau |
			Eigentümer	Verwalter oder Pächter	Eingeborene		
Lüderitzbucht	16 500	13	4	.	.	9	2
Karibib	12 500	48	39	.	.	9	12
Omaruru	5 000	61	55	3	.	3	3
Outjo	6 500	36	24	5	1	6	14
Grootfontein . . .	5 000	85	67	4	.	14	50
Gobabis	5 800	72	54	.	.	18	23
Windhut	12 000	64	46	15	1	2	28
Otahandja	7 000	58	46	4	.	8	31
Rehoboth	9 000	42	23	4	.	15	8
Gibeon	14 000	78	53	5	.	20	23
Keetmanshoop	15 000	125	50	6	1	68	11
Summe . .	.	682	461	46	3	172	205
Dagegen im Vorjahr	.	480	224	32	9	215	169
		+ 202	+ 237	+ 14	— 6	— 43	+ 36

In außerordentlich lichtvoller Weise behandelt die Ansiedlungsfrage im Schutzgebiet Dr. P. Rohrbach in seinem höchst bemerkenswerten Buche: „Wie machen wir unsere Kolonien rentabel?" Es wird dort ausgeführt: „Südwestafrika gilt unter allen unseren Kolonien in besonderem Maße als Ansiedlungsland für deutsche Auswanderer. Wir haben bereits gesehen, daß die Voraussetzungen für die Ansiedlung von Weißen in derselben Art wie in den übrigen subtropisch gearteten südafrikanischen Steppengebieten tatsächlich vorliegen. Soviel aber auch in den letzten Jahren bei uns von Südwestafrika die Rede gewesen ist, so kann es doch nicht überflüssig erscheinen,

Aus dem Farmgebiet des Nordens:
Der Otjikotojee südwestlich von Otavi.

395

noch einmal mit aller Bestimmtheit zu betonen, daß es sich trotz der bedeu=
tenden Größe der verfügbaren Landfläche und trotz der großen Wirtschafts=
werte, die hier produziert werden können, nicht um die Aufnahme einer
Massenauswanderung aus Deutschland in dem Sinne handelt, daß auch nur
die jetzige, bekanntlich sehr niedrige Auswanderungsrate einiger weniger Jahre
dorthin gelenkt und dort untergebracht werden könnte. Die Natur Südwest=
afrikas als eines Weidelandes bedingt mit zwingender Notwendigkeit seine

Weideland an der Palmengrenze dicht nördlich von Grootfontein.

wirtschaftliche Nutzung in erster Linie durch eine extensive Weidewirtschaft.
Wenn man von dem Gesamtareal die Wüste und außerdem die ganz oder
fast ganz sterilen Gebiete im äußersten Süden, die vegetationsarmen Stein=
flächen und die östlichen Teile des großen Sandfeldes gegen die englische
Kalahari=Grenze zu abzieht, so verbleibt etwa ein Rest von 500 000 qkm
oder 50 000 000 ha. Diese 50 Millionen Hektar können einstweilen vor=
sichtigerweise auf nicht mehr als 5000 Farmen eingeschätzt werden. Es
ist zwecklos, durch allerhand Reduktionen und Abzüge von der tatsächlich
notwendigen Größe, durch Berufung auf den großen Weidereichtum in
begünstigteren Teilen des Landes usw., eine etwas größere Anzahl von
Farmen herausrechnen zu wollen. Man kann bei einer kolonialwirtschaft=

lichen Kalkulation dieser Art nicht vorsichtig und zurückhaltend genug sein. Den Erfordernissen der notwendigen Vorsicht entspricht es auch nicht, wenn man sich z. B. darauf beruft, daß im früheren Oranje-Freistaat, der sich im ganzen genommen in ähnlichen Verhältnissen befindet wie der mittlere Teil von Südwestafrika, die durchschnittliche Farmgröße zuletzt nur 3000 ha betragen habe. Die Tatsache ist richtig, aber sie will unter der Voraussetzung verstanden werden, daß Absatzmärkte von der Bedeutung Kimberleys, der Transvaal-Goldfelder und Kapstadts in der Nähe des einstigen Freistaates liegen, daß die Eisenbahnverbindungen nach allen Seiten hin durchgeführt sind, daß der Freistaatfarmer also einen verhältnismäßig sehr hohen Anteil an dem Marktpreis seiner Produkte, den diese an dem Ort des Verbrauchs erzielen, bekommt -- jedenfalls also einen bedeutend höheren, als der südwestafrikanische Farmer ihn zunächst bekommen wird, der erst nach Europa oder nach dem britischen Südafrika, sei es auf dem See-, sei es auf dem Landwege, exportieren muß. Naturgemäß konnte unter solchen günstigen Verhältnissen eine besonders intensive Nutzung der Weide stattfinden. Wenn einmal in Zukunft das Eisenbahnnetz in unserer Kolonie Südwestafrika eine entsprechende Ausdehnung erlangt haben wird, wie in Transoranje, wenn die Methode der Farmwirtschaft, die Menge der Staudämme und Brunnen, die Drahteinzäunung der Farmen, die Zucht höherwertiger Wollschafe und Angoraziegen, die Produktion von besonderen Qualitätsrassen in Großvieh usw., auf einen höheren Standpunkt gelangt sein werden, dann wird allerdings auch in unserem Gebiet eine erhebliche Verkleinerung der durchschnittlichen Farmgröße von selber eintreten. Dieses günstige Bild zukünftiger Möglichkeiten aber schon jetzt bei dem Entwurf eines Wirtschaftsprogramms für die Kolonie vorzunehmen, dazu hat man kein Recht. Im Grootfonteiner Bezirk kann man heute schon bei der Bemessung der Farmgröße zum Teil auf 3000 ha hinuntergehen. Auch im Hereroland gibt es einzelne Gegenden, wo entweder wegen besonderer Güte des Weide-

F. Seiner phot.

Waldlandschaft im „Caprivizipfel".

feldes oder wegen unmittelbarer Lage an der Eisenbahn, oder auf Grund besonderen Wasserreichtums, 5000 bis 7000 ha für jetzt genügen können. Die durchschnittliche Größe einer Farm im Hererolande aber darf nicht unter 10 000 ha
veranschlagt werden. Für die Südbezirke, Gibeon und vollends Keetmanshoop,
sind 10 000 ha viel zu wenig. Das Gras steht dort bedeutend undichter als
im Norden und die Gefahr, daß es ein oder selbst mehrere Jahre lang nicht
genug regnet, um an Stelle des abgeweideten Futters neues emporsprießen zu
lassen, ist viel größer. Im Warmbader und Bethanier Distrikt werden im
Durchschnitt selbst 20 000 ha kaum genügen. Im Gibeoner Bezirk wird man,
ohne daß eine Schematisierung befürwortet werden soll, 15 000 bis 20 000 ha
rechnen müssen. Man muß auch dem neuen Ansiedler, der sich jetzt eine
Farm gründet, billigerweise das Land etwas reichlich zumessen. Er nimmt
das Risiko der Ansiedlung auf sich, in Gegenden, die oft von allen wirtschaftlichen Hilfsquellen, soweit sie durch den Verkehr bedingt sind, entfernt
liegen. Man wünscht und befördert die Familiengründung seitens der Farmer,
und das mit Recht, denn sie ist die Basis einer gesunden Entwicklung im
ganzen Lande, sowohl nach der nationalen, als auch nach der wirtschaftlichen
Seite hin. Der Farmer möchte aber von vornherein soviel Land haben, daß er
für seine heranwachsenden Söhne, oder wenigstens für einen von ihnen auch etwas
Land übrig hat. Die Methode der Buren, den Kindern schon von Geburt
an etwas Vieh zuzuteilen und es auf der Farm des Vaters mitweiden zu
lassen, bis die Kinder erwachsen sind, so daß es dann ihre Ausstattung bildet,
für die Mädchen das Heiratsgut, für die jungen Männer den Grundstock
zur wirtschaftlichen Selbständigmachung, ist gesund, und sie wird sich zweifellos
auch bei uns einbürgern. Die starke Beschneidung der jetzt zum Verkauf
gelangenden Farmeinheiten würde der ganzen Besiedlung von vornherein
einen Zug der Ängstlichkeit und kleinlichen Rechnerei auf seiten der Verwaltung, der Unzufriedenheit und Unlust bei den Ansiedlern aufdrücken. Daß
man dem spekulativen Ankauf größerer Landflächen, die nicht gleich in nor-
male Bewirtschaftung genommen werden, sondern nur zum vorteilhaften
Weiterverkauf liegen bleiben sollen, entgegenarbeitet, ist durchaus notwendig.
Notwendig ist es dagegen nicht, die Vereinigung mehrerer Farmeinheiten in
einer Hand zu verhindern, wenn die Gewähr einer entsprechenden Kapitals-
anlage und intensiven Wirtschaftsnutzung gegeben ist. Auch hierfür gibt es
natürlich gemessene Grenzen, aber wenn z. B. die südwestafrikanische Schäferei-
gesellschaft 60 000 ha besitzt und in angemessener Frist tatsächlich ihren ganzen
Besitz für ihren Betrieb ausnützt, so ist kein Grund vorhanden, das Auf-

25*

kommen ähnlicher, gut fundierter Unternehmungen schlechtweg zu verhindern. Nur dürfen sie nicht eine solche Ausdehnung annehmen, daß für die Einzel- farmer, die zweifellos den wertvollsten und am meisten zu begünstigenden Bestandteil des Ansiedlertums in Südwestafrika bilden sollen, Mangel an Land und Bewegungsfreiheit entsteht."

Die den Nichtkenner südafrikanischer Wirtschaftsverhältnisse überraschende Größe der Einzelfarmen beruht vor allen Dingen auf dem Umstande, daß zur Ernährung eines jeden Stückes Groß- oder Kleinviehs eine Anzahl von Hektaren Weidelandes — je nach Güte der Weide und Reichhaltigkeit und Sicherheit der Niederschläge 1 bis 4 ha notwendig ist. Dabei werden die- jenigen Farmen, auf denen sich geeignete Verhältnisse für den rentablen An- bau von Kraftfutter, vor allem Luzerne, Mais, Hafer, Kafferkorn finden, selbstverständlich mit einer über diese Berechnung hinausgehenden Zahl von Tieren bestockt werden können. Das sind in erster Linie die Farmen des Damaralandes, der Bezirke Windhuk, Okahandja, Gobabis, Outjo und Grootfontein. Im Süden dagegen, im Groß-Namalande, wird besonders in den nordöstlichen und südwestlichen Teilen für jedes Stück Vieh eine noch weit größere Anzahl von Hektaren gerechnet werden müssen, da in diesen Gebieten die Niederschlagsverhältnisse außerordentlich wechselnd und unsicher sind. Es muß ferner hervorgehoben werden, daß der vorsichtige Farmer stets einen Teil seines Weidelandes freihalten und sich aufsparen wird. In diesem Ge- biet bleibt dann das Weidegras als Heu auf dem Halme stehen und kann im folgenden Jahre, das vielleicht wieder ein dürres ist, als Futterreserve verwendet werden.

Die Geschichte der Ansiedlung zeigt ein außerordentlich schwankendes und unsicheres Bild, ein Bild, das dartut, wie es in den ersten Jahren an einem festen Programm vollständig gefehlt hat. Allerdings konnte ein solches ja auch erst auf Grund der Erfahrungen aufgestellt werden, welche die ersten Versuche ergeben mußten. Aber diese Erfahrungen waren, könnte man sagen, fast negativer Natur, so daß die Bewertung der Kolonie als Ansiedlungs- gebiet noch in den Jahren um 1895 und 1896 in Deutschland eine überaus geringe war. Man sieht hieraus heute, wie vorsichtig man in der Ein- schätzung neu erworbener und wenig erschlossener Länder sein muß, und wie sehr sich in wenigen Jahren auf Grund tatsächlicher Erfolge ein absprechen- des Urteil in das Gegenteil kehren kann. Allerdings waren die fort- dauernden Kriege und Unruhen der wirtschaftlichen Entwicklung durch Jahre hindurch auf das schwerste hinderlich. Wahrscheinlich aber hätte sich bereits

Karibib im Jahre 1909.

nach den ersten Jahren das Urteil über den Wert der Kolonie ganz anders gestaltet, wenn die Regierung in diesen Jahren nicht von vornherein auf einen tätigen Anteil an der Besiedlung verzichtet und diese einigen Landgesellschaften übertragen hätte, die, ob durch eigene Schuld oder nicht mag dahingestellt bleiben, höchst unglücklich arbeiteten. Auch der Hauptteil des Ansiedlermaterials, der von den Gesellschaften in das Land geführt wurde, war durchaus ungeeignet, so daß starke wirtschaftliche Rückschläge für diese Leute nicht ausblieben.

Wenn Südwestafrika mit Recht als das Land der extensiven Viehzucht bezeichnet wird, so war es in jenen Jahren schon allein durch die kriegerischen Ereignisse und die Konkurrenz der viehzüchtenden Herero unmöglich, auf diesem Gebiet Erfolge zu erringen. Als aber eine große Zahl der Siedler sich auf Grund dieser Erkenntnis dem Gartenbau zuwandte, da zeigte es sich bald, daß sie auch hier nicht fortkommen konnten, einfach deswegen, weil ihnen ein genügendes Absatzgebiet, ein Markt, fehlte. So wandte sich in den ersten Zeiten deutscher Einwanderung eine große Zahl der Neusiedler dem Handel zu, der bei dem damals noch bestehenden Viehreichtum der Herero auch recht gute Erträge brachte. Diese Verhältnisse haben sich erst im Laufe der Jahre allmählich verändert, und es ist ein besonderes Verdienst des damaligen Gouverneurs, des Majors Leutwein, und seines Stellvertreters, des Regierungsrats v. Lindequist, die Entwicklung der Farmwirtschaft in gesicherte Bahnen gelenkt zu haben. Nicht zum wenigsten trug hierzu die immer wieder mit Ernst betriebene Aufklärung der auswanderungslustigen Kreise in Deutschland bei, die es mit sich brachte, daß die einwandernden Siedler im Laufe der Jahre in der Tat aus geeigneteren Persönlichkeiten bestanden. Auch die Preispolitik der Regierung bewegte sich in den durchaus gesunden Bahnen, den Neusiedler nicht von vornherein durch einen zu hohen Kaufpreis wirtschaftlich schwer zu belasten. Die Landpreise der Regierung für die aus dem Kronland von ihr verkauften Farmen hielten sich daher sehr wesentlich unter den von den Gesellschaften geforderten, während die Bedingungen für wehrpflichtige Reichsangehörige noch bedeutend günstigere waren, und Land in gewisser Größe an ehemalige Schutztruppenangehörige sogar ganz kostenlos, aber natürlich unter der Bedingung abgegeben wurde, daß mit der Bewirtschaftung des Landes in angemessener Frist begonnen werde. Bemerkt muß hier werden, daß die niedrigen Landpreise in einem derartigen Neulande durchaus gerechtfertigt sind, und man wird bei der Erwägung dieser Frage den Leitsatz zugrunde legen können, daß das Land neu zu erschließender Gebiete an sich wertlos ist, und daß es erst Wert erhält durch die Arbeit, die der weiße Besitzer auf ihm leistet.

Eine der viel-umstrittensten Fragen im Wirtschaftsleben des Schutzgebietes bilden die Möglichkeit und Rentabilität der Kleinsiedlungen, d. h. die Ansiedlung von Gartenbauern auf kleinen, aber durch die Gunst der Boden- und Wasserverhältnisse ausgezeichneten Ländereien. Die Anfänge zu diesen Ansiedlungen gehen bereits auf die Jahre 1893 bis 1895 zurück, in denen eine Anzahl von deutschen Einwanderern in das Schutzgebiet gekommen war, ursprünglich zum großen Teil mit der Absicht, Farmen zu bewirtschaften. Sie wurden jedoch durch den Krieg gegen Hendrik Witbooi gezwungen, sich dicht gedrängt im Klein-Windhuker Tal niederzulassen und sich hier dem Gemüse- und Obstbau zu widmen. Damals war es vor allem die Siedlungsgesellschaft, die sich eingehend mit der Kleinsiedlungs- oder sogenannten Heimstättenfrage beschäftigte, und bereits damals wurde darauf hingewiesen, daß sich mehr, wie allgemein bekannt, Örtlichkeiten im Schutzgebiete befänden, die für eine dicht gedrängtere Heimstättenansiedlung durchaus geeignet seien. Unsere heutige, genauere Kenntnis des Schutzgebietes hat diese Ansicht vollkommen bestätigt. Der Reichtum an Wasser (Quellen) und die dadurch gegebene Möglichkeit, Ländereien ohne große Kosten in aus-

Groß-Windhuf im Jahre 1909.

giebiger Weise berieseln zu können, bildet die notwendige Grundlage dieser Frage. Im Jahre 1902 veröffentlichte die Siedlungsgesellschaft einen Bericht über die Heimstättensiedlung der Kolonie Klein-Windhuk, in dem es heißt: „Unter den Produkten wird der Wein in wenigen Jahren die vornehmste Stelle einnehmen. Zur Weinlese (um Weihnachten 1901 02) werden bereits 1800 bis 2000 Stöcke (über 3 Jahre alt) tragen. Hierunter befinden sich etwa 230 im Alter von 5 und mehr Jahren, 5 sogar in einem solchen von 20 bis 30 Jahren. Ferner sind dann vorhanden etwa 14 000 ein- bis dreijährige Stöcke und noch etwa 60 000 Stecklhölzer, das macht also rund 75 000 Weinpflanzen. Die Ansiedler haben meist nur das nötige Milchvieh und Kleinvieh auf dem für die Kolonie reservierten Weidegebiet. Das übrige Vieh schicken sie auf ihre Farmen." Dieser Bericht zeigt, daß in wenigen Jahren, etwa von 1895 bis 1902, eine wesentliche Veränderung im wirtschaftlichen Zustand der Kleinsiedler eingetreten war. In den ersten Jahren nämlich hatte man die Anordnung getroffen, für sie ein größeres, gemeinsames Weidegebiet zu reservieren, aber es hatte sich bald gezeigt, daß die Gemeindeweide bei einer größeren Vermehrung des Viehs insofern eine Gefahr für die Viehzucht bedeutete, als dasselbe auf dem enggedrängten Weidegang durch die leider sehr mannigfachen Viehseuchen und Krankheiten außerordentlich gefährdet war. Der Bericht weist ferner auf eine weitere Fortentwicklung und wirtschaftliche Stärkung der Kleinsiedler durch die Tatsache hin, daß die Mehrzahl der Siedler sich im Jahre 1902 bereits neben ihren Heimstätten im Besitz von Farmen befand.

Eine von dem Landmesser der Siedlungsgesellschaft, Breil, zusammengestellte Heimstätten- und Kulturtabelle der Kolonie Klein-Windhuk aus dem Jahre 1902 gibt eine übersichtliche Zusammenstellung über die Wirtschaftsmöglichkeiten der Kleinsiedlung, wobei gleich bemerkt werden kann, daß diese seitdem in mannigfacher Hinsicht durch neuere Versuche ergänzt und verstärkt worden sind. Der Tabelle, Seite 394/95, entnehmen wir das Blatt mit den Aufzeichnungen über die Erfolge eines der ersten und energischsten Siedler, J. Ludwig.

Trotz dieser anscheinend sich in stark aufsteigender Linie bewegenden Tendenz der Kleinsiedlung hat es aber doch an mannigfachen Rückschlägen nicht gefehlt. Zunächst muß bemerkt werden, daß Kleinsiedlungen mit ihrer vorzugsweisen Betonung des Gemüse-, Wein- und Obstbaues und auch des Anbaues von tierischen Futtermitteln selbstverständlich nur dort gedeihen können, wo sich den Siedlern in einer die Rentabilität begünstigenden Nähe

Kat. Nr.	Namen usw. der Eigentümer	Beginn der Bewirtschaftung usw.	1. Weinbau — Allgemeine Notizen, Ertrag usw.	Anzahl der Stöcke	Steckholz	2. Gemüsebau — Ertrag
28 und 57 27	Kreuh, Adolf, Nebenbeschäftigung: Maurer, und Ehefrau Selma, geb. Haase.			Etwa 75 zwei- und drei- jährige Stöcke.	900 bis 1100.	Alle Arten von Gemüse.
26	Ludwig, Hugo, 20 Jahre alt, Neben- beschäftigung: Ziegelei und Frachtfahren.	3 bis 4 ständige Kaffern für die Fläche von etwa 70a, welche in Kultur ist.	Muskateller, Riesling, Kapwein, Gutedel.	300 drei- jährige, 1000 zwei- jährige Stöcke.	Etwa 10 000.	Alle Arten von Gemüse.
21 und 37 2 und 25	Ludwig, John, 45 Jahre alt. Nebenbei Aus- übung der Aus- schanklizenz.	Seit 1893 in intensiver Kultur, worauf schon eine zementierte Düngergrube hinweist. Der Gartenbau er- fordert acht ständige Ein- geborene und die Tätigkeit eines weißen Angestellten. — Die etwa 400 m langen, beider- seitig bepflanz- ten Weingänge mit dem Wasserbassin und einem Springbrunnen usw. bieten einen herz- erquickenden Anblick von Ludwigs Terrasse auf der Höhe.	Im Dezember 1900 bis Februar 1901 wurden von etwa 300 tragenden Stöcken 3600 Pfund Trauben zum Durchschnitts- preise von 0,7 .M. geerntet (einschl. des eigenen Verbrauchs). Der Weiner- trag zu Weih- nachten 1898/99 belief sich buch- mäßig ohne Eigenverbrauch auf 40 .M. Desgl. zu Weihnachten 1899/00 auf rund 300 .M. Desgl. zu Weihnachten 1900/01 auf rund 2200 .M. Es sind ver- schiedene Sor- ten angebaut.	800 bis 1000 tragende Stöcke (davon 150 fünf- jährig, die anderen jünger, drei- bis vier- jährig). 4000 zwei- jährige Stöcke.	10 000.	(Anfang 1901 sind von Ludwig bereits für 21 .M. Apfel und etwa 630 .M. anderes Obst, haupt- sächlich Aprikosen [und Feigen] ver- kauft worden.) Es wird alles Gemüse in großen Mengen angebaut. Laut Buchung betrug die Gesamteinnahme aus den neben- stehenden Heim- stätten, welche bis auf Hofräume usw. ganz in Kultur sind, vom 1. September 1899 bis 1. September 1900 16 216 .M., vom 1. September 1900 bis 1. Sep- tember 1901 15 400 .M. (ein- schließlich Wein usw.) von 4,0 ha Fläche, ohne Hof- raum usw.
5	Frau John Ludwig, geb. Blohm. Außerdem be- sitzt p. Ludwig eine Siedlungs- farm und noch eine andere im Süden des Schutzgebiets.					
22	Ludwig, Joseph. Diese Heimstätte wird von John Ludwig mit Ausnahme des aufstehenden Wohnhauses auf sechs Jahre bewirtschaftet.					

3. Obstbau usw. Nutzhölzer usw.	4. Getreide- bau usw. Futter	5. Blumen, Südfrüchte usw.	6. Wasserverhältnisse	7. Gebäude, Anlagen, Inventar usw.
2 Apfel- stämme.		10 Bananen, Feigenbäume und Sträucher, Granaten, 2 Oleander, 2 Zitronen.	1 Quelle, etwa 3 cbm täglich. Durch Stollen erschlossenes Wasser, vermutlich auch 3 bis 4 cbm täglich.	Blechhaus, (Lehmsteinbaus wird demnächst begonnen), 21 Kühe, 7 Färsen, 14 Kälber, 5 Hühner, 1 Hahn.
32 Obstbäum- chen.		9 Bananen, Feigenbäume usw.	12 Stunden Wasser wöchentlich aus der Lud- wigschen Quelle etwa 18 cbm täglich. Wegen des quelligen Unter- grundes ist teilweise Be- wässerung zu entbehren.	Altes Fundament eines geräumigen Hauses, 1 Gespann Ochsen mit Wagen.
Tragende Apfelbäume, Birnen, Pflaumen, Etwa 18 tra- gende Apri- kosen, Erd- beeren, Quitten, 2 Eichen, Akazien, Kapflieder- bäume, Port Jackson- Weide, alles zusammen sind 250 Obst- und Nutzholz- stämme vor- handen.	Luzerne, welche treff- lich gedeiht, Mais usw., Kartoffeln in großen Mengen.	4 Dattelpalmen, Oleander, 50 Bananen um das Wasser- bassin, viele Maulbeer- bäume, Mandelbäume, Zypressen, Granatäpfel, Feigenbäume, 4 Apfelsinen, 4 Zitronen usw.	Für die 3 von John Ludwig bewirtschafteten Heimstätten Nr. 5, 21 25 stehen 3 × 24 = 72 Stunden oder täglich rund 110 cbm Wasser zur Verfügung. Außerdem 2 Brunnen. Die Verteilung des Wassers geschieht durch Rohrleitungen und eventl. durch anzu- schraubende Schläuche. 24 Stunden Wasser wöchentlich aus den Lud- wigschen Quellen = 37 cbm täglich.	Langes Lehmsteinhaus mit Wellblechdach und Veranda, worauf sich eine Kegelbahn befindet. Davor eine Doppel- terrasse. Saal mit Veranda und Keller- raum. Logierholzvilla, auf Heimstätte Nr. 21 ein zweites Privat- wohnhaus und Neben- gebäude. 3 Bock-Ochsenwagen, 2 Pferdekarren, 2 Karrenpferde, 2 bis 3 Reitpferde, 1 Hahn, 18 Hühner, 65 Kühe, 40 Kälber usw., 1 Affe, 1 Papagei, 6 Schweine. Eggen, Pflüge.

ein genügend großer Absatzmarkt für ihre Produkte bietet. Hierbei dürfen
also nicht betrachtet werden die Siedlungen, in denen sich Handwerker gesammelt
haben, die den Gartenbau gewissermaßen nur als Nebenbeschäftigung betreiben.
Diese Punkte sind aber vielfach zunächst nicht erkannt, unterschätzt oder übersehen worden, so daß z. B. bereits in den ersten Jahren der sich entwickelnden
Kleinsiedlung im Klein-Windhuker Tal hier und da Überproduktion und damit
eine Entwertung der Gartenbauerzeugnisse eintrat. Dieser Umstand hat sich
in neuerer Zeit öfter in verstärktem Maßstabe wiederholt. Ferner ist zu
beachten, daß ebenso wie in der Farmwirtschaft auch in der Kleinsiedlung
vielfach ganz ungeeignete Elemente sich eingestellt hatten, so daß auch durch
diesen Umstand die Heimstättenansiedlung ganz zu Unrecht in starken Miß-
kredit gekommen war. Es darf hier auf die Verhältnisse im englischen Südafrika hingewiesen werden: Nach dem Burenkriege hatte die englische Regierung
große Anstrengungen gemacht, um einen Teil der zur Entlassung kommenden
Soldaten — vor allem auf dem Gebiet der neu erworbenen Kolonien, der
Oranjefluß- und der Transvaalkolonie — anzusiedeln, und zwar im wesentlichen mit der gleichen Tendenz, wie wir sie auch zum Teil in Südwestafrika
finden, nämlich: sich an einzelnen Orten einen Stamm politisch einwandsfreier
und wehrfähiger Leute zu schaffen. So wurden in Südafrika nebeneinander
Engländer, Kanadier und Australier angesiedelt, und nun zeigte es sich bald,
daß, während die von englischen Soldaten bearbeiteten Siedlungen trotz mehr-
facher und energischer Hilfe der Regierung nicht fortkamen, die der benachbarten Kanadier und Australier einer durchaus gesunden Blüte entgegengingen.
Es weist dies neben der bereits vielfach bekannten Tatsache, daß der Durch-
schnittsengländer nur selten ein brauchbarer Siedler ist, darauf hin, nicht zu
übersehen, daß das Gedeihen der Kleinsiedlungen in erster Linie von der
Geeignetheit der Siedler abhängig ist. Es ist daher durchaus falsch, für
Mißerfolge in der Heimstättensiedlung ohne weiteres das ganze System verantwortlich machen zu wollen.

Ganz ähnliche Verhältnisse treffen wir in der Entwicklung der Kleinsiedlung in Südwestafrika an. In der Deutschen Kolonialzeitung stellt H. Bert-
hold zur Frage der Rentabilität der Kleinsiedlungen die folgenden bemerkenswerten Erwägungen an: „Südwestafrikas Handelsbilanz zeigt eine riesenhafte
Differenz zwischen Einfuhr und Ausfuhr, deren Folge nur die stets zunehmende Knappheit des Geldes sein kann. Vierzig Millionen Einfuhrwerten
stehen zwei Millionen Ausfuhrwerte im Jahre 1906 nach allgemeiner Schätzung
gegenüber. Hier müssen Ausgleiche geschaffen werden.

Allein von der Kapkolonie wurden 1906 eingeführt:

Mais	im Werte von	53 064 M.
Weizen, Roggen ufw.	= = =	335 858 =
Hülfenfrüchte	= = =	5 176 =
Kartoffeln	= = =	158 089 =
Obft	= = =	105 616 =
Gemüfe und Fruchtkonferven	= =	122 132 =
Tabak	= =	215 589 =
Heu, Klee ufw.	= = =	360 356 =

Das find alles Erzeugniffe, welche Kleinfiedler in Südweftafrika ziehen können. Mit Tabak habe man fchlechte Erfahrungen gemacht, behauptet man. Daß der Fehlfchlag nur an den Siedlern felbft gelegen hat, ift bewiefen. Auf Ofona gab mir der Tabakbauer Riffer, der noch ganz neu im Lande war, Proben von feinen Gewächfen. Sie waren reichlich fo gut wie der berühmte Magaliesberg-Tabak in Transvaal. Mais ift in ganz hervor= ragenden Qualitäten bei Grootfontein gezogen worden, und daß auch Quan= titäten gezogen werden können, unterliegt gar keinem Zweifel.

Unter Zugrundelegung der Ortspreife in Lüderitzort vom Juli 1907 wurde der Ertrag einer Kleinfiedlung bei Bethanien auf 14 360 M. bei 4500 M. Betriebsunkoften berechnet. Das ift ein vorzügliches Gefchäft, felbft dann, wenn befonders arge Fehlfchläge durch Heufchrecken, Trockenheit ufw. eintreten. Natürlich muß die intenfive Wirtfchaft mit Verftändnis be= trieben werden. Auch das fehlt. Wie oft hat der Gouverneur gefragt: „Was, auf diefem Boden wollen Sie diefe Sorte Kartoffeln ziehen?"

Solche Fragen find bezeichnend für die ganze Angelegenheit.

Eine wie bedeutende Rolle aber gerade das durch den Kleinfiedler zu produzierende frifche Gemüfe im Leben des Europäers in einem Lande mit vorzugsweifer Fleifchproduktion und fleifchlicher Ernährung, wie Südweftafrika, zu fpielen berufen ift, erwähnt Hauptmann Volkmann, indem er fagt (Tafchenbuch für Südweftafrika 1908): „Frifches Gemüfe ift ein befonders wichtiger Faktor in der Ernährung des in Südweftafrika Lebenden; es erhält gefund, verbilligt den Lebensunterhalt und gibt da, wo Abfatzmöglichkeit vor= handen ift, eine gute Rente. Darum foll jeder, der fich in Deutfch=Südweft= afrika niederläßt und dem die Möglichkeit dazu gegeben ift, alsbald an die Anlage eines Gemüfegartens gehen." Hauptmann Volkmann führt weiter= hin folgende Gemüfearten an, deren Kultur bereits erprobt ift: Spargel,

Artischocken, Tomaten, Blumen-, Wirsing-, Rot- und Rosenkohl, Weißkraut,
Kohlrabi, Erbsen, Bohnen, Karotten, Mairüben, Teltower Rübchen, rote
Rüben, Sellerie, Spinat, Rhabarber, Schnittlauch, Zwiebeln, Petersilie,
Radies und Rettiche, Gurken, Kürbis, Melonen und fast sämtliche Suppen-
kräuter. Endlich bemerkt der Jahresbericht über die Entwicklung der Schutz-
gebiete im Jahre 1907/08:

„Kleinsiedlung, Garten-, Feld- und Forstwirtschaft.

Wennschon mehr noch als früher auch die Farmer begonnen haben,
neben der Viehwirtschaft in begrenztem Umfange sich auch der Garten- und
Feldwirtschaft zuzuwenden, so kann von einer wirklichen Garten- und Feld-
kultur im Hinblick auf die Wasserverhältnisse und Bodenbeschaffenheit nur
an bestimmten Stellen des Schutzgebietes die Rede sein. Mehrere dieser
Gebiete, so vor allem die Gegend von Osona und Omaruru, waren in Kleinsiedlungen aufgeteilt worden. Die Befürchtungen, daß diese Kleinsiedlungen
sich nicht würden halten können, haben sich zum Teil bewahrheitet. Es geht
einer größeren Anzahl von Kleinsiedlern nicht gut, aber wo tüchtig, mit
Sachkenntnis und Ausdauer gearbeitet und sparsam gewirtschaftet worden ist,
ist der Erfolg nicht ausgeblieben. Wie auf den Farmen, so sind auch auf
den Kleinsiedlungen die Hauptprodukte der Garten- und Feldwirtschaft
Kartoffeln, Gemüse, Wein, Mais, Tabak und Luzerne. Im Anbau von
Wein ist an vielen Stellen Gutes geleistet worden und auch die Versuche, ihn
zu keltern, sind nicht erfolglos geblieben. Der von Ludwig in Klein-Windhut
hergestellte Wein wurde auf der letzten Kolonialausstellung prämiiert und
wird im Schutzgebiet gern getrunken. Tüchtig gearbeitet worden ist auch auf
den in der Nähe von Swakopmund im Swakoptal gelegenen Siedlungen.
Der Bedarf des ganzen Ortes Swakopmund an Gartenerzeugnissen kann von
den Ansiedlern in Kanikontes und Nonidas gedeckt werden. Das breite
Swakoprivier bietet fruchtbaren Boden zum Anbau aller Gemüsesorten.
Auch deutsche Fruchtbäume und Wein kommen gut fort. Einige Schwierigkeiten und Kosten verursacht in dieser Gegend allerdings die Beseitigung des
im Übermaß dem Boden beigemengten Salpeters. Besondere Aufmerksamkeit
wurde dem Bau von Tabak zugewendet. Tabak ist im ganzen Lande anbau-
fähig und das Schutzgebiet selbst bietet für Tabak und Tabakprodukte einen
sehr aufnahmefähigen Inlandsmarkt. Wenn der einheimische Tabak sich bis
jetzt nicht noch mehr, als es schon geschehen ist, diesen Markt erobert hatte, so
lag die Hauptursache darin, daß die klimatischen Verhältnisse, insonderheit
die trockene Luft, eine besondere Art der Behandlung des Tabaks bei seiner

Trocknung und Fermentierung verlangen. Um hier fördernd zu wirken, bereist ein Tabaksexperte das Land, probiert die beste Art des Anbaus und der Behandlung des Tabaks und belehrt hierüber die Interessenten. In einem rationell betriebenen Anbau der Tabakpflanzen und einer richtigen Behandlung des geernteten Tabaks werden noch manche Siedler eine äußerst rentable Kultur erkennen."

Vermessen wurden an Kleinsiedlungen im Jahre 1908:

Gobabis . .	4 Grundstücke mit	9	ha
Keetmanshoop	6	=	= 21 =
Lüderitzbucht, Bahnhöfe in der Namib	6	=	= 22 =
Otjahandja . . .	39	=	= 390 =
Windhuk	15	=	= 38 =
Zusammen . .	70 Grundstücke mit 480 ha		

Abgesteckte Kleinsiedlungen:

Waterberg . . . . . 101 Grundstücke mit 990 ha

Ganz besonders aber sei nochmals hingewiesen auf die außerordentlich entwicklungsfähige und auch für den Weltmarkt, besonders für den Export nach Deutschland, vielverheißende Kultur des Weinstockes und der Südfrüchte, von denen Datteln, Apfelsinen, Zitronen, Bananen, Feigen, Maulbeeren und Granatäpfel an geeigneten Orten ebensogut fortkommen und so reiche Erträge liefern, wie eine Anzahl der europäischen Obstsorten, vor allem Pfirsiche, Aprikosen, Äpfel und Birnen.

Eine hervorragende Bedeutung im Wirtschaftsleben des Farmers (und unter Umständen auch des Kleinsiedlers) hat, wie auch in der Kapkolonie und den angrenzenden Gebieten, der Bau von Dämmen zum Auffangen von Wasservorräten. Aber diese Fragen sind so schwierige und viel umstrittene, daß ihnen an dieser Stelle nur wenige Worte gewidmet werden können. Jedenfalls muß der Ansiedler in Südwestafrika auch dieser Art der Wasserbeschaffung seine volle Aufmerksamkeit zuwenden. Die einfachste Form der sogenannten Farmdämme ist die, an irgend einem geeigneten Platz, vielfach an einer tiefer gelegenen Stelle, durch die Anlage eines kleinen Dammes das Rivierwasser oder die dem natürlichen Fall des Geländes folgenden Regenwasser zur Ansammlung auf undurchlässigem Boden zu zwingen. Derartige Arbeiten werden sich öfter, als es zunächst scheinen will, von dem

Farmer mit Hilfe seiner Angestellten ohne Hinzuziehung weiteren Arbeiter-
personals und ohne große Kosten durchführen lassen. Etwas anderes ist es
mit dem Bau von großen Staudämmen oder Staumauern, die dazu berufen
sind, eine für die Berieselung größerer Landgebiete genügende Wassermenge
zu schaffen. Hier wird schon in Rücksicht auf den Geldpunkt meist die
Leistungsfähigkeit des einzelnen versagen und die Regierung oder die Landgesellschaften werden einspringen müssen. Derartige große Projekte, bei denen
es sich um die Wasserschaffung für größere Kleinsiedlungsgebiete handelt, sind
vielfach ausgearbeitet worden, jedoch ist es zu einer Ausführung vorläufig
noch nicht gekommen. Dagegen sind Stauweiher mehrfach in großem Maßstabe von der Regierung und auch von Privaten angelegt worden. Bemerkt
sei noch, daß die Ansicht der Praktiker im Schutzgebiet sich im allgemeinen
gegen die großen, unter Umständen mehrere Millionen Mark erfordernden
Projekte richtet, während sie zugleich die hohe Bedeutung der kleinen und
großen Stauweiher voll würdigt. Und ferner sei bemerkt, daß die Anlage
auch von kleineren und mittleren Farmdämmen und Staumauern viel praktische Erfahrung und Vorsicht erfordert, wenn der Besitzer nicht durch eine
starke Regenzeit, in der der unzweckmäßig angelegte Damm vom Wasser
fortgerissen wird, um die Frucht seiner Arbeit und unter Umständen um
viele tausend Mark Anlagekapital geschädigt werden will.

Aus der Gesamtheit der Ausführungen über die wirtschaftlichen Verhältnisse und Möglichkeiten des Schutzgebiets kann man das Schlußresultat
ziehen, daß diese Möglichkeiten außerordentlich viel weitgehendere sind, als
man in den ersten Jahren der deutschen Besitzergreifung allgemein annahm.
Dabei sind jedoch bei der vorliegenden Behandlung der wirtschaftlichen Verhältnisse nur diejenigen Kulturen einer eingehenderen Betrachtung unterworfen
worden, deren Durchführbarkeit bereits in jeder Hinsicht einwandsfrei nachgewiesen worden ist, nicht aber die — ich nenne hier nur den Anbau der
Baumwolle und der Sisalagave — die sich (wie ferner eine große Anzahl
von Kulturen auf forstwirtschaftlichem Gebiet) noch im Stadium der Versuche befinden.

In neuerer Zeit ist in der breiteren Öffentlichkeit, auch in Deutschland,
die landwirtschaftliche Seite der Entwicklung Südwestafrikas häufig zurückgetreten vor den neuesten, überraschenden Entdeckungen auf dem Gebiet des
Bergbaus und der Mineralfunde, wie dies auch in Südafrika, vor allen
Dingen in Transvaal, lange Jahre hindurch zum Schaden der Allgemein-
entwicklung des Landes geschehen ist.

Erwähnenswert und gleichlautend mit den letzten Erklärungen, die Prä-
sident Krüger für die Entwicklung Transvaals kurz vor dem Burenkriege
abgab, ist daher die nachfolgende Stelle aus einem „Windhuker Briefe", der
sich in der Deutschen Kolonialzeitung vom Februar 1909 findet. In ihm
heißt es: „Fern liegt es uns, unsere ganze Hoffnung für unser Land auf
die Diamanten zu setzen. Die Zukunft unseres Landes liegt nicht im Dünen-
sande bei Lüderitzbucht, sondern auf wohlbewirtschafteten und gut bestockten
Farmen, die unser Land von Süd bis Nord, von West bis Ost zu einer
lieben zweiten deutschen Heimat gestalten müssen. Dieser Kulturarbeit gilt
in erster Linie unser Wünschen und Hoffen auch für das neue Jahr. Sie
wachse, blühe und gedeihe!"

18. Kapitel.

Handel und Selbstverwaltung. Die Missionen. Eisenbahnen und Bergbau.

Der Handel. - Genossenschaftswesen und Selbstverwaltung.   Die Missionen.   Die Eisenbahnen. - - Der Bergbau, Kupfer, Marmor und Diamanten.

er Handel des Schutzgebiets ist seit der Aufrichtung der deutschen Herrschaft sowohl in seinen Formen wie in seinen Erträgnissen außerordentlich großen Schwankungen unterworfen gewesen, so daß auf Jahre des Überflusses oft — im allgemeinen stets hervorgerufen durch politische Ereignisse von eingreifender Bedeutung — Jahre des schwersten Niedergangs gefolgt sind, um später wieder in eine unvermittelte starke Erholung umzuschlagen.

Solange die Eingeborenen des Landes im Besitze großer Viehherden eine überaus kaufkräftige Volksmasse waren, bewegte sich der Handel des Schutzgebiets vielfach in der Form eines reinen Tauschhandels: in der Tendenz des Einhandelns von Vieh und der späteren Ausfuhr desselben nach den benachbarten Gebieten. Auch die Jäger, die besonders in den sechsziger und siebziger Jahren das Land durchstreiften, waren schließlich nichts anderes als Händler, denen es auf die rein geschäftliche Verwertung ihrer Jagdbeute ankam. Diese Formen des Handels haben sich erst allmählich verändert, und zwar mit der verstärkten Einwanderung einer deutschen seßhaften Bevölkerung, die sich selbst als Viehzüchter im Lande niederließ und mit den Eingeborenen in dieser Hinsicht in eine scharfe Konkurrenz trat. Ferner aber auch seit der Auffindung der ersten Produkte, die für eine Verwertung auf dem Welt- markt in Frage kamen. Es waren dies in allein in Betracht kommender Menge die Guanolager bei Kap Kroß, die von der englischen Damaraland= Guano=Kompagnie etwa durch ein Jahrzehnt abgebaut wurden. Im allge- meinen aber hat der Handel Südwestafrikas seit dem Aufhören des Aus=

fuhrhandels mit lebendem Vieh, das durch die politischen Verhältnisse im
Lande und durch die wirtschaftliche Erstarkung der Einfuhrländer südlich des
Oranje hervorgerufen wurde, stets daran krankt, daß er sich nur auf die
lokalen Märkte des Schutzgebiets, nicht aber auf den Weltmarkt stützen
konnte. Besonders ungünstig gestalteten sich die Verhältnisse, als nach dem
Ausbruch der Rinderpest die Eingeborenen aufgehört hatten, leistungsfähige
Käufer zu sein, und dann Jahre hindurch die Schutztruppe und die wenigen
Beamten im Lande die einzigen kaufkräftigen Elemente waren. Trat nun,

Swakopmund. Die Landungsbrücke im Jahre 1909.

hervorgerufen durch die politischen Ereignisse, unerwartet und überraschend,
wie dies oft geschehen ist, eine starke Vermehrung oder auf der Gegenseite
eine Verminderung der Schutztruppe ein, so gewann oder verlor der Handel
bedeutende Werte und geriet durch diese Verhältnisse in Schwankungen, die
eine gesunde Grundlage zu seiner stetigen Fortentwicklung von vornherein
ausschlossen. Wohl war man sich dieser Gefahren seit vielen Jahren voll
bewußt, und man arbeitete unausgesetzt daran, Werte für den Weltmarkt zu
schaffen, aber die Unsicherheit der politischen Verhältnisse, die erst im Jahre
1907, nach Beendigung der Aufstände, ihren Abschluß fand, verhinderte
diese Entwicklung und vernichtete die bereits bestehenden Anfänge. So ist
es erklärlich, daß, wie bereits erwähnt, Einfuhr und Ausfuhr stets ein bedeutendes Mißverhältnis aufwiesen.

26*

Die Zahlen, die eine Übersicht über den Handel von 1899 bis 1907 geben, sprechen hier für sich selbst:

Werte in 1000 Mark.

	1899	1900	1901	1902	1903	1904	1905	1906	1907
Einfuhr	8 941	6968	10 075	8 568	7 931	10 057	23 632	68 626	32 395
Ausfuhr . . .	1 399	908	1 212	2 213	3 444	299	216	383	1 615
Gesamthandel . .	10 340	7876	11 317	10 781	11 375	10 356	23 848	69 009	34 010

Deutlich zeigen sich in diesen Zahlen, sowohl was die vermehrte Ein-fuhr als auch die rapide abnehmende Ausfuhr anbetrifft, die Einwirkungen des dreijährigen großen Krieges. Mit Bezug auf die Zahlen des Jahres 1907 sagt der amtliche Bericht: „Die Zunahme der Einfuhr bei Sämereien, lebenden Pflanzen, Steinwaren, Schweinen, Kleinvieh, Maschinen usw. weist auf die zunehmende Besiedlung und steigende wirtschaftliche Entwicklung hin, ebenso wie auch die Ziffern der Ausfuhr. Die Minderausfuhr von Häuten z. B. (39 000 Mark) zeigt, daß durch die Verminderung der Schutztruppe der Bedarf an Schlachtvieh stark zurückgegangen ist. Die Mehrausfuhr von Wolle (4377 Mark), von Kupfererzen (1 235 600 Mark), von Wildhäuten (10 900 Mark) weist auf die Entwicklung der Viehwirtschaft, des Bergbaus und die Wiederaufnahme der Jagd hin.“

Erfreulicherweise ist seit etwa 2 Jahren eine Wiedererstarkung des Handels eingetreten, die auch für die Zukunft ohne jeden Optimismus ein außerordentliches, ja noch vor wenigen Jahren ganz ungeahntes Erstarken voraussehen läßt. Es ist dies eine Folge der Auffindung und Gewinnung solcher bergbaulicher Produkte, die bereits auf dem Weltmarkt ein starkes und gewinnbringendes Absatzgebiet gefunden haben. Ihnen wird, wenn nicht alles trügt, die Viehzucht und Landwirtschaft in wenigen Jahren folgen.

Ursächlich zusammenhängend mit der beginnenden und erstarkenden Aus-fuhrfähigkeit dieser letztgenannten Wirtschaftszweige steht die Entwicklung des Genossenschaftswesens in den letzten Jahren. Sie wurde hervorgerufen durch das Bestreben der Farmer, sich für ihre Produkte Absatzgebiete zu erschließen und zu sichern. Unterstützt von dem Reichsverband der deutschen landwirt-schaftlichen Genossenschaften führte diese Bewegung zu einem Zusammen-schluß der Interessenten in Farmervereinen. Es bestehen zur Zeit eine Genossen-

schaftsbank in Wind-
hut, eine Ein- und Ver=
kaufsgenoffenschaft und
der deutsch-südwest=
afrikanische Genoffen=
schaftsverband eben=
dort, eine Spar- und
Darlehenskaffe und ein
Wirtschaftsverein in
Gibeon und verschie=
dene weitere Genoffen=
schaften zur Verwer=
tung landwirtschaft=
licher Erzeugniffe. Be=
faffen sich diese Ver=
bände auch vorläufig
noch in erster Linie
mit der Versorgung
der lokalen, inzwischen
zu größerer Stabilität

Aus: Leutwein, Elf Jahre Gouverneur in Deutsch-Südwestafrika.

Wohnhaus des Gouverneurs in Windhut.

gelangten Märkte des Schutzgebiets, so ist doch auch die Ausfuhr gewiffer
Produkte (Weintrauben und Wein) bereits versuchsweise in die Wege geleitet
und wird zweifellos zu weiterem Erfolg führen.

In engem Zusammenhang mit der allgemeinen wirtschaftlichen Erstarkung
stehen ferner die Bestrebungen der deutschen Bevölkerung des Schutzgebiets,
in möglichst weitgehender und umfaffender Weise an der Verwaltung des
Landes teilzunehmen. Diese Bewegung, die auf den gesunden Gemeinsinn
und die Arbeitsfreudigkeit der Bürger Südwestafrikas ein helles Licht wirft,
hat bereits vor einigen Jahren eingesetzt und sich seitdem in immer aufsteigender
Linie bewegt. Die Regierung hat diesen Bestrebungen volles Verständnis
entgegengebracht und zunächst durch die Einsetzung gewiffer Körperschaften
mit teils beratender, teils beschließender Stimme (Landesrat und Bezirksräte)
der Bevölkerung einen Anteil an der Verwaltung des Landes gesichert. Es
wird hierdurch bis zu einem gewiffen Grade die Gewähr gegeben, daß wich=
tige Gesetze mit einschneidenden Folgen für das wirtschaftliche Leben des
Schutzgebiets nicht vom grünen Tisch in Berlin aus, sondern unter tätiger
Mitarbeit der Praktiker im Schutzgebiet beraten und erlaffen werden. Ein

hochbedeutendes Verdienst um die Ausgestaltung der Selbstverwaltung im
Schutzgebiet hat sich der von der heimatlichen Regierung entsandte Ober-
bürgermeister Dr. Külz erworben. Auf Grund der Tätigkeit desselben ist
durch Verordnung des Reichskanzlers vom 28. Januar 1909 in Südwestafrika
die Selbstverwaltung eingeführt worden. Es sind zunächst Gemeindeverbände,
Bezirksverbände und der Landesrat geschaffen worden, und zwar Gemeindeverbände für die Ortschaften Windhuk, Swakopmund, Lüderitzbucht, Keetmanshoop, Karibib, Omaruru, Okahandja, Tsumeb, Warmbad und Usakos.
Die Gemeindeverwaltung wird durch den Gemeindevorsteher und Gemeinde-
rat gehandhabt. An der Spitze der Bezirksverbände steht der Bezirksamtmann oder Distriktschef mit mindestens vier gewählten Mitgliedern. In den
Landesrat endlich wählt jeder Bezirksverband ein Mitglied, neben denen der
Gouverneur die gleiche Anzahl nach freiem Ermessen bestellt. Der Landesrat
tagt unter dem Vorsitz des Gouverneurs oder eines von ihm ernannten Beamten mindestens einmal im Jahr. Er soll den Gouverneur bei Wahr-
nehmung der Interessen des Schutzgebiets unterstützen. Bemerkenswert ist,
daß (neben den auch in Deutschland allgemein von der Ausübung eines
öffentlichen Amtes ausschließenden Gründen) vom Wahlrecht diejenigen
Weißen ausdrücklich ausgeschlossen werden, die mit einer Eingeborenen ver-
heiratet sind. Die Amtsdauer der Mitglieder des Landesrats beträgt 5 Jahre.

Der Landesrat ist beschließendes Organ in allen ihm zur Beschluß-
fassung vom Reichskanzler überwiesenen Angelegenheiten und beratendes
Organ für den Haushaltungsplan der Schutzgebietverwaltung, für die vom
Gouverneur erlassenen Verordnungen und für die sonst ihm vom Gouverneur
zur Beratung vorgelegten Angelegenheiten. —

Ein sehr bedeutender Anteil an der bisherigen und zukünftigen Entwicklung des Schutzgebiets fällt auch den Missionsgesellschaften zu, von denen
vier, zwei evangelische und zwei katholische, im Schutzgebiet arbeiten. Es
sind dies:

1. Evangelische Missionsgesellschaften.

Die älteste von ihnen ist die im Jahre 1828 zu Barmen gegründete
Rheinische Missionsgesellschaft, die ihre Tätigkeit im Namalande 1839, im
Hererolande 1848 und im Ambolande 1891 aufnahm. Im Namalande bestehen heute die Stationen Lüderitzbucht (Gründungsjahr 1905), Bethanien
(1842), Keetmanshoop (1866), Berseba (1850), Warmbad (1867) und Gibeon
(1863); im Hererolande Swakopmund (1905), Usakos (1907), Karibib (1902),
Otjimbingwe (1849), Okahandja (1870), Windhuk (1842), Gobabis (1908),

Rehoboth (1845), Omaruru (1870), Otombahe (1870), Outjo (1905), Gaub (1895) und Tsumeb (1907); im Ambolande Namakunde (1901), Omatemba (1907), Omupanda (1892) und Ondjiva (1891).

Ferner arbeitet im Ambolande die Finnische Missionsgesellschaft, die 1870 in Helsingfors gegründet wurde und in demselben Jahr ihre Tätigkeit im Schutzgebiet aufnahm. Sie besitzt folgende Stationen: Olukonda (1871), Oniipa (1888), Ondangua (1890), Ontananga (1900), Onajena (1902), Oshigambo (1908), Nakeke (1903), Rehoboth (1908) und Elim (1908).

2. Katholische Missionsgesellschaften.

Apostolische Präfektur Deutsch-Südwestafrika.

Missionsgesellschaft der Oblaten der heiligen und unbefleckten Jungfrau Maria, Eröffnung der Tätigkeit im Jahre 1892, Stationen: Windhuk (1896), Klein-Windhuk (1898), Aminuis (1903), Döbra (1904), Epukiro (1904), Otombahe (1906), Omaruru (1909), Swakopmund (1898) und Usakos (1905).

Missionsgesellschaft der Oblaten des heiligen Franz von Sales, Station Heirachabis im östlichen Groß-Namalande.

Unter sehr bedeutenden Schwierigkeiten haben diese Gesellschaften, vor allem aber die Rheinische Missionsgesellschaft als die älteste und diejenige, die bereits in den wilden Kriegsjahren um die Mitte des verflossenen Jahrhunderts ihre Tätigkeit aufnahm, ihre entsagungs- und mühevolle Arbeit im Schutzgebiet geleistet. Es wäre grundfalsch, die großen Verdienste dieser Gesellschaften verkennen zu wollen. Auf dem Gebiete, die Eingeborenen dem Christentum und einem gesitteten bürgerlichen Leben zuzuführen, ist hier eine Unsumme von Arbeit geleistet worden, und das öfter hervorgehobene Moment, daß sich

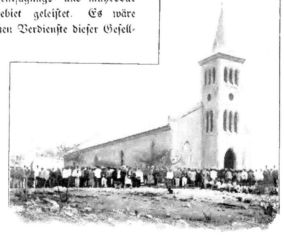

Evangelische Missionskirche in Windhut.

Ovambo-Topfhändler.

auch christliche Eingeborene in großer Zahl an den vielfachen Erhebungen und Aufständen gegen die deutsche Regierung beteiligt haben, kann an diesen Verdiensten nichts schmälern. Neben den Bestrebungen zur Christianisierung der Eingeborenen in Kirche und Schule haben sich in den letzten Jahren die Missionsgesellschaften auf dieser Grundlage aber auch mehr rein-praktischen Zielen auf dem Gebiete des bürgerlichen Wirtschaftslebens zugewandt, so in der Gründung von Handwerkerschulen, von Erziehungsanstalten für halbweiße und eingeborene Kinder und vor allen Dingen durch die Schaffung von Hospitälern auf dem Gebiet der Krankenpflege. —

Wir gehen nunmehr über zur Betrachtung derjenigen Faktoren, die an erster und ausschlaggebender Stelle berufen waren und sind, dem wirtschaftlichen Aufschwung des Schutzgebiets für die Zukunft eine gesicherte und feste Grundlage zu geben. Das sind vor allem die Eisenbahnen.

Die ersten Bestrebungen in dieser Hinsicht, nämlich die zum Bau der Eisenbahn Swakopmund-Windhuk, waren mit den größten Schwierigkeiten verknüpft, da man merkwürdigerweise in der Heimat zunächst die Bedeutung

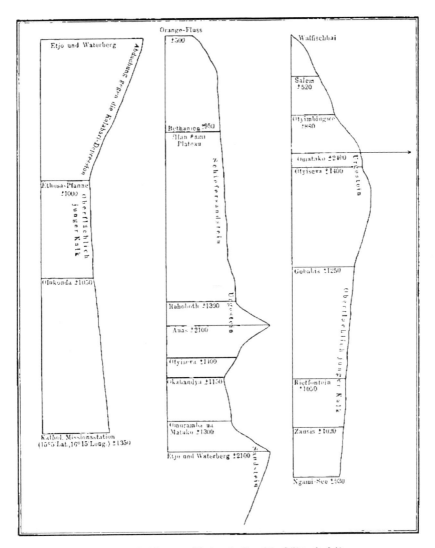

Quer- und Längsprofile durch Deutsch-Südwestafrika.

Nach dem Werke: „Deutsch-Südwestafrika" von Dr. Hans Schinz. Oldenburg und Leipzig.
Schulzesche Hofbuchhandlung und Hofbuchdruckerei. (A. Schwarz.)

dieser Frage nicht erkannte oder nicht erkennen wollte. Es trat damals bereits
der Umstand hervor, daß man sich angesichts der Unmöglichkeit — die übrigens
bei den meisten kolonialen Bahnen vorliegt — nämlich der Unmöglichkeit,
eine sichere Rentabilitätsberechnung schaffen zu können, von vornherein dem
Bau ablehnend gegenüberstellte. Wäre damals in der Tat nichts geschehen,
so konnten die Folgen als unabsehbare bezeichnet werden, denn zu jener Zeit,
im Jahre 1897, griff die Rinderpest im Schutzgebiet reißend um sich, und
ohne einen Bahnbau wäre es zweifellos zu einem vollständigen wirtschaftlichen Zusammenbruch und einer Hungersnot unter Weißen und Eingeborenen
gekommen, die in politischer Hinsicht die schwersten Folgen zeitigen mußte.
Es war, wie bereits früher bemerkt, das Verdienst eines unter dem Vorsitz
des Geheimen Regierungsrats H. Schwabe zusammengetretenen Syndikats, der
Regierung die Wege für den Bau der Bahn geebnet zu haben. Ein Blick
auf das Querprofil des Schutzgebiets gibt uns den Beweis für die Ungunst
der zu überwindenden Steigungsverhältnisse. Die Bahn steigt bei Karibib
(194 km) auf 1165 m, bei Otahandja (311 km) auf 1321 m, und bei Windhuk (382 km) auf 1637 m über den Meeresspiegel. Sie wurde am 1. Juni 1902
in ihrer Gesamtlänge bis nach Windhuk eröffnet. Ihr folgte im Jahre 1903
die Otavibahn, die von der im Jahre 1900 gegründeten Otaviminen- und
Eisenbahngesellschaft in Angriff genommen wurde. Der Bau, welcher der

Swakopmund.   Die Güterstapelplätze 1909.

Firma Arthur Koppel in Berlin übertragen worden war, erfuhr bereits nach einem Vierteljahr eine jähe Unterbrechung durch den Ausbruch des Herero-aufstandes. Noch während desselben wurde dann der Bau, nachdem er eine Zeitlang hatte ausgesetzt werden müssen, mit verstärkten Kräften und unter Hilfe der Regierung wieder aufgenommen, so daß die Strecke bis Omaruru im August 1905 befahren werden konnte. Die Eröffnung der Gesamtstrecke in einer Länge von 578 km bis Tsumeb (1350 m über dem Meeres-spiegel) erfolgte im November 1906. In Karibib wurde eine Verbindungsstrecke mit der Regierungsbahn geschaffen. Die Otavibahn (Swakop-mund—Tsumeb) bezweckt in

Bahnhof Otjiwarera.

erster Linie die Ausbeutung der bei Otavi—Tsumeb liegenden reichen Kupfer-erzlager und ferner die Erschließung des wertvollen nördlichen Farmgebiets. In dieser Hinsicht wird sie ergänzt durch die im März 1908 eröffnete Anschlußbahn Otavi—Grootfontein, die sich im Besitz der South-West-Africa-Kompagnie befindet.

Auch der Süden des Schutzgebiets, der lange Jahre hindurch in verkehrs-politischer Hinsicht vollständig vernachlässigt worden war, so daß die Zustände auf dem südlichen Baiwege Lüderitzbucht—Keetmanshoop sich mit der Zeit zu unhaltbaren gestaltet hatten, fand endlich seine Rechnung in dem leider nur allzuspät begonnenen Bau der Südbahn Lüderitzbucht—Keetmanshoop. Auch hier hatte es des Gespenstes eines drohenden Zusammenbruchs bedurft, um den Bahnbau herbeizuführen. Als nämlich, wie bereits bemerkt, im Winter 1904 05 immer größere Truppenmengen gegen die aufständischen Hottentotten in das Groß-Namaland geworfen werden mußten, und als hier zu gleicher Zeit die Rinderpest und die zeitweise Sperrung der englischen Grenzen von britischer Seite die Verpflegungsschwierigkeiten auf ein Maß steigerten, das die Schlagfertigkeit und Kriegsbereitschaft der Streitkräfte auf diesem Kriegsschauplatz auf das äußerste gefährdete und in der Tat für einige Monate brachgelegt hat, entschloß man sich endlich, im Dezember 1905, zum Bau der Bahn. Zunächst allerdings nur für eine Strecke von 150 km, die zur Überwindung des Dünen= und Wüstengürtels genügte. Bald aber wurde auch der Weiterbau bewilligt und im Juli 1908 die Gesamtstrecke bis Keetmanshoop eröffnet. Eine Anschlußbahn von Seeheim nach Kalkfontein hat nun auch die längst erhoffte Verbindung mit dem äußersten Süden des Schutzgebiets gebracht. Die Hauptschwierigkeiten des Baues der Keetmans=hoop=Bahn lagen in der Überwindung des Flugsand=Dünengürtels im Küsten=gebiet, der sich allerdings doch nicht als so unüberwindbar erwies, wie er ursprünglich von den englischen Ingenieuren geschildert worden war, die im Jahre 1897 die erste Strecke bis Aus im Auftrage der South=West=African Territories Comp. erkundet hatten. Die Südbahn wurde von der deutschen Kolonial=Eisenbahnbau= und Betriebsgesellschaft zu Berlin erbaut, die zeit=weise von den in Lüderitzbucht stationierten Eisenbahntruppen unterstützt wurde.

Von den weiteren Eisenbahnbauplänen und Wünschen der Bevölkerung des Schutzgebiets muß zunächst die Eisenbahn Windhuk—Keetmanshoop ge=nannt werden, die den Norden mit dem Süden verbinden und wichtige Farm=gebiete erschließen würde. Gefordert wird von verschiedenen Interessentengruppen der Bau dieser Bahn, ferner der Weiterbau der Südbahn über Keetmanshoop hinaus bis zur englischen Grenze und endlich die Fortführung der Linie See=heim—Kalkfontein bis zum Oranjefluß. Auch in politischer und militärischer Hinsicht beanspruchen die genannten Projekte die größte Aufmerksamkeit.

Im allgemeinen wird man für Südwestafrika ebenso wie für die anderen Schauplätze kolonialer Eisenbahnpolitik sagen können, daß die wirt=schaftlichen Ergebnisse der Eisenbahnbauten in der Stärkung des Handels und des Verkehrs, vor allen Dingen aber in der bergbaulichen Erschließung der kolonialen Gebiete die Erwartungen durchaus übertroffen haben. Es muß ja auch erklärlich sein, daß besonders die in größerer Küstenferne befind=lichen Bodenschätze eines Landes nur durch Eisenbahnen mit ihrem gesicherten Verkehr und mit ihren billigen Tarifen erschlossen werden können.

Daß solche Bodenschätze in Südwestafrika vorhanden waren, und daß sie der Hebung harrten, war die Überzeugung sachkundiger Forschungs=reisender bereits seit vielen Jahrzehnten. Aber nur die Gesundung der poli=tischen Verhältnisse und die Grundlage eines gesicherten Verkehrs konnten die Untersuchungen zum Ziele, d. h. zur Auffindung und Ausbeutung der lang gesuchten Schätze führen.

Schon zu den Zeiten, als südlich des Oranje in Ookiep die reichen Kupferlagerstätten aufgefunden und mit dem Abbau begonnen wurde, waren englische Sachverständige davon überzeugt, daß auch in den nördlich des Oranje liegenden Ländern reiche mineralische Schätze lagerten. Seit jenen Jahren ist eine große Zahl von bergmännischen Expeditionen und von einzelnen Prospektoren durch das Land gezogen, und einige Fundstätten führen ihre Auffindung auf die früheste Zeit dieser Erforschungen zurück.

Auch für unser Schutzgebiet hat es eine Zeit der Goldfunde und des Goldfiebers, der Spekulation und der Minenkrachs gegeben, aber sie liegt schon weit zurück, und seitdem sind kühler denkende Leute in das Land ge=

Zug der Lüderitzbucht=Eisenbahn im Flugsand=Dünengürtel.

kommen. Man hat das „Für und Wider" geschäftsmäßig erwogen und ist zu dem Resultat gekommen, daß die Mehrzahl der in früheren Jahren ent= deckten Fundstellen eine Ausbeutung nicht lohnt.

Hierbei machten sich hauptsächlich zwei Gründe geltend, und zwar waren entweder die Erze überhaupt nicht reich genug und nicht in abbauwürdiger Menge vorhanden, oder die Entfernung der Fundstelle von der Küste war eine so große, daß die Transportkosten der Erze das Geschäft nicht rentabel erscheinen ließen.

So erklärt sich der Umstand, daß im Jahre 1893 keine der Minen mehr im Betriebe war, die trotz der ungünstigen Transportverhältnisse versucht hatten, Erze zu fördern und zu verschiffen. Daß einige der Gesellschaften vor größeren Kosten nicht zurückschreckten, zeigen die umfangreichen Wegebesse=

rungen, die sie an mehreren Stellen, so an der Straße Tsaobis—Salem— Modderfontein, vorgenommen hatten.

Aber diese Fragen sind durch die Fertigstellung der Eisenbahnen in ein ganz neues Stadium der Beurteilung getreten; für viele neuere Fundstellen werden sich wesentlich günstigere Verhältnisse ergeben und hier und dort Betriebe eröffnet werden können.

Es handelt sich meist um Kupfererze mit Zusatz von Gold oder Silber. Auch Zinn, Bleiglanz, Wolframerze, Magneteisenstein, Phosphate u. a. m. sind nachgewiesen worden. Von Edelsteinen und Halbedelsteinen sind heute zu nennen: Diamant, Smaragd, Aquamarin, Rubin, Turmalin, Granat und Topas.

Daß Kohle im Schutzgebiet vorkomme, wurde oft bestritten, aber neuerdings sind Lager bei Keetmanshoop gefunden worden.

Bei Beurteilung und zum Verständnis dieser Verhältnisse im Schutzgebiet muß man zwei Fakta in Rechnung ziehen: Das ist erstens, daß es zweifellos stets weit mehr einzelne bekannte Fundstellen gibt, als man glaubt, weil die Entdecker sich wohl hüten, ihre Kenntnis auszuplaudern, ehe sie ganz Bestimmtes ermittelt haben, oder weil sie aus falscher Scheu oder in dem Glauben, in späteren Zeiten höheren Gewinn erzielen zu können, ihre Funde verheimlichen. Mir sind derartige Fälle tatsächlich bekannt. Zweitens aber muß man bedenken, in einem wie geringen Teil im Verhältnis zur Größe des Landes überhaupt bis jetzt Untersuchungen angestellt worden sind! Dann: Von wieviel Zufällen ist zu allen Zeiten die Entdeckung reicher Mineralschätze allerorts abhängig gewesen, und wie lange hat das — nehmen wir das naheliegende Beispiel Transvaals — oft gedauert!

Jedenfalls ist es bemerkenswert, daß in Angola Golderze gefunden worden sind und bereits ausgebeutet werden, und daß dicht südlich des Oranje die Kupferminen von Ookiep noch heutigentags guten Gewinn abwerfen.

Die Minen, in denen bereits früher gearbeitet wurde, sind folgende:

die Pot- (Jubilee-) Mine bei Büllsdont am Swakop,

die Matchleß-Mine südwestlich von Windhuk,

die Zwartmodder-Mine südlich von Rehoboth,

die Hope- und Naramas-Mine nördlich von Aub am Kuiseb,

die Sinklairs-Mine etwa 15 km landeinwärts an der Prinz von Wales-Bai.

Andere Fundstellen liegen bei Baws Werft am Omaruruflusse; in den Khuosbergen; bei Usab; bei Ussis östlich von Groß-Tinkas; bei Zwartbank

Das Hüttenwerk der Otavigesellschaft in Tsumeb.

im Kuiseb; bei Otyomatoko; am Schafflug bei Windhuk; an der Hottentotten-Bai; im Karasgebirge im Groß-Namaland; bei Otjosongati, Gorob und im Khanflug.

Im Vordergrund des Interesses jedoch stehen heute die bereits weltbekannten Minen von Otavi und Tsumeb.

Zur Ausbeutung der Tsumeb- und Otavi-Minen hat sich die Otavi-Minen- und Eisenbahn-Gesellschaft gebildet, der von der South-West-Africa Ko. entsprechende Rechte eingeräumt worden sind. Aus den ersten Berichten der Direktoren dieses ersten großen Bergbauunternehmens des Schutzgebiets seien einige bedeutungsvolle Stellen hier eingefügt:

„Die beiden Strecken der Tsumeb-Mine haben eine beträchtliche Menge — 293 330 Tonnen — reichhaltiger Erze erwiesen. Es ist dies keine bloße Vermutung, da dieselben tatsächlich sichtbar und zur Förderung bereit sind, und nach einer genauen Prüfung des Einfalls des Erzganges in der zweiten Strecke ließ sich mit ziemlicher Gewißheit voraussagen, daß die nächste Strecke dieselbe Menge gleichwertigen Erzes liefern würde. Die Ausdehnung des Erzganges nach Osten und Westen, deren Fortsetzung keinem Zweifel unterliegt, ist nicht mit in Betracht gezogen worden.“ . . . .

Über die Erfolge der Gesellschaft im Jahre 1908 sagt der Geschäfts-bericht:

„Die Ausbeute an Erzen hat sich in Tsumeb im Betriebsjahre auf 44 250 t (25 700) gesteigert. Zur Verschiffung gelangten 27 700 t Erz (15 000). Dies Ergebnis würde noch günstiger gewesen sein, wenn nicht der Abbau in Tsumeb im Februar und März 1909 durch ungewöhnlich starken Regenfall erheblich beeinträchtigt worden wäre. Der Abbau bewegte sich, wie im Vorjahre, in der Hauptsache im Tagebau, wo während der Monate April bis Dezember bis zur ersten Sohle (20 m) monatlich durchschnittlich rund 2450 t gewonnen wurden. Zur Erzielung einer gleichbleibenden Förderung wurde bei Abnahme der Gewinnung aus dem Tagebau Mitte Juli 1908 mit dem Abbau auf der zweiten Sohle begonnen. Von der Gesamtförderung von 44 250 t (25 700) stammten aus dem Tagebau, also von der Oberfläche bis zum Niveau der ersten Sohle, 29 450 t und aus dem Tiefbau zwischen der zweiten und ersten Sohle 14 800 t. Zur Bewältigung der infolge der starken Regengüsse in die Grube eingedrungenen Grundwassermengen wurden Pumpen von besonderer Leistungsfähigkeit eingebaut. Zur Verschiffung gelangten 27 000 t Tsumeberze (15 000) mit durchschnittlich 17 vH. Kupfer (19), 30 vH. Blei (23), 0,033 vH. Silber (0,035). Der Unterschied des Durchschnittskupfergehalts gegen das Vorjahr (19 vH.) beruht darauf, daß während des Betriebsjahres einigemal Erze verschifft worden sind, die unter dem für den Export vorgeschriebenen Kupfergehalt blieben. Es sind Vorkehrungen getroffen, daß für die Folge nur Erze mit einem Mindestkupfergehalt von etwa 18 vH. zur Verschiffung gelangen, so daß der Durchschnittsgehalt sich entsprechend wieder erhöhen wird. Die Hüttenproduktion belief sich auf: 3150 t Kupferstein (1000), durchschnittlich mit 42 vH. Kupfer (36), 23 vH. Blei (17), 0,044 vH. Silber (0,040) und 3000 t Werkblei (700), durchschnittlich mit 96 vH. Blei (96), 0,067 vH. Silber (0,090). Die Gestehungskosten der Erze betrugen per Tonne: 11,60 Mark (10,40). Bei Fortsetzung des Schmelzbetriebes gelang es am Schlusse des Betriebsjahres, nach nicht unerheblichen Aufwendungen für die Versuche, die Verhüttung der nicht exportfähigen Erze mit einem, wenn auch vorläufig geringen Nutzen durchzuführen. Es ist beabsichtigt, nunmehr das Erzschmelzen mit zwei Öfen aufzunehmen und hierdurch sowie durch sonstige zur Einführung gelangende Verbesserungen eine weitere Ermäßigung der Unkosten zu erzielen. Die Eisenbahn hat die an ihre Leistungsfähigkeit geknüpften Erwartungen vollauf erfüllt und sich durch die nicht unbedeutende Vermehrung der Erztransporte an sie gestellten Anforderungen durchaus gewachsen gezeigt. Die Betriebsergebnisse sind gleich günstig geblieben wie im Vorjahre. Auch die Bahnanlagen haben sich in jeder Beziehung bewährt. Die Personenbeförderung betrug 19 706 (22 848) Personen, die Güterbeförderung 62 019 (60 504) t. Die Einnahmen betrugen 4 409 146 Mark, die Ausgaben 1 743 202 Mark, der Reingewinn 2 337 335 Mark gegen 2 077 335 Mark im Vorjahre." –

Ausgedehnte Marmorlager, mit deren Ausbeutung demnächst begonnen werden soll, befinden sich längs der Eisenbahn Swakopmund—Windhuk bei Etusis, Kararas und Karibib. Der Marmor ist von Fachleuten untersucht, bearbeitet, poliert und als brauchbares Material — dem karrarischen in Farbe und Struktur ähnlich und gleichwertig — erklärt worden.

Große Hoffnungen knüpfte man auch an die Auffindung von blue ground- (blaue Tonerde) Lagern bei Gibeon und Verseba. Die untersuchten Proben dieser Tonerde sind von chemisch fast gleicher Zusammensetzung wie der blue ground Kimberleys, der bekanntlich Diamanten enthält. Bergingenieur W. Graichen betonte dies bereits in der „Kolonialzeitung" 1903, Nr. 23:

„Der mit den geologischen Verhältnissen Südafrikas vertraute Dr. Hahn in Kapstadt hat denn auch seine Meinung dahin ausgesprochen, daß allen blue ground-Vorkommen im englischen Südafrika ein Diamantgehalt eigen sei.

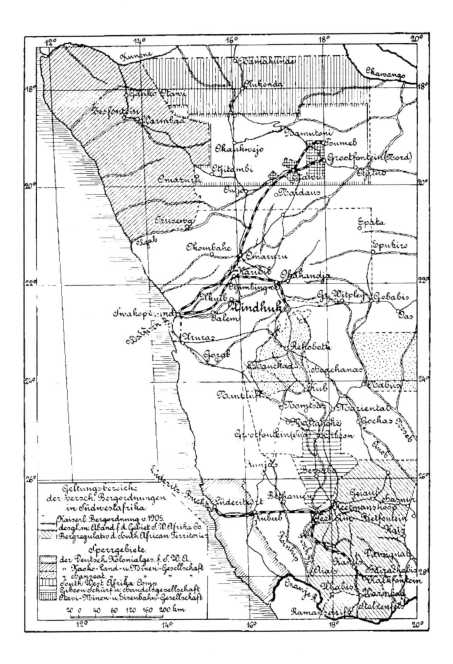

429

Diese Betrachtungen führen notwendig zu dem Schlusse, daß wir auch von dem im deutschen Schutzgebiete vorkommenden blue ground Diamantführung erwarten dürfen.

Eine solche konnte einstweilen indes noch nicht mit einiger Sicherheit nachgewiesen werden. Zwar liegt ein recht schöner, etwa erbsengroßer Diamant vor, der wirklich von Berseba stammt. Der Missionar Hegener erhielt ihn dort von einem Eingeborenen, der ihn im Bezirke Berseba gefunden zu haben behauptet. Durch die Mission kam er in den Besitz der Regierung. Da aber die Herkunft des Diamanten damit noch nicht unbedingt verbürgt ist, so besitzen wir leider noch keinen klassischen Zeugen für die Diamantführung des deutsch-südwestafrikanischen blue ground.

Zur Ergänzung der in voriger Nummer dieser Zeitung gegebenen Mitteilungen über den nach Gewicht und Raummaß so überaus geringen Gehalt des selbst diamantreichsten blue ground an Diamant bittet mich Herr Professor Scheibe hervorzuheben, daß der von ihm dort angegebene Gehalt des blue ground an Diamant nach der neuesten Veröffentlichung über diesen Gegenstand (von Gardener William) noch zu hoch gegriffen sei. Es berechne sich vielmehr der Gehalt, bei der Kimberley- und De Beers-Mine zusammengenommen, im Durchschnitt der letzten zehn Jahre nur auf 1,04 Karat auf die Tonne von 1000 kg oder zu 2,86 Karat, d. h. 0,168 Kubikzentimeter Diamant in einem Kubikmeter blue ground!

Macht also in jedem Falle, selbst bei dem reichsten Gehalte, der Diamant nur einen winzigen Bruchteil der Masse des blue ground aus, so ist klar, daß sehr große Mengen auf das allersorgfältigste durchsucht werden müssen, ehe man ein endgültiges Urteil über die Diamantführung wird fällen dürfen. Solche umfangreichen Untersuchungen haben in Deutsch-Südwestafrika indes noch nicht stattgehabt. Bei den bisherigen Arbeiten sind vielmehr erst geringe Mengen des deutsch-südwestafrikanischen blue ground an wenigen Stellen gewonnen worden und hiervon wiederum nur kleine Bruchteile zur genauen Durchforschung nach Deutschland gelangt.

Gerölle, welche durch Kalk fest verkittet sind, behindern zudem die Aufschlußarbeiten stark, ja es ist sehr wohl möglich, daß diese feste Geröllschicht weitere blue ground-Vorkommen verdeckt.

Nach beiden Richtungen hin, sowohl zur gründlichen Untersuchung der bekannten blue ground-Stellen, wie zur Nachforschung nach etwaigen weiteren blue ground-Kratern bedarf es Arbeiten von ganz anderem, weit beträchtlicherem Umfange, als sie bisher im Bezirke von Gibeon und Berseba betrieben worden sind. Die Entscheidung über die Frage, ob und in welchem Maße der blue ground auf deutschem Gebiete Diamanten führt, kann nur durch die bei ganz umfangreichen Untersuchungsarbeiten herausspringenden Ergebnisse herbeigeführt werden. Auf Grund der geologischen Erscheinungen darf man einstweilen eine Diamantführung auch des deutsch-südwestafrikanischen blue ground sehr wohl erwarten. Dies übrigens umsomehr, als der blue ground das einzige wirkliche Muttergestein des Diamanten ist, welches wir bislang kennen, das einzige Gestein, von dem wir annehmen dürfen, daß in ihm sich der Diamant ursprünglich gebildet hat. Die Diamanten treten außer im blue ground Südafrikas nämlich auf der ganzen Erde nur in Gesteinen auf, in die sie erst lange nach ihrer Bildung hineingeraten sind. Bedenkt man nun noch, daß dieses einzige uns bekannte echte Muttergestein des Diamanten außer im englischen Südafrika nach dem heutigen Stande unseres Wissens auf dem ganzen Erdenrund nur noch in Deutsch-Südwestafrika im Bezirke Gibeon-Berseba auftritt, so erscheint es geradezu unbegreiflich, weshalb immer noch nicht die im nationalen Interesse so außerordentlich

Schwabe, Im deutschen Diamantenlande.   27

wichtige Aufgabe in Angriff genommen worden ist, die in Frage stehende Gegend gründlich auf das Vorkommen von Diamanten hin zu untersuchen."

Zu diesem Zweck wurde im November 1903 in Berlin die Gibeon-Schürf- und Handelsgesellschaft m. b. H. mit einem Kapital von 1022000 Mark gegründet, welche die ehemalig Weißschen Rechte im Bezirk Gibeon erwarb und ihre, allerdings bisher ergebnislosen Arbeiten begann. —

Der unter Laien weitverbreiteten irrigen Ansicht, daß man aus dem Goldreichtum Transvaals auch auf einen solchen Deutsch-Südwestafrikas schließen könne, tritt Professor Dr. A. Schenck in einer mir gütigst zur Verfügung gestellten Abhandlung entgegen, in der er einen erheblichen Unterschied in bezug auf die geologische Beschaffenheit zwischen Südwestafrika und dem ganzen übrigen Südafrika konstatiert.

Professor Schenck sagt:

„Fassen wir das bisher Gesagte zusammen, so ergibt sich, daß Südwestafrika in geologischer, tektonischer und orographischer Beziehung einer gewissen Selbständigkeit gegenüber dem übrigen Südafrika sich erfreut. Das Gebirgsland von Damara- und Namaland, wie wir Südwestafrika vom orographischen Gesichtspunkt aus nennen können, findet allerdings nicht am Oranje seine Grenze, sondern setzt sich auch noch in die nordwestliche Kapkolonie nach Klein-Namaland fort. Auch hier haben wir ein Gneiß- und Granitgebirgsland, stellenweise mit aufgesetzten Tafellandschaften vor uns. Aber in den übrigen Ländern Südafrikas liegen die Verhältnisse ganz anders. Es ist daher nicht berechtigt, wenn man aus dem Goldreichtum Transvaals auch auf einen solchen Deutsch-Südwestafrikas geschlossen, ja wenn man geradezu von einer Fortsetzung der goldführenden Zone bis zur Westküste hin gesprochen hat. Allerdings ist auch in Deutsch-Südwestafrika an verschiedenen Stellen Gold gefunden worden, aber die eingehenden Mitteilungen, welche wir Gürich verdanken, lassen zur Genüge erkennen, daß die Vorkommnisse recht verschieden von denen Transvaals sind und daß die geringen Mengen den Abbau nicht lohnen dürften. Anders verhält es sich mit den Diamanten. Ihr Vorkommen ist in Südafrika nicht an eine bestimmte Formation gebunden, sondern an peridotische Tuffe, welche vulkanische Schlote ausfüllen und die verschiedensten Formationen durchsetzen. Wir finden sie bei Kimberley in der Karrooformation, bei Pretoria in der Kapformation, und sie sind ja auch, falls die Nachrichten, welche zu uns gelangt sind, auf Zuverlässigkeit beruhen, im Groß-Namaland angetroffen worden, so daß die Möglichkeit der Gewinnung von Diamanten hier nicht ausgeschlossen erscheint. Ebenso muß hervorgehoben werden, daß die geologischen Verhältnisse Deutsch-Südwestafrikas durchaus dieselben sind, wie diejenigen von Klein-Namaland, welches die berühmten Kupferminen von Ugib (Ookiep) birgt."

In der Folge seien die älteren größeren geologischen Untersuchungs- und bergmännischen Expeditionen aufgezählt, die in den Jahren von 1884 bis 1901 im Schutzgebiet unternommen wurden. Ich folge im wesentlichen den Angaben Professor A. Schencks, dessen Güte ich auch schätzenswerte briefliche Mitteilungen in dieser Beziehung verdanke.

Diamantengewinnung am Kolmanskop.

A. Geologische Untersuchungen.

1. Dr. A. Schenck, im Auftrage der Firma Lüderitz; 1884/85, Groß-Namaland, westlicher Teil des Damaralandes; Festlegung der geologischen Beschaffenheit in ihren Grundzügen.

2. Dr. Stapff; 1885, Kuisebtal.

3. Dr. Gürich; 1888/89, westliches Damaraland, Swakop- und Kuiseb-gebiet, Kaokofeld.

4. Dr. Ed. Fleck und Oberingenieur Mundscheid, im Auftrage der Firma v. Lilienthal; 1889 bis 1891, Bastardland, Kalahari, Swakoptal.

5. Dr. G. Hartmann, in Verbindung mit Rogers u. a., im Auftrage der South-West-Africa Ko.; 1893 bis 1901, Otavigebiet, Kaokofeld, Kunene.

6. Bergmeister Eichmeyer, im Auftrage der Hanseatischen Land-, Minen- und Handelsgesellschaft; 1899/1900, Bastardland.

B. Bergmännische Unternehmungen.

1. H. Pohle, im Auftrage der Firma Lüderitz; 1884/85, Groß-Namaland.

2. Dr. B. Schwarz und Ingenieur Scheidweiler, im Auftrage der Deutsch-afrikanischen Minengesellschaft, 1888, Swakop- und Kuisebtal.

27*

3. Dr. Ed. Fleck, vgl. A. 4.

4. Dr. G. Hartmann, vgl. A. 5.

5. Lange, im Auftrage eines kapstädter Syndikats; 1894/95, Swakoptal, Hottentotten-Bai.

6. Expeditionen des Karasthoma-Syndikats; 1894 bis 1896, Karas-gebirge.

7. Dr. Newton und Elers, im Auftrage der Damaraland-Guanokomp.; 1897, Gegend von Ubib.

8. Bergmeister Eichmeyer, vgl. A. 6.

Endlich aber möchte ich anführen, was Dr. Fleck, wohl einer der gründlichsten früheren Forscher, sagt, nämlich, daß man von den wissenschaftlichen Untersuchungen nicht sobald volle Klarheit über das Vorkommen oder Nichtvorkommen von wertvollen Erzen verlangen könne. Dazu sei das zu durchforschende Gebiet viel zu groß. Wenn aber das Land erst stärker und dichter besiedelt sein werde, so würde eine leichtere Durchforschung möglich sein und auch der Zufall oft die Entdeckerrolle übernehmen.

Diese Auslassungen sind durch die neuesten Ereignisse auf bergbaulichem Gebiet voll bestätigt worden:

Das Interesse der ganzen Welt wurde erregt, als plötzlich im Frühjahr 1908 landeinwärts von Lüderitzbucht in der Nähe der Kolmanskopspitze die ersten Diamanten entdeckt wurden. Zunächst handelte es sich anscheinend nur um ein geringes Vorkommen, aber die Qualität der Steine zeigte damals bereits, daß man es mit einem durchaus edlen und hochwertigen Material zu tun habe. Im Laufe des Jahres 1908 folgten dann weitere Entdeckungen um Lüderitzbucht und längs der Küste nach Süden, die sich auch im Jahre 1909 noch weiter fortsetzten. Es wurde durch zahlreiche Expeditionen, die in der wasserlosen Küstenwüste mit großen Schwierigkeiten verknüpft waren, festgestellt, daß weite Gebiete zwischen Lüderitzbucht und dem Oranje große Lager der kostbaren Steine aufwiesen.

Dies ganze Küstenland gehört zu dem Gebiet der Bergbaurechte der Deutschen Kolonialgesellschaft für Südwestafrika, deren Anteile in kurzer Zeit von ihrem Kursstande von 175 (gegen Ende 1908) bis 2000, ja sogar noch über diese Zahl hinaus emporschnellten. Im englischen Südafrika war man von diesen überraschenden Funden natürlich nicht gerade erbaut, da sie, wenn sie wirklich nachhaltig und wertvoll waren, eine starke Konkurrenz für die englisch-südafrikanischen Diamantenminen, vor allem für die De Beers Ko. in Kimberley bedeuteten. Man achtete die ersten deutschen Funde von dieser

Seite zunächst für gering, mußte aber in neuerer Zeit voll anerkennen, daß es sich um ein hochbedeutsames und ausgedehntes Vorkommen handle.

Binnen kurzer Zeit bildete sich, auf Grund erworbener Schürfrechte, eine große Anzahl von Gesellschaften, von denen einige den Abbau begannen, andere aber noch nicht in Tätigkeit getreten sind, da zunächst eine große Anzahl bestehender Rechtsstreitigkeiten geschlichtet werden muß. Es sind die Kolmanskop-Gesellschaft, Germania, Anichab, Swakopmunder Diamanten= gesellschaft, „Glück auf", D. Berg= und Minengesellschaft, Kaukausib, Grillental, Elisabethbucht-Gesellschaft, Kubub, Meteor, Karlstal, Windhut, Südstern, Südwest, Keetmanshooper Diamantengesellschaft und Pomona.

Während in der ersten Zeit meist kleinere Steine (3 bis 5 und mehr auf 1 Karat) gefunden

Diamantensucher.

wurden, sind in neuerer Zeit, besonders aus der Pomonagegend, auch größere hereingebracht worden. Die Steine kommen in den mit der Küste parallel laufenden Tälern vor und werden dort in einer Kiesschicht obenauf liegend gefunden, sind aber in dieser Schicht auch tieferliegend vorhanden. An anderen Stellen, so bei Pomona, liegen die Steine auch auf dem blanken Felsboden, durch den starken Wind an Stellen geweht, an denen Unebenheiten der Felsen ihnen Halt gewähren.

Die Entfernungen der Lagerstätten vom Meere schwanken zwischen etwa 16 km bei Lüderitzbucht und 4 bis 6 km in der Gegend von Pomona und Bogenfels. Die südlichsten Fundstellen liegen gegenwärtig dicht südlich von Angras=Juntas, die nördlichsten bei Anichab und Spencerbucht, letztere erst im Jahre 1909 entdeckt.

Edle weiße Steine kommen mit minderwertigeren, gelblich angehauchten und schwärzlichen durcheinandergemengt vor.

Eine einwandsfreie Erklärung für die Herkunft der Steine ist bisher nicht gefunden worden, verschiedene Theorien stehen sich hier einander gegenüber. Zunächst glaubte man dem Charakter der Steine nach an ein Flußvorkommen, wie es Südafrika in den Diamanten des Vaalflusses aufzuweisen hat. Man dachte sich die Anreicherung der Steine an den südwestafrikanischen Küsten so, daß der Oranjefluß den diamanthaltigen Boden in das Meer hinausgeführt und die starke Küstenströmung im Verein mit der Brandung die Verteilung der Steine an der Küste übernommen habe. Wenn hiergegen die größere Entfernung der Lager von der Küstenlinie zu sprechen scheint, so konnte dem entgegengehalten werden, daß die Diamanten ja vor 1000 bis 2000 Jahren oder vor noch längerer Zeit hierher gekommen sein konnten, und daß das Küstenland sich im allgemeinen hebt. Aber gegen diese Theorie spricht ein anderes Moment, das nicht allgemein bekannt sein dürfte. Es ist dies der Umstand, daß an mehreren Stellen, so z. B. an dem der Pomonainsel auf dem Festlande gegenüber liegenden Tafelberg die Steine nur auf der östlichen, dem Binnenlande zugewendeten Seite gefunden werden. Als ein weiterer Einwand gegen die Oranjefußtheorie darf die Auffindung der Diamanten nördlich von Lüderitzbucht bei Anichab und Spencerbucht bezeichnet werden, besonders weil die Entfernung von der Oranjemündung aus hier doch eine zu große zu sein scheint.

Es gewinnt daher die weitere Theorie an Boden, daß die Diamanten ihren Ursprung den längs der Küste sich hinziehenden Hochländern verdanken, und von diesen im Laufe der Jahrhunderte oder Jahrtausende vom Wasser in die Küstenebene heruntergeführt und verteilt worden sind. Sie würden dann aus Blaugrundkratern stammen, die man bisher noch nicht entdeckt hat. Für diese Theorie spricht fernerhin die große Anzahl der im Groß-Namalande bisher entdeckten Blaugrundstellen, so bei Mukorob und im Gibeon- und Versebagebiet. Wenn diese auch sämtlich nicht diamantführend waren, so ist, wie bereits erwähnt, doch das Vorhandensein des Blaugrundes voll nachgewiesen und zwar in einer chemischen Zusammensetzung, die der des berühmten Blaugrundes von Kimberley vollkommen gleicht.

Erwähnenswert ist auch, daß etwa eine Reitstunde südöstlich von Pomona von Herrn C. Weiß eine Stelle entdeckt worden ist, die allem Anschein nach einen 40 bis 50 m breiten Krater darstellt. Was dieser enthält, konnte bei der Ausfüllung des Kraters mit Sand noch nicht bestimmt werden. Es ist daher durchaus nicht ausgeschlossen, daß im Küstengebiet selbst, unter den Dünen oder den aufliegenden Massen von Wüstenschutt, sich Blaugrundkrater befinden.

Vielleicht wird die nächste Zeit genaueren Aufschluß über die Herkunft der Diamanten geben, vielleicht wird man aber auch im Dunkel bleiben, wie man es über die Herkunft der Vaalflußdiamanten bis jetzt geblieben ist.

Staatssekretär Dernburg, der bei seiner Studienreise nach Südwest= afrika die ersten Diamantenfunde selbst besichtigen konnte, hat inzwischen durch die Gründung der Regie=Gesellschaft in Berlin eine Diamantenpolitik ein= geleitet, welche die Verhinderung des Verschleuderns der Werte und die Aufrechterhaltung der bisherigen Preise zum Zweck hat. Wenn er dabei mit den Schürfern und Minenbesitzern in Südwestafrika, die dort etwa zu gleicher Zeit einen Zusammenschluß mit ähnlicher Tendenz herbeigeführt hatten, in Unstimmigkeit geraten ist, so steht doch zu hoffen, daß diese Mißhellig= keiten in kurzer Zeit gänzlich gehoben sein werden.

Der Ort Lüderitzbucht hat infolge der Funde einen außerordentlich starken Aufschwung genommen, wobei entgegen vielfach geäußerter Ansicht zu bemerken ist, daß Ruhe und Ordnung im Diamantgebiet zu keiner Zeit irgendwie gestört worden sind.

Für das Schutzgebiet bedeutet der Abbau der Diamantenfelder eine große, freudig zu begrüßende Einnahme, denn aus dem Reingewinn fließen dem Fiskus nicht weniger als $33^{1}/_{3}$ v. H. allein an Zolleinnahmen zu.

19. Kapitel.

Der Norden des Schutzgebiets.

Das Amboland. — Grenzen. — Die Ovambostämme. — Sklavenhandel. Niederlagen der Portugiesen. — Gouverneur Leutwein und die Ovambo. — Die deutschen Beziehungen zu den Ovambo. — Der Wert des Landes. Die Reisen Franz Seiners im Okavango-Sambesigebiet.

Der ganze mittlere Teil des nördlichen Schutzgebiets, der im Gegensatz zum Damara- und Groß-Namalande das Bild einer hochgelegenen, weit ausgedehnten Ebene zeigt, wird bewohnt von dem Volke der Ovambo, das, in zahlreiche Stämme gespalten, diese Gebiete dicht gedrängt besetzt hat. Nur an sehr wenigen Stellen befinden sich hier bemerkbare Höhenunterschiede und auf hunderte von Kilometern hält sich das Land in einer Seehöhe von 900 bis 1000 m. Für die Besiedlung durch Weiße scheidet dieser Teil Südwestafrikas vollkommen aus dem günstigen Bilde aus, das uns das übrige Schutzgebiet gibt: Man muß das Amboland als den tropischen Teil unserer Kolonie bezeichnen.

Fern im Nordosten endlich bildet das Flachland des Okavango-Sambesi mit dem weit nach Nordosten als schmales Band hinausstoßenden Landesteil, dem sogenannten Caprivizipfel, ein Gebiet, das durch seinen Wasserreichtum und durch die hiervon abhängende eigenartige Fauna und Flora einen eng abgegrenzten Teil für sich bedeutet. Im Norden ist im Ambolande eine natürliche Grenze gegen die portugiesische Kolonie Angola nicht vorhanden, aber auch eine politische in Wirklichkeit nicht, denn der die Grenzlinie zwischen den beiden Gebieten darstellende Breitengrad geht mitten durch die Ovambostämme hindurch, so daß die eine Hälfte derselben auf deutschem, die andere auf portugiesischem Gebiet sitzt. Daß diese mangelhafte Abgrenzung bei dem unruhigen Charakter — besonders der nördlichen — Ovambostämme mancherlei Schwierigkeiten mit sich bringen mußte, und solche auch noch in Zukunft mit sich bringen wird, ist erklärlich. Im allgemeinen

Sumpfbuschmänner aus dem Urmetland des Okavango.

(Links Maunkulashu, als Kind von den Buschmännern geraubt und nun als Gartenarbeiter verwendet; rechts Galiktoe, Steppenbuschmann.)

F. Seiner phot.

Flußlandschaft am Otavango zwischen Libebe und Andara.

kann man die Masse der Ovambo als europäerfreundlich nicht bezeichnen. Wenn auch, wie dies in neuerer Zeit in immer stärkerem Maße geschehen ist, Arbeiter aus diesem intelligenten und fleißigen Volke nach Süden wandern, um auf den Minen und Farmen Südwestafrikas sich Geld zu verdienen und dann, meist nach kürzerer Zeit, wieder nach Norden in ihre Heimat zurückzuwandern.

Dem Charakter ihrer Heimat gemäß sind die Ovambo, im Gegensatz zu den anderen Eingeborenen unseres Schutzgebiets, reine Ackerbauer, von denen die Zucht der kleinen Rinderrasse und des Kleinviehs nur als Nebenzweig ihrer Wirtschaft betrieben wird. Als Ackerbauer haben sie es zu einer bemerkenswerten Höhe des Betriebes gebracht.

Die Hauptstämme der Ovambo auf deutschem Gebiet sind die Uuquambi, die Ondonga, die Ukwanjama, die Ongandjera und die Ombarantu, während noch andere Stämme auf portugiesischem Gebiet sitzen. Die Regierungsform der Ovambo ist im scharfen Gegensatz zu der mehr patriarchalischen unter den Herero und Hottentotten eine rein despotische Herrschaft der Häuptlinge, die sich von jeher in der ganz willkürlichen und oft sehr grausamen Behandlung der

Untertanen scharf ausgeprägt hat. So war noch bis in die neuere Zeit auch das deutsche Amboland der Schauplatz eines lebhaften Sklavenhandels, der von portugiesischen Händlern von Norden her unterhalten wurde. Es ist vor= gekommen, daß an einem Tage hunderte von Ovambo gegen Branntwein, Gewehre, Munition, Pferde und ähnliches von ihrem Häuptling an portu= giesische Händler verkauft wurden, und das Ansehen und die Unantastbarkeit, die der Häuptling unter dem Schutze religiöser Anschauungen genießt, ist so groß, daß wohl in allen Fällen die mißhandelten und in ihren Menschen= rechten mißachteten Untertanen sich ohne jeden Widerstand in ihr Schicksal ergeben haben. Dabei ist den Ovambo unter der Führung und auf Geheiß ihrer Häuptlinge eine nicht zu unterschätzende Widerstandskraft und zu Zeiten auch Angriffslust zu eigen. Verschiedenfach haben portugiesische militärische Expeditionen starke Niederlagen durch sie erlitten, die wettzumachen den Portugiesen erst in den allerletzten Jahren gelungen ist, ohne daß übrigens der portugiesische Einfluß unter den Ovambostämmen ihres Gebiets durch diese Teilerfolge wesentlich gewonnen hätte.

Die deutsche Regierung stand lange Jahre hin= durch in keinen Beziehungen zu den Ovambo, die allerdings auf der Landkarte deutsche Untertanen waren, aber dies weder selbst wußten, noch es anerkannt haben würden, wenn

F. Seiner phot.

Niederungswald=Landschaft aus dem deutschen Bifurcationsgebiet.

F. Seiner phot.

Der Flußteich Omkolesi (Maschi).

sie es gewußt hätten. Sie hatten sich vielmehr den Weißen gegenüber stets sehr ablehnend verhalten und einer in früheren Jahren beabsichtigten Burenansiedlung bei Grootfontein die größten Schwierigkeiten bereitet. Auch die finnische Missionsgesellschaft, die im Jahre 1870 im Ambolande zu arbeiten begann, mußte dieselbe Erfahrung machen, so daß häufiger Missionare gezwungen wurden, zu flüchten, um nur das nackte Leben zu retten.

Bezeichnend ist, was General Leutwein über seine ersten Beziehungen zu den Ovambo erwähnt. Er sagt, daß er während der Dauer seiner Amts= zeit verschiedenfach mit den bekanntesten Häuptlingen, Kambonde, Nechale, Uejulu und Negumbo in Briefwechsel gekommen sei, zum ersten Male während einer Reise in das Nordgebiet im Jahre 1895, zu einer Zeit, in der die Kunde von der Niederwerfung Hendrik Witboois und von der Erstarkung der deutschen Herrschaft die Ovambo in begreifliche Erregung versetzt hatte, so daß sie in Erwartung der Deutschen bereits Kriegsvorberei= tungen trafen. Der General schrieb damals an den im allgemeinen als fried= fertig bekannten Kambonde, daß er, aus Mangel an Zeit, bedauerlicherweise nicht die Möglichkeit habe, ihn zu besuchen und versicherte ihn dabei seiner durchaus friedlichen Gesinnung. Einige Monate später traf dann durch Vermittlung der Mission die Antwort des Häuptlings ein, die besagte, daß alles, was der Gouverneur geschrieben habe, ja sehr schön sei, daß er (Kambonde) aber doch wünsche, den Gouverneur in seinem ganzen Leben nicht zu sehen. Denn die Deutschen kämen zwar mit freundlichen Worten, wenn sie aber da seien, so wollten sie die Zügel der Regierung ergreifen, und das könne er vorläufig noch allein.

Erst nach dem Jahre 1900 wurden dann gewisse Beziehungen aufgenommen durch die Reisen einiger deutscher Offiziere, die mit aller Vorsicht durchgeführt wurden, um die Ovambo nicht zu erregen, aber um doch einen Einblick in die Verhältnisse zu gewinnen. Beraubungen deutscher Händler, die im Amboland vorgekommen waren, führten im Jahre 1901 beinahe zu einem kriegerischen Zusammenstoß, und im Jahre 1903 trat ein solcher in der Tat ein, als Oberleutnant Volkmann von Grootfontein aus einen Zug unternahm, um ein von den Ovambo geraubtes Burenmädchen zu befreien, nachdem die Familie eines deutschen Ansiedlers im Norden ermordet worden war. In den ersten Monaten des Hereroaufstandes, im Februar 1904, erfolgte dann der Angriff des Häuptlings Nechale auf die deutsche Station Namutoni an der Etosapfanne, der leider infolge der schwierigen politischen Verhältnisse ungerächt bleiben mußte.

Trotzdem sind die Beziehungen zu den Ovambo in den letzten Jahren engere und freundschaftlichere geworden, als sie es früher waren, wozu nicht zum wenigsten die Niederwerfung der Herero und der Hottentotten beigetragen hat.

Der wirtschaftliche Wert des Ambolandes ist ein großer. Der Forstassessor Dr. Gerber, der im Auftrage der Regierung das Amboland besuchte, sagt hierüber: „Es ist das geeignetste Land für Baumwolle, Tabak, Feigen und Datteln; es geben dies selbst Missionar Pettinen in Omandangua für Baumwolle, Missionar Wulfhorst für Tabak und Feigen zu; nur sind wir alle der Meinung, daß nur große Plantagen rentieren können. Und nun kommt für mich noch ein Hauptgrund: wir haben hier ein arbeitskräftiges, gesundes und zahlreiches Volk. So sind hier einzelne Familienwerfte, wo von einer Familie 15 bis 20 ha große Äcker von Hirse, Korn usw. angelegt sind, und dies ohne Pflug, mit den primitivsten Werkzeugen. Das ganze Land ist ein Acker, Werft an Werft, um jede Werft größere Äcker, nie unter 5 bis 6 ha."

Ein noch ungleich günstigeres Urteil wird über das Ost-Amboland, das Okavangotal, gefällt, in dem die Eingeborenen ebenfalls Tabak, Mais, Hirse,

Korn und zahlreiche Hülsenfrüchte bauen. Werft reiht sich hier an Werft am Talrande; der fruchtbare Boden gibt, ohne daß er gedüngt wird, jährlich zwei Ernten, und zahlreiche Fruchtbäume, die bei uns unbekannt sind, tragen zur Ernährung der Bevölkerung bei. Auch die Fauna ist sehr reichhaltig. Große Rudel von Bastardgemsböcken, von Hartebeesten, Rooiböcken, von Riet- und Wasserböcken und Zebras bevölkern die Uferdickichte und die anliegenden, höher gelegenen Grassteppen. Zahllos ist auch die Vogelwelt und vor allem

F. Seiner phot.

Blick auf das Otavangotal mit dem Gwawesikanal.

das Wassergeflügel, während das afrikanische Großwild, Elefant, Rhinozeros und Flußpferd auch hier bereits selten geworden ist.

Über dieses Gebiet verdanken wir Herrn Franz Seiner (Graz), der in den Jahren 1905 und 1906 das Gebiet zwischen Otavango und Sambesi bereiste, die wertvollsten Aufschlüsse, trotzdem sich die Häuptlinge der hier wohnenden Eingeborenenstämme, vor allem der Marutse und der Mambukuschu, zum Teil recht ablehnend verhielten. Die in 106 Marschtagen und während 10 tägiger Bootfahrten auf den Fluß- und Sumpfstrecken jenes Gebietes zurückgelegte Wegelänge betrug rund 2800 km. Herr Seiner erwähnt, daß die reicheren Niederschläge der Nordkalahari namentlich in der tropischen Vegetation der Sandsteppen zum Ausdruck kämen. Der südliche

Teil dieser Gebiete wird von einem hochstämmigen Trockenwald, dem tropischen Burkeawald, eingenommen, der sich scharf von der Buschvegetation der nach Süden anschließenden Gebiete unterscheidet. Seiner bezeichnet als den südlichsten Teil der Nordkalahari das Amboland, das Gabfeld (nördlichster Teil der Omaheke zwischen Etosapfanne und Omurambo Omatako), das nordwestliche Kaukaufeld, das Kungfeld und Bifurcationsgebiet. Das bereiste Okavango=Sambesigebiet, wird dann weiter gesagt, gehört zur südlichen Rand= zone der Nordkalahari und zerfällt in folgende natürliche Landschaften: Tal und Ärmelland des Okavango, Bifurcationsgebiet, Maschital, Flußlandschaft des Linjanti, Flußlandschaft des Sambesi, Linjantibecken, Hokwefeld, Mave= feld und Holubs=Albertsland (Sambesital samt den begrenzenden Höhenrücken, von den Inkarata= und Linjantischnellen talabwärts bis zu den Viktoriafällen).

Die Niveauunterschiede dieser Gebiete sind ebenso wie im westlichen Ambolande äußerst gering, sie schwanken zwischen 920 m Seehöhe (Linjanti= mündung) und 1060 m (Libebe). Das Okavangobecken zieht sich daher von der Ngamiseefläche bis zum Linjantibecken und diesem folgend bis an den Sambesi als fast vollkommen ebene Fläche hin. Auch Seiner stellt fest, daß sich die Flußlandschaften und ihre Überschwemmungsgebiete zur Massen= produktion von Baumwolle, Reis, Sesam, Zuckerrohr, Erdnüssen, Mais, Korn und Tabak in hervorragender Weise eignen. In der Regenzeit ist Ackerbau ohne künstliche Bewässerung möglich. „Die wirtschaftliche Zukunft des Gebietes — wird hier ausgeführt — beruht in erster Linie auf der Ein= geborenenproduktion, die um so entwicklungsfähiger ist, als das zur Kultur nötige Vieh im Lande selbst gezogen werden kann und in den nördlichen und östlichen Nachbargebieten in großer Zahl vorhanden ist." Allerdings ist der Viehstand infolge der Rinderpest gering.

Die Bevölkerung des etwa 26 000 qkm großen Gebiets beträgt etwa 24 000 Köpfe, ist also eine spärliche. Den Hauptteil der Bevölkerung bilden die zu den Bantu gehörigen Mambukuschu, Majubia, Mafe, Majéi, Mam= balankwe und Matoka mit 250 Dörfern und 22 000 Köpfen, ferner die Betschuanen (Makalahari, Batauana und Barolong), die in 3 Dörfern noch nicht 250 Köpfe zählen, und endlich die Buschmänner, mit 10 Dörfern und 1800 Seelen. Die stark schwankende Zahl der meist aus Buren bestehenden Weißen, die sich vor allem am Sambesi aufhalten, wird 100 nicht übersteigen.

Über das Vorkommen abbauwürdiger Mineralien spricht sich Seiner dahin aus, daß nur eine entsprechend ausgerüstete geologische Expedition Auf= schluß bringen könne. Gelegentlich eines im Jahre 1908 unternommenen

Zuges des Hauptmanns Franke in das Gebiet des Caprivizipfels tauchten in Deutschland Nachrichten über das Auffinden von Kohle und Blaugrund auf. Diese Nachrichten haben sich aber nicht bestätigt. In neuester Zeit hat die Regierung den Hauptmann Streitwolf in das nordöstliche Gebiet gesandt, um vorbereitende Maßnahmen für die dauernde Stationierung eines Regierungsvertreters zu treffen.

Jedenfalls muß es als dringend erwünscht bezeichnet werden, die Lösung der sogenannten Ovambofrage und die Erschließung des Gebietes am Otavango-Sambesi auf friedliche Weise zu bewirken, allein schon deshalb, um sich das hier bestehende große Reservoir einer intelligenten und kräftigen Arbeiterbevölkerung zu erhalten. Wir können die Betrachtung der nördlichsten Teile unseres Schutzgebiets mit dem Hinweis schließen, daß diese für Ackerbau und tropische Agrikultur durchaus geeigneten Landschaften eine glückliche Ergänzung zu den südlicheren Steppenländern bilden. In erster Linie wird es sich allerdings darum handeln, sie durch den Bau einer Eisenbahn, deren etwaiger Anschluß an die Kap—Kairobahn in der Gegend der Viktoriafälle naheliegt, zu erschließen. Dann werden auch diese Gebiete dazu beitragen, das Bild Deutsch-Südwestafrikas zu vervollkommnen und dahin abzurunden, daß wir in dieser Kolonie ein Land besitzen, das zwar nicht für eine Massenauswanderung, wohl aber für viele Tausende deutscher Familien eine neue Heimat, ein Neu-Deutschland in Südafrika bilden wird.

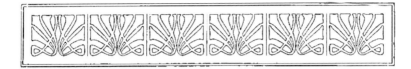

Perſonen= und Sachregiſter.

28*

449

Hartmann, Dr. 191, 211, 419.
Hafuur 317, 319.
Heidmann, Miffionar 59, 72, 192.
Heldt, Premierleutnant 187, 198.
Heller, Feldwebel 63, 125.
Helm, Leutnant 190, 214.
Hendrik Witbooi 10, 16, 34, 54, 65, 72, 103, 108, 125, 130—180, 185, 213, 236, 269, 299, 303, 305, 318, 320.
Herero, Die 7, 9, 194, 209, 238, 244, 261, 268, 277, 321.
    Charakter 110.
Hermann, Farmer 197, 216.
Hermanus van Wijt 16, 40, 48, 59.
Heuck, Hauptmann 337.
Heublein, Oberleutnant 343.
Heyde, v. d., Major 277, 292, 321.
Heydebreck, v., Hauptmann 242, 270, 298.
Heydebreck, v., Premierleutnant 79, 176, 181, 184, 190.
Hoachanas 185, 303, 319.
Hochtritt, Reiter 163.
Hokwefeld 432.
Holländer, Die 3.
Homsdrift 242.
Hopemine 414.
Horebis, Überfall bei 75
Hornhardt, v., Hauptmann 337, 341.
Hornkranz 47, 56, 67, 81.
Hornkranz, Erstürmung 35.
Hottentotten 4, 7.
    Fechtweife 52.
Huduprivier 304, 318.

J.

Jagd 116, 118, 121.
Jager Afrikaner 9.
Jakalsfontein 227.
Jamuschewski, Unteroffizier 290.
Jerufalem 331.
Jobst, Leutnant 241.
Johannes Chriftian 315, 321, 330, 337, 348.
Johannes Diergaard 40.
Jonker Afrikaner 9, 59.
Jrle, Miffionar 211.
Jfaak Witbooi 320.
Judt, Miffionar 378.

K.

Kabelanfchluß 228.
Kageneck, Graf, Leutnant 218, 242, 243.
Kahimemua 206, 219, 222.
Kaifer, Hauptmann 233.
Kalaharifteppe 12, 181, 185, 305, 431.
Kamaams 325.
Kambazembi 188, 212.
Kambonde 429.
Kambreck 341.
Kamelzucht 375.
Kampß, v., Major 311, 317.
Kanas 326.
Kanibeb 318.
Kanikoutes 22, 88.
Kaokofeld 53, 197, 235.
Kap der guten Hoffnung 3.
Kap Croß 2, 190, 402.
Kapkolonie 3, 13.
Karasberge 241, 304, 311, 312, 322, 342.
Karibib 187.
Katholifche Miffionsgefellfchaften 407.
Kecker, Oberleutnant 227.
Keetmanshoop 108, 236, 302, 326.
Keil, Reiter 176.
Khauas-Hottentotten 60, 65, 105, 183, 185, 195, 206, 214.
Kimberley 11, 416.
Kirchner, Hauptmann 310, 311, 312.
Kirschner, Reiter 56.
Klein, Hauptmann, 299.
Kleinfiedlung 390.
Kliefoth, Hauptmann 251, 321.
Klippdachs 45.
Koblenz 278.
Koch, Geheimrat 225.
Kochas 315.
Koes 306, 319.
Kohle 414, 433.
Köhler, Affeffor 30, 63.
Kohlftock, Stabsarzt 225.
Kolonialgefellfchaft für Südweftafrika 190, 420.
König, Unteroffizier 57, 172.
Koi-Koin 4, 7.
Koppy, v., Hauptmann 241, 301, 311, 314, 317, 319, 331.
Kouchanas 312.

Verlag der Königl. Hofbuchhandlung von E. S. Mittler & Sohn, Berlin

Die Kämpfe der deutschen Truppen in Südwestafrika

Auf Grund amtlichen Materials bearbeitet vom Großen Generalstab

1. Band:	2. Band:
Der Feldzug gegen die Hereros	**Der Hottentotten= krieg**
Mit 24 Abbildungen und 18 Skizzen	Mit 47 Abbildungen und 33 Skizzen

In geschmackvollen Einbänden mit Golddruck M 4,80

Vor unseren Augen entrollen sich beim Lesen all die herrlichen über alles Lob erhabenen Beweise des Mutes und der Tapferkeit der Führer und der begeisterten Geführten. Den Frauen gebührt nicht minder Bewunderung, nicht nur still und mutig ertrugen sie die Schreck= nisse des Aufstandes, sondern sie griffen auch tätig mit zu und standen ihren Männern voll Aufopferung zur Seite. **Leipziger Zeitung.**

Elf Jahre Gouverneur in Deutsch=Südwestafrika

Von Theodor Leutwein
Generalmajor und Gouverneur a. D.

Dritte Auflage :: Mit 176 Abbildungen u. Skizzen

M 11, , elegant gebunden M 13,—

Eine Fülle von Material stand dem Verfasser zu Gebote, das er in über= sichtlich angeordneter Einteilung bringt und das sein Werk sehr viel= seitig macht. Indem es für ihn zurückliegende Zeiten und Begebenheiten sind, die er an sich vorüberziehen läßt, schaut der Verfasser mit dem objektiven, weiteren Blick des Geschichtsschreibers die Verhältnisse und Menschen des interessanten Landes an und fügt sie zu einem **lebensvollen Bilde, das als Beitrag zur Geschichte** der Kolonie einen unbestrittenen Wert hat. **Deutsches Kolonialblatt.**

Verlag der Königl. Hofbuchhandlung von E. S. Mittler & Sohn, Berlin

Was Afrika mir gab und nahm

Erlebnisse einer deutschen Ansiedlerfrau in Südwestafrika

□ Von **Margarethe v. Eckenbrecher** □

Fünfte Auflage   Mit 16 Bildertafeln und einer Karte
M 4,—, geschmackvoll gebunden M 5,—

Das mit vielen ansprechenden Bildern geschmückte Werkchen fesselt den Leser von der ersten bis zur letzten Seite. Wir durch=
leben mit der Verfasserin die hoffnungsvollen Jahre der Gründung des
eigenen Hauswesens, der Anlage und des Ausbaues der einsamen
Farm. Und erschüttert stehen wir vor der Katastrophe, die durch den
plötzlichen Aufstand der Hereros über sie hereinbricht, alles mühsam Er=
rungene vernichtet und Mann und Frau die schwersten Prüfungen auferlegt,
bis sie sich durch ein gütiges Geschick nach der alten Heimat retten können.
Das Werk bildet eine wertvolle Ergänzung zu jedwedem bisherigen
Buche über Südwest. Das fesselnde Buch sei der deutschen Frauenwelt
warm empfohlen.   Hamburger Correspondent.

Wo sonst der Fuß des Kriegers trat

Farmerleben in Südwest nach dem Kriege

□ Von **Maria Karow** □

Mit zahlreichen Abbildungen und einer Karte
In geschmackvollem Geschenkeinband M 5,

Ein neues eigen= und einzigartiges Buch über Südwestafrika und
noch dazu von einer Dame! Es ist das Buch, dessen wir schon
lange bedurft haben, um unseren Frauen und Mädchen ein klares,
lebenswahres Bild von dem Leben in Südwest zu geben, das die erwartet,
die in frischem Wagemut hinausziehen, um mitzuhelfen und mitzubauen an
dem größeren Deutschland fern überm Meer.   Hamburger Nachrichten.

======== Vom Verfasser dieses Buches sind erschienen: ========

Verlag der Königlichen Hofbuchhandlung von E. S. Mittler & Sohn,
Berlin SW68, Kochstraße 68–71:

Mit Schwert und Pflug
in Deutsch=Südwestafrika

Vier Kriegs= und Wanderjahre. 2. Auflage. 1904.

Dienst und Kriegführung
in den Kolonien
und auf überseeischen Expeditionen.

1903.

Ferner erschienen:

Verlag von W. Weicher, G. m. b. H., Berlin W.0, Haberlandstraße 4:

Taschenbuch für Südwestafrika 1908, 1. Jahrgang
=   =   =   1909, 2.   =
=   =   =   1910, 3.   =

(Herausgeber, zusammen mit Stabsarzt Dr. Kuhn und Dr. med. Jock sowie zahlreichen Mitarbeitern.)

Taschenbuch für Ostafrika 1910, 1. Jahrgang

(Herausgeber, zusammen mit Bezirksamtmann von St. Paul Illaire und Stabsarzt Dr. Kuhn sowie zahlreichen Mitarbeitern.)

Verlag von C. A. Weller, Berlin SW, Lindenstraße 71/72:

Der Krieg in Deutsch=Südwestafrika 1904—1906. 1907.

Verlag der Verlagsanstalt für Farbenphotographie Weller & Hüttig,
Berlin SW, Lindenstraße 71/72:

Die Deutschen Kolonien mit über 250 Farbenphotographien nach der
Natur, 40 Tafelbildern und über 210 Textbildern. 1909/1910. Im Erscheinen
begriffen.
(Herausgeber; Mitarbeiter: Major Bethe, Hauptmann Dominik, Prof. Dr. Fritsch,
Direktor Hupfeld, Prof. Dr. Krämer, Stabsarzt Dr. Kuhn, Prof. Dr. Paasche,
Hauptmann Ramsay, Hauptmann Volkmann.)

Gedruckt in der Königlichen Hofbuchdruckerei von E. S. Mittler & Sohn, Berlin SW68, Kochstraße 68–71.

DEUTSCH-SÜDWESTAFRIKA.

1:5 000 000

464